WOLFSBLAD

EERSTE KRONIEK — MARLA WOLFSBLAD

JENNIFER FALLON

WOLFSBLAD

EERSTE KRONIEK — MARLA WOLFSBLAD

LUITINGH-FANTASY

Uitgeverij Luitingh en Drukkerij HooibergHaasbeek vinden het belangrijk om op
milieuvriendelijke en verantwoorde wijze met natuurlijke bronnen om te gaan

© 2010 Nederlandse vertaling
Uitgeverij Luitingh ~ Sijthoff B.V., Amsterdam
Alle rechten voorbehouden
Oorspronkelijke titel: *The Hythrun Chronicles 1 – Wolfblade*
Vertaling: Richard Heufkens
Omslagontwerp: Karel van Laar
Omslagillustratie: Jesse van Dijk

ISBN 978 90 245 3197 4
NUR 334

www.boekenwereld.com
www.dromen-demonen.nl
www.watleesjij.nu

Voor Glennis
en, zoals altijd,
Adele Robinson

Een kik zou hem zijn leven kosten. Als Crys in gevaar was, als hij niet inzag dat vrouwe Alija een court'esa nooit in leven zou laten als die kon getuigen van haar rechtstreekse betrokkenheid bij de moord op Ronan Dell... nou, broer of niet, maar Elezaar was niet van plan dat gevaar met hem te delen. Trouwens, het was heel goed mogelijk dat de man gewoon zijn hand in een wat comfortabeler positie had gebracht...

De dolk van de kapitein trof Crys zonder waarschuwing. Elezaars broer had niet eens de tijd om te schreeuwen. Zakelijk doeltreffend stak de soldaat het mes onder de ribbenkast van de slaaf omhoog in zijn hart. Elezaar beet zo hard op zijn lip dat die bloedde en draaide zijn gezicht naar de muur. Hij kon niet aanzien wat hij had zien aankomen en onmogelijk had kunnen voorkomen. Hij hoorde Crys vallen. Hij hoorde het kraken van leer toen de kapitein zich bukte om zich ervan te vergewissen dat Crys dood was, hoorde het wegstervende stampen van laarzen en sloffen van sandalen over de geboende vloeren toen de soldaten vertrokken, Crysanders lijk achter zich aan slepend.

Nog lange tijd bleef Elezaar met zijn gezicht naar de muur zitten.

Het werd al donker toen Elezaar zich weer durfde te verroeren.

Deel I

Het einde van de onschuld

1

Het gaf altijd rommel, opruimen na een moord. Er was meer te doen dan alleen bloed van de tegels te spoelen. Er waren allerlei ongemakkelijke losse eindjes aan elkaar te knopen – er moest voor alibi's worden gezorgd, er moesten verraders worden betaald, er moesten getuigen tot zwijgen worden gebracht...

En dat, wist Elezaar, was het probleem. Hij was zojuist getuige geweest van een moord.

Een mild, vochtig briesje duwde tegen het gordijn voor de nis waarin de dwerg zich verborgen hield terwijl het geluid van stampende laarzen galmde over de tegelvloer van het landhuis. De wind voerde een vage visgeur mee vanuit de haven, ranzig en afstotelijk. Of misschien was het niet de baai hier vlakbij die Elezaar rook. Misschien bevond het bederf dat hij rook zich wel hier. Misschien hadden de zwaarden van de moordenaars van zijn meester ergens een ader geraakt en was de stank afkomstig van het morele verval dat uit de muren van dit huis sijpelde en alles doordrong wat het raakte.

Nog nabevend van de spanning duwde Elezaar het gordijn een fractie opzij en keek de kamer in. Het lijk van zijn meester lag op de met bloed doordrenkte zijden lakens, het hoofd bijna gescheiden van het lichaam door de woeste slag die een einde had gemaakt aan zijn leven. Op de vloer lag aan zijn voeten nog een lijk. Een slavin. Ze was nog maar zo kort in huis dat Elezaar haar naam nog niet eens wist. Ze was pas twaalf of dertien; haar ranke, gehavende lichaam was nog in de jonge bloei van vrouwelijkheid. Of was gewéést, eigenlijk. Zo had de meester hen het liefst: jong, aantrekkelijk en doodsbang. Elezaar wist niet meer hoeveel meisjes zoals zij er naar deze overdadig versierde gruwelkamer waren gebracht. Nacht in, nacht uit had hij hen horen gillen terwijl hij wanhopig bleef doorspelen op zijn luit, achtergrondmuziek verzorgend voor hun kwelling terwijl hij zijn oren sloot voor hun geschreeuw om genade...

Dit was geen subtiele aanslag, besloot de dwerg in een bewuste poging de herinneringen buiten te sluiten. Dit was flagrant. Op klaarlichte dag. Om de hoogprins uit te dagen.

Niet dat de aanval geheel onverwacht kwam. Elezaars meester, Ronan Dell, behoorde tot de beste vrienden van de hoogprins – vooropgesteld dat je hun bizarre, vaak explosieve omgang vriendschap kon noemen. Naar Elezaars mening was het eerder dat zijn meester en de hoogprins allebei genoten van perverse genoegens en het leed van andere mensen dan dat ze elkaar graag mochten. Slechts weinigen in Groenhaven zouden de dood van Ronan Dell betreuren. Geen slaaf in zijn huishouden zou hem missen, kon Elezaar met een gerust hart verklaren. Maar al hadden de slaven van heer Ronans huis staan juichen toen de mannen het landhuis hadden bestormd, – was dat nog maar een uur geleden? – ze schoten er maar weinig mee op door een ander trouw te zijn. Slaven, ook de dure, exotische exemplaren zoals Elezaar, waren te gevaarlijk om in leven te houden. Vooral wanneer ze konden getuigen van een moordaanslag.

Elezaar veegde zijn klamme handen af aan zijn broek, stapte de nis uit en liep voorzichtig door de chaos van verscheurd beddengoed en kapot glas naar de deur. Hij deed hem op een kiertje en gluurde naar buiten. Behalve een omgevallen sokkel en een kapotte vaas was er in de gang niets te zien, maar er waren nog steeds soldaten in huis. In de verte hoorde hij hen schreeuwend jacht maken op de laatste leden van de huishouding.

Verscheurd van besluiteloosheid bleef Elezaar in de deuropening staan wachten. Moest hij hier blijven, uit het zicht? Waar hem niets kon overkomen? Of moest hij zich door de gangen wagen? Kijken of hij iemand kon vinden die nog leefde? Misschien hadden de moordenaars het bevel gekregen de onschuldigen te sparen. De dwerg glimlachte zuur. Als hij soms dacht dat er een kans bestond dat de slaven van het huis zouden worden gespaard, kon hij zich net zo goed wijsmaken dat de moordenaars het bevel hadden hen allemaal te bevrijden.

Misschien, dacht Elezaar, *moest ik toch maar hier blijven. Misschien steken de soldaten de boel niet in brand voordat ze weggaan.* Misschien kon hij ontsnappen. Misschien had Crys zich ergens weten te verstoppen. Misschien was er toch nog een kans dat ze echt vrij waren, nu hun meester dood was. Als iedereen dacht dat Crysander de court'esa en Elezaar de dwerg bij het bloedbad waren omgekomen...

Ik moet hier weg. Ik moet Crys zoeken. Elezaar verstijfde bij het horen van voetstappen in de gang, gehaast maar onverschrokken. Hij maakte zich klein tegen de muur en hield zijn adem in. Met slechts een streepje uitzicht op de gang wachtte hij tot het gevaar voorbij was. Er verscheen iemand in zijn beperkte gezichtsveld. Zijn hart kromp ineen...

Bijna begon hij te huilen van opluchting toen hij zag wie het was. 'Crys!'

De lange court'esa draaide zich om toen de dwerg hem luid sissend riep.

'*Elezaar?*'

'De goden zij dank, je leeft nog!' riep Elezaar uit. Steels links en rechts door de gang kijkend kwam hij achter de deur vandaan.

'Het is een wonder dat jíj nog leeft,' reageerde Crys, blijkbaar onbezorgd over het gevaar waarin hij kon verkeren. 'Hoe ben jij ontkomen?'

'Ik ben klein en lelijk, Crys. Of ze zien me niet, of ze denken dat ik gek ben. Hoe komt het dat jij bent gespaard?'

Crys gaf niet meteen antwoord. Elezaar keek hem nieuwsgierig aan. De broers hadden altijd goed met elkaar kunnen opschieten, ook al waren ze sinds hun jeugd in hun positie als slaaf vaak van elkaar gescheiden geweest. Dit was zelfs de eerste keer dat ze allebei in hetzelfde huishouden dienden. Beiden hadden het contact echter geminimaliseerd. Het was beter dat je een meester niet nog meer macht over je gaf dan hij al had, vooral een meester als Ronan Dell. Crysander was een ontzettend knappe jongeman, met zijn donkere ogen en lang donker haar. Hij was ook gezegend (of vervloekt) met de slanke lichaamsbouw die zo aantrekkelijk was voor meesters die wilden dat hun slaven beschikten over alle vaardigheden van een goed opgeleide court'esa en toch de indruk wekten dat ze nog maar jonge knullen waren. Crys had in dienst van Ronan Dell veel geleden, bijna net zoveel als Elezaar. Maar dan op andere manieren. En om andere redenen.

De jongeman keek op Elezaar neer en glimlachte verontschuldigend toen hij het begrip zag dagen op het gezicht van de dwerg. Elezaar snakte naar adem. *Geen wonder dat Crys niet bang is. Hij had niets te duchten van de moordenaars. Hij hoort bij hen.*

'Je hebt mijn meester verraden.' Het was geen vraag, niet eens een beschuldiging. Het was een vaststelling. Een simpel feit.

'Helemaal niet,' zei Crys. 'Ik ben onze meester altijd trouw gebleven.'

Plots herinnerde Elezaar zich de borstplaten van de soldaten die de slaapkamer van Ronan Dell waren binnengedrongen. Het adelaarswapen van de provincie Dregian. In alle spanning had hij nog geen tijd gehad om daaraan te denken.

'Wij waren van Ronan Dell, Crys.'

'Jíj was van het Huis Dell, Elezaar. Ik ben altijd van Huis Arendspiek geweest.'

'En hoe luidt het oude gezegde ook alweer? Hoed u voor de geschenken van een Arendspiek?' Elezaar zweeg abrupt toen er voetstappen naderden. 'We moeten ons ergens verstoppen!'

'Het is nergens voor nodig...' begon Crys, maar voordat hij verder kon spreken, kwam er een peloton soldaten de hoek om. Paniekerig vroeg Elezaar zich af of het nog wel zin had om het op een lopen te zetten. Geen enkele, besefte hij algauw. Crys kon misschien nog ontsnappen, maar met zijn korte, gedrongen beentjes was hij zo door de soldaten ingehaald. De dwerg keek weer omhoog naar Crys, maar de jongeman maakte geen bange indruk. Hij duwde Elezaar gewoon terug de kamer in, uit het zicht, en draaide zich om naar de kapitein van het peloton naderende indringers. Met bonzend hart leunde Elezaar tegen de muur, zich afvragend hoe lang het zou duren voordat hij werd gepakt. Crys kon hem verraden in een misplaatste poging te bewijzen dat hij trouw was aan vrouwe Alija. Crys kon hem verraden om zijn eigen hachje te redden.

Maar misschien ook niet. Hij was tenslotte Elezaars broer.

'Hebben jullie hen allemaal gevonden?' vroeg Crys toen de soldaten vlak bij hem bleven staan.

Elezaars hart ging zo tekeer dat het in de gang hoorbaar moest zijn. Door de kier van de deur zag hij de kapitein zijn zwaard in de schede steken en op Crys af lopen.

'Zevenendertig slaven,' bevestigde de man. 'Allemaal dood. Het moesten er achtendertig zijn, met de dwerg erbij. Die hebben we niet gevonden.'

'Dat kan wel kloppen,' zei Crys. 'Die is allang weg.'

'Mijn vrouwe wilde niemand levend achterlaten,' bracht de kapitein hem in herinnering.

'Geen geloofwaardige getuigen,' verbeterde Crys. 'Al ging de nar vanavond op het bal in het paleis van de hoogprins op een tafel staan schreeuwen wat hij hier allemaal had gezien, dan nog zou niemand hem geloven. Maakt u zich maar geen zorgen over de dwerg.'

De soldaat keek weifelend, maar Elezaar kreeg het idee dat de tijd voor hen begon te dringen. En het was ook wel te geloven dat zo'n gedrocht van een dwerg te dom was om te getuigen van hun misdaden. Als hij zich al lang genoeg in leven wist te houden, in de stad op straat.

'Het zal wel,' stemde de kapitein aarzelend in. 'En jij?'

Crys haalde zijn schouders op. 'Mijn lot staat al dagenlang vast. Ik ben verkocht. Als het bal ter ere van het Feest van Kaelarn begint, vanavond op het paleis, zit ik al uren veilig achter slot en grendel in Venira's Korf tegen de tijd dat jullie werk hier is ontdekt.'

'Dan zijn we hier klaar,' stemde de kapitein in, en zijn hand ging van het gevest van zijn zwaard naar de dolk aan zijn riem. Elezaar zag de beweging – de taille van de kapitein bevond zich op zijn oogniveau – en deed zijn mond open om een waarschuwing te roepen...

Toen deed hij hem gauw dicht. Een kik zou hem zijn leven kosten. Als Crys in gevaar was, als hij niet inzag dat vrouwe Alija een court'esa nooit in leven zou laten als die kon getuigen van haar rechtstreekse betrokkenheid bij de moord op Ronan Dell... nou, broer of niet, maar Elezaar was niet van plan dat gevaar met hem te delen. Trouwens, het was heel goed mogelijk dat de man gewoon zijn hand in een wat comfortabeler positie had gebracht...

De dolk van de kapitein trof Crys zonder waarschuwing. Elezaars broer had niet eens de tijd om te schreeuwen. Zakelijk doeltreffend stak de soldaat het mes onder de ribbenkast van de slaaf omhoog in zijn hart. Elezaar beet zo hard op zijn lip dat die bloedde en draaide zijn gezicht naar de muur. Hij kon niet aanzien wat hij had zien aankomen en onmogelijk had kunnen voorkomen. Hij hoorde Crys vallen. Hij hoorde het kraken van leer toen de kapitein zich bukte om zich ervan te vergewissen dat Crys dood was, hoorde het wegstervende stampen van laarzen en sloffen van sandalen over de geboende vloeren toen de soldaten vertrokken, Crysanders lijk achter zich aan slepend. Nog lange tijd bleef Elezaar met zijn gezicht naar de muur zitten.

Het werd al donker toen Elezaar zich weer durfde te verroeren. In de kamer des doods waar hij zat, wemelde het inmiddels van de zoemende vliegen die waren aangetrokken door het voor hen uitgestalde banket.

Verlamd van angst had Elezaar de tijd toch goed benut. Zijn lichaam was roerloos, maar zijn geest had op volle toeren gedraaid om het ene na het andere plan te formuleren en te verwerpen.

Als eerste moest hij een veilig heenkomen zoeken, en voor een court'esa die was gebonden aan een huis dat zojuist was weggevaagd, zou dat niet meevallen. De slavenhalsband die hij droeg, zou hem meteen verraden als hij de stad in vluchtte. En al vond Elezaar zijn toevlucht onder de daklozen en verschoppelingen in de straten van Groenhaven, dan nog hadden die het zelf veel te moeilijk om hem lang onderdak te bieden. Vooral als het lonend was om hem aan te geven.

Nee. Als hij dit wilde overleven, had hij bescherming nodig. En Elezaar was van plan om dit te overleven. Hij had een rekening te vereffenen. Zijn broer mocht dan zo dom zijn geweest te denken dat hij de ene meester voor de andere kon inwisselen, maar zijn leven was meer waard geweest dan een messtoot in de buik om hem het zwijgen op te leggen.

Bescherming. Dat had Elezaar nodig. Maar wie zou een slaaf beschermen? Of liever gezegd: wie zou een gelorongde court'esa beschermen? Die nog een dwerg was ook?

Iemand die daar beter van wordt, besefte Elezaar. Wat had Crys tegen de kapitein gezegd? *Mijn lot staat al dagenlang vast. Ik ben verkocht. Als het bal ter ere van het Feest van Kaelarn begint, vanavond op het paleis, zit ik al uren veilig achter slot en grendel in Venira's Korf tegen de tijd dat jullie werk hier is ontdekt.*

Eindelijk vatte Elezaar de moed om ergens heen te gaan. *Venira, de slavenhandelaar*, dacht hij terwijl hij de deur opende. Hij bleef staan en keek naar de plas van Crys' bloed op de vloer. Even werd zijn blik wazig van tranen. Ongeduldig veegde Elezaar ze weg. Hij was te gehard om te rouwen om zijn broer. Daar had hij al te veel voor geleden. De dwerg wendde zijn blik af en dwong zichzelf door te lopen. Het was bijna donker. Als hij na de avondklok voor slaven alleen op straat werd betrapt, zat hij lelijk in de penarie. Er kon ook iemand komen zoeken naar Ronan Dell. Die werd vanavond verwacht op het bal. De hoogprins kon iemand sturen om hem te gaan halen als hij niet op kwam dagen.

En Venira's Slavenkorf ging bij zonsondergang dicht. Als Elezaar niet bij het slavenhuis was voordat de handelaar de zaak sloot, liep hij het risico een nacht op straat te moeten doorbrengen, en dat zou hij zeker niet overleven.

Veiligheid, wist Elezaar, kon hij vinden bij de slavenhandelaar. Die had immers al betaald voor een gelorongde court'esa van Ronan Dell. Elezaar zou ervoor zorgen dat Venira zijn koopwaar kreeg. Zoals afgesproken.

Alleen niet de court'esa die hij had verwacht.

2

Vanaf het balkon boven aan de grote trap van Paleis Groenhaven kon je morgen zien. Tenminste, dat dacht Marla altijd toen ze nog klein was. Dat was nog in de tijd waaraan ze dacht als Vroeger.

Vroeger, toen alles zeker was. Vroeger, toen ze zich veilig voelde. Voordat ze was weggestuurd. Voordat haar vader was gestorven. Voordat haar broer hoogprins werd.

Maar nu ben ik er weer, dacht Marla tevreden, al bleken haar herinneringen lichtelijk overdreven. Je kon niet zo ver zien als morgen, maar je kon wel helemaal naar de andere kant van de zaal kijken, met een uitstekend uitzicht op de knappe, goedgeklede jongemannen die vanavond waren gekomen voor het bal.

De zaal was immens. Zestien schitterende kristallen kroonluchters strooiden warm geel licht over de talrijke gasten die arriveerden. De muzikanten in de hoek zaten hun instrumenten te stemmen. Slaven repten zich op blote voeten van en naar de keukens om de lange tafels vol te laden met exotisch uitgestalde schotels en talloze kannen uitstekende Medalonische wijnen. Tweeëndertig gecanneleerde marmeren zuilen die eruitzagen alsof ze het gewicht van de hele wereld konden torsen, reikten omhoog naar het vergulde plafond dat zelfs hier op het balkon op de eerste verdieping ver boven haar hing.

Marla streek haar haar uit haar gezicht. Had ze er maar aan gedacht om het in een staart te doen voordat ze aan de allesziende zorg van Lirena was ontsnapt. Ergens beneden, in de zee van gezichten, gepoetste laarzen en achterovergekamde haren, bevond zich haar toekomstige echtgenoot. Ze had er nog geen idee van wie dat was, maar op een gegeven moment zou hij zich vanavond aan haar voorstellen. Het kon niet anders of hij was knap, ongelooflijk rijk en, uiteraard, de zoon van een van de vele edelmanshuizen die de goedkeuring hadden van haar broer. Ze zuchtte tevreden. Vanavond was het begin van iets prachtigs. *Vanavond zal het lot een stap naar voren doen en me zijn hand aanreiken...*

'Marla Wolfsblad! Wat sta je je hier in je ondergoed te vergapen als een pasgekochte slaaf?'

Met een laatste, smachtende blik op het zich beneden ontvouwende sprankelende spektakel, draaide Marla zich om naar haar kinderjuf. 'Ik stá niet in mijn ondergoed!' sputterde ze tegen. 'Dit is een ochtendjas. Goeie help, maak je toch niet zo druk, Lirena! Ik kwam alleen maar even kijken. Zo lang heb ik er niet voor nodig om me aan te kleden.'

'Zo!' schimpte de oude vrouw. 'Sinds wanneer beheers jij de kunst om je aan te kleden in minder dan een uur?'

Met gefronst voorhoofd keek Marla links en rechts over het brede balkon en hoopte dat niemand had gehoord dat ze van haar kinderjuf op haar kop kreeg. Het was oneerlijk dat ze van haar tante geen echte kamenierster had gekregen en ronduit beschamend dat ze onder begeleiding van haar kinderjuffrouw naar de Convocatie van de Krijgsheren was gegaan. Marla snapte best dat het allemaal niet meeviel, de laatste tijd.

Ze wist dat de rijkdom van de Wolfsbladen was verslonden door de vele – en uiteindelijk zinloze – oorlogen van wijlen haar vader en de nasleep daarvan. Maar er was toch zeker nog wel genoeg over voor fatsoenlijk personeel? Schijn, wist ze heel goed, betekende vaak meer dan de feiten.

'Kom onmiddellijk mee, meisje, voordat iemand je ziet!'

'Lirena, hier in Groenhaven is het "u" en "hoogheid"!' sputterde ze, al deed ze wel wat er was gezegd en stapte ze weg van de marmeren balustrade.

'Kom dan onmiddellijk mee, "hoogheid", voordat iemand u ziet!'

'Niet zo'n toon tegen mij!'

'Doe jij maar eens een toontje lager tegen mij, mevrouwtje!' kaatste de oude vrouw terug met een storend gebrek aan respect voor de positie van haar meesteres. 'En nu meteen terug naar je kamer, of je maakt je eerste officiële verschijning in het openbaar mee met een gelooid achterste. Je bent nog niet te oud om over mijn knie wat manieren bijgebracht te krijgen, hoor.'

Marla deed haar mond open om te protesteren en deed hem weer dicht toen er verderop in de gang een deur openging en er drie mensen tevoorschijn kwamen, diep in gesprek. In paniek draaide ze zich om naar Lirena en trok haar lichtgroene ochtendjas dichter rond haar tengere gestalte. De mannen kwamen naar hen toe, verdiept in hun discussie. De oudste van de drie had grijs stekeltjeshaar en droeg het zwarte gewaad van een tovenaar. De jongere mannen waren gekleed in een onopvallende donkere broek, laarzen en een effen linnen hemd. Het waren dus waarschijnlijk bedienden, besloot ze, en ze deed hen meteen af als beneden haar waardigheid.

De oudere man keek op en knikte hen beleefd toe maar bleef met zijn aandacht bij wat zijn jonge dienaar zei. Lirena maakte een kniebuiging, zo diep als haar oude botten het toestonden. Marla volgde haar voorbeeld, in de hoop dat haar sierlijke – en veel geoefende – buiging voldeed.

De tovenaar en zijn metgezellen liepen een stukje door en bleven toen plotseling staan. Met een vragende blik draaide de grijze tovenaar zich om naar Marla.

'Jij bent toch de zus van Lernen?'

'Ik ben de zus van de *hoogprins*,' antwoordde ze met nog een knix en slechts een geringe nadruk op de titel.

'Je ziet er jonger uit dan ik dacht.'

Marla slikte een opwellende paniek in en vroeg zich af waarom deze man zich bemoeide met haar leeftijd – of hoe dan ook met haar. Ze glimlachte en hoopte maar dat haar glimlach er zo geraffineerd uitzag als ze zich voorstelde.

'Ik ben al bijna zestien, mijnheer. Dat zou ik toch niet jong meer noemen.'

Met donkere, ondoorgrondelijke ogen keek de tovenaar haar een tijdlang aan.

'*Bijna* zestien? Neemt u mij vooral niet kwalijk, hoogheid,' zei hij met een licht spottende grijns die ze niet zo op prijs stelde. 'Bevalt het u om terug te zijn in Groenhaven?'

In alle eerlijkheid was Marla nogal ondersteboven van haar plotselinge en onverwachte vertrek uit het stille bergverblijf waar ze de afgelopen tien jaar was verstopt, maar ze was niet van plan om dat toe te geven. 'Een prettige verandering van tempo, mijnheer.'

De tovenaar glimlachte. 'Dat zal nog wel sterker worden, als het feest eenmaal begint.'

'Zie ik u daar, mijnheer?'

Hij haalde zijn schouders op. 'Eventjes misschien. Zo leuk vind ik het niet om met enkele duizenden mensen opgesloten te zitten tussen vier muren. Maar Wrayan en Nash zullen zich er vast wel vermaken.'

Marla wierp een blik op de jongemannen. Die stonden haar allebei aan te staren, nogal onbeleefd zelfs. De langste was best knap, met dik bruin haar en fraaie hazelnootbruine ogen. Anders dan zijn metgezel had de andere jongeman pretoogjes en dik zwart haar, waar Marla best graag haar vingers door zou willen halen. Die onverwachte gedachte deed haar blozen. Zijn glimlach was echter besmettelijk, en ondanks zichzelf reageerde ze erop.

'Misschien komen jullie ons nog bedienen,' zei ze, in een genereuze poging de arme knullen iets ter bemoediging te geven, ook al verdienden ze het eigenlijk niet, zoals ze haar aanstaarden.

'Wrayan is mijn leerling, hoogheid, niet mijn bediende,' lichtte de tovenaar haar in. 'En dit is Nashan Havikzwaard, zoon van de krijgsheer van Elasapine.'

Lirena siste zachtjes van afgrijzen. Marla zei niets en hoopte dat ze kon wegzakken door een gat in de vloer van het balkon. Toen die mogelijkheid uitbleef, zag ze zich gedwongen verontschuldigend naar de jongemannen te glimlachen.

'Neemt u mij niet kwalijk, mijne heren. Ik had geen idee...'

'U hoeft zich niet te verontschuldigen,' verzekerde Wrayan haar goedhartig. 'Ik ben niet in het gewaad van het Collectief. Er zijn er zoveel die zich dan vergissen.'

Ja, boerenpummels die niet beter weten, jammerde ze in stille wanhoop. 'Ik hoop maar dat u het niet erg vindt, mijnheer. Ik bedoel, ik... ik wilde er niet echt mee zeggen dat...' *Ik sta te wauwelen! O, goden, roep mij bij u!*

'Ik verzeker u, prinses Marla, Wrayan en ik vinden het allebei niet erg,' stelde de zoon van de krijgsheer haar gerust. Hij was echt heel knap.

'Het is mijn schuld,' zei de oudere man. 'Ik had mezelf en mijn metgezellen eerst moeten voorstellen voordat ik u aanviel als een Kariënse inquisiteur. Ik ben Kagan Palenovar, en dit is, zoals u al hebt ontdekt, mijn leerling, Wrayan Lichtvinger. En dit is Nash Havikzwaard van Elasapine. En ik ben degene die zich dient te verontschuldigen, hoogheid. Het komt omdat ik de laatste tijd uw naam vaak heb horen noemen, en ik koppel nu eenmaal graag een gezicht aan een naam.'

Marla verstijfde van schrik. *Kagan Palenovar? De hoge arrion zelf? Waarom droeg hij dan niet zijn diamanten hanger, zodat ze het kon zien?* Pas toen zag ze de zilveren ketting om zijn hals. De rand van de hanger die blijk gaf van zijn rang, hing verscholen in de plooien van zijn zwarte gewaad. Ze slikte de brok in haar keel weg en deed nerveus haar best er onschuldig uit te zien. 'Ik kan me niet voorstellen dat mijn naam onder de aandacht van het Tovenaarscollectief moet worden gebracht, heer. Ik neem aan dat het in gunstige zin was?'

Haar vraag leek Kagan te amuseren. 'Ik geloof dat het gesprek iets van doen had met het dingen naar uw hand, hoogheid. Aangezien het jongste aanbod afkomstig was van iemand voor wie ik veel belangstelling heb, was ik nieuwsgierig naar u, dat is alles. Maar neem ons niet kwalijk, ik heb nog enkele dingen te regelen voordat het bal begint.'

Hij maakte een beleefde buiging, en gevolgd door zijn leerling en de jonge heer draaide hij zich om en liep de lange gang door tot ze verdwenen in de invallende duisternis. Geschokt staarde Marla hen na.

'Marla! Kom nou, meisje! Je hebt jezelf al genoeg in verlegenheid gebracht voor één avond – hier zomaar staan te praten met de hoge arrion in je ondergoed.'

'Hoorde je wat hij zei?'

'Zeker.'

'Hij zei dat hij het over mijn verloving had gehad. Hij zei dat de jongeman in kwestie van groot belang voor hem was.'

'Zeker.'

Met fonkelende ogen van opwinding draaide ze zich om naar de kinderjuf.

'Snap je het niet, Lirena? Hij zei dat het aanbod afkomstig was van iemand voor wie hij veel belangstelling heeft. O, bij de goden, Lirena, denk je dat ik ga trouwen met een tovenaar?'

'Dat zei hij niet, Marla.'

'Maar wat kan het anders betekenen? Wrayan is zijn leerling, en tovenaars hebben maar één leerling tegelijk.'

'Tovenaars trouwen meestal niet,' merkte Lirena op.

'Dan moet hij het hebben gehad over Nashan Havikzwaard.' Met een listig glimlachje bedacht ze dat dit een gelegenheid was die ze niet zomaar mocht laten gaan. Marla wilde absoluut niet worden teruggestuurd naar Hoogkasteel. Als iedereen geloofde dat ze blij was met het huwelijk dat haar broer namens haar sloot, was de kans groot dat ze in Groenhaven mocht blijven. Enig enthousiasme zou verstandig zijn... Ze zuchtte theatraal. 'Zijn ogen, Lirena. Zag je zijn ogen? Die waren zo blauw...'

'Ik zag alleen een dom wicht dat als een ordinaire straatmeid in haar onderkleding stond te kletsen met de hoge arrion,' bitste Lirena. 'En als dat wicht niet gauw teruggaat naar haar kamer, krijgt ze niets anders dan een pak voor haar broek.'

Marla wierp haar hoofd in haar nek, tilde de plooien van haar ochtendjas op en weigerde iets te zeggen op de botte bedreiging van Lirena. Ze keerde de oude slavin haar rug toe en dribbelde de gang door naar haar kamer. *Ik ga trouwen met een krijgsheer.*

Het had niet mooier kunnen zijn als ze er zelf voor had gekozen. Ze zou een huis aanhouden hier in Groenhaven, besloot ze, en ook een in Byamor, de hoofdstad van Elasapine. In Byamor zou ze ongetwijfeld wonen in een van de enorme, schitterende paleizen van de Havikzwaarden, met talloze slaven die alles voor haar deden, court'esa om haar te amuseren, een tovenaarspaard terwijl niemand zou zeggen dat ze te weinig ervaring had om erop te rijden, en een knappe krijgsheer als echtgenoot...

Ik ga trouwen met een krijgsheer. Ik ga trouwen met een krijgsheer. Ze moest het meteen gaan schrijven aan haar nichtje in Hoogkasteel. Dat kreng, Ninane, met haar paardenbek, zou groen zien van nijd. Ze lieten niet zomaar iemand trouwen met een krijgsheer. Daar moest je iemand voor zíjn, en zij was tenslotte de enige zus van de hoogprins van Hythria. Betere referenties kon je niet hebben. Je moest mooi zijn om te mogen trouwen, en slim, en verfijnd... allemaal dingen die Marla hoopte te zijn. Aangekomen in haar kamer liep ze meteen naar de spiegel. *Nashan Havikzwaard. Marla Havikzwaard. Heer en vrouwe Havikzwaard...* Wat klonk dat toch mooi.

'Kijk, Lirena, ik gloei al helemaal van opbloeiende liefde!'

'Je bent rood van het rennen door die rotgang,' verbeterde de oude vrouw nurks terwijl ze de deur achter hen sloot. 'En nu ga je je aankleden, meisje, of je gaat helemaal nergens heen.'

Plotseling lankmoedig keek Marla met een stralende glimlach haar oude kinderjuf aan. *Als ik getrouwd ben kan zij met pensioen. Ik zal ervoor zorgen dat ze een klein landgoed krijgt met genoeg geld voor een goed leven. Ik kan haar zelfs haar vrijheid geven als ze dat wil. Dat moet Lernen nu wel kunnen betalen. Als zijn enige zus is getrouwd in een huis dat zo machtig is als Havikzwaard, geven de andere krijgsheren hem toch alles wat hij wil. Ik word een verheven vrouwe, met juwelen en rijtuigen en al de macht die ik wil...*

Want ik ben de enige zus van de hoogprins van Hythria, en ik ga trouwen met een krijgsheer.

3

Wrayan Lichtvinger schonk een royale beker wijn in voor zijn meester en de jonge heer van Elasapine en liep door de zitkamer van de hoge arrion om hun de bekers te geven. Kagan staarde uit het venster naar de door fakkels verlichte kade, waar de staatsiesloepen met gasten om beurten aanlegden en hun passagiers uitbraakten. Lernen had iedereen die middag getrakteerd op een tochtje door de haven. Alweer een uitspatting die hij zich slecht kon veroorloven, en waarschijnlijk had hij het alleen maar gedaan om indruk te maken op zijn bezoeker uit Fardohnya. De hoge arrion nam de beker in ontvangst, draaide zich om en keek naar zijn appartement.

De kamers waren weelderig hier in het paleis van de hoogprins. Elk schilderij was een kunstwerk, elk meubelstuk gemaakt door een meester. Kagan hield hier kamers aan voor zijn gemak. Zijn eigen paleis bevond zich nog geen mijl verderop.

'En, wat vonden jullie van prinses Marla?' vroeg Kagan zijn jonge metgezellen.

'Ik denk dat ik verliefd ben!' verklaarde Nash terwijl hij de wijn van Wrayan aannam. 'Wat een stuk.'

'Het verbaast me niets dat Lernen wordt overspoeld met verzoeken om haar hand,' antwoordde Wrayan, veel voorzichtiger met zijn mening dan Nash. Kagan vroeg zelden zomaar iets. Pas als hij zeker wist waarom zijn meester hem naar zijn mening vroeg, zou hij er verder over uitweiden. In werkelijkheid was Marla Wolfsblad gewoon het prachtigste wezentje dat Wrayan ooit had gezien. Voor zijn geestesoog kon hij haar nog steeds zien staan, daar op het balkon, in haar lichtgroene ochtendjas, alsof ze haar kuisheid kon bewaren door die zo stevig dicht te houden. Hij zag nog steeds haar lange blonde haar, slordig en in de war, en haar blauwe ogen groot van opwinding. Ze was ook grappig, zo opgeblazen van verwaandheid, waarmee ze alleen maar de aandacht vestigde op haar onschuld.

'Vind jij haar een stuk, Nash?' zei Kagan en hij nam een slok wijn. 'Dan zou je er verstandig aan doen om dat voor jezelf te houden. Totdat ze veilig getrouwd is, zal Lernen iedereen die ook maar met een scheef oog naar zijn zuster kijkt, behandelen als een dreiging. En dat geldt ook voor jou, Wrayan.'

Wrayan fronste zijn wenkbrauwen. 'Zo heeft hij me nog nooit behandeld. Sterker nog, hij heeft me zelfs een keer geprobeerd te versieren.'

'Is dat zo?' Nash grinnikte. 'Ik dacht dat jij toch een beetje te oud zou zijn naar de smaak van de hoogprins, Wrayan.'

Kagan kon er niet zo om lachen. 'Je klinkt als een Patriot, Nash.'

'Ja, maar je moet toch toegeven dat er iets in zit waar de Patriottenfactie voor staat. Onze edelachtbare hoogprins Lernen is ook een schande voor de troon.'

'En elke poging om hem daarvan af te stoten is hoogverraad,' bracht Wrayan hem in herinnering.

Nash keek onbezorgd. 'Ik heb niet gezegd dat ik de Patriotten ook daadwerkelijk steun. Ik vind alleen dat er wel iets in zit.'

'Ja, maar even afgezien van de nogal verontrustende seksuele voorkeuren van onze hoogprins,' schokschouderde Kagan, 'heeft Marla de afgelopen tien jaar veilig buiten het zicht op Hoogkasteel gezeten. Hij heeft nooit een reden gehad om te denken dat ze enig gevaar liep. Maar nu ze op huwbare leeftijd is, is ze plotseling zijn waardevolste bezit.' Kagan nam een ferme teug uit zijn beker en fronste zijn wenkbrauwen. 'Ik voorzie interessante tijden.'

'O, dus nu denk je zeker ook al dat je een profeet bent?'

Ze keken allemaal om bij het onverwachts horen van de stem. Bij de deur stond vrouwe Tesha Zorell, lang en op een nonchalante manier elegant als altijd. Haar lange zwarte officiële tovenaarsgewaad absorbeerde het lamplicht toen ze de kamer binnenliep. In het Tovenaarscollectief was alleen Kagan haar meerdere. Het donkere haar van de lagere arrion zat onberispelijk, en op haar gezicht stond enorme afkeuring te lezen.

'Jammer dat je pas ontdekte zienersgave zich niet uitstrekte tot het lot van Ronan Dell.'

Wrayan keek naar zijn meester om te zien of Kagan er enig idee van had wat ze bedoelde.

'Ronan Dell?' herhaalde Kagan in verwarring.

'Hij is dood.'

'Sinds wanneer?' vroeg Nash verbaasd.

'Eerder vandaag,' lichtte Tesha hen in. 'De moordenaars hebben Ronan en alle slaven in het huishouden te grazen genomen. Het moet een heus bloedbad zijn geweest. Doe mij er ook maar een.' Ze wees naar de wijn in Kagans hand.

Wrayan sprong al op. Tesha Zorell was het op één na belangrijkste lid van het Tovenaarscollectief. Ze had lang niet zulke goede betrekkingen als Kagan, maar wat ze aan familiebetrekkingen miste, maakte ze meer dan goed met de pure kracht van haar persoonlijkheid. Bang was hij niet echt voor haar, maar Wrayan voelde er niets voor om haar ongenoegen te wekken. Hij schonk nog een beker in en gaf die aan haar met een kleine buiging.

'Hij heeft zelfs manieren,' merkte Tesha op terwijl ze zich gracieus liet neerzakken op de kussens zonder te wachten op een uitnodiging om te gaan zitten. 'Van jou heeft hij ze zeker niet geleerd, oudje. En ook niet van dat perverse onderkruipsel van een Lernen Wolfsblad.'

'Ja, ach, soms pikken ze dat soort dingen uit zichzelf op,' verzuchtte Kagan. 'Ik weet ook niet precies waar het mis is gegaan.'

'Weten we wie er voor de aanslag verantwoordelijk is, mijn vrouwe?'

'Volgens mij iemand uit de Patriottenfactie,' opperde Tesha en ze dronk van haar wijn. 'Heer Ronan was immers een goede vriend van Lernen. Maar nu alle slaven dood zijn, zal het niet meevallen om het te bewijzen.'

Nash dronk zijn wijn in één teug op en gaf de lege beker terug aan Wrayan. 'Het spijt me dat ik zo onbeleefd ben, maar ik moet echt naar mijn vader. Hij zal dit willen weten. Wilt u mij excuseren? Heer Palenovar? Vrouwe Tesha?'

'Natuurlijk,' antwoordde de hoge arrion. 'En doe je vader de groeten.' Toen Nash na een haastige buiging de kamer had verlaten, keek de lagere arrion met een argwanende frons de hoge arrion aan.

'Moet ik niet weten waarom jij de laatste tijd zoveel optrekt met de enige zoon van Charel Havikzwaard?'

'Nash is een vriend van Wrayan, Tesha. Dat ik bij gelegenheid geniet van zijn gezelschap is slechts een prettig gevolg van zijn omgang met mijn leerling.'

'En die heb je nog steeds, zie ik. Dat verbaast me. Ik was er zeker van dat je hem inmiddels wel af had weten te schudden.'

'Hij blijkt wat veerkrachtiger dan verwacht,' antwoordde Kagan met een schouderophalen. 'Maar geen nood. Ik raak vast nog wel van hem verlost.'

'Liever vroeg dan laat, lijkt me,' zei ze met een frons. Tesha nam een slok en keek de hoge arrion bedachtzaam aan. 'Het begint aardig uit de hand te lopen, Kagan.'

'En wat moet ik daar dan aan doen?'

'De facties nemen hun toevlucht tot moordaanslagen om hun geschillen op te lossen. Jij bent de hoge arrion van het Tovenaarscollectief. Vind je niet dat je énige verantwoordelijkheid draagt?'

'Ik zit ook niet met mijn armen over elkaar, Tesha.'

'Nee... Ik heb gehoord dat je een gesprek hebt gehad met Hablet van Fardohnya en de prins.'

'*Hoogprins*,' verbeterde Kagan in een redelijke imitatie van Marla. Wrayan wist zeker dat Tesha niet in de gaten had dat Kagan haar in de maling nam.

'En?'

'En wat?'

'Stel mijn geduld niet op de proef, oudje. Wat kwam daaruit voort?'

'Hablet heeft gedongen naar Marla,' zei hij.

'Waarom?'

'Dat is geen groot geheim, lieverd. De Fardohnyanen willen het gat dichten in de koninklijke familielijn die ze zijn kwijtgeraakt toen Hythria zich twaalfhonderd jaar geleden afscheidde van Fardohnya. Maar onze edelachtbare hoogprins van Hythria is platzak, doodsbang van zijn eigen krijgsheren, wordt bedreigd door een pretendent die wordt gesteund door een hele factie die hem bestrijdt – tot op het punt dat ze openlijk zijn vrienden vermoorden – en heeft eigenlijk geen zin om zijn land te regeren, vooral als het in oorlog is met het buurland.'

'Dus Lernen neemt het aanbod aan?'

'Dat valt nog te bezien.'

Bedachtzaam nam Tesha nog een slok wijn. 'Onze invloed in Fardohnya is aanzienlijk uitgehold sinds Hablet op de troon kwam. Misschien kun je de vrijlating regelen van de leden van onze orde die hij in de gevangenis heeft gegooid toen hij tot koning werd gekroond.'

'Nou, doe nog maar even kalm. In zijn nuchtere momenten ziet zelfs Lernen het gevaar in van het idee dat zijn zus koningin wordt van een naburig land dat zich zomaar zonder waarschuwing tegen hem kan keren.'

'Volgens de traditie heeft de koning van Fardohnya geen koningin.'

'Tot nu toe.'

'Dit kon wel eens het begin zijn van iets zeer veelbelovends,' besloot Tesha. 'Knap gedaan, Kagan.'

'Je hoeft mij niet te bedanken. Dank de goden maar dat Lernen een zus heeft van huwbare leeftijd. Anders werd er helemaal niets beklonken.'

'Dan kun je er maar beter voor zorgen dat er niets met haar gebeurt, hè?'

'Ik zorg er wel voor dat Marla niets overkomt,' beloofde hij. 'Zorg jij er maar voor dat je de krijgsheren in de gaten houdt. En dat gevaarlijke beschermelingetje van jou, Alija Arendspiek.'

'Wou jij soms insinueren dat Alija iets te maken kan hebben met de aanslag op Ronan Dell?'

'Ik insinueer helemaal niets, Tesha, ik zeg het gewoon ronduit.'

Tesha schudde haar hoofd. 'Je vergist je.'

'Als zij haar man niet steunde als een redelijk alternatief voor de hoogprins, had de Patriottenfactie niemand om zich op te richten. Ze zullen er niet blij mee zijn als ze denken dat Lernen iets heeft bedacht om op de troon te blijven.'

Belangstellend luisterde Wrayan naar het gesprek. In al die jaren dat Wrayan leerling was, had Kagan zo weinig mogelijk gedaan om zijn plichten als hoge arrion te vervullen, en dan alleen nog met tegenzin. Bij voortduring had hij zijn afkeer uitgesproken van alles wat met politiek te maken had, tot op het moment dat de huidige hoogprins, Lernen Wolfsblad, op de troon kwam. Sindsdien gedroeg Kagan zich als een heuse hoge arrion en had Wrayan er moeite mee om hem bij te houden.

'Het verbaast me, Kagan, dat je je zo plotseling hebt bedacht,' zei Tesha. 'De vorige keer dat ik je vroeg me te helpen om een geschil te regelen, zei je dat ik...' Ze aarzelde en wierp een blik op Wrayan voordat ze verder sprak. 'Nou, laat ik het zo zeggen, je stelde voor dat ik een anatomisch onmogelijke handeling op mezelf zou verrichten.'

'En hoe weet je dan dat het anatomisch onmogelijk was? Heb je het geprobeerd?'

De lagere arrion werd rood van schaamte.

'Kagan, als je zo doorgaat, laat ik je royeren.'

Kagan toonde zich niet onder de indruk van het dreigement. 'Laat jij me royeren omdat ik grof ben? Dan heb ik er nog eentje voor je! De Patriottenfactie, onder aanvoering van de krijgsheer van de provincie Dregian en gesteund door zijn tovenaarsvrouw – in strijd met onze regels – is actief bezig met een plan om de man, die wij krachtens onze eed dienen te beschermen, van de troon te stoten. Waarom breng je dát niet ter sprake op de volgende Convocatie?'

'Als we een hoogprins hadden met maar een beetje verstand, of eentje die nadacht met zijn hoofd in plaats van met zijn lagere regionen, was het allemaal nooit zo ver gekomen, Kagan,' merkte Tesha korzelig op.

'De Patriotten waren niet meer dan een stelletje oude zemelaars totdat die smeerlap die jij maar blijft verdedigen, op de troon kwam. En aangezien jij zijn eerste adviseur bent...'

'Dus het is míjn schuld dat Lernen een waardeloze zak is? Mij best! De Convocatie van Krijgsheren is al over een paar dagen. Als we Laran Krakenschild eenmaal hebben geïnstalleerd als krijgsheer van Krakandar, zal ik de hoogprins de oorlog laten verklaren aan zijn neef in de provincie Dregian, goed? Dan merken we vanzelf wie de Royalisten en wie de Patriotten zijn, toch?'

'Doe niet zo belachelijk...'

'Laat dit een wijze les voor je zijn, mijn jonge leerling,' onderbrak Kagan. 'Wat vrouwe Tesha namelijk uit alle macht probeert níét te zeggen, is dat het niet uitmaakt hoe groot de dreiging voor de hoogprins ook wordt; de Convocatie van Krijgsheren zou nog geen poot uitsteken om de Patriotten tegen te houden. En waarom is dat, denk je?'

Wrayan wist dat het geen retorische vraag was. Kagan dwong hem zelden te studeren, maar hij plaatste altijd vraagtekens bij hem en zijn opmerkingen. Zo gaf Kagan graag les, wat wilde zeggen dat hij hem het liefste helemaal geen les gaf.

'Omdat bijna de helft van hen bij de Patriottenfactie zit?'

Kagan schoot in de lach. Tesha kon er de humor niet van inzien.

'Wat leer je hem, Kagan?'

'Zo weinig mogelijk,' gaf Kagan eerlijk toe. 'Ik wil dat hij uit zichzelf leert. Dat scheelt een hoop werk voor mij en is een stuk beter voor hem op de lange termijn.'

Tesha luisterde niet echt. Wrayan voelde iets kriebelen in zijn hoofd. Ze probeerde zijn gedachten te peilen, maar hij sloot haar met belachelijk weinig moeite buiten. Kagan merkte het ook.

Tesha was bijna, maar niet helemaal, een Innatief, wat betekende dat ze er erg goed in was de indruk te wekken dat ze echt magisch talent had maar niet de vaardigheid bezat om er daadwerkelijk iets mee te doen, als het erop aankwam. Kagan, echter, was een meester in het lezen van de lichaamstaal van andere mensen, waardoor veel mensen dáchten dat hij een magiër was, terwijl hij in feite helemaal geen magisch talent had. Het was doodgewoon zijn verbijsterende waarnemingsvermogen.

'Je hebt geen schijn van kans om de gedachten van die jongen te kraken, Tesha,' lachte hij.

'Ik weet dat die jongen potentie heeft, Kagan. Daarom heeft het Collectief hem ook naar jou gestuurd.'

'En ik maar denken dat het vanwege mijn innemende persoonlijkheid was.'

Tesha stond op en zette de lege wijnbeker op de salontafel. 'Op dit soort momenten treur ik pas echt om het verlies van de Harshini. Het staat er wel zeer slecht voor, als de keuze van leerling-meester voor een jongen van Wrayans vermogens een luie, cynische oude dwaas is.' Ze hief haar kin op en verliet de kamer, haar rug recht en onverbiddelijk.

'Tijdperken komen en tijdperken gaan,' merkte Kagan op terwijl hij haar nakeek en zijn beker omhooghield om zich door Wrayan te laten bijschenken, 'maar die vrouw verandert nooit.'

'Daar kon jij niets van hebben gevoeld. Hoe wist je nou dat ze mijn gedachten probeerde te peilen?'

'Ze had die blik in haar ogen.'

'Welke blik?'

'Die geknepen blik van intense concentratie die ze altijd heeft als ze denkt dat ze gebruikmaakt van magie.'

Verwonderd schudde Wrayan zijn hoofd. Na al die tijd kon hij nog steeds niet goed geloven dat Kagan met zo'n gebrek aan respect voor zijn collega's nog altijd gepikt werd als hun leider. 'Je bent een echte herrieschopper, Kagan. Dat weet je toch, hè?'

'Dat weet ik,' verzuchtte de hoge arrion. 'Ik ben door en door slecht. Als ze een Herrieschopperscollectief hadden, zou ik daar vast ook de hoge arrion van zijn. Zullen we naar het feest gaan om nog een paar belangrijke mensen tegen de haren in te strijken?'

Wrayan schudde zijn hoofd. Kagan was onverbeterlijk. 'En Ronan Dell?'

'Wat is er met hem?' schokschouderde Kagan.

'Moeten we niet uitzoeken wie hem heeft vermoord?'

'Ik weet al wie hem heeft vermoord, Wrayan.'

'Moet je dat dan niet gaan bewijzen?'

'Misschien wel,' gaf de hoge arrion toe. 'Maar voorlopig is de wereld gewoon verlost van een monster dat loerde op de zwakken en hulpelozen en voorzag in de zieke genoegens van onze hooggeachte hoogprins. De wereld is een stuk beter af zonder hem, Wrayan. Ik mag dan de pest hebben aan de Patriottenfactie en alles waar die voor staat, maar soms moet ik toegeven dat ze een uitstekende smaak hebben wat betreft hun slachtoffers.'

4

Marla had zich aangekleed en liep ongeduldig heen en weer door haar koninklijke appartement tegen de tijd dat haar broer arriveerde om haar te escorteren over de trap naar beneden. Lernen, lang en broodmager, was nog maar begin dertig, maar hij was zichtbaar ouder geworden sinds Marla hem voor het laatst had gezien bij zijn kroning. De verantwoordelijkheden als hoogprins vielen hem zwaar. Zijn haar was deze week zwart geverfd, zijn wangen waren ingevallen en met rouge bijgekleurd, en zijn bruine ogen stonden dof van zorgen. Deze Convocatie was zijn laatste hoop, wist Marla. Als de tovenaars hem niet hielpen, zouden de Wolfsbladen binnenkort slechts een herinnering zijn.

Maar de tovenaars hebben ons geholpen, bracht ze zichzelf in herinnering. *Ik ga trouwen met Nashan Havikzwaard, en als de zus van de hoogprins van Hythria eenmaal in de echt is verbonden met de krijgsheer van Elasapine, zullen de Patriotten, Barnardo Arendspiek en zelfs de Fardohnyanen niets meer tegen ons durven doen.*

'Marla, wat zie je er prachtig uit,' zei Lernen tegen haar toen ze ter inspectie een rondje draaide met een gekruis van lavendelblauwe zijde. De jurk was van haar nicht Ninane geweest en door Lirena versteld om hem moderner te maken.

'Kan het echt wel?' vroeg ze, een beetje bezorgd. 'Het is per slot van rekening het feest van Kaelarn, de god van de oceanen. Ik dacht dat ik misschien zeeblauw moest dragen.'

'Het is een prachtkleur. Had nicht Ninane vorig jaar niet net zo'n kleur jurk aan, toen ze hier was voor het feest van Kalianah?'

'*Lirena!*' jammerde Marla in wanhoop terwijl de tranen in haar ogen sprongen.

De oude kinderjuf wierp een meewarige blik op de hoogprins. 'Jij denkt echt nooit eerst na voordat je die grote mond van je opentrekt, hè, Lernen Wolfsblad?'

Lirena had alle kinderen van Wolfsblad opgevoed en behandelde geen van hen zoals het een slaaf betaamde. Marla vroeg zich altijd af of Lernen gewoon een beetje bang was van zijn oude kinderjuf, en dat vermoeden leek meer dan terecht toen de hoogprins een stap achteruit deed en zich uitputte in verontschuldigingen.

'Ik kan deze jurk niet aan!' klaagde Marla. 'Als Lernen al ziet dat het een afdankertje is, ziet iedereen het!'

'Niemand merkt er ook maar iets van,' verzekerde de oude kinderjuf haar. 'Je broer is gewoon wat opmerkzamer dan anderen met dat soort dingen, meer niet.'

'Je bent echt een plaatje,' voegde Lernen er haastig aan toe. 'Niemand ziet er iets van, heus. Droog je ogen, of je hebt straks allemaal rode vlekken als je naar beneden gaat.'

Ze snufte onelegant. 'Zien ze het echt niet?'

'Zeker niet.' Lernen glimlachte haar bemoedigend toe. 'En als iemand er toch iets van zegt, laat ik hem onthoofden! Wat zeg je daarvan?'

'Je plaagt me.'

'Het komt helemaal goed, Marla.'

'Als jij het zegt...'

'Maar er is iets waarover we moeten praten, lieverd,' vervolgde haar broer met een frons. 'Er gebeuren dingen die van invloed op je zijn... die ons allemaal in gevaar brengen. Een van mijn vrienden is vandaag vermoord... en nu...' De stem van de hoogprins stierf hulpeloos weg, alsof hij het niet nog erger voor haar durfde te maken door haar de rest te vertellen.

Haar tweedehands jurk was vergeten, en Marla klaarde zienderogen op toen ze besefte wat haar broer haar wilde zeggen. 'O, Lernen, kijk toch niet zo benauwd. Het spijt me van je vriend, maar ik weet wat je me gaat vertellen, en ik ben er zo blij mee.'

'O ja?' Lernen wierp Lirena een verbouwereerde blik toe. De oude kinderjuf haalde haar schouders op, als om te zeggen: *Wie weet wat er omgaat in het wispelturige brein van een jong meisje?*

'Ik ben er zo blij mee,' herhaalde ze ferm.

'Vind je het niet erg, dan?'

'Natuurlijk niet. Ik heb altijd al geweten dat ik met iemand moest trouwen die jij zou kiezen, maar Lernen, echt, als ik zelf had mogen kiezen, had ik het niet beter kunnen doen.'

'Maar je bent dan zo ver weg...'

'Zo ver is het toch niet, gekkerd. Ik kom zo vaak op bezoek als ik wil.'

'Vind je het echt niet erg, Marla? Echt niet? Hij is wat ouder dan jij, dat weet ik, en zeker niet zoals ik me had voorgesteld, maar met deze verbintenis kunnen we iets doen aan Barnardo...'

'Stil maar, grote broer,' zei ze en ze legde een vinger op zijn beschilderde lippen om zijn excuus te onderbreken. 'Ik begrijp het, echt waar. Het is een gedegen politiek besluit. En ik vind het echt, absoluut helemaal niet erg.'

'Zo'n zus verdien ik helemaal niet,' zei hij, zichtbaar opgelucht. 'Maar hoe ben je erachter gekomen? Het moest geheim blijven tot de onderhandelingen waren voltooid.'

'We kwamen heer Palenovar tegen,' verklaarde Lirena terwijl ze de chaos herstelde die Marla had achtergelaten. 'Die liet zich ontvallen dat er een aanbod was.'

Lernen knikte. 'Kagan is de bemiddelaar voor de onderhandelingen. Een interessante man, zij het wat oneerbiedig. Ik wil hem er steeds voor berispen, maar zonder hem zou ik me geen raad weten. En met zijn rang kan hij zich ook wel wat veroorloven.'

'Zijn rang?' vroeg Marla. 'Je bedoelt omdat hij de hoge arrion is?'

'Niet alleen hoge arrion, Marla, hij behoort ook nog tot een van de oudste en machtigste edelmansfamilies in Hythria. En het is de vurigste voorvechter van de Royalisten in Groenhaven. Zonder hem zat ik nooit op de troon.'

Marla's ogen werden klein van bedachtzaamheid. 'Dus zijn leerling – en zijn vrienden – zouden dezelfde politieke standpunten hebben?'

'Ik denk het. Daar heb ik eigenlijk nooit zo over nagedacht.'

Dus Nashan is een Royalist, concludeerde ze tevreden. 'O, Lernen, je hebt me zo gelukkig gemaakt.' Impulsief wierp ze haar armen om zijn hals. Lernen hield haar stijfjes vast, zoals altijd slecht op zijn gemak met openlijke blijken van genegenheid van zijn zus.

'Ja, nou, laten we maar naar beneden gaan,' zei hij, zich losmakend uit haar omhelzing.

'Je zult trots op me zijn, Lernen,' beloofde ze.

'Ik ben nu al trots op je, lieverd.'

'Hoe lang duurt het nog?'

'Hoe lang duurt wat nog?'

'Voordat ik getrouwd ben?'

Lernen haalde zijn schouders op. 'Pas als je zestien bent. In het voorjaar, misschien. Je aanstaande is een aanbidder van Jelanna, dus misschien wil hij de bruiloft houden op haar feestdag. Zo ver zijn we met de onderhandelingen nog niet gekomen. En je moet ook eerst worden opgeleid. Ik denk dat ik maar een court'esa of twee voor je moet kopen.'

'Kies dan wel een goeie,' adviseerde Lirena met een kreun terwijl ze zich bukte om een handdoek op te rapen die Marla op de vloer had laten vallen.

Lernen glimlachte zenuwachtig. 'Marla's eerste court'esa wordt niet door mij gekozen, Lirena. Goeie genade! Het idee alleen al. Maar goed, meestal is het een vrouwelijk familielid dat een meisje begeleidt op haar eerste tocht naar de slavenmarkt.'

'O, Lernen!' riep Marla geschrokken uit. 'Belóóf me dat ik geen court'esa hoef te gaan kopen met tante Lydia!'

'Lijkt me anders een geweldig idee,' morde Lirena. 'Dan krijg je er tenminste eentje met iets meer dan een knap smoeltje en een fraai achterste.'

'Als ik Lydia mijn eerste court'esa laat kiezen, krijg ik een oude man die me wil leren boekhouden!' klaagde Marla. 'Trouwens, wie vraagt jou om je mening?'

Lief glimlachend keek ze haar broer aan. 'Alsjeblieft, Lernen, beloof me dat je iemand anders kiest.'

Haar broer haalde hulpeloos zijn schouders op. 'Nou, goed dan. Al heb ik geen idee wie.'

'Geen nood. We verzinnen wel iemand.' Ze omhelsde hem weer en lachte toen opgetogen. 'Ik ben zo blij dat je me hebt laten komen. Ik mag toch wel hier in Groenhaven blijven tot ik getrouwd ben, hè?' Lernen had zich al dagen niet erg bereid getoond daarover een uitspraak te doen. Marla vond het wel een goed idee om een definitief antwoord aan hem te onttrekken nu hij zijn zus zo gunstig gezind was.

'Heb je niet gehoord wat ik net zei, Marla? Onze vijanden zitten overal! Ronan Dell is vandaag vermoord. Op klaarlichte dag!'

'Ja, maar je hebt heel veel wachters, hier in het paleis. En het Tovenaarscollectief staat toch ook aan onze kant?'

'Eh, ja, natuurlijk, maar...'

'Dan heb ik net zomin iets te vrezen als jij. Mag ik blijven, alsjeblieft?'

'We zullen zien.'

Marla besloot dat op te vatten als een bevestigend antwoord.

'Dat is dan geregeld,' verkondigde ze blij. 'Nu kunnen we naar het bal!'

5

Uitgeput en angstig moest Elezaar geruime tijd op de deur van Venira's Slavenkorf bonzen en roepen voordat er iemand kwam kijken. Het slavenverkoophuis had een indrukwekkende gevel. Hoge marmeren zuilen flankeerden de met glimmend koper beklede deuren. Overdag stonden er twee slaven aan weerszijden van de deuren, klaar om klanten uit hun draagstoel of koets te helpen, maar op dit uur waren die allang weg. De straat was verlaten, en Elezaar was al schor tegen de tijd dat de deur werd geopend door een andere slaaf, die de dwerg van top tot teen bekeek en eventjes glimlachte toen hij hem herkende.

'Ik dacht dat jouw ziel inmiddels wel op weg zou zijn naar de onderwereld, nar.'

'Dat heeft ook niet veel gescheeld, Dherin. Is Venira er nog?'

'Die is er nog,' bevestigde de slaaf. 'Hij zit te wachten op je broer.'

'Die komt niet,' bracht Elezaar hem zakelijk op de hoogte. Dherin wachtte tot Elezaar zou uitweiden, maar toen de dwerg zich niet nader verklaarde, trok hij even zijn schouders op en deed een stap achteruit om hem binnen te laten. Nadat Dherin de deur had vergrendeld, ging hij de dwerg voor door de schemerige gangen en lege toonkamers naar de woonvertrekken van de slavenhandelaar achterin. Elezaar huiverde toen hij door de onderling verbonden binnenhoven liep en vroeg zich af wat hem had bezield om hier terug te komen.

Bescherming, bracht hij zichzelf in herinnering.

Maar het was een zeer tijdelijke vorm van bescherming. Venira kon hem morgen wel verkopen aan de vijanden van Ronan Dell, en dan had Elezaar alleen maar uitstel van executie bereikt door vanavond hierheen te gaan. Maar er was een kans, hoe klein ook, dat het anders liep. En dat risico, die gok, had Elezaar genomen.

Het was allang donker toen hij bij de slavenhandelaar werd ontboden. Venira was een vies vette man met een enorme buik, zoveel onderkinnen dat het wel kieuwen leken en de opzichtige slechte smaak van iemand die het op eigen kracht tot miljonair had geschopt. Hij droeg ringen aan alle vingers en het lichaamsgewicht van een klein kind aan gouden kettingen om zijn nek. Omdat hij te dik voor een broek was, droeg hij graag lange, tentachtige gewaden van met brokaat versierde zijde die zo warm waren dat hij overal werd gevolgd door een slaaf met een grote waaier wiens enige functie het was om zijn meester verkoeling te brengen. Toen Elezaar binnen werd gebracht, lag de slavenhandelaar op een stapel dikke kussens op de vloer, met een lage tafel boordevol eten voor zijn neus. De altijd aanwezige slaaf stond met een verveeld gezicht bij zijn meester terwijl de waaier langzaam heen en weer bewoog en weinig deed om de vochtige lucht te verkoelen.

'Ik had Crysander verwacht,' verkondigde Venira terwijl hij iets pakte uit de fruitschaal op de tafel. Hij wierp een druif in zijn mond, plette die zeer doelbewust tussen zijn tanden om een straal sap over het landschap van zijn onderkinnen te laten spuiten alvorens zich te verwaardigen zijn blik naar de dwerg te laten gaan.

Elezaar haalde zijn schouders op en keek de kamer door. Daar was weinig veranderd sinds de vorige keer dat hij hier had gestaan, enkele maanden geleden. Voordat hij was verkocht aan Ronan Dell. 'Die kon onmogelijk komen,' legde hij uit. 'Daarom heeft hij mij maar gestuurd.'

De dikke slavenhandelaar leek niet onder de indruk. 'Ik kan jouw broer wel tien keer verkopen voor het aantal biedingen dat ik krijg voor jou, nar.'

'Ik kan niet verantwoordelijk worden gesteld voor dingen die ik niet in de hand heb, meester Venira,' schokschouderde hij met een onschuldige glimlach.

Venira pakte nog een druif en liet die dezelfde kwelling ondergaan als de eerste. 'Ik heb gehoord dat er vandaag herrie was bij heer Ronan thuis.'

'Echt waar?'

'Ze zeggen dat hij dood is.'

'Wat erg.'

Venira keek Elezaar aandachtig aan. 'Ze zeggen dat de moordenaars ook alle slaven in huis hebben gedood.'

'Wat zonde.'

Venira kneep zijn ogen tot spleetjes. 'Waaronder je broer.'

'Mijn hart is gebroken.'

'Dat zie ik.' De slavenhandelaar leunde achterover in zijn kussens. 'Wie was het?'

'Wie was wat?'

'Wie heeft Ronan Dell vermoord?'

'Ik heb geen idee, meester Venira. Heer Ronan heeft me vanochtend vroeg om een boodschap gestuurd, en toen ik terugkwam, waren ze allemaal dood. Crysander had nog net genoeg lucht om me te zeggen dat ik in zijn plaats hierheen moest gaan. Verder weet ik niets.'

'Je liegt.'

'Ik weet niet wie hen heeft gedood, meester Venira.'

'En al wist je het, dan zou je het nooit toegeven.' De slavenhandelaar glimlachte sluw. 'Misschien ben je toch nog meer waard dan ik eerst dacht, nar. Misschien houd ik wel een veiling voor de enige overlevende van het bloedbad bij Huis Dell. Wat zou me de hoogste prijs opleveren? Jouw getuigenis of je stilzwijgen?'

'Ik heb niets te vertellen, meester Venira. Ik heb niets gezien. Ik weet er niets van.'

'Dat beweer jij,' schimpte Venira. Hij verplaatste zijn massa over de kussens en wuifde een andere slaaf naar voren. 'Breng hem naar de barakken. Zorg ervoor dat hij te eten krijgt, in bad kan en geschikte kleren krijgt. Haal die halsband van Dell eraf, en doe hem een gewone om. Dat kereltje kan dit keer zowaar nog iets waard zijn ook.'

'Toen u me aan Ronan Dell verkocht, kreeg u daar een fortuin voor,' merkte Elezaar op.

'En nu kun je maar beter nog meer waard zijn, nar. Ik ben ziek van alle ellende die je me bezorgt.'

'De volgende keer dat mijn meester en zijn huishouden worden afgeslacht, kan ik misschien regelen dat ik een van de slachtoffers ben,' stelde Elezaar behulpzaam voor. 'Zodat u nergens meer last van hebt.'

'Doe dat maar,' stemde de slavenhandelaar in. Hij zwaaide met zijn arm, en Elezaar werd weggevoerd.

De slaven in Venira's Slavenkorf werden niet mishandeld.

Over hun status in het leven bestond geen enkele twijfel, maar Venira wist veel te goed wat zijn handel waard was om het risico van beschadiging te lopen door hen te slaan of uit te hongeren. Ze werden zelfs goed verzorgd, wat ook een van de redenen was dat Elezaar het erop had gewaagd hier weer heen te gaan. Als dit zijn laatste nacht zou zijn, dan bracht hij die tenminste door in betrekkelijke luxe.

Nadat hij was gewassen, at hij een eenvoudige maar voedzame maaltijd van vlees, kaas, brood en aangelengde wijn, en vervolgens werd hij naar de slavencellen gebracht. Dherin sloot Elezaar op in een kale cel die van de andere werd gescheiden door tralies. In de cel rechts van hem zat een knappe knul van een jaar of twintig met een gave, licht gebronsde huid en donkere ogen die belangstellend naar hem keken.

'Ik ben Lorince,' meldde de court'esa. Hij liep naar de tralies om Elezaar beter te bekijken in de schemering. Het enige licht in de cellen kwam van een fakkel in de gang, en het flakkerende schijnsel daarvan was hooguit middelmatig.

'Elezaar,' reageerde de dwerg en hij stak zijn hand door de tralies uit naar de jongeman. 'Zit je hier al lang?'

'Iets meer dan een maand. Venira zegt dat de markt stil is rond deze tijd van het jaar.'

'Hoe kom je hier?'

'Het ouwe liedje,' schokschouderde Lorince. 'Ik was de court'esa van de jongste dochter van heer Carons huis in Meortina. Ze ging trouwen. Haar nieuwe man vertrouwde alleen zijn eigen slaven. Zul je altijd zien.'

'De mijne werd verliefd,' merkte de slaaf in de cel aan de andere kant van Elezaar op. De jongeman lag op zijn bed, met zijn handen achter zijn hoofd gevouwen. 'Het is echt zwaar pet als dat gebeurt. En je kunt er ook niets aan doen.'

'Jij komt niet uit Groenhaven,' merkte Elezaar op, kijkend naar de lichte huid van de knul. Hij was lang, slank en knap, had schemergrijze ogen en dik bruin haar dat met een leren riempje in een staart was gebonden. Dat was de laatste mode onder de court'esa. Elezaar had er echter nooit echt warm voor kunnen lopen. Hij vond het veel gemakkelijker om kort haar te houden.

'Bramster,' bevestigde de jongeman. 'Ligt in de bergen. In de provincie Elasapine. Ik heet Darnel. Jij bent toch de nar?'

'Heb je van me gehoord?' Heel even vergat Elezaar zijn smarten, nogal gevleid door het idee dat hij beroemd was.

'Er zijn niet zo gek veel gelorongde court'esa zoals jij, mannetje. Wat doe jij hier?'

'Mijn meester is vermoord.'

Darnel glimlachte meelevend. 'Ook zwaar pet als dat gebeurt.'

'Maar ja, zo gaat het nu eenmaal, hè?' verzuchtte Lorince ongelukkig. 'Net als je denkt dat je binnen bent, gebeurt er iets en ben je weer helemaal terug bij af.'

'Je moet iets zien te vinden waardoor ze je willen,' zei Elezaar, op het bed klauterend. De matras was gevuld met stro, maar hij was schoon en droog, en Elezaar was uitgeput van de gebeurtenissen van die dag. Vannacht was hij tenminste in veiligheid. Maar dat zou heel goed voor de allerlaatste keer kunnen zijn. Het kon nooit lang duren voordat ze erachter waren waar hij zat. Dat wist hij best. En al kwamen ze er niet uit zichzelf achter, dan nog kon Venira heel goed aankondigen dat hij een zekere dwerg te koop had. Op dit moment was Elezaar meer waard dan hij ooit van zijn leven waard was geweest. Venira – in de eerste plaats een koopman – begreep dat. Maar het betekende ook dat de slavenhandelaar zijn best zou doen om Elezaar in leven te houden, gewoon omdat hij niet gebaat was bij zijn dood.

Darnel glimlachte lusteloos. 'Ik weet er wel voor te zorgen dat ze me willen, mannetje, neem dat maar van me aan.'

Elezaar ging verzitten op het bed en keek door de schemerige cel naar de donkerharige court'esa. 'Dat heeft niets met seks te maken, Darnel. Iedere court'esa die zijn halsband waard is, weet ervoor te zorgen dat een man of een vrouw hem wil. Daar zijn we voor opgeleid. Maar om in veiligheid te zijn, écht in veiligheid, moet je onvervangbaar zijn. Daar is meer voor nodig dan seks.'

'Was jij onvervangbaar?' vroeg Lorince.

'Dan zat hij nu niet hier,' merkte Darnel met een cynisch lachje op.

'Daar was ik nog mee bezig,' verzuchtte Elezaar en hij leunde achterover op het bed. 'Bijna had ik mijn meester ervan overtuigd dat het leven zonder mij ondraaglijk zou worden, en *bam*! Een heel zooitje moordenaars komt het allemaal in puin schoppen. Zes maanden werk naar de knoppen, zonder dat het ook maar iets heeft opgeleverd.'

'Je mag blij zijn dat je nog leeft,' zei Lorince meelevend. 'Ik heb gehoord dat ze bij een aanslag vaak ook de huisslaven doden.'

'Dat klopt,' beaamde Elezaar. Hij sloot zijn ogen en deed ze meteen weer open toen zijn blikveld zich vulde met beelden van bebloede lijken, afgehakte ledematen en zijn broer Crys, liggend in de gang met een blik van totale verbijstering om het verraad op zijn dodelijk witte gezicht.

'Als ik word verkocht, zorg ik ervoor dat ik zo onvervangbaar word, dat ze me nooit laten gaan,' verklaarde Lorince, leunend tegen de koele tralies.

Elezaar zag de verre blik van hoop op het gezicht van de man en glimlachte. Zo naïef was hij ook geweest. Stiekem was hij dat nog steeds, heel diep in zijn ziel. Ergens diep in Elezaar sluimerde dezelfde hoop – dat hij zou worden verkocht aan een huis waar zijn talenten op prijs werden gesteld. Ergens waar ze hem wilden voor meer dan de vermakelijkheidswaarde die hij te bieden had. Pas dan hoefde een court'esa echt niet meer te vrezen dat hij keer op keer werd verkocht tot hij geen nut meer had. De meesten kwamen terecht op de algemene slavenmarkten, ongewild, waardeloos en net zo gemakkelijk als lokaas voor de jacht verkocht aan een afgestompte heer, of anders aan een speelhuis, om te eindigen tegenover een hondsdolle hond of een gekwelde beer ter vermaak van de klanten die erop gokten hoe lang hij erover zou doen om dood te gaan.

Aan de andere kant, bedacht Elezaar, *zal dat niet snel mijn lot zijn. Ze vinden me wel. Uiteindelijk. Zo niet morgen, dan toch overmorgen. En dan maken ze me dood om wat ik weet. Net zoals ze Crys hebben gedood. Snel. Genadeloos. En pijnloos.*

Als puntje bij paaltje kwam, peinsde Elezaar, was het voor een court'esa die getuige was geweest van een moord, niet eens zo'n beroerde manier om dood te gaan.

6

Marla daalde aan de arm van haar broer de grote trap af, om zich heen kijkend als een pas gekroonde koningin. Ze speurde de menigte beneden af naar een spoor van Nashan Havikzwaard maar kon hem zo gauw niet vinden.

'Daar is de hoge arrion,' zei ze toen ze Kagans grijze hoofd en donkere staatsiegewaad te midden van de zee van mensen ontwaarde.

'Niet wijzen, Marla,' berispte Lernen haar. 'Ik zie hem zo ook wel.' Aan haar broers arm geklemd vond Marla een weg door het gedrang, hier en daar een bekend gezicht toeknikkend. De begroetingen werden behoedzaam geretourneerd, alsof de andere gasten vreesden dat de tegenspoed van de familie Wolfsblad besmettelijk zou blijken wanneer ze te nauwe betrekkingen onderhielden met haar broer. Daar zou straks verandering in komen, sprak ze zichzelf bemoedigend toe. *Als ik getrouwd ben met de erfgenaam van Elasapine, struikelen ze over elkaar om bij ons in de gunst te komen.*

Terwijl ze de tovenaar en zijn leerling naderden, ontdekte Marla dat heer Palenovar diep in gesprek was met een andere man in een met rijkelijk borduurwerk versierde, mouwloze jas. Zijn dikke armen waren zwaar behaard, en aan zijn oren hingen gouden ringetjes. *Een Fardohnyaan*, dacht ze met afkeer.

'Die barbaren zouden ze hier helemaal niet binnen moeten laten,' fluisterde ze tegen haar broer.

Lernen keek haar verbaasd aan maar kreeg de kans niet om iets terug te zeggen. De Fardohnyaan kreeg hen in het oog, en zijn bebaarde gezicht spleet zich in een enorme glimlach. 'Lernen!'

Hij was jonger dan haar broer, maar de man had de bouw van een beer en was bijna net zo harig. De Fardohnyaan baande zich een weg naar voren door de nieuwsgierig en afkeurend starende mensen om hen heen. Hij nam haar broer in een verpletterende omhelzing en sloeg hem zo hard op de rug dat Marla verwachtte Lernens ruggengraat te horen breken.

'Majesteit,' reageerde de hoogprins.

De Fardohnyaan liet hem los en hield hem even op armlengte alvorens zo hard te lachen dat het overal in de enorme zaal te horen was. 'Hou toch op met die "majesteit"-onzin. Zeg toch Hablet. We zijn straks toch zeker familie.'

Alsof dát ooit gaat gebeuren, schimpte Marla in stilte. Ze keek rond of ze Nashan zag, maar van hem was er nog steeds geen spoor. Wrayan lachte haar bemoedigend toe. Toen kreeg Marla haar toekomstige echtgenoot in het oog, bij de eettafels. Koket knipperde ze met haar wimpers in zijn richting en liet een zweem van een glimlachje zien.

'Dát mokkeltje ziet er gezond uit.'

Met een schok besefte Marla dat de Fardohnyaanse koning het over haar had. 'Pardon?'

'Temperamentvol ook, zo te zien aan die blik in haar ogen,' lachte het beest. 'Dat zie ik graag in een vrouw. Ik zoek een deern die de andere katjes in toom weet te houden.'

'Dat is vast wel aan prinses Marla besteed,' merkte haar broer ongemakkelijk op.

'Lecter! Lecter, kom eens kennismaken met mijn bruid!'

Hoofdschuddend van verwarring keek Marla naar haar broer, toen naar de Fardohnyaanse koning, en ten slotte zwaaide haar blik naar Wrayan. De verschrikkelijke waarheid drong tot Marla door op het moment dat Kagan een stap naar voren deed en een ferme hand op haar schouder legde. Marla deed haar mond open, maar of dat was om te protesteren of te gillen kon zelfs zij niet met zekerheid zeggen.

De wereld begon plotseling onder haar te draaien, en Marla voelde zichzelf vallen. Voordat ze geluid kon maken, liet Kagan zijn arm door de hare glijden om haar overeind te houden. 'Gewoon doorlopen, Marla,' siste de hoge arrion. 'Alsof er niets aan de hand is.'

De paniek die zich van haar meester maakte, belette het haar te protesteren. Het lawaai van de menigte om haar heen werd een waas van ruis. Ze hoorde iemand zijn verontschuldigingen aanbieden.

Ze voelde zich vooruitgeduwd door de enorme zaal. Haar lichaam volgde de bevelen die Kagan eraan gaf, maar haar geest krijste. *Een Fardohnyaan! Ik moet trouwen met een vieze, stinkende, walgelijke Fardohnyaan.*

'Ik wil dood!'

'Doe niet zo absurd, natuurlijk wil je niet dood.'

'Laat me los,' smeekte ze terwijl Kagan haar door de menigte loodste. 'Laat me doodgaan!'

'Ben je altijd zo melodramatisch?' Kagan klonk kalm en lichtelijk geërgerd. Ze liepen door de mensenmassa heen, met haar broer vlak achter hen aan. Ze had er geen idee van wat er met Hablet gebeurde. Of met Nashan.

Toen ze bij een klein voorvertrek van de grote zaal kwamen, duwde Kagan haar door de deur voordat hij haar losliet.

Lernen repte zich achter hen aan naar binnen, verward en bezorgd struikelend over het prachtige geknoopte tapijt.

'Mijnheer, wat moet dit betekenen?' hijgde hij toen hij de deur achter zich dicht had gedaan. De stilte was schokkend na het lawaai van het bal.

'Je hebt het haar niet verteld,' zei Kagan beschuldigend tegen Lernen. Marla had haar broer nog nooit ineen zien krimpen, maar de toon waarop de tovenaar sprak, zou een heel bataljon met de staart tussen de benen hebben doen vluchten. 'Je hebt haar niet eens gewaarschuwd!'

'Maar ze wist het al!' protesteerde haar broer. 'Ze zei dat jij het haar had verteld. Ze zei dat ze het geweldig vond!'

Kagan keek naar Marla. Meewarig schudde hij zijn hoofd. 'Eerder vanavond op het balkon,' concludeerde hij even later. 'Je dacht dat ik bedoelde dat je ging trouwen met Nash Havikzwaard.'

Marla knikte stom, bij gebrek aan vertrouwen in haar stem.

Zachtjes vloekend liep Kagan naar de tafel bij het venster. Hij pakte de dichtstbij staande schenkkan, trok er de stop uit en nam een flinke teug rechtstreeks uit de kristallen karaf. Toen liep hij terug naar Marla en duwde haar de karaf in de handen.

'Hier. Zo te zien ben je wel toe aan een slok.'

'Kagan, wil je even uitleggen waarom je Marla zo abrupt de zaal uit hebt gewerkt? Als we Hablet hebben beledigd...'

'Die lieve zus van jou had de koning van Fardohnya bijna heel wat zwaarder beledigd dan wij met ons vertrek,' bracht Kagan hem op de hoogte.

'Maar ze zei dat ze blij was. Ze zei dat ze...'

'Ze ging ervan uit dat je een huwelijk had beklonken met de zoon van Charel Havikzwaard, Lernen. Jouw prinsesje hier is lang niet zo inschikkelijk als het gaat om de Fardohnyaanse koning.'

'Ik wil dood,' mompelde Marla ellendig. 'Ik ga nog liever dood dan dat ik trouw met een Fardohnyaan.'

'Ach, hou toch eens op,' bitste Kagan. 'Verman jezelf, meisje.'

'Ik doe het niet,' jammerde ze terwijl de tranen opwelden in haar ogen. 'Alsjeblieft, Lernen, laat me dit niet doen.'

'Marla...'

'Lernen, eruit.'

'Maar... mijnheer...'

'Eruit! Marla en ik moeten even praten, en daar hoef jij niet bij mee te luisteren. Ga terug naar de zaal en zeg Hablet dat je zus zo ontdaan was bij het zien van haar knappe toekomstige echtgenoot dat ze zich even moest gaan herstellen voordat ze hem onder ogen kon komen. Zoiets hoort hij graag. En zeg Wrayan dat ik hem nodig heb.'

Zonder het minste protest ging Lernen doen wat de tovenaar hem had opgedragen. Kagan richtte zijn aandacht op Marla.

Hij keek haar een ogenblik kwaad aan en wees toen naar een kleine stoel bij het venster.

'Ga zitten.'

Dat deed Marla braaf, met de open karaf nog in haar handen.

'Neem een slok.'

'Dames drinken geen sterkedrank.'

'Wat een kul! De enige die mij ooit onder de tafel heeft gedronken, was een dame van het zuiverste water. Drink op.'

Met enige tegenzin bracht Marla de karaf naar haar mond en nam een teug van de donkerbruine vloeistof. Die voelde ze brandend helemaal naar beneden gaan, en ze moest ervan kuchen.

'Beter zo?'

'Nee!'

'Mooi. Dan heb je je eerste les al geleerd. Met drinken los je niets op.'

'Dat heb ik ook nooit beweerd,' kaatste ze terug.

Kagan glimlachte, pakte de karaf uit haar handen en zette hem op de tafel naast de stoel. Hij schoof een andere stoel met prachtig, glimmend houtsnijwerk over het tapijt en zette die tegenover haar neer, trapte zijn gewaden uit elkaar en nam schrijlings plaats op de zitting, met zijn armen over elkaar op de rugleuning. Geruime tijd keek de hoge arrion haar indringend aan, maar of hij haar gedachten probeerde te lezen, kon Marla niet zeggen.

'Het was daar bijna fataal voor je afgelopen, vanavond.'

'Ik heb geen woord gezegd!'

'Nee, maar dat kwam omdat ik tussenbeide kwam. En het was geen magisch trucje dat me waarschuwde voor de flater die je op het punt stond te begaan. Die stond duidelijk te lezen op je gezicht.'

'Ik ben niet gek, heer Palenovar. Ik zou nooit iets hebben gezegd dat mijn broer in verlegenheid zou brengen.'

'Dan moet ik het helaas met u oneens zijn, hoogheid. U keek alsof er iemand een dooie vis van een week oud onder uw neus hield. En één woord, één aanwijzing voor Hablet dat u op een andere man viel, en hij zou u allebei laten onthoofden.'

'Kan me niet schelen! Wie denkt hij eigenlijk wel dat hij is? Niet te geloven dat zo'n smerige, lompe buitenlander zoiets kan eisen van mijn broer. Of van de hoge arrion.'

'Die smerige, lompe buitenlander is anders wel de machtigste man in Fardohnya, meisje, en de enige met een leger dat groot genoeg is om je broer te helpen de krijgsheren van Hythria in het gareel te houden.'

'Waarom kóópt mijn broer zijn medewerking dan niet gewoon?'

'Omdat jij het enige bent wat Lernen nog heeft om mee te betalen, Marla,' merkte Kagan vriendelijk op.

Marla slikte de tranen weg die haar dreigden te overmannen.

'Het is niet eerlijk.'

'Nee, dat is het niet. Het is zelfs barbaars.'

'Maar waarom helpt u hem dan met het regelen van mijn huwelijk met *hem*? Eenmaal getrouwd met Nashan Havikzwaard, kan ik...'

'Doe niet zo dom, meisje! Je kent Nash nog geen vijf minuten en hebt een hele fantasie gesponnen rondom een misverstand. Je kent hem niet. Je weet niets over hem. Geloof me, Marla, waar jij heen gaat, kan één blik, zelfs een weemoedige zucht de verkeerde kant op, je leven in ernstig gevaar brengen. Zet hem uit je hoofd. Hij heeft net zomin iets te zeggen over met wie hij uiteindelijk gaat trouwen als jij, dus ook al kon je je romantische grillen achterna lopen, dan nog was hij niet vrij.'

'Hebt u hem dan niet gezien? Het is een bruut!'

'Hoe weet je dat nou? Je hebt Hablet nog geen tel gezien, en je kéék niet eens naar hem. Je had het veel te druk met zwijmelen om Nash.'

'Ik zwijmelde niet. En toevallig heb ik heel veel mensenkennis.'

'Ach, ja. De dame die besloot dat ze verliefd was op basis van een gesprek dat bestond uit twee hele zinnen.'

'U drijft de spot met me, mijnheer. U hebt geen idee van mijn leed.' Ze wendde haar blik af en weigerde hem aan te kijken. 'En ik heb nooit gezegd dat ik verliefd was.'

'Jij bent degene die geen idee heeft van leed, Marla. Jij bent je hele leven vertroeteld en beschermd. Je bent gewoon een verwend, eigenzinnig kind dat een heel stuk volwassener moet worden voordat je die deur weer uit gaat. De afspraken zijn bijna rond, en je toekomst is al zo goed als besloten. Of je eronder lijdt of ervan geniet, is geheel aan jou.'

'*Geniet?* Hoe kan ik daar nou van genieten? Ik zit straks in een harem met een stel wildvreemde vrouwen die niet eens dezelfde taal spreken.'

Kagan keek haar hoofdschuddend aan. 'Je kunt dit niet tegenhouden, Marla. Leer het te accepteren.'

'Hij is hartstikke oud!'

'Hij is zesentwintig. Net zo oud als Nash Havikzwaard, eigenlijk. Het viel me op dat Nash' leeftijd je niet kon deren.'

'Maar het is een barbaar!'

'Volgens welke maatstaven?'

'Dat is onredelijk!'

'Ik ben meer dan redelijk. Ik doe mijn best om je domme hachje te redden. Of liever gezegd: ik doe mijn best om je broer op de troon te houden.'

'Wat kan mij dat nou schelen?'

'Nou, als de Patriottenfactie de strijd om de troon straks wint en je broer wordt afgezet, dan schakelen ze iedereen uit zijn familie uit om problemen in de toekomst te voorkomen.'

'Uitschakelen? Bedoelt u dat ze me zouden vermoorden? Alleen maar omdat ik Lernens zus ben?'

'Zonder aarzelen.'

'Hoe weet u dat nou?'

'Ronan Dell is vandaag vermoord, Marla, alleen maar omdat hij een vriend van je broer is.'

Dat zette de dingen nogal in een ander licht. 'O.'

Kagan glimlachte meelevend. 'Je hebt nu twee keuzes, jongedame. Je kunt je lot accepteren terwijl degenen die jou niét graag aan een zwaard geregen zien, er iets aan proberen te doen. Of je blijft je gedragen als een verwend kind en veroordeelt je broer tot een wisse verovering door zijn vijanden.'

'Waarom moet ík Lernen redden?'

'Omdat jij de pech hebt te zijn geboren als de dochter van een prins.'

'Een hoogprins,' verbeterde ze afwezig.

Kagan slaakte een diepe zucht. 'Marla, we moeten allemáál dingen doen die we niet leuk vinden. Ik heb er net zoveel zin in om jou hier de les te lezen over verantwoordelijkheden als jij hebt om naar mij te luisteren. Ik weet dat het een hele teleurstelling voor je is, vooral in het licht van de nogal verbeeldingsvolle plannen die je had met Nash, maar je bewijst me een erg slechte dienst door voorbarige conclusies te trekken. Je leven wordt helemaal niet de kwelling die jij je hebt voorgesteld.'

'Hoe weet u dat nou?'

'Omdat je helemaal niet met Hablet van Fardohnya gaat trouwen als ik iets kan verzinnen om dat tegen te houden. Op dit moment heeft die oplossing zich alleen nog niet aangediend. Maar we moeten tijd rekken. En daar kan Hablet voor zorgen. Dus tot er zich een betere mogelijkheid voordoet, kan ik het slecht gebruiken als jij de boel er nog ingewikkelder op maakt door je te gedragen als een verwend nest.'

Ze snufte onelegant en wreef in haar ogen. 'En Nash? Wat gebeurt er met hem?'

Kagan vloekte zacht en fel.

'Verdomme, meisje! Heb je dan niet gehoord wat ik zei?'

'Ik vraag het alleen maar,' zei ze afwerend.

'Niet meer vragen. Niet eens meer aan denken.'

Marla staarde hem ongelovig aan. 'Gaat u echt uw best doen om dit te voorkomen?'

'Alleen als ik een manier vind waarbij er niet een hoop mensen doodgaan. Onder wie jij. En je hoeft ook niet nu meteen met hem te trouwen. Je hebt nog heel veel te leren voordat je iemands vrouw kunt zijn.'

Marla keek naar haar handen, haalde een keer diep adem en sloeg haar ogen op om de tovenaar aan te kijken.

Plotseling wist ze heel zeker wat ze moest doen.

'Mag ik eventjes alleen zijn?'

Kagan keek haar argwanend aan. 'Je gaat jezelf toch niet van kant maken, hè? Of iets anders doms doen?'

'Nee,' beloofde ze. 'Ik wil alleen een momentje om aan het idee te wennen. Als ik het voor Lernen moet doen, dan doe ik dat,' verklaarde ze onbaatzuchtig, met een diepe, theatrale zucht. 'Ik zet mijn eigen gevoelens aan de kant. Voor mijn broer. En voor mijn familie. Voor Hythria. Mijn offer wordt mijn geschenk aan het Hythrische volk.'

'O, *alsjeblieft*, zeg,' kreunde Kagan, naar het plafond kijkend. Maar hij stond op, deed wat ze vroeg en liet haar alleen in het voorvertrek om haar lot te overpeinzen.

En wat een lot was het. Lernen had haar uitgehuwelijkt aan een Fardohnyaan. *Waar zat hij met zijn hoofd? Het was toch zeker veel beter geweest om een Hythrische gemaal te kiezen voor zijn enige zus? Stond het er zo slecht voor dat hij de hulp van Fardohnya nodig had?*

Voordat ze een bevredigend antwoord kon vinden, ging de deur weer open. Marla zuchtte. Kon ze nou nooit eens alleen zijn? Maar het was niet Kagan die terugkwam, het was vrouwe Tesha Zorell.

'Heer Palenovar vroeg me u gezelschap te houden.' Met een glimlach sloot ze de deur achter zich.

'Ik ben echt veel liever even alleen, vrouwe Tesha.'

'Juist.'

Marla was niet van plan langer dan nodig met Tesha Zorell opgescheept te zitten, dus ze forceerde een stralende glimlach en kwam overeind. 'Bij nader inzien wil ik graag terug naar het feest.'

'Weet u dat zeker, hoogheid? Heer Palenovar zei dat u nogal van streek was vanwege het nieuws van uw aanstaande verloving.'

'Dat klopt,' gaf ze toe, onverschillig schokschouderend. 'Maar daar ben ik nu overheen. En de avond is nog best jong. Dit is misschien nog de enige kans die ik krijg om mezelf te vermaken voordat ik officieel verloofd ben.'

De lagere arrion keek de prinses een tijdlang aan, zichtbaar argwanend, maar uiteindelijk haalde ze haar schouders op en liet Marla naar de deur komen om terug te gaan naar het feest.

7

Alija Arendspiek bleef boven aan de trap van de balzaal staan en liet haar blik rondgaan. Haar grootste nachtmerries werden werkelijkheid toen ze de lievelingseunuch van koning Hablet van Fardohnya, Lecter Turon, in de menigte zag staan, in gezelschap van Wrayan Lichtvinger, de leerling van de hoge arrion. Niets had de geruchten dat Kagan Palenovar een huwelijk arrangeerde tussen de Fardohnyaanse koning en Lernens zusje Marla duidelijker kunnen bevestigen dan het zien van die twee loopjongens bij elkaar.

Kagan gaat Hythria cadeau doen aan Fardohnya zonder een kik te geven, dacht ze. *Met een strikje eromheen. En dat strikje wordt Marla Wolfsblad.*

Ze liet haar blik even rusten op Wrayan Lichtvinger en liet de macht om zich heen wervelen als een stille waarschuwing.

Kagans leerling was misschien wel de enige andere levende tovenaar die magisch tegen haar op kon. Kagan kon dat in elk geval niet. Het probleem was dat Alija niet precies wist hoe machtig Wrayan was. Hij was er erg goed in om zijn vermogen af te schermen.

Alsof hij wist dat ze aan hem dacht, keek de jongeman de zaal door en trof haar ogen. Zijn gezicht bleef onverstoorbaar en zijn blik weifelde niet. Zijn zelfvertrouwen was verontrustend.

'Daar komt Kagan,' merkte Barnardo op, haar concentratie verstorend. Alija keek haar man aan, vechtend tegen de neiging aan haar armen te krabben waar het officiële gewaad van het Collectief jeukte. Ze droeg het zelden. Dat gold voor vrijwel alle tovenaars van het Collectief. *Met enkele duizenden jaren ervaring achter de rug zou je toch denken dat iemand eens een gewaad had bedacht waar je geen jeuk van kreeg.*

'Niets zeggen,' waarschuwde ze. Barnardo kon soms zo'n idioot zijn. Bij openbare uitstapjes zoals dit durfde ze hem niet uit het oog te verliezen.

'Als hij iets tegen me zegt over de moord op Ronan Dell...'

'Dat doet hij niet,' beloofde Alija. 'Hij weet wel beter.'

'Vrouwe Alija. Heer Arendspiek.' Onder aan de trap bleef Kagan staan en maakte een buiging, als je een plichtmatig hoofdknikje zo kon noemen. 'Wat leuk dat u er ook bent.'

'Heer Palenovar.' Alija reageerde met een buiging waar net zo weinig respect uit sprak als die waarop Kagan haar had getrakteerd. Kagan moest eens weten hoe graag Alija er vanavond níét bij had willen zijn. En al helemaal niet met haar man. Uit alle macht probeerde ze de krijgsheren van Hythria, die neigden naar de Patriottenfactie, ervan te overtuigen dat Barnardo een redelijk alternatief was voor Lernen als hoogprins. Iets wat haar veel gemakkelijker afging als Barnardo er niet bij was.

Maar als ze vanavond niet waren gekomen, zouden de mensen kunnen gaan denken dat ze iets van doen hadden met de moord op Ronan Dell.

'U dacht toch zeker niet dat we zoiets belangrijks als het bal ter ere van het Feest van Kaelarn zouden missen? Wat zou er dan aan het hof worden geroddeld over onze afwezigheid?'

'Ik zou het niet weten,' antwoordde Kagan. 'Misschien kunt u weggaan, zodat we erachter kunnen komen?'

'U kunt ons niet zomaar bedreigen!' bitste Barnardo, en Alija kromp ineen door zijn nukkige gejammer.

Het zou allemaal zoveel gemakkelijker zijn geweest als ik niet zo ongeduldig was, besefte ze. De kans om op de troon te raken was zo groot geweest, toen Lernen nog maar net hoogprins was en geen ziel in Hythria wist hoe het met hem zat. Niemand had verwacht dat hij het jaar vol zou maken. Hij had geen erfgenaam en zou er ook niet snel een krijgen. De juiste man had zich maar aan hoeven dienen, en hij had de zetel van de hoogprins kunnen opeisen.

En de juiste man, daarvan was Alija overtuigd geweest, was Barnardo Arendspiek. Hij was Lernens neef, dus hij bevond zich in de lijn van opvolging. Hij was een krijgsheer met de middelen en – niet onbelangrijk – het leger van een rijke provincie achter zich. Hij had bondgenoten. Hij had alles wat nodig was om in de bres te springen als Lernen verstek liet gaan.

Alija was een Patriot. Ze gaf te veel om Hythria om het land te laten verkommeren in de handen van een despoot. Daarom had ze de kans berekend en gegokt op de favoriet. Omwille van haar land had Alija zich afgekeerd van een man die van haar hield en in plaats daarvan gekozen voor de weg naar de macht, stiekem ervan overtuigd dat alleen zij Hythria door de komende crisis terug naar grootsheid kon leiden.

En wat was ze ermee opgeschoten? Níéts. Op een of andere manier had Lernen zich aan zijn troon vastgeklampt. Barnardo Arendspiek had alle benodigde kwalificaties voor het koningschap, op één na: hersens.

Haar collega's bij het Collectief waren bang voor haar macht als Innatief en daarom had zij de positie van hoge arrion niet gekregen toen Velma een paar jaar geleden was afgetreden, maar hadden ze in plaats daarvan die oude dwaas van een Kagan Palenovar benoemd.

Niet omdat hij machtig was – Alija had meer macht in haar pink dan Kagan ooit zou bezitten. Nee, hij had die aanstelling gewonnen omdat hij afkomstig was van een oude, vertrouwde edelmansfamilie, omdat zijn zus getrouwd was geweest met niet één maar twee krijgsheren en omdat hij berucht stond om zijn afkeer van politiek.

Die karakterloze idioten van het Collectief zagen in hem een veel veiliger kandidaat. Ze hadden Alija's ambitie gewogen tegen Kagans totale gebrek daaraan, en die strijd had ze jammerlijk verloren.

En de ironie? Kagan bestuurde het hele land, net zoals ze dat van Alija hadden gevreesd, en niemand leek het te beseffen. Als ze niets had gedaan, als ze gewoon haar tijd had afgewacht, als ze gewoon was getrouwd met de man van wie ze hield en de afgelopen jaren had doorgebracht in geluk in plaats van intense teleurstelling, dan had ze zich in exact dezelfde positie bevonden. Vandaag of morgen zou Laran Krakenschild de provincie Krakandar erven.

Dan was hij zelf krijgsheer, rijker en waarschijnlijk machtiger dan Barnardo en een veel betere kandidaat als hoogprins, aangezien hij welbespraakt was, een goede opleiding had gehad en een enorm respect genoot bij de andere krijgsheren, die hem bewonderden om de wijze waarop hij had gewacht op zijn erfenis.

Toch lag Alija niet vaak wakker van de weg die ze had gekozen. Dat had geen enkele zin. Ze had haar kaarten op tafel gelegd, en het was net iets anders gelopen dan ze had verwacht. Ze troostte zichzelf met de gedachte dat ook al was ze met Laran Krakenschild getrouwd, de kans groot was dat hij nooit een gooi naar de troon zou hebben gedaan. Daar was zijn eergevoel domweg te groot voor. Nu had ze macht, hoe beperkt die ook was. En rijkdom. En haar jongens. Die waren nog jong, kleuters eigenlijk, maar tegenwoordig had ze voor Cyrus en Serrin net zulke sterke ambities als voor zichzelf. En het spel was nog niet uit. Nog niet. Dat was pas uit als Hablet van Fardohnya Marla Wolfsblad tot zijn vrouw nam.

En dat was iets wat ze tegen vrijwel elke prijs ging proberen te voorkomen.

'Ik ben hier niet om u te bedreigen, mijnheer,' zei Kagan met een leep lachje tegen Barnardo. 'Ik kwam alleen even zeggen dat u de oesters moet proberen. Die zijn vers uit uw eigen provincie, geloof ik.'

'Denk je dat we helemaal hierheen zijn gekomen om onze eigen oesters te proeven, Kagan?' vroeg Alija met een zuinig glimlachje.

'Laat het maar niet om een andere reden zijn, Alija,' antwoordde hij zacht.

Het ontging Alija niet wat hij bedoelde. Barnardo nam echter aanstoot aan zijn toon en zette zijn borst op, zwaar beledigd kijkend. 'Mijnheer de hoge arrion! Als u soms denkt dat u ons hier zomaar kunt vertellen wat we wel of niet moeten doen...'

'De hoge arrion bedoelde het niet kwaad, lieverd,' onderbrak ze kalmerend. 'Hij doelde vast alleen maar op het succes van onze handelsdelegaties.'

'Uiteraard,' beaamde Kagan, met diezelfde zalvende glimlach.

Alija wist wel wat hij dacht. Hij genoot ervan om te zien hoe Barnardo zich voor schut zette. De hoge arrion mocht dan een luie, oude zuiplap zijn, maar hij was niet blind voor de tekortkomingen van haar man. Dat was waarschijnlijk ook de reden dat hij Lernen nog steunde. In Kagans ogen was er te weinig verschil tussen de leiderschapskwaliteiten van Lernen en die van Barnardo om de bestaande situatie te wijzigen.

'Dan zullen we de oesters gaan proberen, precies zoals de hoge arrion oppert,' zei Alija met een minstens even zalvende glimlach. 'Aan de smaak van een oester is veel af te leiden over de omgeving, en volgens mij is dit een uitstekende avond om te voelen hoe warm het water is.'

'Pas dan maar op dat u niet te diep gaat, want anders verdrinkt u nog, mijn vrouwe,' reageerde Kagan. 'Het kon me nog wel eens moeilijk vallen u een reddingslijntje toe te werpen.'

'U gaat ervan uit dat ik er een van u zou accepteren, Kagan Palenovar.'

'Wie verdrinkt, mijn vrouwe, heeft zelden een keuze.'

'Dan is het maar goed dat ik niet verdrink, nietwaar?'

'Nog niet,' gaf Kagan toe. Toen grijnsde hij. 'Maar de avond is nog jong.'

Alija liet haar arm door die van Barnardo glijden. 'Ik geloof, mijnheer, dat we u van uw sociale verplichtingen houden. Kom, Barnardo. Ik dacht dat ik heer Vosklauw zag staan bij het orkest. We moeten hem nog bedanken voor het cadeau dat hij stuurde na de geboorte van Serrin.'

Alija gaf Kagan geen kans iets terug te zeggen. Ze trok Barnardo bij de hoge arrion vandaan. Hij keek haar aan terwijl ze de trap afdaalden, gevolgd door hun entourage, en wilde weten welk cadeau van heer Vosklauw dan zo indrukwekkend was geweest dat ze hem er persoonlijk voor moesten gaan bedanken. Alija had zin om haar man een klap in het gezicht te geven om zijn traagheid van begrip.

Kagan deed een stap naar achteren om haar erdoor te laten, terwijl hij haar nog altijd strak aankeek. *Hij denkt dat hij heeft gewonnen*, besefte ze. *Zelfs nu Ronan dood is, denkt hij dat Barnardo de troon wel kan vergeten na Marla's bruiloft. En dat klopt ook.* Als Marla trouwde met Hablet van Fardohnya, waren al Alija's dromen niet meer dan dat, slechts ijdele dromen. De angst die de moord op Ronan Dell had moeten wekken bij de hoogprins was vrijwel tenietgedaan door het valse gevoel van veiligheid dat hij zich zou verwerven met de koning van Fardohnya als zijn zwager. Maar zoals Kagan had opgemerkt, de avond was nog jong. En totdat het huwelijk werd voltrokken, was het grootste goed dat Alija bezat, de angst van de andere krijgsheren voor wat een bondgenootschap met Fardohnya inhield. De strijd was nog lang niet gestreden.

8

'Dit wordt interessant.'

Laran Krakenschild keek over zijn schouder naar de jongeman die dat zei en volgde diens blik naar de ingang van de balzaal, waar Barnardo Arendspiek en zijn vrouw Alija zojuist waren binnengekomen. Hij zag ook dat zijn oom, de hoge arrion, vlug een paar passen deed om hen te onderscheppen. Vele andere blikken gingen naar de tovenares en haar krijgsheer, ongetwijfeld met dezelfde vraag als die van Laran: wat zou er gebeuren als ze tegenover de hoogprins en zijn nieuwe Fardohnyaanse bondgenoot kwamen te staan?

'Daar kunnen we maar beter even uit de buurt blijven,' adviseerde Laran.

Nash grijnsde. 'Kan het je dan helemaal niets schelen wat je oom tegen je ex te zeggen heeft?'

'Ik heb nooit iets met Alija gehad,' corrigeerde Laran en hij draaide zich om naar de ijssculptuur op de tafel die plotseling zijn onverdeelde aandacht verdiende. De bevroren waterdraak was al aan het smelten in de vochtige benauwdheid van de balzaal.

'Dan ben jij vast het enige volwassen lid van het mannelijke geslacht in Hythria met wie ze niét naar bed is geweest,' grinnikte Nash.

'O ja? Wanneer ben jij dan met haar naar bed geweest?'

'Eh, nooit,' gaf Nash toe. 'Nog niet, tenminste.'

'Nou dan,' onderbrak Laran. 'Dus hou je kop en bemoei je met je eigen zaken.'

Met een veelzeggende grijns bleef Nash kijken naar de commotie bij de ingang, terwijl Laran die zorgvuldig negeerde. Alija was nu de vrouw van Barnardo, en het had geen zin om aan haar te denken. Of aan hoe het had kunnen zijn.

Trouwens, ze had hem verjaagd als een lastige vlieg toen ze besefte wat Barnardo haar te bieden had. Laran was een onbekende die zich nog niet had bewezen, aan het oog onttrokken tot zijn dertigste verjaardag, het moment waarop hij zijn rijkdom en zijn provincie in handen kreeg. Barnardo was een veel zekerder gok voor een ambitieuze vrouw zoals Alija, een machtig en rijk krijgsheer, en neef van een zwakke en eenvoudig te manipuleren hoogprins. Je kon veel zeggen van Alija, bedacht Laran, maar niet dat ze sentimenteel was.

'Ga jij nog met haar praten?' vroeg Nash.

'Met wie?'

'Alija, natuurlijk.'

'Ik heb haar niets te zeggen.'

'Uiteindelijk zul je toch iets tegen haar moeten zeggen,' waarschuwde Nash. 'Ik bedoel, ze komt je vast en zeker feliciteren als de Convocatie jou over een paar dagen je provincie toewijst.'

'Áls ze me mijn provincie toewijzen,' verbeterde Laran.

'Dat doen ze ook,' beloofde Nash. 'Ze hebben geen keus. Jij bent de enige in Hythria die zo ver van de hoofdstad wil wonen. Eerlijk gezegd weet ik zelf ook niet wat je in Krakandar ziet. Veel te dicht bij die valse sletten in Medalon, als je het mij vraagt.'

'De Zusters van de Kling zijn ons nauwelijks tot last,' schokschouderde hij. 'Die hebben het te druk met hun eigen land van heidenen om zich te bemoeien met de heidenen ten zuiden van de grens.'

'Ja, maar op een dag zou het die akelige krengen nog wel eens kunnen lukken om zich van hun eigen heidenen te bevrijden,' zei Nash. 'En je weet wat ze dan gaan doen, toch?'

'Kariën binnenvallen?' opperde Laran met een flauw glimlachje, en hij nam een slok van zijn glas. De wijn was te zoet, en hij vertrok zijn gezicht om vooral de indruk te wekken dat hij totaal geen interesse had voor wat er zich aan de andere kant van de zaal afspeelde tussen Alija en Kagan.

'Dat zou wat zijn!' zei Nash, zich niet bewust van de richting waarin Larans gedachten gingen. 'Wie zou dat schermutselingetje winnen? Hoeveel zijn er – een paar duizend Verdedigers tegen een paar *honderdduizend* Kariënen?'

'Dan gok ik toch op de Verdedigers,' zei Laran, met moeite zijn ogen afwendend. Er was niets meer tussen hem en Alija. En het had geen zin om iets anders te willen. Hij richtte zijn aandacht op Nash. 'Eén goed getrainde Medalonische Verdediger is honderd schoorvoetende Kariënse dienstplichtigen waard.'

'Het lijkt zowaar wel alsof je bewondering voor hen hebt!' beschuldigde Nash, lichtelijk geschrokken kijkend.

'Heb ik ook,' beaamde Laran. 'Ik bedoel, de Zusterschap moet ik niet, maar hun Verdedigers zijn beter opgeleid dan alle andere soldaten ter wereld. Inclusief die van ons.'

'Dat grenst aan heiligschennis, hoor, Laran.'

De toekomstige krijgsheer glimlachte. 'Misschien heeft Zegarnald de Verdedigers geschapen om ons een waardig tegenstander te geven?'

'Wat hoor ik nu weer over de Verdedigers?' dreunde een stem achter hen. 'Ik laat jullie vijf tellen alleen, en jullie willen Medalon de oorlog verklaren!'

Laran en Nash draaiden zich om naar Larans stiefvader, Glenadal Ravenspeer, de krijgsheer van de provincie Zonnegloor. Dat was een grote kerel met een brede grijns en een stem waarmee hij op vijftig passen afstand iemands ruggengraat kon ontkalken als hij daar zin in had. Laran mocht hem graag, niet omdat hij een machtig of een slim krijgsheer was maar omdat hij Larans moeder gelukkig maakte. Na een leven van ellende door een reeks ongelukkig gearrangeerde huwelijken verdiende ze enige mate van geluk.

'Hoe kom jij binnen?' vroeg Laran. 'Ik dacht dat er alleen beschaafde mensen op dit bal mochten komen?'

De grote krijgsheer lachte. 'Ze hebben Hablet van Fardohnya toch ook binnengelaten?'

'Er gaan geruchten dat die heeft gedongen naar de zus van de hoogprins,' zei Laran.

Nash' glimlach verdween. 'Dat zijn geen geruchten. En op een dag wordt haar zoon erfgenaam van Hythria.'

'Tenzij Lernen een zoon krijgt.'

Nash schudde het hoofd, ongelukkig bij die gedachte. 'Ik kan me niet herinneren dat een jonge mannelijke slaaf ooit een kind heeft gebaard, dus dat is niet erg waarschijnlijk, hè?'

Laran keek zijn beide metgezellen hoopvol aan. 'Hoor eens, ik weet ook wel waar zijn voorkeur naar uitgaat – goden, dat weet het hele land – en erg gezond vind ik het ook niet, maar hij zal toch wel beseffen dat hij plichten heeft? Ze hoeven alleen maar een vrouw uit de juiste lijn voor hem te vinden. Als hij die zwanger heeft gemaakt, kan hij verder toch doen wat hij wil? En met wie hij maar wil?'

'Een gedegen plan als je hem zo ver weet te krijgen,' stemde Glenadal in. Hij keek even rond voordat hij er op zachte toon aan toevoegde: 'Het punt is alleen dat Lernen geen belangstelling heeft. Als het waar is wat ze zeggen, biedt Hablet hem een fortuin en de kans op een erfgenaam zonder dat hij zijn handen hoeft te bezoedelen door een vrouw aan te raken. Volgens mij kan het hem verder niet eens schelen.'

'Dat gebeurt nooit,' zei Laran hoofdschuddend. 'De Convocatie van Krijgsheren keurt een erfgenaam van Fardohnyaanse afkomst nooit goed als erfgenaam van de troon van de hoogprins van Hythria.'

'Vandaar de schijnbaar aanvaardbare suggestie van de Patriotten om de erfopvolging te staken,' verduidelijkte Glenadal.

'Voor iemand die later niet door jong van Hablet wil worden geregeerd, is Barnardo Arendspiek een uitstekend alternatief.'

'Die zou het land in vijf jaar hebben uitgekleed,' liet Laran zich ontvallen.

'Maar het is wel een Hythrun,' bracht Glenadal hun in herinnering. 'Menigeen wordt liever verkracht door een van hun eigen mensen dan door een buitenlander.'

'Verkracht is verkracht, Glenadal.'

'Waarom kunnen we de zus van de hoogprins dan niet gewoon laten trouwen met een Hythrun?' vroeg Nash.

'Met wie dan?' schimpte Laran. 'Iemand die gek genoeg is om te dingen naar Marla Wolfsblad moet een leger hebben ter grootte van dat van Medalon en meer geld dan een willekeurige provincie heeft. Daarom komt Hablets aanbod Lernen ook zo aantrekkelijk voor. De Fardohnyaanse koning is rijker dan een god en heeft de beschikking over een staand leger dat groter is dan de bevolking van Groenhaven.'

'Trouwens, de enige ongetrouwde krijgsheer in Hythria ben jij, Laran,' hield Glenadal hun voor. 'En je weet nog niet eens zeker of je Krakandar wel krijgt.'

'Misschien moet ík dan maar naar haar dingen?' lachte Nash. 'Ik ben straks ook krijgsheer. En het is echt een stuk, hoor.'

'Denk je niet dat je vader daar misschien iets over te zeggen heeft?' opperde Laran. 'Die zag er daarnet nog fris en fruitig uit. Ik vraag me af of hij wel zo blij zou zijn om jou te horen zeggen dat jij hem straks gaat vervangen.'

'Nou ja, misschien is "straks" een beetje overdreven,' gaf Nash toe. 'Maar het is toch verleidelijk voor een vaderlandslievend Hythrun, vind je niet? De kans om de volgende hoogprins te verwekken? Vooral als daar niet meer voor nodig is dan een dappere man die bereid is naar bed te gaan met een mooie, goed opgeleide prinses.'

'Een offer dat een nobel en onbaatzuchtig Royalist zoals jij best zou willen brengen, neem ik aan?' vroeg Laran met een spottend glimlachje.

'Natuurlijk,' beaamde Nash. 'Ik sta bekend om mijn onbaatzuchtige toewijding tot het grote goed.'

Glenadal glimlachte. 'Ik zou er maar niet te hard om lachen, als ik jou was, Nashan Havikzwaard. De meeste mensen hebben niet veel gevoel voor humor als het over de opvolging gaat.'

'Het is ook maar een raar idee,' verzuchtte Nash. 'Trouwens, ik wacht al tot Riika oud genoeg is.'

'Je kunt nog lang wachten voordat ik jou in de buurt laat van mijn dochter,' grinnikte Glenadal terwijl hij de jongeman een klap op de rug gaf. 'Trouwens, ze moet je niet.'

'Heeft ze dat gezegd?'

'Nee. Dat heb ik voor haar besloten.'

'Help eens, Laran!' smeekte Nash, steun zoekend bij zijn vriend. 'Hij speelt vals!'

'Jou helpen aan mijn onschuldige zusje?' vroeg Laran met een knipoog naar zijn stiefvader. 'Daar ken ik je te goed voor, Nash.'

'Ik zou haar behandelen als een koningin!' beloofde Nash.

'Ja, dat zei je gisteravond ook al tegen die court'esa!'

'*Laran*!'

De krijgsheer begon te lachen. 'Doe jij je best maar, Nashan. Ik mag jou wel.

Misschien mag je op een dag wel zonder een gewapend escorte dezelfde kamer in als Riika. Maar ik zou er maar niet te vast op rekenen.'

Nash deed zijn mond al open om te protesteren, maar de woorden kwamen er niet uit. Over zijn schouder zag hij de deur van een van de voorvertrekken opengaan. De beweging ving zijn blik, en iedereen keek om. Uit de kamer kwam een jong meisje in een werveling van lavendelkleurige zijde, gevolgd door een elegante tovenares in een zwart gewaad.

'Mijn goden,' fluisterde Laran vol ontzag. 'Wie is dát?'

'Dat,' antwoordde Nashan, 'is Marla Wolfsblad.'

'Dus je meende het toen je zei dat het een stuk is.'

'Zeker. Volgens mij ben ik verliefd,' verklaarde Nash, met een hand theatraal op zijn hart.

Laran schudde zijn hoofd en keek zijn stiefvader aan. 'Dát zei hij gisteravond ook al tegen een court'esa.'

9

Het eerste wat Marla zag toen ze opdook uit het voorvertrek, was Nashan Havikzwaard die haar met onverholen bewondering aanstaarde met zijn hand op zijn hart. Achter hem stonden twee oudere mannen. Een herkende ze als de krijgsheer van de provincie Zonnegloor. De andere man kende ze niet. Nash haalde zijn hand van zijn hart, pakte zijn glas wijn en hief het in haar richting.

Ze dacht dat haar hart in een miljoen splinters brak toen ze hem zag.

'Dat is Nashan Havikzwaard,' vertelde vrouwe Tesha. 'De zoon van heer Havikzwaard, de krijgsheer van Elasapine. Het zou onbeleefd zijn om hem niet terug te groeten.'

'Het is onbeleefd om mij over te dragen als een bekroonde fokmerrie,' kaatste Marla nukkig terug. 'Daar lijkt niemand zich aan te storen.'

Tesha negeerde haar opmerking, pakte haar arm en voerde haar mee om de krijgsheren te gaan begroeten.

'Vrouwe Tesha,' zei de krijgsheer van Zonnegloor met een sierlijke buiging toen ze naderbij kwamen. 'Wat leuk om u weer te zien. En in zulk charmant gezelschap.'

'Mag ik u voorstellen: hare koninklijke hoogheid, Marla Wolfsblad,' zei Tesha. 'Marla, ik geloof dat je Glenadal Ravenspeer al kent. Dit is Nashan Havikzwaard, zoon van de krijgsheer van Elasapine, en heer Laran Krakenschild, de krijgsheer van Krakandar.'

'Ik had eerder al de eer hare hoogheid te ontmoeten,' zei Nash. Hij pakte haar hand, drukte een kus op haar handpalm waardoor er een tinteling over haar ruggengraat liep, en gaf haar door aan Laran Krakenschild.

Laran boog beleefd, nam Marla's hand aan en kuste haar ook op de palm, zij het veel fatsoenlijker dan Nash had gedaan.

Hij was erg lang en had donker haar, blauwe ogen en een te streng gezicht om hem knap te kunnen noemen. 'Vrouwe Tesha overdrijft, hoogheid. Ik ben nog helemaal geen krijgsheer van iets.'

Marla glimlachte om de indruk te wekken dat het haar iets kon schelen. Ze had geen belangstelling voor Laran Krakenschild.

'Maar uw aanstelling als krijgsheer van Krakandar is toch zeker slechts een formaliteit, mijnheer?' vroeg Tesha.

'In Hythria is niets slechts een formaliteit,' antwoordde Laran. 'En u kunt dat weten, mijn vrouwe.'

Die opmerking trok Marla's aandacht. 'Hoe bedoelt u?'

'Gewoon dat iets pas zeker is als het zo ver is, hoogheid. In dit land, tenminste.'

'Maar Krakandar is toch uw geboorterecht? Wat zou er mis kunnen gaan?'

Nash begon te lachen, geamuseerd door haar onschuldige vraag. 'Van alles, hoogheid. Het is nu eenmaal de aard van het leven dat alles onzeker is. Dat maakt het zo interessant.'

Misschien had hij wel gelijk. Misschien was het wel zo dat niets zeker was. Misschien was er nog hoop op een andere toekomst dan een liefdeloos, eenzaam bestaan in een vreemd land, ver van alles wat ze kende en haar lief was.

'Als onzekerheid jouw leidende principe is, Nash,' grinnikte heer Ravenspeer, 'dan vraag ik me af hoe jij nog iets gedaan krijgt.'

'Nou, meestal is het gewoon geluk, denk ik.'

'Bent u een volgeling van Jondalup, heer Havikzwaard?' vroeg Marla in de hoop dat het niet opviel dat ze alleen maar op zoek was naar een flauwe smoes om hier met hem te blijven praten. 'De god van het toeval?'

'Nou, in eerste instantie zie ik mezelf eigenlijk meer als een volgeling van Kalianah, hoogheid,' zei Nash met een ondeugende glimlach. 'Maar ik wil nog wel eens bidden tot de andere goden als de nood zich voordoet.'

'Dat verklaart dan meteen waarom die je doorgaans gewoon negeren,' merkte Glenadal op. 'Let maar niet op hem, Marla. Nashan Havikzwaard is een schurk, en ik zal u niet langer door hem of door mijn stiefzoon slecht laten maken. Kom!' gelastte hij, haar zijn arm aanbiedend. 'Loop even mee. Mijn vrouw zit thuis in Cabradell, dus er wordt straks flink geroddeld over de vraag wat jij moet aan de arm van een oud beest zoals ik.'

Marla mocht Glenadal Ravenspeer wel. Hij was altijd aardig tegen haar en was een van de weinigen die ooit de moeite hadden genomen om haar op Hoogkasteel te komen bezoeken. Het landgoed van haar neven lag binnen de grenzen van Zonnegloor, en haar tante Lydia was getrouwd met Frederak Branador, een van de vazallen van de familie Ravenspeer.

Marla haakte haar arm door die van de krijgsheer en glimlachte hoopvol naar Tesha. 'Vindt u het goed, vrouwe Tesha?'

'Ik denk dat je bij de krijgsheer van Zonnegloor even veilig bent als bij een andere man in deze zaal,' liet de tovenares zich ontvallen. 'Jij zorgt er toch wel voor dat haar niets overkomt, hè, Glenadal?'

'Alsof het mijn eigen kind was,' beloofde de krijgsheer.

'Ik zag dat je je eigen kind niet mee naar Groenhaven hebt genomen voor de Convocatie,' merkte Tesha op – lichtelijk geërgerd, meende Marla.

'Riika maakt haar opwachting in de maatschappij als ik vind dat ze eraan toe is, vrouwe Tesha. Geen nood. Ondertussen heb ik een prinses te begeleiden en een groot aantal vieze ouwe mannen groen van nijd te laten worden.'

Zonder te wachten op Tesha's reactie troonde Glenadal Marla mee aan haar arm. Hij voerde haar weg van de tafels, door de menigte naar de balkondeuren aan de andere kant van de zaal.

'Dank u.'

'Waarvoor?'

'Dat u me hebt gered van vrouwe Tesha.'

'Moest je dan worden gered?' vroeg de krijgsheer nieuwsgierig.

Marla slaakte een diepe zucht. 'U moest eens weten.'

'Nou, ik denk dat ik het ook wel weet. Je hebt het nieuws over het aanbod uit Fardohnya gehoord, neem ik aan?'

Ze knikte zwijgend, bang dat ze zou gaan huilen als ze iets zei. Nash was verdwenen in het gedrang. Ze kon hem in de drukte niet eens zien.

'Het is een verleidelijk aanbod, meisje.'

Ze bleef staan om te zien of ze in de zee van gezichten nog een glimp van Nash kon opvangen en concentreerde zich op wat Glenadal zei. 'Wat? Natuurlijk.'

'Het zal je broer zwaar vallen om te weigeren.'

'Kunt ú niet met hem gaan praten?'

'Wat moet ik hem zeggen, kind? Ze vermoorden nu al zijn vrienden op klaarlichte dag. Hablets aanbod komt hem als geroepen om te voorkomen dat Barnardo hem van de troon stoot. Je denkt toch niet dat hij zo'n gelegenheid laat lopen om de gevoelens van zijn zus te sparen?'

'Het is wreed,' hield Marla vol. 'En onmenselijk.'

'Het is politiek,' schokschouderde Glenadal.

'Maar... wat als ik nou van iemand anders hou?'

De krijgsheer begon te lachen. 'Liefde heeft er niets mee te maken, kind. Je bent een prinses van koninklijken bloede. Jij hebt die luxe niet. Als je romantiek wilt, koop dan een knappe jonge court'esa om je mee bezig te houden.' Toen hij Marla's norse blik zag, glimlachte hij. 'Kom op, meisje, zo erg is het niet. Tegen de tijd dat je vijf jaar getrouwd bent, heeft Hablet hoe dan ook al zo'n twintig vrouwen. Je hoeft vast niet eens meer bij hem in bed als je hem eenmaal een zoon hebt geschonken.'

'Ik ga hem geen zoon schenken. Ik hoop dat hij nooit een zoon krijgt. Ik haat hem.'

De krijgsheer keek zenuwachtig rond. 'Pas op met wat je wenst, Marla. Een achteloze vloek kan zomaar uitkomen.'

'Mooi.'

Droef schudde hij zijn hoofd. 'Het valt niet mee, Marla, om erachter te komen met wie je moet trouwen. Ik weet nog dat ik mezelf van kant wilde maken toen ik aan mijn eerste vrouw werd voorgesteld.'

'Waarom?'

Glenadal grinnikte. 'Omdat ze zo verrekte overtuigd was van haar eigen goedheid. En zo lelijk was.'

'Waarom hebt u het dan niet gedaan?'

'Mezelf van kant maken? Ik had een plicht, meisje. Een plicht aan mijn familie. Aan mijn provincie. Mijn vazallen. Aan mijn volk.'

'Ik haat plichten. Ik vind het vreselijk om een prinses te zijn. Ik wou dat ik zo was als vrouwe Jeryma. Die kon tenminste kiezen.'

'Dacht je dat? Blijkt maar weer hoe weinig je ervan weet! Toen ik pas getrouwd was met Larans moeder, moest ik nog geruime tijd alles wat scherp was bij haar uit de buurt houden.'

Marla was geschokt. 'Nee toch!'

'Ik zweer het op het hoofd van mijn enige dochter.'

'Ik dacht altijd dat u en vrouwe Jeryma samen zo gelukkig waren.'

'Nu wel, ja,' beaamde hij. 'Maar dat duurde even. En soms gebeurt het helemaal nooit. Ik heb mijn eerste vrouw gehaat tot op de dag dat ze stierf bij de geboorte van mijn enige wettige zoon die nog zo'n drie hartslagen langer leefde dan zij. En ook dat nam ik haar kwalijk.'

Marla liet een zuinig glimlachje zien. 'Vertelt u me dit om me op te vrolijken, heer Ravenspeer? Of om me af te breken?'

'Ik vertel je dit om je te laten inzien dat het geen zin heeft je hiertegen te verzetten, meisje. Lernen moet je laten trouwen met iemand die zijn zeer onstabiele positie kan schragen. Accepteer dat nou gewoon en ga verder. Een andere keuze heb je niet.'

'Heer Palenovar heeft me beloofd dat hij zou proberen er iets aan te doen.'

De krijgsheer schudde zijn hoofd. 'Dat was een dwaze belofte waarvan Kagan zelf weet dat hij zich er niet aan kan houden.'

'Maar hij is de hoge arrion.'

'Zeker. Maar dat is een tovenaar, en die kan geen wonderen verrichten. Maar toch, hij is in de kern ook een Royalist, en ik neem aan dat hij je net zomin graag ziet trouwen met een Fardohnyaan als ik. Als er iets aan te doen was, zou Kagan het nu wel hebben bedacht. Klamp je niet vast aan valse hoop, Marla. Dat maakt het op het laatst alleen maar erger.'

'Maar als u het nou eens samen met hem probeert? Ik bedoel, hij is toch uw zwager? De belangrijkste Royalisten staan immers achter de hoge arrion, dus als u beiden met Lernen gaat praten...'

'Marla, dat heeft geen zin,' zei hij met een kneepje in haar hand, haar laatste hoop de grond in borend met zijn sympathieke glimlach. 'Zolang er in de komende week of zo geen wonder gebeurt dat zich laat vergelijken met de Harshini die na honderdvijftig jaar plotseling terug zouden keren uit ballingschap, ben jij aan het eind van het jaar getrouwd met Hablet van Fardohnya, en daar is verder geen donder aan te doen.'

10

De balzaal van het paleis van de hoogprins in Groenhaven kon moeiteloos plaats bieden aan twee- tot drieduizend mensen. Daarmee was het nog geen grote zaal. Maar het betekende wel dat de onvermijdelijke ontmoeting tussen Alija Arendspiek en Laran Krakenschild iets langer werd uitgesteld dan ze allebei hadden verwacht.

Alija zou Laran liever alleen hebben gesproken, maar ze kon het er niet op wagen om Barnardo uit het oog te verliezen. Een gesprek met Laran had te lang op zich laten wachten. Ze had hem niet meer alleen gesproken sinds de dag dat ze Barnardo's huwelijksaanbod had geaccepteerd. In die vijf jaar was ze nooit in de gelegenheid geweest het aan hem uit te leggen. Nu was het waarschijnlijk al te laat. En al was ze in de gelegenheid, zou Laran het dan begrijpen? Hij was een trouwe Royalist, een van de mensen die ervan overtuigd was dat je achter de hoogprins bleef staan, ook al was het verkeerd. Als Lernen Wolfsblad de wettige opvolger was, dan zou Laran Krakenschild hem steunen, ook al wist hij dat de man een perverse gek was die er geen zin in had zijn land te regeren.

Uiteraard waren er anderen die Lernen Wolfsblad steunden omdat ze het juist wel prettig vonden dat de hoogprins een perverse gek was die er geen zin in had zijn land te regeren.

Die mensen verachtte Alija, al kon ze de reden goed begrijpen. Door de laksheid van de hoogprins hadden de krijgsheren één hand vrij om te doen wat ze wilden.

'Heer Krakenschild!' bulderde Barnardo toen hij Laran in het oog kreeg, en Alija kromp ineen. Barnardo had geen flauw idee van haar vroegere relatie met Laran. Het idee dat een mooie jonge tovenares belangstelling voor hem had, had hem zodanig verblind dat hij vrijwel geen inlichtingen had ingewonnen over eventuele rivalen.

'Heer Arendspiek. Vrouwe Alija.' Larans stem klonk beleefd en neutraal.

'Al helemaal klaar om krijgsheer te worden?' grinnikte Barnardo met een klap op de rug van de langere man. 'Misschien moest ik maar eens dreigen dat ik je niet zal steunen op de Convocatie, zodat je me om wilt kopen, hè?'

Alija deed haar ogen even dicht en wou dat ze kon wegzakken door een gat in de vloer. Of nog beter: dat Barnardo wegzakte door een gat in de vloer. Ze wist wel dat het maar een grap van hem was. Laran wist dat vast ook wel. Maar hij zei het zo hard dat hij halverwege de balzaal nog te verstaan was. Maandenlang had Alija haar best gedaan Barnardo bij de andere krijgsheren neer te zetten als een eerlijk man, een man met een veel hogere mate van persoonlijke integriteit dan de zittende hoogprins. Grappen zoals deze droegen daar niet bepaald aan bij.

Laran glimlachte beleefd. 'Het is maar goed dat ik weet dat het alleen maar een plagerijtje van u is, heer Arendspiek. Want ik zou niet weten waarmee ik iemand kan omkopen die alles al heeft.' Hij keek nadrukkelijk naar Alija, haar uitdagend tot een reactie.

Ze sloeg haar ogen niet neer. 'Mijn man zou vast enorm zijn beledigd door het idee dat hij om te kopen zou zijn,' antwoordde ze, ook hard genoeg om verstaanbaar te zijn. 'Hij zal u steunen, heer Krakenschild, want u bent de wettige erfgenaam en bovendien de beste man voor de functie. Een andere reden om u te steunen zou schandalig zijn.'

Voordat Laran of Barnardo iets kon zeggen, werden ze gestoord door de komst van Nashan Havikzwaard, die aan kwam denderen zonder enig besef van het gesprek dat hij onderbrak. Aan zijn arm had hij een blond meisje van hooguit zestien jaar, haar gezicht rood van het dansen, haar blauwe ogen stralend van opwinding wanneer ze naar haar metgezel keek.

'Kom, Laran!' lachte hij. 'Zoek een partner! Ze gaan beginnen met de novera!'

De novera was een boerendans die onlangs populair was geworden onder de jonge adel van Groenhaven. Er werd aardig wat bij gestampt, geklapt, gewisseld van partner en gelachen. Alija was er dit jaar al bij een aantal feestelijkheden getuige van geweest en had zich nogal vermaakt over de geschokte matrones die het maar luidruchtig en ongepast vonden.

'O! Hallo, Alija!' zei Nash toen hij plotseling zag dat Laran niet alleen was. 'En Barnardo! Dit is Marla.'

Hij trok het meisje naar voren toen hij haar voorstelde. Het kind maakte een wat onbeholpen knix en giechelde. Kennelijk had ze inmiddels behoorlijk wat wijn op. Alija staarde haar geschokt aan. 'Marla *Wolfsblad*?'

'Dat klopt,' verklaarde Nash. 'Da's waar ook, het is een nichtje van je, toch, Barnardo? Alstublieft, hoogheid! U zei dat u hen graag wilde ontmoeten, en hier zijn ze! Heer en vrouwe Arendspiek!'

'U bent heel anders dan ik had verwacht, vrouwe Alija,' zei Marla, alweer giechelend, terwijl ze zich bezitterig vastklampte aan Nash' arm.

'U ook,' antwoordde Alija, nog steeds geschokt om op deze manier kennis te maken met Lernens zus. Het was een knap ding, met grote, onschuldige ogen en een uitdagende charme. Alija vermoedde dat Marla nog moest worden opgeleid door een court'esa. Een jongedame die dat genoegen al had gesmaakt, zou zich in het openbaar nooit zo aanstellen. En zeker niet met een jongeman die kon worden beschouwd als een serieuze mededinger naar haar hand terwijl de onderhandelingen voor een huwelijk met een buitenlandse koning al in een vergevorderd stadium verkeerden. Waar waren haar oppassers? Waar waren de mensen die op haar hoorden te letten, om ervoor te zorgen dat zoiets als dit niet zou – niet kón – gebeuren?

'We moeten binnenkort eens afspreken, Marla,' opperde Alija met een vriendelijke glimlach. 'Per slot van rekening ben ik je tante, al is het dan aangetrouwd. Je zult niet zoveel vriendinnen hebben in Groenhaven.'

'Nee, dat klopt,' gaf Marla toe. 'Geen een... eigenlijk.'

'Zal ik dan eens met je broer gaan praten zodat we eens kunnen gaan winkelen? Je hoeft je hier in de stad toch zeker niet te vervelen omdat je verder niemand kent?'

'Dat zou... leuk zijn.' Marla maakte een wat onzekere indruk. Lernen had het arme meisje vast ingeprent dat Alija het demonenkind was, of zoiets beangstigends. Alija vond het wel een grappig idee om vriendschap te sluiten met de prinses. En Lernen en Kagan Palenovar zouden zich er dood aan ergeren.

'Nou, jullie regelen je winkeltochtjes later maar,' verkondigde Nash. 'Eerst moet je op zoek naar een partner voor de novera, Laran. Wat dacht je ervan, Alija?'

Nash keek haar glimlachend aan, zich ten volle bewust van wat hij vroeg. Barnardo mocht dan niets weten van haar relatie met Laran, maar Nash wist het wel degelijk, en hij genoot van de gelegenheid om een beetje kattenkwaad uit te halen.

Alija zuchtte spijtig. 'Dat kan echt niet, Nash...'

'Natuurlijk wel, liefste,' verzekerde Barnardo haar luidkeels. 'Het is helemaal in, heb ik gehoord, maar veel te onstuimig voor mij. Hier, Laran, dans met haar!'

'Ik wil vrouwe Alija niet iets opdringen wat ze niet wil,' zei Laran galant toen Barnardo haar in zijn armen duwde.

'Nonsens!' lachte Barnardo. 'Dat zegt ze alleen maar opdat ik het me niet aantrek.' Hij glimlachte opgewekt naar zijn vrouw, blij dat hij haar de gelegenheid kon bieden om zich even te laten gaan.

Idioot.

'Ga maar gauw, lieverd. Vermaak je maar. Je goede naam loopt vast geen gevaar bij Laran.'

Uiteindelijk had het weinig zin om te weigeren. Ietwat schoorvoetend liet Alija zich door Laran meenemen naar de dansvloer, in het kielzog van Nash en Marla. Terwijl ze hun plaatsen innamen, staarde de prinses omhoog naar Nash alsof er op de hele wereld niemand anders was. *Interessant.*

'Nooit gedacht jou ooit nog eens in mijn armen te mogen houden,' merkte Laran op toen ze plaats vonden in de rij met dansparen.

Alija maakte haar blik los van Marla en Nash en keek omhoog naar Laran. Die had zijn arm om haar middel, en ze voelde zijn slanke kracht door het kriebelende zwarte gewaad dat ze aanhad.

'Raak er maar niet aan gewend, Laran. Mijn man kon daar wel eens bezwaar tegen hebben.'

Laran glimlachte even, maar de glimlach reikte niet tot zijn ogen. 'Ach, je man... Ik heb gehoord dat je hem onlangs nog een zoon hebt geschonken.'

'Serrin,' bevestigde Alija. Haar kinderen vond ze wel een veilig onderwerp. 'Hij is nu bijna zes maanden.'

'Je hebt jezelf echt overtroffen, Alija. Een gerespecteerd lid van het Tovenaarscollectief. De vrouw van een krijgsheer. Moeder van twee gezonde jongens. En nu? Was je van plan de volgende hoge arrion te worden? O, maar da's waar ook! Je was van plan de volgende hoogprinses te worden, hè?'

'In elk geval hébben we dan een hoogprinses,' kaatste ze terug, lichtelijk gekwetst maar niet echt verrast door zijn bijtende toon. 'Zolang Lernen op de troon zit, kun je dat wel vergeten.'

'En jij denkt dat je daarmee het recht hebt om hem eraf te stoten?'

'Denk je dat?' vroeg ze nieuwsgierig. 'Dat ik dit doe omdat ik hoogprinses van Hythria wil zijn?'

'Is er een andere reden? Vast niet omdat je vindt dat Barnardo een beter mens is dan Lernen.'

'De gemiddelde straatbedelaar is een beter mens dan Lernen Wolfsblad, Laran. Beledig me nou niet door net te doen of je dat niet weet.'

'Dat geeft jou nog niet het recht hem te vervangen, Alija. Lernen Wolfsblad is de wettig gezalfde hoogprins. Wie daar iets aan wil wijzigen, via een aanslag of door hem te vervangen door zijn neef, deugt niet.'

'En het deugt wel om zo'n onverlaat op de troon te laten zitten?'

'Op de korte termijn kan dat misschien moeilijk zijn,' gaf hij toe. 'Maar op de lange termijn loopt de veiligheid van Hythria meer gevaar door wat jij probeert te doen dan door iets wat Lernen in zijn schild kan voeren.'

'Vind jij een Hythrische erfgenaam, verwekt door Hablet van Fardohnya, dan op de lange termijn niet gevaarlijk voor dit land? In wat voor wereld leef jij, Laran? Het kan nooit dezelfde zijn als die waarin ik leef. In mijn wereld stevenen we regelrecht af op de vergetelheid, ofwel door toedoen van de gek die momenteel aanspraak maakt op de titel van hoogprins, ofwel door de regeling die hij gaat treffen met een man die we niet kunnen vertrouwen. Hoe past dát precies bij de veiligheid van Hythria voor de lange termijn die jij zo graag wilt beschermen?'

Voordat Laran kon antwoorden, galmde er een luide stem vanaf het podium waar het orkest was gesitueerd. 'Heren en dames! Neem uw plaatsen in!'

Er volgde een hoop goedhartig geduw en getrek waarmee de dansparen een plekje in de rijen zochten. Alija en Laran raakten even van elkaar gescheiden en vonden elkaar weer toen het orkest de levendige novera inzette en daarmee een eind maakte aan verdere zinvolle gesprekken.

Alija klapte, stampte, lachte en danste vrolijk mee, met één oog op Laran, één oog op Marla en Nash, en een diep onheilspellend gevoel bij de gedachte dat Barnardo zichzelf voor schut kon zetten terwijl zij er niet was om dat te voorkomen.

11

Het duurde geruime tijd voordat Wrayan wist te ontsnappen aan de Fardohnyaanse delegatie. Hij hield niet van diplomatie, hield nog minder van zijn onofficiële functie als diplomaat. Het Tovenaarscollectief hoorde boven partijpolitiek te staan. Het Collectief hoorde iedereen gelijk te behandelen, zonder angst of gunst. Het hoorde niets uit te maken van welke nationaliteit je was of tot welke factie je behoorde.

De werkelijkheid was, uiteraard, precies het tegenovergestelde. Sinds de Harshini meer dan honderdvijftig jaar geleden waren verdwenen, was alleen het Tovenaarscollectief er nog om de vrede tussen de wereldnaties te bewaren. En daar kwam bitter weinig van terecht.

Kariën in het noorden schuwde alle goden, behalve Xaphista. Medalon had alle heidenen uitgeroeid. Fardohnya had het tovenaars steeds moeilijker gemaakt om binnen de grenzen van het land te wonen of te werken, vanwege het vermoeden dat het Tovenaarscollectief per definitie een Hythrische organisatie was omdat het hoofdkwartier zich in Hythria bevond. Toen Hablet de troon van zijn vader overnam, had hij als eerste (nadat hij zich systematisch had ontdaan van alle rivalen, uiteraard) alle leden van het Collectief in de gevangenis gegooid of uit Fardohnya verbannen.

En Hythria zelf stond – naar Wrayans mening – aan de rand van de afgrond. De enige reden dat Alija Arendspiek en de Patriottenfactie iets opschoten met hun campagne om de huidige hoogprins af te zetten en te vervangen door Alija's man, was het geleidelijke verval van Huis Wolfsblad. Vier generaties geleden werden de Wolfsbladen nog bejubeld als de reden voor de voorspoed en stabiliteit van Hythria. Nu balanceerden ze op de rand van de ondergang en was hun telg niets meer dan een verwend, pervers groot kind dat geen moment stilstond bij de gevolgen van zijn daden voor de lange termijn. Al wat er over was van de Wolfsbladen, de enige hoop voor hun redding – en daarmee de redding van Hythria – lag in de handen van een nietsvermoedend vijftienjarig meisje zonder enige politieke scholing, zonder enige ervaring aan het hof en zonder enig idee wat er op het punt stond met haar te gebeuren.

'We gaan eraan,' zei Wrayan hardop tegen niemand in het bijzonder. Het was erg laat, en de eerste aarzelende stralen van de dageraad zochten zich al een weg over de horizon. Zijn wandeling had hem bij het paleis en het lawaai van het feest in de balzaal vandaan gevoerd, langs de verlaten steiger waar de staatssloep van de hoogprins zachtjes lag te schommelen op het kerende tij.

Hij glimlachte in de vochtige duisternis. 'Ik had thuis moeten blijven en zakkenroller moeten worden, net als mijn pa.'

'Ja,' verklaarde een chagrijnige stem achter hem. 'Dat had je zeker.'

Wrayan keek om en zag een blonde knul van een jaar of vijftien gevaarlijk hoog op een van de lichtbakens achter hem zitten. Hij was gekleed in een haveloze verzameling afgedankte kleren. De knul moest zich heel stil hebben gehouden toen Wrayan langs hem heen was gelopen. Hij had de jongen totaal niet gezien.

'Pardon?'

'Je had in Krakandar moeten blijven. Bij je pa.'

'Hoe weet jij dat ik uit Krakandar kom?' vroeg Wrayan. Hij had flink zijn best gedaan om zijn noordelijke accent kwijt te raken. Blijkbaar tevergeefs.

'Dat weet ik gewoon,' zei de jongen op onverschillige toon. Hij haalde zijn benen uit de kleermakerszit, sprong omlaag en belandde geluidloos op de houten planken van de werf. 'En je hebt ook iets van een Harshini in je, volgens mij.'

Wrayan glimlachte. Dit was ongetwijfeld werk van Kagan. 'O, is dat zo? En hoe kom je daar dan bij?'

'Nou, je kunt mij toch zien.'

'Dat kan iets te maken hebben met het feit dat ik ogen heb,' merkte Wrayan op, zich afvragend wat Kagan in zijn schild voerde. Zijn meester had in het verleden verscheidene malen geopperd (doorgaans wanneer hij dronken was) dat Wrayans macht niet afkomstig was van enig menselijk talent maar van een onbekende voorouder van de Harshini.

Denkt hij soms dat ik die vergezochte theorie van hem geloof als iemand anders het ook zegt?

'Nou, dat bewijst dan dat je de ogen van een Harshini hebt,' gaf de knul toe. 'Je wist ook dat ik er was toen ik iets zei. Dus je kon me ook horen. Dat is bij mensen meestal niet zo. Dat moeten we echt laten gebeuren, want anders zien of horen ze ons nooit.'

'Ons?'

'De goden.'

Wrayan schoot in de lach. 'Dus jij bent een gód?'

De jongen maakte zich lang en keek diep beledigd. 'Ja, wat dacht je anders?'

'Een nogal slechte acteur, eerlijk gezegd.'

De jongen stampte ongeduldig met zijn voet. 'Wat ís het toch altijd met bastaards? Jullie zijn allemaal zo oneerbiedig dat het echt zeer doet.'

'Neem me niet kwalijk dat ik u heb gekwetst, hemelse goedheid,' reageerde Wrayan met een grijns, toch best onder de indruk van de nurkse blik van de knul.

'Hou toch op met dat "hemelse goedheid",' pruilde het joch. 'Dat zeg je alleen maar om me zoet te houden. Je meent er niets van.'

'Bewijs dan dat je een god bent,' zei Wrayan schokschouderend.

'Dat is nergens voor nodig. Jij hoort gewoon te geloven.'

'Ik weet het goed gemaakt,' opperde Wrayan. 'Vraag een van de andere goden te verschijnen, nu meteen, dan geloof ik alles wat je maar wilt.'

'Waarom zou ik? Ik weet dat ik een god ben. Dat hoef ik aan niemand te bewijzen.'

'Dan moet ik nu echt terug naar het feest.'

'Jelanna is daar ook,' zei de jongen. 'En Kali. Zeggie zweeft er ook ergens rond. Die ruikt al bloed op een jaar afstand.'

Wrayan liep op de knul af. 'Moet ik soms geloven dat de godinnen van de liefde en van de vruchtbaarheid en de oorlogsgod daar vrolijk tussen de gasten door rondlopen in de balzaal van de hoogprins?'

'Natuurlijk niet, mafkees! Niemand kan hen zien. Nou ja, behalve jij dan.'

'En wat doen ze daar dan?'

'Meen je dat nou?'

'Jij meent het toch ook?'

De jongen slaakte een diepe zucht en sprak tot Wrayan alsof die niet goed bij zijn hoofd was. 'Jelanna en Kali zijn er omdat ze er kracht uit kunnen putten wanneer iemand een groot feest zoals dit geeft.'

'Hoe dan?'

De jongen grijnsde schalks. 'Rijkelijk vloeiende alcohol en dans. De twee dingen waardoor mensen zich gegarandeerd van het celibaat in de armen van de godin van de liefde laten leiden. Jelanna en Kali gaan heel vaak samen naar een feest.'

'O, is dat zo?' merkte Wrayan op, een grijns verbijtend. 'Waarom?'

'Kali ploegt de akker, en Jelanna mag de oogst binnenhalen, denk ik. Zij is per slot van rekening de godin van de vruchtbaarheid.'

'En de oorlogsgod? Wat doet die daar?'

'Die is er omdat Hythria Zegarnalds speeltuin is,' schokschouderde de jongen. 'Jullie vechten nu eenmaal nog liever dan dat jullie eten. Dat ziet hij graag in zijn mensen.'

'En Kaelarn? De god voor wie dit spektakel wordt opgevoerd? Waar is die? Hofhouden in een van de paleisfonteinen?'

'Weet ik het,' schokschouderde de jongen. 'In de Dregiaanse Oceaan, denk ik, waar hij zich meestal ophoudt. Het kan hem geen barst schelen waar mensen mee bezig zijn.'

'Dan is dit allemaal nogal een verspilling. Welke god ben jij?'

De jongen keek geschokt. 'Moet je dat nog vrágen?'

'Nou ja, als ik ernaar moet raden en ik gok verkeerd, verander je me vast in iets walgelijks. Dus kan ik het maar beter vragen.'

'Zeg, het is echt heel onbeleefd om de spot te drijven met een god, Wrayan Lichtvinger.'

De knul wist hoe hij heette, wat Wrayans vermoeden bevestigde dat zijn meester hier iets mee te maken had. Kagan had de knaap vast voor het feest verteld dat hij moest wachten op het juiste moment om zijn leerling alleen te treffen en hem te overtuigen van zijn magische afkomst. Wrayan vroeg zich af waar Kagan de tijd vandaan haalde om zo'n poets te regelen.

'Vergeef me, hemelse goedheid,' smeekte hij onoprecht.

'Alleen als je me eert.'

'En hoe wilt u dat ik u eer, hemelse goedheid?' vroeg hij. Met een beetje pech liet Kagan deze knul doorgaan voor de god van muziek. Om Gimlorie te eren moest Wrayan dan vast terug naar de balzaal om te midden van al die belangrijke gasten uit volle borst een of ander schuin en volstrekt ongepast liedje te zingen. Dat soort dingen deed Kagan wel eens als hij een paar biertjes te veel op had.

'Nou, daar komt iemand aan die het al heeft gedaan,' antwoordde de jongen, plotseling onverklaarbaar vrolijk van iets wat Wrayan totaal ontging.

'Wat?'

'Ik geloof zowaar dat die vriend van jou mij én Kali in één klap heeft weten te eren,' grinnikte de knaap. 'Niet slecht voor een mens.'

Achter hem klonken er voetstappen op de werf. Wrayan keek over zijn schouder en zag Nash Havikzwaard en prinses Marla over de steiger lopen, zich er kennelijk niet van bewust dat hij er was. Hij keek de jongen weer aan. 'Wat bazel je?'

De zogenaamde god lachte opgetogen. 'Jouw vriend daar heeft een hart gestolen.'

'Hierheen!' riep Nash zachtjes, stikkend van de lach. 'Snel! Voordat iemand ons ziet!'

In lichte paniek van het idee dat Nash Havikzwaard het donker in vluchtte met Marla Wolfsblad keek Wrayan weer over zijn schouder en toen opnieuw naar de jongen. Maar de in vodden gestoken knul was verdwenen. Toen Wrayan weer omkeek, zag hij hoe een nogal benevelde Marla zich in Nash' armen wierp, niet op de hoogte van het feit dat Wrayan vanuit de schaduwen naar hen keek.

'Krijgen we hier echt geen last mee?' vroeg de prinses. 'Zomaar naar buiten zonder een chaperonne?'

'Niet als we niet worden betrapt,' stelde Nash haar gerust. Hij maakte zich los uit de omhelzing van de jonge prinses en hield haar op armslengte. 'Trouwens, wat frisse lucht zou u best goed doen. U hebt namelijk iets te veel wijn op, hoogheid.'

'Kan me niet schelen! Mijn leven is toch al afgelopen!'

'Is dat niet een beetje extreem...'

'Snap je het niet?' Huilend trok Marla zich los uit Nash' handen. 'Ik moet trouwen met dat Fardohnyaanse varken!'

'Dat weet ik wel, maar...'

'Help me, Nashan, alsjeblíéft,' smeekte Marla en ze sloeg haar armen weer om hem heen. 'Ik ga dood als ik dit moet doen!'

'O, kon ik dat maar, hoogheid,' verklaarde Nash met alle oprechtheid van een jongeman wiens gedachten alleen waren bij het meisje in zijn armen en die niet in het minst geïnteresseerd was in wat ze te zeggen had. Op dat moment besloot Wrayan, omwille van Hythria, zijn aanwezigheid bekend te maken.

Luid kuchend dook hij op uit de schaduwen. 'Ik stoor toch niet, mijnheer?'

Marla gilde van schrik. Nash duwde haar weg alsof ze plotseling gloeiend heet was geworden, al zakte zijn paniek iets toen hij besefte dat het Wrayan was.

'Eh... nee...' stamelde Nash schuldig. 'Hare hoogheid en ik kwamen alleen... even kijken naar de boten...'

'Mag ik u voorstellen dat u dat doet vanaf het balkon, heer Havikzwaard? In het licht? Waar iedereen u kan zien?'

De jongeman wierp een blik op Marla en knikte. 'Dat is misschien wel een goed idee. Ik bedoel, de mensen halen zich de gekste dingen in het hoofd...'

'Inderdaad,' beaamde Wrayan.

Marla keek hen een tijdlang kwaad aan, kennelijk nogal ontstemd, door de suggestie dat ze bij iets onbetamelijks betrokken was.

'Waarom zouden we weer naar binnen gaan?' wilde ze weten. 'Om mijn dierbare goede naam te redden? Nou, die kan me gestolen worden! Wat kan mij het schelen als iedereen denkt dat ik ben onteerd.' Ze ging steeds harder praten. Nerveus keek Wrayan om naar het paleis. Ze waren niet zo ver weg dat niemand hen kon horen. 'Het is zelfs nog een geweldig idee ook! Dan hoeft dat Fardohnyaanse varken me niet meer en hoef ik niet als een bekroonde fokmerrie te worden verkocht aan...'

Marla maakte haar klaagzang niet af. Met een simpele armzwaai liet Wrayan haar halverwege haar zin verstijven.

Even galmde de stilte hard na in Wrayans oren.

Toen keek Nash hem geschrokken aan. 'Wat heb je met haar gedaan?' siste hij.

'Haar hachje gered, lijkt me,' zei Wrayan met een air van zelfverzekerdheid die hij niet echt voelde. Ondanks het feit dat Marla tijdelijk het zwijgen was opgelegd, wist hij niet precies hoe hij het had gedaan en had hij er werkelijk geen idee van hoe hij het ongedaan moest maken. Hij ging recht voor Nash staan en maskeerde zijn onzekerheid met ongeduld. 'En jouw hachje ook, overigens. Hoe haal je het in je hóófd, Nash?'

'We waren aan het dansen, en ze zei dat ze een luchtje wilde scheppen,' legde Nash uit, de vermoorde onschuld zelve. 'Hoe moest ik nou weten dat ze me hierheen zou lokken om me te smeken haar te redden van een ongewenst huwelijk?'

'O, alsof jij niet weet dat iedereen in Groenhaven al een week lang nergens anders over praat?'

'Komt het wel weer goed met haar?' vroeg hij, kijkend naar Marla's versteende gestalte in de schemering. 'Zo te zien ademt ze niet.'

'Maak je maar geen zorgen. Ga jij nou maar iets nuttigs doen zoals haar kinderjuf zoeken. Of help me haar terugbrengen naar haar kamers voordat ze nog meer kan doen om de onderhandelingen te schaden. Of zichzelf.'

'Komt het echt goed met haar?'

'Ja! En nu wegwezen!'

Eindelijk deed Nash wat Wrayan vroeg, en hij vluchtte de werf af, op een draf terug naar het paleis. Nog even bleef Wrayan staan staren naar Marla, gefascineerd door haar houding, versteend tijdens het spreken, haar handen opgeheven, mond open, ogen vlammend van verontwaardiging, gevangen tussen het ene moment en het volgende...

Toen slaakte hij een berouwvolle zucht en zond een dunne gedachtedraad naar zijn meester.

Kagan, dacht hij, met het mentale equivalent van een diepe zucht. *Ik vrees dat we met een probleem zitten...*

12

'Grote goden, Wrayan! Wat heb je gedaan?'

Kagan veerde op en staarde over het bed heen naar zijn leerling die werd geflankeerd door Nash Havikzwaard en Marla's kinderjuf, Lirena. Ze keken allemaal verward, met uitzondering van Wrayan, die wat schuldbewustzijn en een tikje wroeging aan zijn nogal verbijsterde uitdrukking wist toe te voegen.

Marla Wolfsblad lag op het bed van haar koninklijke appartement, slap en roerloos, badend in het warme roze licht van het ochtendkrieken dat binnenviel door de vensters op het oosten. Had ze niet warm aangevoeld en geen gezonde kleur gehad, dan zou Kagan haar wellicht dood hebben verklaard.

'Ik... zwaaide alleen maar met mijn arm,' vertelde Wrayan hem aarzelend.

'Je *zwaaide* met je arm? Goden, haal het niet in je hoofd om ooit op en neer te springen!'

'Wat is er met haar?' vroeg Lirena op hoge toon. 'Moet ik de hoogprins gaan halen?'

'Nee!' gebood Kagan. 'Niemand hoeft hiervan te weten. Het komt allemaal wel weer goed met Marla.'

'Maar u weet niet wat er met haar is,' beschuldigde Lirena met haar handen op haar heupen. 'Of wel soms?'

'Ze zit gewoon vast in een bezwering, meer niet.'

'Wat voor bezwering?'

'Het soort dat dit met je doet, natuurlijk,' blafte Kagan tegen de oude kinderjuf.

'U bent een oplichter, meneer. U hebt er geen idee van onder wát voor bezwering ze is,' concludeerde Lirena afkerig. 'U raadt maar wat.'

'Misschien kunt u even wat warme kompressen gaan zoeken, mijn vrouwe?' opperde Kagan. 'Daar komt ze misschien van bij.'

Lirena leek niet genegen haar meesteres te verlaten, maar de kans om iets te doen wat maar een beetje zin had, was verleidelijk. Na een lange aarzeling knikte ze en beende naar de deur, mompelend over de gevaren van het spelen met magie en het zich bemoeien met iets wat het terrein van de goden had moeten blijven.

'Denk je echt dat die kompressen helpen?' vroeg Nash ongerust nadat Lirena de deur achter zich had dichtgeslagen.

'Ik zou het niet weten,' schokschouderde Kagan. 'Maar het houdt Lirena even bezig. Wat doe jij hier, trouwens?'

'Nash heeft me geholpen Marla hierheen te dragen,' legde Wrayan uit. 'Is er nog iemand in het paleis die hier níét van weet?' Hij moest er niet aan denken wat er stond te wachten als iemand Wrayan en Nash de bewusteloze prinses naar haar kamer had zien dragen.

'We hebben heel goed opgelet,' benadrukte Wrayan. 'Niemand heeft ons gezien.'

'En je hebt er géén idee van wat je hebt gedaan?'

Hulpeloos schudde Wrayan zijn hoofd. 'Het ging ook zo snel allemaal. Marla ging vreselijk tekeer over het onteren van haar goede naam en schreeuwde zo hard...'

'Waarom schreeuwde ze zo hard over het onteren van haar goede naam?' onderbrak Kagan bezorgd. *Grote goden, kon het nog erger?*

'Nou, nadat ze Nash had gevraagd haar te redden van Hablet...'

'Waarom vroeg ze jou haar te redden van Hablet?' wilde Kagan weten van de jonge heer. 'Of liever gezegd: wat deed jij daar eigenlijk, alleen op de werf met de zus van de hoogprins?' Hij mocht Nash graag, maar overal waar hij kwam, leek hij zich in de nesten te werken. Niet zo ernstig meestal, doorgaans de nesten die eerder zijn toe te schrijven aan jeugdige overmoed dan aan boze opzet, maar het bleef zorgelijk. Vooral als er leden van de koninklijke familie catatonisch van werden.

'Ze wilde een luchtje scheppen,' zei Nash, gekwetst door wat Kagan suggereerde. 'En we waren niet alleen. Wrayan was er ook.'

'En wat deed jij op de werf?' vroeg hij zijn leerling streng. 'Jij zou Lecter Turon toch in de gaten houden?'

'Die had zich teruggetrokken voor de nacht. En Hablet was ook naar bed. Trouwens, je moet hebben geweten dat ik daar was. Daar heeft die grappenmaker van jou me gevonden.'

'Welke grappenmaker?'

'Die knul die je daar op me liet wachten om te beweren dat hij een god was. Die me ervan moest overtuigen dat ik echt afstam van de Harshini.'

'In vredesnaam!' ontplofte Kagan. 'Je zwaait gewoon met je arm, en kijk wat er gebeurt! Ik hoef helemaal geen grappenmakers in te huren om jou te laten zien wat je bent! Dan kan ik beter een huurmoordenaar nemen om je uit te schakelen, stom joch, voordat je nog meer schade aanricht!'

'Maar ik wilde haar helemaal geen kwaad doen!'

'Is Wrayan een Harshini?' vroeg Nash, daar plotseling meer in geïnteresseerd dan in het lot van de prinses.

'Nee!' verklaarde de jonge tovenaar met klem.

'Kennelijk stroomt er wat Harshinibloed door zijn aderen,' beaamde Kagan, geen acht slaand op Wrayans ontkenning. 'Niet genoeg om een Harshini te zijn, maar wel genoeg om een probleem te vormen. Genoeg om iets te doen zoals dit.'

'Wie had dat gedacht,' zei Nash bedachtzaam.

'Haal die blik uit je ogen, jongeman.'

'Wát?'

'Er zijn in de hele wereld maar drie mensen die weten van mijn vermoedens: jij, ik en Wrayan. Als ik er ook maar één kik over hoor van iemand anders, Nashan Havikzwaard, dan betover ik je zodanig dat alleen vrouwen van over de tachtig nog onweerstaanbaar voor je zijn, zodat je de rest van je leven kan kwijlen van uitgezakte borsten die ergens ter hoogte van de knieën hangen.'

Ondanks het feit dat Kagan het gerust kon vergeten dat hij zoiets ooit voor elkaar kreeg, bracht hij het dreigement met zoveel overtuiging dat Nash zeker wist dat hij het meende.

'Ik neem het geheim mee in mijn graf,' verzekerde Nashan hem haastig. 'Beloofd.'

'Dat is je geraden,' snauwde Kagan en richtte zijn aandacht weer op Wrayan.

'Ik bén geen Harshini, Kagan,' zuchtte Wrayan. Het was misschien wel de tienduizendste keer dat hij dat tegen zijn meester zei sinds hij tovenaarsleerling was geworden. Kagan had hem nog willen zeggen dat iets geen feit werd door het te herhalen.

'Natuurlijk wel,' zei Kagan.

'Als dat zo was, Kagan,' verduidelijkte Wrayan, 'kon ik veel meer dan ik kan.'

'Veel meer?' herhaalde Kagan en hij schudde zijn hoofd. 'Je zwaait gewoon met je arm, en kijk wat er is gebeurd met de prinses!'

'Eh... ik mag dan misschien geen verstand hebben van magische zaken,' waagde Nash voorzichtig. 'Maar... ik bedoel... hoe kun jij weten wat een Harshini is, Kagan? Even afgezien van de hardnekkige geruchten dat de Halfbloed nog steeds ergens rondhangt, is er al minstens honderdvijftig jaar niets meer van een Harshini gezien of gehoord.'

'Precies!' beaamde Wrayan. 'Wanneer heb jij dan ooit een Harshini gezien om een vergelijking te kunnen maken?'

Kagan wist best dat Wrayan het niet erg vond om tovenaar te zijn, al was het dan tovenaarsleerling, maar hij wilde niet het stempel dragen van de opvolger van Kagan. In deze stad, waar het moordenaarsgilde zo machtig was dat het openlijk zaken deed in een eigen hoofdkwartier op nog geen honderdvijftig meter van de ingang van het hoogprinselijk paleis, was het nooit zo'n goed idee om op jonge leeftijd al naam te maken. Wie zo bekend was, had maar een kleine kans om lang genoeg te leven om die lotsbestemming te vervullen. Toch had hij nog één verrassing achter de hand.

Met een zelfingenomen glimlach keek Kagan de twee jongelieden aan. 'Ik heb Brakandaran ontmoet.'

Wrayan keek zijn meester ongelovig aan. 'Echt waar?'

'Eerlijk.'

'Geloof ik niks van,' schimpte Nash.

'Ik zweer het,' hield Kagan vol. 'Het was op Marla's zevende verjaardag.'

'Hoe is dat dan gebeurd?'

'Marla's vader had het druk met een van zijn vele oorlogjes, en daarom stuurde hij mij om haar verjaardagscadeau te brengen. Brakandaran was toen op bezoek in Hoogkasteel.'

'Brakandaran de Halfbloed logeerde op Hoogkasteel,' herhaalde Nash hoofdschuddend. 'Kwam zeker gezellig even langs?'

'Hij was daar niet openlijk,' verduidelijkte Kagan, lichtelijk geërgerd omdat zowel Nash als Wrayan hem niet wilde geloven.

'Hij deed zich voor als een rondtrekkende landarbeider.'

'Hoe weet je dan dat het Brakandaran was?'

'Garels cadeau voor zijn dochter was een tovenaarshengst,' legde Kagan uit. 'Geen slim cadeau voor een meisje van zeven, maar wijlen de hoogprins heeft nooit erg bekendgestaan om zijn wijsheid...'

'Net als de huidige, trouwens,' onderbrak Nash.

Kagan keek hem even vuil aan voordat hij verder sprak. 'Het was een duivels beest. Niemand kon hem de baas, laat staan een meisje dat net had leren rijden op haar pony. Maar ze zou en ze moest opstijgen, en uiteraard sloeg hij op hol. Volgens mij had ik me nog nooit zo machteloos gevoeld. We stonden daar maar te kijken hoe de enige dochter van de hoogprins zich vastklampte, luidkeels gillend, terwijl het paard in volle galop afstormde op de omheining en het klif erachter. En uit het niets verscheen deze boerenknecht die recht voor het beest ging staan. Ik voelde zijn macht, Wrayan, zelfs van die afstand. Ik kon het gewoon vóélen. En voor iemand die zelf geen echt talent heeft, zegt dat wel iets, geloof me maar. De rillingen liepen me over de rug. Het paard minderde plotseling vaart en bleef staan. Toen draaide hij zich om en volgde deze vreemdeling terug naar de stal, mak als een lammetje.'

'Zei hij nog iets?' vroeg Wrayan sceptisch.

'Niet veel. Hij weigerde alles wat hem werd geboden als beloning voor het redden van de prinses. Hielp haar uit het zadel, gaf haar een klopje op het hoofd, zei dat het een dapper meisje was en liep gewoon weg.'

'Ben je niet achter hem aan gegaan?'

'Natuurlijk wel.'

'En...?'

'Ik smeekte hem te vertellen wie hij was. Zei hem dat ik had gevoeld dat hij gebruikmaakte van Harshinimagie. Hij lachte me uit en zei dat ik te veel verbeelding had. Dus ik wees hem erop dat ik de hoge arrion van het Tovenaarscollectief was, en dat het mijn verbeelding niet was, dat ik al lang genoeg met magie te maken had om te weten wat het was, en dat iedereen vanaf de andere kant van de wei kon voelen dat hij uit de bron putte, maar dat ik domweg de enige was die het als zodanig herkende. Ik was helemaal ondersteboven van het idee, zoals je je kunt voorstellen. Het was de eerste keer van mijn leven dat ik ware magie had gevoeld. Ik zal inmiddels op mijn knieen hebben gezeten. Op dat moment glimlachte hij maar wat, haalde zijn schouders op en zei me dat ik me niet zo moest vernederen en dat ik het nieuws dat ik zojuist een Harshini had ontmoet, maar beter voor me kon houden.'

'Zei hij verder nog iets?' vroeg Nash.

'Toen ik "hemelse goedheid" tegen hem zei, zei hij dat hij dat niet was en dat ik hem gewoon Brak kon noemen.'

'En daar heb je verder nooit iets over gezegd? Tegen niemand?'

'Dat had ik hem beloofd.'

'Maar waarom vertel je het dan aan ons?'

'Omdat ik de aanwezigheid van een heuse Harshini heb gevoeld, Wrayan Lichtvinger. Vraag me niet hoe het is gebeurd of hoe ver in je verleden het is geweest, maar op een of andere manier heeft de zoon van een zakkenroller uit de sloppenwijk van Krakandar Harshinibloed in zijn aderen. Dat is meer dan een Innatief. Jij kunt daadwerkelijk bij de bron.'

Wrayan schudde zijn hoofd. 'Dat is absurd. En ook al was het zo, waarom heb je het dan nooit eerder over je ontmoeting met Brakandaran gehad?'

'Omdat het nooit bij me was opgekomen waardoor jij zo anders bent. Totdat jij met je arm zwaaide en de zus van de hoogprins versteende.'

'Dat bestaat niet, Kagan.'

'Integendeel, mijn jongen. Wat was je vader? Dief?'

'Zakkenroller,' verbeterde Wrayan. 'Dat is iets heel anders.'

Kagan haalde zijn schouders op. 'Nou, dat onderscheid is me niet helemaal duidelijk. Maar snap je het niet? Met jouw nogal dubieuze afkomst is het heel goed mogelijk. Nash kan je zijn familiegeschiedenis vertellen van de afgelopen duizend jaar. Hoe ver gaat jóúw kennis van je familie terug? Eén generatie? Twee, met moeite? Je hebt geen idee van het bloed in je aderen.'

'Er is een tijd geweest dat halfbloeds heel gewoon waren,' bracht Nash Wrayan in herinnering, duidelijk warmlopend voor het idee dat zijn vriend een Harshini was. 'Totdat ze werden uitgeroeid door de Zusterschap, tenminste.'

'Precies!' verklaarde Kagan. 'Zo moeilijk is het niet voor te stellen dat er een halfbloed een nachtje heeft doorgebracht met een Krakandarse hoer die uiteindelijk jouw betovergrootmoeder bleek te worden, of zoiets.'

'O, dus nu was mijn oma een hoer?'

'Dat was ze toch ook?'

'Eh... ja... maar het is niet erg vriendelijk om dat te zeggen, Kagan. En we schieten er ook niet zoveel mee op.'

Kagan liet instemmend zijn schouders hangen. De knul had gelijk. Met de wetenschap dat Marla's toestand was veroorzaakt door Harshinimagie, was hun dilemma nog lang niet opgelost. 'Weet je totaal niet meer wat je hebt gedaan?'

'Wel dat ik wou dat ze ophield. Ik wilde alleen dat ze het rustiger aan deed.' Wrayan haalde zijn schouders op. 'Ik weet nog dat ik dacht: ze moet stoppen. En dat deed ze.'

'Nou, dan kun je toch gewoon met je arm zwaaien en denken: ze moet weer doorgaan?' opperde Nash.

Kagan schudde zijn hoofd van wanhoop. 'Eruit!'

'Heb je mijn hulp niet nodig?'

'Alleen als je in het afgelopen uur magiër bent geworden. Of iets beters weet te verzinnen dan dat.'

'Ja, maar het zou toch kunnen,' meende Wrayan. 'Iets dergelijks zou de bezwering ongedaan kunnen maken.'

'Of juist niet,' waarschuwde Kagan. 'En ik heb liever dat je geen experimenten met je onbeheersbare krachten uitvoert op de enige zus van de hoogprins.'

'Maar wat moeten we dan doen?'

'Niets, voorlopig,' verkondigde Kagan. 'Voor zover wij weten, is dit gewoon tijdelijk en gaat het over een paar uur vanzelf over.'

'En als het niet tijdelijk is?' vroeg Wrayan zenuwachtig.

'Dan gaan we de bibliotheken afstropen, Wrayan,' zei Kagan. 'Als dit voortkomt uit het gebruik van Harshinikrachten, dan is er misschien ergens wel iets te vinden waarin wordt uitgelegd hoe het werkt.'

'Het spijt me verschrikkelijk, Kagan. Dit heb ik nooit willen doen.'

'Weet ik.' Vermoeid ging de hoge arrion op het bed zitten en nam Marla's slappe hand in de zijne. Een polsslag had ze niet, maar ze voelde warm aan en haar huid veerde terug als hij die indrukte. Ze leefde nog zeer beslist, maar in geen honderd jaar was er iemand in aanraking geweest met heuse Harshinimagie. Tenzij je zijn eigen ontmoeting met Brakandaran de Halfbloed meetelde. Maar dat was bijna negen jaar geleden, en de kans was klein dat heer Brakandaran ook deze keer als bij toverslag verscheen om de boel te redden.

Kagan wist niet wat hij moest doen. Er leefde niemand meer – in elk geval niemand met wie Kagan contact kon opnemen – die kon verklaren wat er met Marla was gebeurd. Hij had er geen flauw idee van waarmee hij haar kon herstellen.

'Kan ik dan helemaal niets doen?' vroeg Wrayan.

'Je zou kunnen bidden, Wrayan,' opperde Kagan zwaarmoedig. 'Je kunt bidden.'

13

Een van de voordelen die het had om een innatief tovenaar te zijn, was dat je lange tijd achtereen zonder slaap kon. Alija wist niet precies hoe dat kwam. Ze wist alleen dat ze zich gewoon kon verkwikken door contact te maken met de bron, zodat ze weer verder kon alsof ze een hele nacht had geslapen. Maar het was wel frustrerend. Er was nog zoveel meer waartoe ze in staat had moeten zijn, maar doordat de Harshini waren verdwenen, was er niemand van wie ze het kon leren.

Innatieven waren altijd al zeldzaam geweest, ook toen de Harshini er nog waren. Vóór Alija was de laatste geboekstaafde Innatief meer dan zestig jaar geleden door het Collectief ontdekt. En nu waren er twee, als je de geruchten over Wrayan Lichtvinger mocht geloven. Dat hield in dat er minstens twee mensen in het Tovenaarscollectief zaten die daadwerkelijk magische dingen konden verrichten. De rest behielp zich met het doen van bezweringen (die net zo vaak mislukten) en liefhebberen in de politiek, wat voor de meeste tovenaars de reden was dat ze zich voelden aangetrokken tot het Collectief.

Macht was macht, ongeacht de bron.

Alija beschouwde hen allemaal als gedrochten. Niet wat de Harshini hadden gewild, niet wat de Harshini hadden bedoeld. Niet de bestaansreden van het Collectief.

Vroeger, nog voordat de Zusters van de Kling in Medalon zich op de Harshini hadden gestort om hen met wortel en tak uit te roeien, was het Collectief een studiecentrum geweest. Er werd toen magie gestudeerd. De magie van het Tovenaarscollectief was toen echte magie geweest, niet de trucjes en illusies waarvan ze zich nu bedienden. De hoge arrion was gekozen vanwege zijn of haar kracht, niet vanwege familiebetrekkingen. De tijd had Alija beroofd van de gelegenheid om haar capaciteiten ten volle te benutten.

Ze was een paar honderd jaar te laat geboren. Maar daardoor liet ze zich nog niet weerhouden van wat ze zag als haar levensmissie. Ze zou het Collectief herstellen in zijn vroegere kracht. Ze was van plan ervoor te zorgen dat de toekomstige generaties tovenaars werden gekozen vanwege hun vermogens, niet vanwege hun politieke ambities. En ze ging ervoor zorgen dat Hythria een sterk en onafhankelijk land bleef, wat onwaarschijnlijk was zolang die idioot van een Lernen Wolfsblad hoogprins was. Ze was, per slot van rekening, een Patriot.

Alija liep naar het venster en keek uit over de baai. Het paleis was aan de andere kant van de haven te zien, en de laatste lichtjes van het feest werden door de slaven gedoofd nu de ochtend kriekte. Ze had op het paleis kunnen blijven, maar Alija gaf de voorkeur aan hun residentie. Daar had ze meer privacy. Ze vertrouwde de slaven hier.

De dageraad had de duisternis nog niet uit de hemel verdreven. Van achter het gaasgordijn rondom het bed achter haar zei het zachte gesnurk van haar man haar dat Barnardo nog diep in slaap was en dat vast nog wel enkele uren zou blijven. Hij was altijd al een langslaper geweest. En een diepe slaper. Alija genoot echter van de ochtenden. Misschien omdát Barnardo een langslaper was en ze wist dat ze in die tijd dagelijks op enkele uren rust mocht rekenen.

Kijkend naar het oosten en de helder wordende hemel dacht Alija aan haar jongens, thuis in de provincie Dregian. Ze nam hen liever niet mee naar Groenhaven. Het risico van een aanslag zat er altijd in. Er was altijd wel een of ander risico. Zoals bij de meeste edelmanshuizen volgde Alija de gewoonte haar zonen te omringen met een aantal leeftijdsgenootjes die er ongeveer hetzelfde uitzagen, zodat een eventuele huurmoordenaar, die erin slaagde dicht bij haar kinderen te komen, niet wist wie nou precies de erfgenaam was en wie de vriendjes waren, maar ze had niet veel vertrouwen in die oplossing. Als zij de huurmoordenaar was, had Alija altijd gedacht, dan was zo'n dilemma snel opgelost door gewoon alle kinderen op het dagverblijf te vermoorden, maar kennelijk hield het moordenaarsgilde er een of andere onwaarschijnlijke ethische code op na over het doden van onschuldige voorbijgangers. Behalve het contractuele doelwit werd er niemand uitgeschakeld, en bij twijfel was voorzichtigheid het hoogste gebod.

Ze glimlachte grimmig. Dat had ze de soldaten die ze op Ronan had afgestuurd, ook opgedragen. In dát huishouden waren er geen onschuldige voorbijgangers geweest. En daarom had ze ook het risico genomen haar eigen troepen te sturen in plaats van het moordenaarsgilde in te huren. Alija was lang niet zo kieskeurig als zij. Het was ook allemaal volgens plan gegaan, alleen ontbrak de dwerg. Ze wist niet of ze zich daar nu zorgen over moest maken of niet. Mogelijk was Ronans misvormde lievelingetje tijdens de aanval gewoon buitenshuis geweest, en in dat geval kon het Alija niets schelen wat er van hem terechtkwam. Maar als hij getuige was geweest... als hij de moordenaars kon aanwijzen...

Alija verstijfde toen er een uiterst flauwe prikkeling van magie langs haar heen streek. Ze voelde een vreemde rilling over haar ruggengraat. Het was te zwak om aan te geven waar het vandaan kwam, of zelfs uit welke richting het kwam.

Was het Wrayan Lichtvinger? Hij was de enige van wie Alija wist dat hij contact kon maken met de bron. Of liep er ergens in de straten van Groenhaven nog een Innatief, eentje die nog niet was ontdekt? Zo onwaarschijnlijk was dat niet. Wrayan was gevonden op de markt in Krakandar terwijl hij zijn ongeoefende talent voor telepathie aanwendde om nietsvermoedende gokkers geld afhandig te maken.

Ook Alija's talent was per ongeluk ontdekt, toen ze, zich nergens van bewust, haar moeder had verteld over het nieuwe vriendinnetje van haar vader en de spelletjes die ze hen had horen spelen in het boothuis bij het meer. Aangezien het buitenhuis van Alija's familie aan het meer zo'n vijftig mijl van de familiezetel in Izcomdar lag, werd er aanvankelijk maar weinig geloof aan haar openbaring gehecht. Ze was toen ook nog maar vijf jaar oud. Iedereen schreef haar verhalen toe aan de ongebreidelde verbeelding van een klein kind. Even speelde er een glimlachje om Alija's mond toen ze terugdacht aan het moment waarop haar moeder haar eindelijk serieus had genomen. Ze waren toen bij de kennel om te gaan kijken naar een nieuw nestje hondjes, toen ze door wat tumult werden afgeleid. Toen iedereen opkeek, bleken er twee van de andere jachthonden in de kooi ernaast aan het paren. Gefascineerd door het merkwaardige tafereel en zonder enige aandacht voor de kennelmeester die haar moeder vertelde over de voordelen van een kruising tussen deze twee stambomen in het bijzonder, had Alija hartelijk gelachen en verkondigd: 'Kijk! Ze spelen hetzelfde spelletje als papa en zijn vriendinnetje!'

Nu ze volwassen was, kon ze er de humor wel van inzien, maar Alija herinnerde zich nog heel goed de afgrijselijke stilte die over de kennel was neergedaald. En het onophoudelijke vragen dat haar opmerking teweeg had gebracht toen iedereen wat van de aanvankelijke schok was bekomen. Toen ze uiteindelijk geen bevredigend antwoord uit haar dochter had weten te krijgen, was Alija's moeder onaangekondigd naar het buitenhuis gegaan, alwaar (ontdekte Alija later) ze haar man ontdekte in de armen van vrouwe Lyana, echtgenote van de baron van Shalendor.

Alija was toen nog veel te klein geweest om te begrijpen wat voor een schandaal het was. Het was volkomen normaal dat een man of een vrouw er een aantal court'esa op nahield ter vermaak. Dat waren tenslotte bezittingen, geen echte mensen. Je hield ze voor je plezier, net zoals je schilderijen aan de muur had hangen of een bard liet optreden bij een diner dansant. Maar het was volstrekt onaanvaardbaar om jezelf te vermaken met een ander lid van je eigen klasse, vooral wanneer diegene was getrouwd met de landheer van een naburig district.

Als benadeelde partij had Alija's moeder van haar man en zijn familie allerlei concessies kunnen eisen voor de vernedering die ze had geleden, en Alija zag haar vader daarna nog maar zelden. Gelukkig was ze veel ouder voordat ze het verband legde tussen haar visioenen en het bezoek aan het buitenhuis dat had geleid tot zoveel verdriet, razernij en wrok.

Maar toen het eenmaal weer wat rustiger was geworden, had haar moeder haar aandacht op haar dochter gericht en de vraag hóé ze had gezien wat er gebeurde in het boothuis, in plaats van wát ze had gezien. Toen kwamen er een reisje naar Groenhaven en een aantal gesprekken waar ze niets van begreep tussen haar moeder en de hoge arrion, en vervolgens kreeg ze te horen dat ze werd opgenomen in het Tovenaarscollectief om te worden opgeleid als tovenares. Ze was een Innatief, hadden ze gezegd. De eerste die ze in tientallen jaren hadden gevonden. Ze was bijzonder. Ze was voorbestemd voor grootse dingen. Op een dag zou ze misschien zelfs beroemd zijn.

Als de jongste van vijf kinderen en het enige meisje had Alija zich altijd eerder een buitenbeentje gevoeld dan bijzonder. Enthousiast aanvaardde ze het idee van haar voorbestemd zijn, zwaaide haar moeder en haar broers vaarwel en draaide de buitenwereld haar rug toe, vastberaden om haar onbekende lotsbestemming bij het Tovenaarscollectief zo goed als ze kon te vervullen.

Tegen de tijd dat ze in haar tienerjaren kwam, wist Alija al zeker dat ze had ontdekt wat die lotsbestemming was. Hythria verkeerde in een staat van langzaam verval. Dat was al doorgedrongen tot de gelederen van het Collectief en reikte verder, helemaal tot op de troon van de hoogprins. Het Tovenaarscollectief was een karikatuur van wat het eens was geweest. Er was vrijwel geen tovenaar die enig idee had van magie. De meesten hielden niet eens de schijn op dat ze studeerden. Ze waren alleen maar geïnteresseerd in politieke macht en gebruikten het Collectief als een middel om die te krijgen.

Alija was vastbesloten daar een einde aan te maken, en als eerste zou ze Hythria bevrijden van de familie Wolfsblad, die ze beschouwde als de wortel van het probleem. Garel Wolfsblad was een dwaas en een verkwister geweest. Maar vergeleken bij zijn zoon Lernen was de voormalige hoogprins nog een groot staatsman. Ze moesten weg, en daar zou Alija voor zorgen.

En dan, als ze haar rechtmatige plaats als hoge arrion had ingenomen – er was verder niemand die zoveel macht had als zij – kon ze ook bij het Tovenaarscollectief weer orde op zaken stellen. Ze had het nog steeds als haar lotsbestemming beschouwd toen Tesha Zorell tien jaar geleden het Tovenaarscollectief binnen was gemarcheerd met een blond, haveloos joch van een jaar of dertien in de kraag gevat, om te beweren dat ook hij een Innatief was.

Tesha had Wrayan Lichtvinger gevonden in Krakandar, zei ze, terwijl ze in de stad was voor de controle op het provinciebestuur, waarvoor het Tovenaarscollectief verantwoordelijk was tot de jonge erfgenaam meerderjarig werd. Alija's eerste reactie op Wrayan was onredelijke jaloezie geweest. Zíj was de bijzondere, en het was gewoon niet eerlijk dat een of andere bastaard van een zakkenroller uit de sloppenwijken van Krakandar met hetzelfde vermogen was gezegend. Maar door de jaren heen was haar woede veranderd in behoedzame hoop. Wrayans vermogen was nooit in twijfel getrokken, maar tien jaar later was hij nog steeds leerling, waaruit bleek dat hij er grote moeite mee had om zijn magische vermogen onder de knie te krijgen. Al sinds haar zevende zat Alija met haar neus in de teksten die door de Harshini waren achtergelaten. Ze hadden Wrayan op zijn dertiende eerst moeten leren lezen voordat hij met studeren had kunnen beginnen. Hij liep over van macht en kon er geen kant mee op, wat mogelijk inhield dat zijn komst ook deel uitmaakte van haar lotsbestemming. In elk geval was ze twee keer zo hard gaan studeren nadat Wrayan naar Groenhaven was gebracht, dus in zekere zin had ze haar hogere vaardigheidsniveau aan hem te danken.

En ze kon zijn macht gebruiken, had Alija ontdekt. Er waren enkele Harshinitechnieken om je eigen macht tijdelijk te versterken. Alija had de tekst gevonden vlak voordat ze Laran had verlaten voor Barnardo. Ze had de methode nog niet helemaal uitgewerkt, maar dat kwam nog wel een keer, en dan zou ze zo'n beetje alles kunnen bereiken wat ze wilde, gewoon door het te willen. Het addertje – er zat *altijd* een addertje onder het gras – was dat je je diep moest concentreren, ook al wilde je alleen maar iemands gedachten lezen, en het leek alleen maar te werken als ze lichamelijk contact maakte met haar proefpersoon. Wat zou het leven toch een stuk gemakkelijker zijn als ze gewoon vanaf de andere kant van de kamer iemands gedachten kon opzoeken en erin rondspitten zonder dat haar slachtoffer er iets van merkte. Maar zolang het Alija niet lukte om langs haar doelwit heen te strijken of een onschuldige reden te vinden om hem aan te raken, had ze er helaas weinig hoop op om iets nuttigs op te pikken.

Barnardo mompelde iets in zijn slaap en draaide zich om met een grom, maar hij werd niet wakker. De hemel was nu aanzienlijk lichter geworden, maar ze had verder geen magie meer gevoeld.

Was het Wrayan? vroeg ze zich af. *Waar was hij mee bezig?*

En nu vormde Marla een nieuw probleem boven op Alija's smarten. Lernen had de Patriottenfactie weten te verrassen met zijn plotselinge zet om zijn zus uit te huwelijken aan de Fardohnyaanse koning. Het was onduidelijk wie er als eerste op het idee was gekomen, maar het denkbeeld was snel aangeslagen, en over enkele dagen kon er al een overeenkomst worden bereikt.

In zekere zin kwam het haar nog goed uit ook. Barnardo was voor de andere krijgsheren een stuk aantrekkelijker nu het alternatief een toekomstige hoogprins van Fardohnyaanse afkomst kon zijn. Misschien moesten ze dit fiasco maar op zijn beloop laten. Kagan speelde hun mogelijk recht in de kaart. Misschien was het niet eens nodig geweest om Ronan Dell uit te schakelen. Misschien hoefde Barnardo toch niet tegen Lernen in opstand te komen op deze Convocatie. Met de dreiging van een Fardohnyaan als toekomstig heerser zouden de krijgsheren misschien eindelijk eens iets aan Lernen gaan doen en Barnardo zelfs vragen de troon te bestijgen, in plaats van andersom.

Maar zonder betrouwbare ogen en oren in Lernens kamp kon Alija er alleen maar naar raden. Gedachten lezen kostte tijd en concentratie, en ze kon niet de hele dag door het paleis blijven dwalen, mensen aanklampend die Lernen omringden om erachter te komen wat er aan de hand was.

Alija had behoefte aan iets betrouwbaarders. Iets conventionelers.

Ze glimlachte toen de oplossing zich aandiende. Marla was bijna zestien en zou straks gaan trouwen. Het was zonneklaar dat ze nog niet door een court'esa was opgeleid. De jonge prinses moest binnenkort een court'esa gaan kopen die haar de kunst van de liefde kon bijbrengen voordat ze zich in het noorden bij haar nieuwe man voegde in Talabar. Het was ondenkbaar dat Lernen zijn zus zonder zo'n training naar Fardohnya zou sturen. Als Alija het goed speelde, kon ze haar eigen ogen en oren in Marla's gevolg plaatsen zonder dat iemand het ooit te weten kwam. Het was perfect.

Barnardo roerde zich weer op het bed. Met een frons keek ze naar hem. *Was er maar net zo'n eenvoudige oplossing voor jou, lieverd,* klaagde ze in stilte.

Maar Alija kon alleen maar toveren. Wonderen lagen niet binnen haar bereik.

14

Halverwege de ochtend van de dag volgend op het bal begon Wrayan in paniek te raken en vermoedde hetzelfde van Kagan. Marla's toestand was ongewijzigd. Ze lag als versteend op het bed en vertoonde geen enkele neiging om uit die staat te ontwaken. De kompressen hadden geen effect gehad.

De kinderjuf was buiten zichzelf. Lirena eiste dat de hoogprins werd ingelicht en dreigde dat zelf te gaan doen als Kagan niets deed om haar meesteres onmiddellijk te herstellen.

Uiteindelijk had Kagan Lirena verdoofd met een krachtig slaapmiddel en Wrayan achtergelaten om de wacht te houden bij de prinses terwijl hij de oude kinderjuf in bed ging stoppen, waar ze hopelijk lekker lang zou blijven slapen zodat ze niet in de weg zou lopen tot Marla was bijgekomen.

Ongerust heen en weer lopend door de kamer van de prinses deed Wrayan zijn best zich te herinneren wat hij precies had gezegd of gedaan dat tot deze rampzalige verwikkeling had geleid. Het enige wat hij kon bedenken, was zijn eigen naderende ondergang als de situatie niet gauw werd opgelost. Zijn gedachten werden al zo somber dat hij zich begon af te vragen of Lernen zijn dood zou eisen als vergelding voor deze verschrikkelijke toestand, toen hij schrok van een geluid bij het venster. Wrayan sprong op toen hij totaal onverwachts een stem hoorde.

'Sjonge, je hebt het nu wel heel erg voor jezelf verprutst, hè?'

Op de vensterbank zat het haveloos geklede joch van de werf, dat hem aankeek met een zelfingenomen, hooghartige grijns.

'Hoe kom jij hier binnen?'

'Ik ben een god,' bracht de knul hem in herinnering. 'Ik kan gaan waar ik wil.'

Wrayan wierp een blik op het gesloten venster, zich afvragend hoe de knaap naar binnen had weten te klimmen. Ze zaten op de tweede verdieping, en onder het venster van de prinses bevond zich niets dan een vrije val in het water van de haven beneden. 'Kagan heeft je erin gelaten, hè?'

'Kagan? O, die dikke oude kerel met dat witte haar, die diamanten hanger en die afgrijselijke poëzie?'

'Poëzie?' vroeg Wrayan in verwarring.

'Hoe noemen jullie het? Geen poëzie. Iets anders... Nog dommer... O ja! Bezweringen!'

'Bezweringen?' herhaalde Wrayan wezenloos.

'Ja, joh. Die afgrijselijke versjes die tovenaars opzeggen als ze een beroep op ons willen doen om hen te helpen.' De jongen klom van de vensterbank en begon wat rond te lopen, hier en daar dingen oppakkend, als een dief die de boel komt opnemen voor een inbraak. Wrayan hield hem zorgvuldig in de gaten en kromp ineen toen de knul een onbetaalbare kristallen vaas ondersteboven hield om het merkteken van de maker op de voet te bekijken. 'Ik kan me alleen niet meer herinneren wiens idee het was dat ze op rijm moesten. Van Zymelka, denk ik. Bij de macht van alle goden, valt de appel op de zoden... of zoiets belachelijks. Hij maakt zich er zo druk over dat hij de edele god van de dichters is en daardoor ver boven de zielige spelletjes van ons allemaal staat, maar als puntje bij paaltje komt, is het gewoon een incidentele god, zij het dan zo sluw als een latrinerat als je het in de gaten krijgt. Maar goed, ik bedoel dus dat we jullie gewoon kunnen horen praten.'

'Wie bén jij?'

De jongen bleef de kamer inspecteren alsof Wrayan niets had gezegd. 'Maar ach, je kunt zo wel de echte verzoeken onderscheiden van de loze overpeinzingen. En het is nou ook weer niet zo dat Zymelka zijn verering kan halen uit zoveel andere bronnen, de arme kerel. Als hij echt wanhopig wordt, probeert hij Kali zo ver te krijgen dat er mensen verliefd raken, want mensen maken nu eenmaal notoir slechte gedichten als ze iemand begeren. En het zou ook wel een beetje een zooitje worden als we dachten dat elke retorische vraag van een mens een roep om hulp was, nietwaar? Dan gebeurden er overal onverklaarbare dingen.'

Inmiddels was Wrayan het spoor compleet bijster. 'Waar héb je het over?'

De knaap wierp geërgerd een blik op het plafond. Zijn ronde had hem helemaal door de kamer tot aan het bed geleid. Even ging zijn blik naar de bewusteloze prinses op de zijden beddensprei, en toen keek hij Wrayan weer aan, met een vrolijke grijns. 'Maakt niet uit. Had je hulp nodig met je prinsesje?'

'Weet je dan wat er met haar is?' vroeg hij verbaasd.

'Jij niet dan?'

'Nou... niet echt...'

'Je hebt de tijd om haar heen opgeschort. Dat ziet iedereen.'

'Iedereen?'

'Iedere god, dan,' gaf de knul toe. 'Maar waarom heb je dat eigenlijk gedaan?'

'Dat heb ik niet gedaan. Niet expres, tenminste.'

De jongen begon te lachen. 'Nee maar, zal dat even leuk voor je worden nu je over de bron bent gestruikeld.'

'Welke bron?'

'De machtsbron van de goden,' legde de jongen uit. 'Je denkt toch niet dat je dat zomaar kon doen door met je arm te zwaaien?'

'Nou, meer was het eigenlijk niet.'

'Jawel, je hebt contact gemaakt met de bron, vriend, net zoals de Harshini en de goden dat doen. Niet iets wat veel mensen kunnen, neem dat maar van mij aan. Ik kan zelfs zo gauw geen mens opnoemen die dat kan. Jij hebt iets van de Harshini in je.'

'Dat is absurd! Ik ben hooguit een Innatief.'

'Innatieven kunnen alleen over het oppervlak van de bron scheren. Jij bent erin gedoken.'

'Helemaal niet!'

'Mij best,' schokschouderde de knul. 'Breng haar dan maar bij zonder mijn hulp.'

Na een korte aarzeling slaakte Wrayan een zucht. 'Dat kan ik niet.'

De knaap glimlachte. 'Dan heb je een probleem, hè?'

Wrayan deed zijn ogen dicht, meer dan verward, meer dan radeloos. 'Ben jij echt een god?'

'Ja.'

'Welke dan?'

'Ik ben diep gekwetst dat je dat moet vragen, Wrayan Lichtvinger.'

'Dacendaran,' concludeerde Wrayan met een zucht van berusting. 'De eerste keer zei je dat ik terug moest naar Krakandar om zakkenroller te worden, net als mijn pa. Alleen de god van de dieven zou een tovenaar aanmoedigen zakkenroller te worden.'

'Ja, nou, ik heb het niet zo op dat hele gedoe dat tovenaars alle goden gelijkelijk horen te vereren. Erg eerlijk is dat niet. Vooral niet als Zymelka het voor elkaar krijgt dat iedere tovenaar een gedicht opzegt wanneer die onze macht wil aanroepen. Maar dáár heeft niemand bezwaar tegen. Als er dan iets speciaals moet worden gedaan om het verschil aan te geven tussen een bezwering en een gebed, waarom stelen ze dan niet gewoon iets om mij te eren? Of kussen ze dan niet iemand om Kali te eren?'

'Of vermoorden ze dan niet iemand om Zegarnald te eren?' opperde Wrayan.

Dacendaran nam plaats op de rand van het bed en ging serieus op Wrayans voorstel in. 'Daar hebben we het eens over gehad. Een eeuwigheid geleden. Zeggie was er nogal op gebrand, zoals je kunt begrijpen, maar uiteindelijk vonden we toch dat het te veel rommel gaf. En Voden zag er ook niet zoveel in. Zegarnald loopt ons allemaal te commanderen, maar zelfs hij loopt Voden niet voor de voeten. De god van het groene leven is veel te sterk en heeft totaal geen gevoel voor humor wat dat soort dingen betreft.'

'Kunt u haar echt terugbrengen, hemelse goedheid?'

'Voor een prijs.'

Wrayan zuchtte. 'Hoeveel?'

'Hoeveel?' herhaalde de god, zwaar beledigd. 'Ik ben een god, stommeling. Wat moet ik nou met geld?'

'Wat moet ik dan doen?'

'Ik wil worden vereerd.'

'Ik zal een hele tempel voor u bouwen, als u wilt,' beloofde Wrayan. 'Als u haar maar terugbrengt.'

'Wat moet ik nou met een tempel?'

'Wat wilt u dán?'

Dacendaran glimlachte ondeugend. 'Ik wil dat je iets voor me steelt.'

'Mij best. Wat dan?' Als zoon van een zakkenroller had Wrayan geen enkele moeite met het verzoek. Voordat hij vanuit Krakandar naar Groenhaven was gegaan om tovenaarsleerling te worden, had hij Dacendaran vaak genoeg vereerd – vrijwel dagelijks.

'Een snuisterijtje. Een pruldingetje, eigenlijk.'

'Welk pruldingetje?'

'*Pruldingetjes*,' verbeterde Dacendaran, met de nadruk op het meervoud. 'Je denkt toch zeker niet dat ik genoegen neem met maar één miezerig diefstalletje voor zoiets belangrijks als het herstel van de zus van de hoogprins?'

'Welke *pruldingetjes* dan?'

'Wat je maar wilt, eigenlijk. Maar ik wil er zeven.'

'Is dat alles wat ik moet doen? Zeven pruldingetjes stelen van een willekeurige persoon?'

'Dat heb ik niet gezegd. Ik zei dat ik zeven pruldingetjes wilde. Ik heb niet gezegd dat je je eigen slachtoffers mocht kiezen.'

Goden, dacht Wrayan ongeduldig. *Dit is nog erger dan afdingen bij een viskraam op de markt.*

'Hé, ik ben niet doof,' snauwde Dacendaran.

'Neem me niet kwalijk. Van wie moet ik die zeven pruldingetjes stelen, hemelse goedheid?' vroeg Wrayan, met moeite zijn geduld bewarend.

'De zeven krijgsheren van Hythria.'

Wrayan staarde hem aan. 'Jij bent niet goed snik!'

'Ík ben niet goed snik? Ik heb geen prinses hier op het bed liggen wachten tot er iemand iets heeft gevonden voor haar toestand, jochie. Een beetje op je woorden letten, ja!'

'Maar hoe moet ik nou iets stelen van alle krijgsheren?'

'Da's jouw probleem. Als ik je dat vertel, is het geen vereren meer. Dan is het vals spelen.'

'Maar ook al kon ik het... dat kan wel maanden duren!'

'Maakt me niet uit. Ik bedoel, zij gaat voorlopig toch nergens naartoe, wel?'

'Ze moet nu herstellen! Meteen!'

'Jammer. Zo werkt het niet.'

Koortsachtig dacht Wrayan na. Hoe moest hij in vredesnaam onderhandelen met een god? In de enorme Harshinibibliotheek van het Collectief was hij daar nooit iets over tegengekomen. Waren er regels waarvan hij niets wist? Dingen die hij niet mocht vragen? Concessies die hij gerust kon eisen en die hij ook beslist niet moest laten lopen?

Toen schoot Wrayan één cruciaal detail te binnen die zijn onderhandelingen een nogal dringend karakter gaven. 'Maar... maar als ik haar niet meteen herstel, laat de hoogprins me ter dood veroordelen, en dan kan ik je helemaal niet meer vereren, toch?'

Daar moest de god even over nadenken. 'O.'

'Ja, o,' beaamde Wrayan, wanhopig het idee verder voerend, ook al verzon hij het ter plekke. 'Aan de andere kant, als u haar nu meteen herstelt, dan... dan... kan ik er al mijn tijd in steken om u te vereren, hemelse goedheid, zonder dat het nare ongemak van mijn terechtstelling het in de weg staat.'

Dacendaran keek hem argwanend aan. 'Hoe weet ik dat jij je woord houdt?'

'Omdat... als ik het niet doe... dan mag u... ehm... míj hebben!'

'Hoe bedoel je?'

'Als ik u niet binnen redelijke tijd uw zeven pruldingetjes breng, kom ik naar u toe,' beloofde Wrayan. 'Dan verlaat ik het Collectief en ga ik terug naar Krakandar. Dan volg ik mijn vader op in het familiebedrijf en word ik de beroemdste dief in heel Hythria, ter ere van u.'

'En wat noem jij een redelijke tijd?' vroeg de god.

'Een jaar,' zei Wrayan. 'Geef me een jaar, en als ik dan uw zeven pruldingetjes nog niet heb gestolen, kunt u met me doen wat u wilt.'

Daar dacht Dacendaran over na, maar voordat hij Wrayan kon antwoorden, ging de deur open en kwam Kagan binnen met Alija Arends-piek aan zijn zij.

15

Kagan wist niet precies wat hij had verwacht toen hij de deur van prinses Marla's slaapkamer opendeed. Hij hoopte maar dat het leek alsof ze gewoon sliep, zodat hij Alija ervan kon overtuigen dat er niets mis was. Hij wist niet hoe Alija iets over Marla te weten was gekomen. Iemand kon het haar hebben verteld, al was Kagan er vrij zeker van dat het niet op die manier was gegaan. Wrayan was niet bij Marla weggeweest; Nash had gezworen het geheim te houden. Mogelijk had Lirena iets laten vallen toen ze de kompressen was gaan halen? Slaven roddelden zoals andere mensen ademden – onbewust, regelmatig, en als ze het niet deden, gingen ze vast dood. Of misschien had Alija – zelf Innatief zijnde – de tinteling van magie gevoeld in de vroege uren van deze ochtend, toen Wrayan per ongeluk zijn wil had laten gelden en op de werf de prinses had laten verstenen. Maar hoe ze er ook achter was gekomen, Alija wist dat er iets mis was en zou het niet laten rusten tot ze Marla met eigen ogen had gezien.

De opluchting die Kagan voelde bij de ontdekking dat Marla net wakker werd toen ze de kamer binnenkwamen, gedesoriënteerd in haar ogen wrijvend, was onbeschrijfelijk.

'Mijnheer!' verklaarde Wrayan, nogal geschrokken kijkend.

'Ah!' zei hij, zijn opluchting goed maskerend. 'Ik zie dat hare hoogheid wakker is.'

Kagan kon niet wachten om Wrayan te vragen hoe hij dat voor elkaar had gekregen maar waagde het niet zo'n vraag te stellen in het bijzijn van Alija. Ze behoorde immers tot de beste tovenaars die hij ooit had ontmoet. Als Wrayan met zijn welhaast ongehoorde vermogens niet was ontdekt, dan zou ze mogelijk als de machtigste nog levende tovenaar worden beschouwd. Al verscheidene malen had hij haar naam horen vallen als het ging over zijn opvolger. En als Wrayan niet gauw blijk ging geven van een tot dusver onvermoed talent voor politiek, zou ze dat nog worden ook. Maar al bezat Alija niet het magische potentieel van Wrayan, ze was verreweg de meest geslepen en zeker de meest ambitieuze politicus in het Collectief. Dat ze een jarenlange traditie had getrotseerd door een krijgsheer te trouwen, was daar voldoende bewijs van.

'Vrouwe Alija,' zei Wrayan, onschuldig naar haar glimlachend. 'Wat leuk om u weer te zien.'

'Ik moet toegeven dat het een beetje een verrassing voor me is om jou hier te zien, Wrayan. Ben je nog altijd slechts leerling?'

'Ik vrees van wel, mijn vrouwe.'

'U doet hem toch niet te kort, hè, heer Palenovar?' vroeg ze met een iets opgetrokken wenkbrauw. 'Zoals er over Wrayans potentieel werd gesproken toen hij net bij ons was, zou je haast gaan denken dat hij onze beste hoop voor de toekomst was. En daar is hij dan, tien... of is het twaalf jaar later? En nog steeds alleen maar leerling?'

'Hij leert traag,' schokschouderde Kagan, niet van plan Wrayans vooruitgang te bespreken met Alija Arendspiek. Haar vraag kwam hoe dan ook voort uit een niet geringe jaloezie.

'Wat is er gebeurd...?' mompelde Marla vanuit bed, met haar ogen knipperend.

'De spanning van het feest is u allemaal een beetje te veel geworden, vrees ik, hoogheid,' zei Kagan haar. 'U bent flauwgevallen. Gelukkig waren Wrayan en heer Havikzwaard nabij om u te redden. Ze hebben u teruggebracht naar uw kamer, en sindsdien heb ik Wrayan de wacht bij u laten houden. Ik bracht net uw trouwe kinderjuf naar haar slaapkamer. Ze was uitgeput, het arme mens.'

'Ik weet niet meer...'

'Maar natuurlijk niet,' onderbrak hij voordat de prinses te ver in detail kon treden. 'U hebt ons allemaal erg aan het schrikken gemaakt. Kijk, zelfs vrouwe Alija vond het nodig om bij u te komen kijken.'

Marla glimlachte lusteloos. 'Het spijt me dat ik voor zoveel last heb gezorgd.'

'Helemaal niet erg, meisje,' stelde Alija haar gerust. 'Maar ik denk dat ik maar bij je moet blijven nu je wakker bent, om zeker te weten dat je volledig bent hersteld.'

'Dat is echt niet nodig, vrouwe Alija,' zei Kagan geschrokken. 'Uw man verwacht toch zeker dat u voor hem zorgt?'

'Barnardo is heel goed in staat een paar uur op zichzelf te passen terwijl ik me richt op het welzijn van ons nichtje.' Ze liep Kagan straal voorbij en keek de kamer rond met haar handen op haar heupen. 'Goede genade, wat ziet het er hier uit! Wrayan, doe de vensters even open, wil je? Het lijkt hier wel een oven. En u, mijnheer! Waar zit u met uw gedachten? Ga meteen een slaaf halen om een bad voor hare hoogheid in gereedheid te laten brengen.' Alija glimlachte naar Marla en haalde hulpeloos haar schouders op. 'Mannen! Werkelijk, hoeveel macht je hun ook geeft, ze hebben nog altijd geen benul van de kleine dingetjes in het leven.'

Marla lachte, zichtbaar geamuseerd en mogelijk wat overdonderd door Alija's indrukwekkende verschijning. Wrayan deed het venster open zoals Alija gebood, maar hij leek naar iets of iemand te zoeken die er duidelijk niet was.

'Ik wil u niet tot last zijn, mijn vrouwe,' zei Marla, terwijl ze overeind kwam. 'Ik voel me prima.'

'Dat heb je anders niet te danken aan die twee,' snoof Alija. Ze wendde zich tot de mannen en wees naar de deur. 'Eruit! Allebei! Marla moet zich aankleden en kan geen pottenkijkers gebruiken als ze in bad gaat.'

Als eerste reactie op Alija's arrogante bevel wilde Kagan haar trotseren. Maar toen bedacht hij zich en gaf toe. Marla had er geen idee van wat er was gebeurd. Kagans ingeving dat ze was flauwgevallen, was mogelijk alles wat het meisje hoefde te weten. In elk geval had ze geen reden te vermoeden dat er iets mis was. Het was overduidelijk dat Alija de prinses wilde ondervragen, maar aangezien Marla toch niets wist, kon ze de tovenares ook niets belastends vertellen, ook al probeerde Alija haar gedachten te lezen. En terwijl Alija iets uit de prinses probeerde te krijgen, kon Kagan met Wrayan alleen zijn en erachter komen wat er echt was gebeurd tijdens zijn afwezigheid en hoe zijn leerling Marla zo wonderbaarlijk had weten te herstellen.

'Kom op, Wrayan,' gebood Kagan. 'Laten we de vrouwen maar overlaten aan hun onbegrijpelijke vrouwendingen. Het ontbijt is trouwens al geweest. Ik wil een slok bier.'

Afwezig knikte Wrayan instemmend, nog steeds rondkijkend alsof hij iets kwijt was.

'Kom, knul!'

Ze lieten Alija als een moederkloek bij Marla achter.

Kagan greep Wrayan bij de mouw en sleepte hem door de zitkamer naar de gang.

'Kagan...'

'Niet hier, jongen,' gelastte de hoge arrion.

Hij liep door de gang naar de trap, sprong met twee treden tegelijk omhoog en hield zijn haastige pas niet in tot ze buiten in de daktuin van de westelijke vleugel stonden. Vlug keek Kagan rond om zich ervan te vergewissen dat ze alleen waren voordat hij Wrayan aankeek.

'Wat heb je gedaan?'

'Niets.'

'Niéts? Dus de bezwering was gewoon uitgewerkt?'

'Niet helemaal.'

'Speel geen spelletje met me, Wrayan. Daar ben ik niet voor in de stemming.'

'Nou, ik heb hulp gehad... denk ik.'

'Hulp? Wat voor hulp?'

'Ik geloof dat een van de goden me heeft geholpen.'

Ongeduldig wierp Kagan zijn handen omhoog. 'Hou je nou niet van de domme, jongen! Je hoeft mij er niet van te overtuigen dat je een waardig smekeling van de goden bent! Wat heb je nou gedaan?'

'Ik meen het, Kagan,' verklaarde de jongeman. Hij keek gekwetst omdat zijn meester hem niet geloofde. 'Ik zweer het, Dacendaran verscheen en bood aan Marla te herstellen. Hij zei dat ze vastzat in de tijd, of opgeschort in de tijd, of zoiets.'

Kagan schudde zijn hoofd van ongeloof. 'Denk je nou echt dat ik geloof dat jij de god van de dieven hebt gesproken?'

'Nou, ik heb prinses Marla in elk geval niet in mijn eentje teruggebracht.'

'De goden verschijnen niet zomaar voor de mensen, Wrayan.'

'Dat weet ik.'

'En toch verwacht je dat ik geloof...'

'Hij zei dat je gelijk had,' onderbrak Wrayan.

'Waarin?'

'Dat er wat Harshinibloed door mijn aderen stroomt. Dat was de enige reden waarom ik hem kon zien, zei hij.'

Kagan staarde de jongeman aan. Het begon hem te dagen dat Wrayan zowaar echt een god had gesproken. Als die jongen per ongeluk hun macht kon aanroepen, was er geen reden om te denken dat hij niet rechtstreeks kon spreken met de goden zelf. Dat was per slot van rekening ook het kenmerk van Harshini. Die vormden de brug tussen de goden en gewone stervelingen. Hoe onvast de schakel ook moest zijn – de voorouderlijke Harshini van wie Wrayan zo weinig wist, moest vijf of zes generaties vóór hem zijn geweest – kennelijk was die toch krachtig genoeg om hem een steunpuntje te geven in dat magische rijk dat in de stoffelijke wereld niet langer bestond.

Met een zucht vroeg Kagan zich af wat hij met deze onverwachte situatie aan moest. 'Nou, één ding moet ik die god van jou nageven, Wrayan. Hij had geen beter moment kunnen kiezen.'

'Wat moet ik nou, Kagan?'

De hoge arrion trok zijn schouders op. 'Ik weet het niet, knul. Om te beginnen niet meer zomaar met je arm zwaaien, denk ik.'

16

'Voel je je echt goed genoeg om op te staan?' vroeg Alija, zich naar het bed reppend toen Marla haar benen over de rand liet zwaaien.

'Heus, mijn vrouwe. Ik voel me echt prima.'

'Goed dan, maar niet te snel opstaan.'

Langzaam stond Marla op, zoals de tovenares voorstelde, maar eerder om Alija tevreden te stellen dan uit enige noodzaak. Ze voelde zich net zoals op het feest: lichtelijk aangeschoten en nogal verbijsterd door de gebeurtenissen.

'Daar! Ziet u? Ik sta stevig.'

Alija glimlachte naar haar. De tovenares was een erg mooie vrouw. Marla had verhalen over haar gehoord van haar nichtje Ninane, waarvan de meeste over duistere magie en nog duisterder geheimen gingen, maar die leken in het kille daglicht nogal overdreven. In het echt, besloot Marla, was Alija Arendspiek eigenlijk best aardig.

'Blij dat te zien, nichtje,' zei Alija met een glimlach. 'Wat dacht je ervan om een poos te gaan zitten weken in een lekker fris bad? Dat vind ik de enige beschaafde manier om iets te doen aan de vochtigheid in Groenhaven.'

'Ik was vergeten hoe het was hier aan de kust,' zei Marla. Een fris bad was precies wat ze nodig had. 'Het is hier heel ander weer dan in Hoogkasteel.'

'Berglucht is ijler,' legde Alija uit. 'En het is er niet zo verrekte vochtig als hier. Maar ik zou er maar vast aan wennen. In Talabar moet het nog erger zijn dan in Groenhaven tijdens het regenseizoen.'

Marla liet zich op de rand van het bed zakken toen ze werd herinnerd aan haar afgrijselijke lot. 'Weet ik.'

Alija keek even verbaasd naar haar en kwam toen naast haar op het bed zitten. 'Is er iets, lieverd?'

'Eigenlijk niet.'

'Het zal... ik bedoel... het is toch zeker niet zo dat je het verbond dat je broer voorstelt aan Fardohnya niet wilt nakomen?'

'Nee,' zei Marla ellendig. 'Ik ken mijn plichten, vrouwe Alija. Ik doe wat Lernen vraagt.'

'Maar...?' drong de tovenares vriendelijk aan.

Marla veegde een verdwaalde traan weg en voelde zich plotseling moederziel alleen. 'Verder niets.'

Alija sloeg een troostende arm om haar heen. 'Kom, kom, nichtje, je mag je er niet door uit het veld laten slaan. Zit je ergens mee? Heeft iemand je iets gedaan? Is er vannacht misschien iets gebeurd?'

Met een snif schudde Marla haar hoofd. 'Nee. Daar heeft het niets mee te maken.'

'Wat is het dan, lieverd? Toe, je kunt het me gerust vertellen. Ik beloof dat ik het niet verder zal vertellen.'

Alija trok haar naar zich toe. Uit het contact straalde een voelbare warmte, en voor het eerst sinds ze van haar afgrijselijke lot had gehoord, kon Marla zich een beetje ontspannen.

'Het is alleen...'

'Ja?'

'Nou, ik denk dat ik verliefd ben op iemand anders.'

Alija reageerde niet meteen.

'Ik weet dat het verkeerd van me is, mijn vrouwe, maar... ik kan het gewoon niet helpen!'

Alija drukte haar even dicht tegen zich aan en glimlachte. 'Dat is niet verkeerd van je, Marla. Hoe kom je op dat idee? Het is volstrekt normaal voor een jonge vrouw om verliefd te worden.'

'En volstrekt afschuwelijk als ze dat wordt op dezelfde dag dat haar broer haar verkoopt aan de Fardohnyaanse koning.'

'Dat kan ik me voorstellen,' beaamde Alija. 'Zijn de gevoelens van de persoon in kwestie wederzijds?'

'Weet ik niet...' Ze schokschouderde hulpeloos. 'Ik heb geen kans gezien om daarachter te komen. Maar volgens mij wel. Hij was... attent.'

'En heeft hij een naam, deze geluksvogel die per ongeluk je hart heeft gestolen?'

Marla knikte, niet zeker of ze die naam wel moest noemen. Heer Kagan was al boos op haar geworden omdat ze alleen al aan hem dácht. 'Wordt u niet kwaad op me?'

'Natuurlijk niet!' stelde Alija haar gerust. 'Ik zou nooit iemand veroordelen, geen man en geen vrouw, voor het eren van Kalianah.'

'Heer Palenovar zei dat ik geen valse hoop moest koesteren.'

'Ja, maar zolang ik de naam van dit toonbeeld van liefde en toewijding niet ken, kan ik ook niet weten of je valse hoop koestert of niet, lieverd.'

'Houdt u het dan wel geheim?'

'Uiteraard.'

'Het is... Nashan Havikzwaard.'

Alija bleef een tijdlang stil voordat ze wat zei. 'Heeft heer Havikzwaard iets gedaan om je gevoelens op te wekken, Marla?'

'Niet echt. Het was zo'n "moment van oogcontact", denk ik. U weet wel, zoals in de verhalen, als je gewoon iemand ziet en op dat moment weet dat het de liefde van je leven is.'

Alija glimlachte. 'Heb je er met Nashan over gesproken?'

'Dat wilde ik net doen... maar toen viel ik flauw.'

'Aha.' Alija stond op en begon in bedachtzaam stilzwijgen door de kamer te lopen.

'Vindt u mij nu slecht, vrouwe Alija? Omdat ik zo lichtzinnig ben?'

'Lichtzinnig?' vroeg Alija met een lachje. 'Lieverd, er is niets mis met jouw gedrag. Als er iemand lichtzinnig is, dan is het je broer, omdat hij zo'n onhoudbare regeling heeft getroffen zonder rekening te houden met jouw gevoelens.'

'Ik wou dat de hoge arrion er net zo over dacht,' verzuchtte Marla. 'Die zei alleen maar dat ik me erin moest schikken tot hij er iets op heeft gevonden.'

Alija's ogen fonkelden toen ze dat hoorde. 'Bedoel je dat de hoge arrion een regeling met de Fardohnyanen aan het treffen is waar hij zich niet aan zal houden?'

'Dat weet ik niet,' schokschouderde Marla. 'Heer Ravenspeer zei dat Kagan dat alleen maar zei om mij tevreden te stellen. Ook hij zei dat ik me er maar naar moest voegen.'

'Arm kind! Zomaar heen en weer geslingerd door kerels die geen enkele rekening houden met de gevoelens van een teer meisje. Het is gewoon walgelijk zoals de dochters van onze edelmanshuizen worden behandeld.'

'Maar u bent niet gedwongen met iemand te trouwen aan wie u een hekel had,' merkte Marla op.

'Ik had het geluk een magisch talent te hebben. Als klasse hebben de edelmansvrouwen van Hythria de minste vrijheid. Nog minder dan slaven, in veel gevallen.'

'Kunt u mij helpen, mijn vrouwe? Kunt u gaan praten met mijn broer?'

'Ik weet niet of dat wel goed of juist slecht voor je zou uitpakken, lieverd,' zei Alija. 'Zoals je vast weet, gaan er nogal wat valse geruchten rond waarin wordt beweerd dat mijn man het heeft gemunt op de zetel van je broer. Zelfs geruchten dat wij op een of andere manier betrokken zouden zijn bij die tragische kwestie met Ronan Dell. Het zal wel onvermijdelijk zijn dat dergelijke praatjes zich voordoen als er geen duidelijke erfopvolger is. Ik bedoel, Barnardo is tenslotte jouw neef, en daarom zien de mensen hem als de logische opvolger, mocht Lernen zo onfortuinlijk zijn om geen erfgenaam te krijgen. Maar het houdt wel in dat iets wat ik zeg ten gunste van jouw positie... verkeerd kan worden opgevat.'

'Maar wat moet ik dan?' riep Marla uit. Elke weg naar verlossing leek in te storten zodra ze er een voet op zette.

'Je zou het... allebei kunnen doen.'

'Hoe bedoelt u?'

'Nou, wat is er mis mee om met Hablet te trouwen en er een minnaar op na te houden?'

'In Fardohnya? Dat zou een doodvonnis zijn!'

'Ja, ze zijn daar niet zo soepel in die dingen als wij, geloof ik. Maar met gelorongde court'esa hebben ze geen problemen. Misschien kun je je daarmee tevreden stellen.'

'Wat is dat? Een gelorongde court'esa?'

'Een mannelijke court'esa die gegarandeerd steriel is,' legde Alija uit. 'Daar gebruiken ze een gif voor dat loronge heet. Het sterftecijfer is helaas nogal hoog, maar de mannen die het innemen, zijn gegarandeerd steriel. Dat zijn de duurste court'esa van allemaal. Er is een enorme vraag naar.'

'Waarom?'

'Omdat de meeste edelmanshuizen hun vrouwen niets anders toestaan, ondanks de kruiden die court'esa gebruiken om ongelukjes te voorkomen. Met de kwestie van stambomen mag er geen twijfel bestaan over de verwekker van een erfgenaam.'

'Dat staat me dan zeker nog te wachten,' mopperde Marla. 'Een knappe court'esa die mij leert hoe ik Hablet gelukkig maak. Vroeger kon ik er haast niet op wachten om mijn eerste court'esa te krijgen. Nu zie ik het met angst en beven tegemoet.'

'Als je je hoofd gebruikt, Marla, wordt je court'esa je grootste goed. Vooral als je er eentje kunt vinden die je volledig trouw is. Mijn allereerste heb ik nog steeds, en door de jaren heen heeft die zijn nut goed bewezen. En je kunt er ook een hoop plezier aan hebben, hoor,' voegde ze er met een flauw glimlachje aan toe.

'Dat kan me niet schelen, vrouwe Alija. Ik wil niet trouwen met Hablet. Ik wil niet weten hoe ik hem gelukkig kan maken.'

Alija kwam weer naast haar zitten op het bed. 'Zal ik je dan helpen?'

'Kunt u iets doen tegen mijn huwelijk met Hablet?'

'Ik dacht meer in de richting van helpen met het kiezen van je eerste court'esa. Dat luistert namelijk erg nauw.'

'Dat zal best,' schokschouderde Marla. 'Maar dat kan me echt niet meer schelen.'

'Natuurlijk wel!' schimpte de tovenares. Ze stond op en klapte gedecideerd in haar handen. Op haar teken kwamen er verscheidene blootsvoetse huisslaven, die in de andere kamer moesten hebben staan wachten, haastig binnen om haar bad in orde te maken. 'We zullen het meteen regelen. Jij gaat in bad, en ik ga met de hoogprins praten om hem te vertellen dat ik je morgen meeneem naar de slavenmarkt om je eerste court'esa uit te zoeken.'

17

Het was druk op de slavenmarkt toen de draagstoel met Marla en vrouwe Alija door het gedrang op weg was naar het exclusieve gedeelte achter op het enorme marktplein, waar de court'esa tentoon waren gesteld. Daar bevonden zich verscheidene firma's die zich hadden gespecialiseerd in court'esa, verduidelijkte Alija, en de beste daarvan was ongetwijfeld Venira's Slavenkorf, die al langer bestond dan alle andere firma's en de exclusiefste clientèle bediende. Voor een Hythrische prinses was er, volgens Alija, gewoon geen beter adres.

Toen ze uitstegen, kwamen er twee ingeöliede slaven, in weinig meer dan een piepklein lendendoekje, glimlachend aangesneld om hen uit de draagstoel te helpen. Ze volgden de slaven naar de koele schemering van de ingang, waar hun meteen een groot glas verfrissende muntthee werd aangeboden, terwijl andere slaven kwamen aangerept met vochtige handdoeken om hun handen en voeten af te nemen.

'Mijn vrouwe Alija!' galmde een stem vreugdevol vanuit de schemering. Enkele tellen later verscheen de eigenaar van de stem. Het bleek een kleine man met een enorme buik die drilde wanneer hij sprak. Hij droeg een met brokaat versierde toga en een fortuin aan goud, en werd gevolgd door een slaaf met een waaier. 'Wat een genoegen om u weer te zien!'

'Hallo, Venira. Je bent er niet magerder op geworden, zie ik.'

'Ach, mijn vrouwe, u krenkt mij tot op het bot. Ik kom gewoon om van de honger zonder uw klandizie.'

'Dat zal best,' beaamde Alija. 'Mag ik u voorstellen: dit is het nichtje van mijn man, hare koninklijke hoogheid, prinses Marla.'

Venira's donkere ogen lichtten op. 'Marla *Wolfsblad*? De zus van de hoogprins zelf?' Venira keek alsof hij een appelflauwte kreeg. 'O, vrouwe Alija! Wat een enorme eer is het om iemand van zulke voorname afkomst te mogen bedienen!'

'Daar zul je best een prijskaartje aan weten te hangen,' merkte Alija op, met een knipoog naar Marla. Ze glimlachte terug. Een extravaganter mens dan deze slavenmeester had ze nog nooit ontmoet.

'Mijn nichtje is op zoek naar haar eerste court'esa, meester Venira,' legde Alija uit. 'Ik dacht even uw armzalige voorraad te komen bekijken alvorens naar een beter adresje te gaan.'

'Mijn vrouwe, in heel Groenhaven, nee, in heel Hythria is er geen slavenhuis met een betere collectie court'esa dan het Huis Venira.' Met belangstelling merkte Marla dat het enkele tellen duurde voordat alles ophield met drillen wanneer hij ophield met praten.

'Dat zeg jij, Venira. Maar dat maken we zelf wel uit. Ga ons maar voor.'

Na een buiging die aanzienlijk werd gehinderd door zijn omvang nam Venira hen mee door een tweede stel geëtste dubbele deuren naar een binnenplaats die werd overdekt met mousseline zeilen. Daar hingen minstens tien jonge mannen en vrouwen rond in korte, bijna doorzichtige kleding die erop was gericht om alles zo voordelig mogelijk uit te laten komen. Alija liet haar oog over de groep gaan en schudde haar hoofd. 'We willen alleen mannelijke court'esa, Venira. Gelorongde mannen.'

'Natuurlijk, mijn vrouwe. Als u mij wilt volgen?'

Venira ging hun voor over de binnenplaats. In het voorbijgaan werden de twee vrouwen door de court'esa met nieuwsgierigheid opgenomen. Marla voelde zich ongemakkelijk en nogal overdreven netjes gekleed vergeleken bij de statueske jonge mannen en vrouwen die voor haar poseerden als ze voorbijkwam.

'Let maar niet op deze partij,' waarschuwde Alija tijdens het lopen. 'Beschadigde goederen, stuk voor stuk. Je hebt er echt geen idee van waar ze vandaan komen. We vinden er wel eentje voor je met een bewezen staat van dienst.'

Marla knikte behoedzaam en repte zich achter Alija aan.

Achter de volgende dubbele deuren die werden geopend, verscheen een andere binnenplaats. Deze was veel weelderiger versierd. Omsingeld door mousselinen gordijnen en kamerpalmen zaten enkele mannen en vrouwen languit op met zijde beklede banken. Deze partij bekeek hen met een gebrek aan belangstelling dat grensde aan minachting. Via een ander stel deuren liepen ze verder naar een kamer die was verdeeld in nissen, discreet van elkaar gescheiden.

'Dit is Lorince,' meldde Venira toen hij aankwam bij de eerste nis. 'Voorheen in dienst van vrouwe Caron van Meortina. Hij is een volleerd muzikant en danser, naast zijn... erotischer vaardigheden.'

'Waarom moest ze hem kwijt?' vroeg Marla. Het was een knappe knul, niet ouder dan twintig, met een gave, licht gebronsde huid en ogen zo donker dat ze haar ziel leken te verslinden als hij naar haar keek. Hij ging verzitten op de bank om zichzelf van zijn beste kant te laten zien, die, voor zover Marla het kon weten, vrij substantieel was.

'Helaas, vrouwe Caron is onlangs overleden in het kraambed, hoogheid. Een droevige gebeurtenis voor haar man, maar een buitenkans voor mij om een zeldzaam stukje handelswaar op de kop te tikken.'

'In het kraambed?' informeerde Alija met een opgetrokken wenkbrauw. 'Vreemd. Ze zag er nog goed uit toen ik haar eergisteravond sprak op het bal ter ere van het Feest van Kaelarn.'

Venira glimlachte, ogenschijnlijk niet van zijn stuk gebracht doordat Alija hem had betrapt op een leugen. 'Neemt u me mijn theatrale vrijheid niet kwalijk, hoogheid. Die vond ik wat romantischer dan de waarheid.'

'En wat is de waarheid, Venira?' vroeg Alija.

De dikke slavenhandelaar haalde zijn schouders op. 'De dochter des huizes ging trouwen en haar court'esa wordt nu geleverd door de familie van haar man. Gebeurt elke dag, mijn vrouwe.'

'Klopt,' verklaarde Alija. 'Maar hij is veel te jong voor Marla. Ze moet iets hebben met wat meer ervaring.'

'Wellicht kan dit de dames behagen?' opperde Venira, verder stappend naar de volgende nis. 'Onlangs gekocht van vrouwe Rena van Bramster. Hij was van haar oudste dochter, die ging trouwen met heer Aryn van Baronnlae. Dat was een liefdeskoppel, begrijpt u, dus de jongedame had geen behoefte meer aan... *professioneel...* vermaak.' Hij knipoogde naar Marla en gnuifde. 'Een mens vraagt zich af hoe lang het zal duren voordat de glans eraf is en ze terugkomt om een nieuwe te kopen, toch?'

Met een hooghartige frons deed Marla een stap bij de slavenhandelaar vandaan en draaide zich om naar de court'esa. Die was lang, slank en knap, mooier dan zijn metgezel, met smeulende ogen en lang bruin haar. Zijn spieren waren prachtig ingeölied, en zijn lijf was perfect gevormd. Maar zijn blik was afwezig en leeg. Het was alsof er geen ziel huisde in het omhulsel van vlees en bloed.

'Wat vind je, lieverd?' vroeg Alija, er kennelijk wel tevreden over. 'Wil je hem van dichtbij bekijken?'

Marla schudde haar hoofd. Ze was niet in de stemming om deze slaaf te kopen. Of welke court'esa dan ook. Sinds ze oud genoeg was om te weten wat het inhield, had Marla naar deze dag uitgekeken. Nu het zo ver was, merkte ze dat ze totaal geen belangstelling had. Er school iets definitiefs in het kopen van een court'esa. Ze had het vermoeden dat ze daarmee haar lot voor altijd bezegelde. Zolang ze een ongeoefende maagd was, was ze nauwelijks iets waard, maar opgeleid door een court'esa werd ze meer dan de bondgenootschappen die ze in het huwelijk bracht. Dan werd ze een heuse echtgenote.

En aan dat idee moest ze niet denken. In elk geval niet met Hablet van Fardohnya.

'Kunnen we verder kijken?'

Venira nam hen mee langs verscheidene andere nissen. In enkele zaten mannen, maar Alija verklaarde hen te jong, te oud of gewoon niet knap genoeg voor haar jonge nichtje en wuifde hun groepje verder. In een aantal nissen zaten vrouwen. Er was een eeneiige tweeling, en ergens anders zat de mooiste jonge vrouw die Marla ooit had gezien. De court'esa was slank en statig. Haar dikke blonde haar hing tot over haar taille in een waterval van onberispelijke vlechten die desondanks de indruk wekten dat ze pas uit bed kwam. Haar ogen waren zwaar opgemaakt met koolzwart, waardoor ze er zwoel en exotisch uitzag. Naar haar starend vroeg Marla zich af of zij ook zou leren hoe ze zo verleidelijk kon overkomen als ze door haar court'esa werd opgeleid.

'De prinses heeft liever een vrouwelijke court'esa?' informeerde Venira nieuwsgierig toen hij zag dat Marla was blijven staan.

'In dat geval heb ik...'

'Nee,' zei Marla, starend naar de court'esa. 'Ik verbaasde me alleen over haar, meer niet.'

'Ze heet Welenara, hoogheid. Ze zit hier tussen de gelorongde court'esa omdat ze zojuist is verkocht. Aan uw broer, namelijk.'

'Heeft de hoogprins een slavin gekocht?' vroeg Alija verbaasd.

'Als geschenk voor de Fardohnyaanse koning, geloof ik, mijn vrouwe.'

Marla fronste haar voorhoofd. Van de mededeling dat Lernen de prachtige court'esa cadeau ging doen aan haar toekomstige echtgenoot raakte ze alleen maar dieper in de put. Was er nog wel hoop voor haar om enige status te verwerven in een Fardohnyaanse harem als Hablet wezentjes zoals Welenara tot zijn beschikking had?

'De smaak van de hoogprins zelf is wat... exotischer,' voegde Venira er met een veelzeggende grijns aan toe.

'En die?' vroeg ze, wijzend naar de volgende nis. De volgende slaaf kon haar niet echt interesseren, maar ze wilde dolgraag van onderwerp veranderen voordat Venira besloot haar te vertellen wat hij precies bedoelde met Lernens 'exotische' smaak.

'Ah, de jongedame heeft oog voor kwaliteit, zie ik,' verklaarde Venira en liep naar de volgende nis. 'En voor een dame zoals u heb ik hem bewaard. Mag ik u voorstellen: Corin!'

De jongeman die uit de volgende nis stapte, maakte een sierlijke buiging. Hij was lang en slank en had dik blond haar tot op zijn schouders. Alija glimlachte toen ze hem zag. 'Ach, kijk, dat ziet er al beter uit. Wat kan hij?'

'Het is een dichter, mijn vrouwe,' verzekerde Venira haar. 'Hij spreekt Hythrisch, Fardohnyaans en zelfs een mondje Kariëns, moet ik geloven. Zijn verzen zijn in heel Hythria zeer in trek.'

'Zeg jij, ongetwijfeld,' snoof Alija.

'Men zegt wel dat zijn tong van zilver is, mijn vrouwe, aangezien hij zich op meerdere wijzen nuttig kan maken.'

De jongeman zei niets terwijl Venira hem ophemelde. Wel gaf hij Marla een samenzweerderig knipoogje, waarvan ze moest blozen.

'Wie was de vorige eigenaar?' vroeg Marla, in de veronderstelling dat je naar zoiets moest informeren als je de indruk wilde wekken dat je tenminste je best deed een court'esa uit te kiezen.

Venira aarzelde en wierp een blik op Alija voordat hij antwoord gaf. 'Wel, ik geloof dat het een van heer Arendspieks vazallen was, hoogheid. Heer en vrouwe Garkin van Kinsae. Heer Garkins gokschulden brachten hem enigszins... laten we zeggen in financiële verlegenheid. Het was mijn geluk hem te kunnen bijstaan door Corin te kopen.'

Ongeïnteresseerd liet Marla haar blik over hem heen gaan. Hij kon ermee door, maar het was niet echt haar smaak. Ze keek de binnenplaats rond en zag iets in een hoek. 'Wat is dat?'

'Dat is Elezaar de Nar, hoogheid.'

'De Nar?' vroeg Marla. 'Wat is een nar?'

'Een zeldzaam en duur wezen,' zei Venira tegen haar, al keek hij naar Alija, die argwanend haar ogen tot spleetjes had geknepen. 'Een gelorongde court'esa die nog een nar is ook.'

'Daar zijn er vast niet veel van,' liet Alija zich ontvallen.

'De enige die er is,' bevestigde Venira.

Marla staarde de slavenhandelaar en haar nicht nieuwsgierig aan. Er leek zich een ander, onuitgesproken gesprek tussen hen beiden af te spelen. 'Mag ik hem eens zien?'

Alija schudde haar hoofd maar liet de prinses begaan. 'We zijn hier niet gekomen voor een of andere halfgare dwerg, Marla.'

'Weet ik. Maar hij lijkt me wel interessant.'

'Laat hem maar zien, dan,' verzuchtte Alija. 'Hoe eerder haar nieuwsgierigheid is gestild, hoe eerder we weer aan de slag kunnen.'

'Zoals u wenst, mijn vrouwe.' Venira haastte zich weg en kwam even later terug met het lelijkste wezen dat Marla ooit onder ogen had gehad. Hij kwam niet hoger dan Venira's middel, en hij had een scheve, gebochelde rug, waardoor zijn hals vooruitstak en het leek alsof hij bedelde wanneer hij omhoogkeek. Hij liep met een waggeltred die nogal pijn leek te doen, en zijn ene oog was melkwit en duidelijk blind.

'Dit is Elezaar de Dwerg, hoogheid,' verkondigde Venira.

'Hoeveel wil je voor Corin?' vroeg Alija na één meewarige blik op de dwerg.

'Hebt u wellicht trek in een kopje thee, mijn vrouwe, zodat we het over de prijs kunnen hebben?' Hij glimlachte lankmoedig naar Marla. 'Hare hoogheid wil zich vast wel even laten vermaken door de nar terwijl wij bezig zijn.'

'Gaat u maar, vrouwe Alija,' zei Marla. 'Ik kijk nog wel even rond.'

'Uitstekend.'

Marla wachtte tot Alija en Venira door de dubbele deuren waren verdwenen voordat ze zich wendde tot de dwerg. 'Wat kun jij?'

'Lesgeven in de kunst van het behagen, hoogheid,' legde de dwerg uit. 'Voor zowel uw eigen genot als dat van uw toekomstige echtgenoot.'

Marla was geschokt doordat het wezen haar zo botweg had gewaagd te antwoorden. Ze keek hem kwaad aan. 'Hoor eens, onderkruipsel, ik ben helemaal niet van plan om een echtgenoot te behagen. En denk nou maar niet dat ik me laat aanraken door een engerd zoals jij.'

'Dat is uw keuze, mijn vrouwe. Ik ben er om u te dienen. Of niet,' besloot hij met een buiging. 'Zoals mijn vrouwe wenst.'

18

Toen hij Alija Arendspiek bij Venira's Slavenkorf zag binnenstappen, raakte Elezaar bijna buiten zichzelf. Na twee dagen niet te zijn ontdekt, was hij net de valse hoop gaan koesteren dat hij het bloedbad bij Ronan Dell toch nog zou overleven. Maar zodra de vrouwe van de provincie Dregian hem in het oog kreeg, wist hij dat hij er was geweest. Niets kon hem nu nog redden. Behalve misschien, besefte hij op dat moment, het nietsvermoedende zusje van de hoogprins...

Zo elegant als hij kon maakte Elezaar een buiging en dacht koortsachtig na. Hij kon zo gauw niets verzinnen dat hij dit kindvrouwtje kon bieden. Zijn fysieke verschijning vond ze zichtbaar afstotelijk. Op zo'n jonge leeftijd was ze ook niet in Venira's Slavenkorf om iets te zoeken om haar afgestompte eetlust te tergen. Net als iedereen in Groenhaven wist Elezaar dat de hoogprins werkte aan een regeling met de koning van Fardohnya.

Ronan Dell had met zijn maten nergens anders over gepraat in de dagen voordat hij werd vermoord. Nee, Marla Wolfsblad was hier omdat ze iemand zocht zoals Lorince, of Darnel. Iemand die haar de benodigde vaardigheden in de slaapkamer kon bijbrengen voordat ze ging trouwen met Hablet van Fardohnya. Iemand zoals de nieuwe, Corin.

Argwanend wierp de dwerg een blik op de knappe jonge court'esa. Corin was net die ochtend gearriveerd. Venira had hem door het gebouw heen geloodst en in de toonzaal gezet zonder hem ook maar te controleren op vlooien.

Dat was niets voor de slavenhandelaar. Die was zuinig op zijn goede reputatie en zou die nergens mee op het spel zetten. Maar ook als prinses Marla Corin wilde voor in bed, moest Elezaar iets verzinnen om ook zichzelf te verkopen.

Als eigendom van de zus van de hoogprins was hij niet alleen beschermd voor Alija. Dan was hij ook buiten haar bereik.

'Hoe is iemand zoals jij eigenlijk ooit court'esa geworden?' vroeg de prinses. Meteen stelde Elezaar zijn mening over de jonge vrouw bij. Ze walgde niet van hem. Ze was gewoon nieuwsgierig. 'Ben je daar niet te lelijk voor? Te klein?'

'Er zijn ook mensen die mijn kleine, lelijke gestalte aantrekkelijk vinden, hoogheid. Opwindend zelfs. Mensen die houden van dingen die... een beetje... anders zijn.'

'Waar ben jij dan goed in? Behalve perverse seksuele praktijken?'

De dwerg glimlachte. 'Pervers bestaat niet, hoogheid. Alleen andere zienswijzen.'

'Een filosofie om je aan vast te klampen, wed ik. Maar je kunt vast nog wel meer. Moppen tappen?' De prinses vond hem kennelijk wel grappig. Dat was vast niet genoeg, maar het was een begin.

'Ik heb een opleiding als historicus, hoogheid,' vertelde hij haar, zich afvragend wat Alija en Venira bespraken. Zat Alija nu ondertussen een prijs voor hem af te spreken? Of eiste ze dat ze hem mee mocht nemen? Werd hij straks hier weggehaald en regelrecht naar de krochten van de hel gebracht?

'En wat nog meer?' vroeg de prinses.

Elezaar trakteerde haar op zijn charmantste glimlach. 'Ik speel lier, vertel moppen en spreek vloeiend verscheidene talen. Maar mijn ware kunnen ligt op een minder concreet gebied,' voegde hij eraan toe, overmoedig van wanhoop. 'En daardoor ben ik zo waardevol voor u.'

Marla moest lachen om zijn lef. 'Een bijzondere gave? Heb je soms een lul zo lang als je onderarm, of zo?'

'Helaas, het is Lorince die op dat gebied is gezegend door de goden. Ik heb een talent voor politiek, hoogheid.'

Marla was teleurgesteld. 'Is dat alles?'

Elezaar was oprecht geschokt. 'Is dat álles? Begrijpt u dan niet welk een macht ik u kan bezorgen, hoogheid?'

'Macht?' Ze lachte ongelovig. 'Je bent een court'esa. En nog een kleine lelijke ook. Jij hebt geen macht!'

Elezaar had zo weinig tijd. Met klamme handen deed hij zijn uiterste best kalm over te blijven komen terwijl Alija hiernaast vast zijn dood zat te regelen en die vette naaktslak Venira op druiven zat te kauwen en het sap over zijn kin liet sijpelen.

'Ik kan u laten zien hoe u mensen kunt manipuleren, hoogheid,' zei hij op samenzweerderig zachte toon. 'Ik kan u laten zien hoe u hen kunt laten doen wat u wilt in plaats van andersom.'

'Dat kan elke court'esa me leren,' merkte Marla schokschouderend op.

'Ik bedoel niet alleen in de slaapkamer,' zei hij, nu bijna fluisterend. 'Ik bedoel overál. Waar dan ook. Ik kan u laten zien hoe u zelfs een koning of een prins kunt regeren, als...' Elezaar hield abrupt zijn mond toen Dherin naderde.

De oudere slaaf kuchte beleefd voordat hij een diepe buiging voor Marla maakte. 'Hoogheid, vrouwe Alija vraagt of u al hebt beslist over de slaaf Corin, of dat u verder wilt kijken.'

Marla keek naar de court'esa in kwestie en nam hem bedachtzaam in zich op.

'Hij is erg knap,' vervolgde de slaaf, in de hoop haar tot een besluit te brengen.

'Maar "ja" zeggen staat gelijk aan toegeven,' zei Elezaar zachtjes achter haar.

Verrast draaide Marla zich naar hem om. 'Wat zeg je?'

'Als u een court'esa kiest, stemt u daarmee in met het lot dat de hoogprins voor u heeft beslist, zo is het toch?' opperde hij. Elezaar sloeg er maar een slag naar, maar inmiddels had hij toch niets meer te verliezen. Alija had hem nu waarschijnlijk al in haar zak. Hij had nog maar één kans om indruk te maken op prinses Marla, en anders was hij er geweest.

'Hoe weet jij wat mijn broer voor mij heeft geregeld?' vroeg ze argwanend.

'Heel Hythria weet dat de Fardohnyaanse koning naar uw hand heeft gedongen, hoogheid. En u hebt vast geen bezwaar tegen het principe van een court'esa-opleiding.' Hij gokte nu maar wat over de reden van haar zichtbare tegenzin een court'esa te kiezen. 'Maar het is één ding om de kunst van de liefde te leren om de man van wie u houdt de hele nacht in zijn bed te behagen. Het is heel iets anders om diezelfde vaardigheden te willen leren voor een of andere buitenlander die u normaal gesproken nog geen blik waardig zou hebben gegund.'

Marla staarde hem verbluft aan. Ze zei niets.

Elezaar wist niet of hij nu indruk op haar had gemaakt of alleen zijn verscheiden had verhaast door een lid van de koninklijke familie te beledigen.

'Hoogheid?' drong Dherin aan.

'Zeg vrouwe Alija dat ik de dwerg neem.'

Elezaar viel bijna flauw van opluchting toen hij dat hoorde.

Dherin stond perplex. 'Eh, *hoogheid*?'

'Ik wil de dwerg.'

'Maar hoogheid,' waagde de slaaf behoedzaam. 'Een jongedame zoals u, opgeleid door zo'n... wezen...'

'Trek je mijn oordeel in twijfel?'

'Natuurlijk niet, hoogheid,' verzekerde hij haastig met een kruiperige buiging.

'Ga vrouwe Alija dan zeggen dat ik een keuze heb gemaakt en dat ik de nar wil.'

'Zoals u wenst, hoogheid.'

De slaaf liep achteruit de binnenplaats af, onderwijl buigingen makend. Marla draaide zich om naar haar pas aangeschafte bezit, hoofdschuddend om de dwaasheid die ze zojuist had begaan.

Met een scheve grijns keek Elezaar haar aan. 'Ik sta tot uw beschikking, hoogheid.'

'Dan beschik ik dat je...'

'Marla! Wat is dat voor onzin over die dwerg?' vroeg Alija op hoge toon voordat Marla nog iets kon zeggen. Met Venira op haar hielen beende de vrouwe van provincie Dregian terug de toonzaal in, met een intens ongenoegen op haar mooie gezicht.

'Ik wil hem hebben,' schokschouderde Marla, alsof dat alles verklaarde.

Alija staarde de jonge vrouw even aan alsof ze iets overwoog, en plotseling, onverklaarbaar, glimlachte ze.

'Dan nemen we hen allebei.'

'Allebei, mijn vrouwe?' hijgde Venira.

'De hoogprins mag de nar betalen. De rekening voor Corin stuur je maar naar mij. Die krijgt ons nichtje dan cadeau van Barnardo en mij. Voor haar verjaardag.'

'Dat hoeft echt niet,' verzekerde de prinses haar toen de tovenares Marla's plannen om een court'esa-opleiding te voorkomen, handig omzeilde. 'Trouwens, zo'n duur cadeau kan ik onmogelijk aannemen.'

'Onzin, meisje!' schimpte Alija. 'Je bent een prinses en straks koningin. Niets is te goed voor jou.'

'Maar mijn vrouwe...'

Corin is Alija's spion, besefte Elezaar toen ze erop stond dat Marla het aanbod aannam. *Ik ben nog niet van haar af...*

'Regel het, Venira,' commandeerde Alija. 'Laat hen naar het paleis brengen. Vandaag nog.'

Zonder te wachten op een reactie van de slavenhandelaar pakte ze Marla's arm en haakte die in de hare. 'En nu dat is afgehandeld, lieverd, moesten we maar eens naar mijn kleermaker. We moeten de gelegenheid maar eens aangrijpen om wat vlottere kleren voor je te kopen.'

Elezaar keek hen na en wierp een blik op Corin. Venira had gezegd dat hij dichter was. Was hij soms ook huurmoordenaar? Hij droeg niet de ravenring van het moordenaarsgilde, maar dat wilde nog niet zeggen dat hij niet zou doden als Alija het hem opdroeg.

'Wij worden dus huisgenoten,' zei de jongeman met een veelzeggende glimlach.

'Het lijkt erop,' beaamde Elezaar behoedzaam, zich afvragend of Corins ogenschijnlijk onschuldige opmerking in feite een dreigement was. *Mogelijk ben ik zojuist van de stortbui in de plas geraakt*, besefte hij radeloos. Maar Alija Arendspiek had hem gezien en hij leefde nog, en dat op zich mocht al een wonder heten.

Deel II

Verbroken beloften, stukgeslagen dromen

19

Ondanks dat de Convocatie van Krijgsheren zijn overerving goedkeurde, was de dertigste verjaardag van Laran Krakenschild voor heel weinig mensen reden voor een feest. Zijn moeder, Jeryma, was natuurlijk blij, en zijn jongste halfzusje, Riika, vast ook. Zijn andere halfzus, Darilyn, ging gewoon door met weeklagen over haar eigen smarten, zonder te merken dat haar broer jarig was. Zijn halfbroer Mahkas was naar alle waarschijnlijkheid al een lijst aan het opstellen van de titels die hij als de enige broer van de krijgsheer van Krakandar meende te verdienen.

De vazallen en het volk van de provincie Krakandar waren echter vermoedelijk niet verheugd over het vooruitzicht dat de zoon van Daelon Krakenschild zijn plaats innam.

Krakandar stond al bijna achtentwintig jaar onder de bescherming van het Tovenaarscollectief. Wie de vorige krijgsheer nog had gekend, herinnerde zich een woeste, opvliegende, jonge bruut wiens dwaasheid hem het leven had gekost. Niemand stond erom te springen dat de geschiedenis zich zou herhalen wanneer zijn zoon de troon erfde.

Het Collectief had een welwillend en schrander regentschap over Krakandar gevoerd in de jaren dat de erfgenaam nog minderjarig was. Hierdoor erfde Laran een provincie die er veel gezonder aan toe was dan het gewest dat hem was nagelaten toen zijn vader dronken was overleden tijdens een duel. Hij was nu een van de rijkste krijgsheren van Hythria.

Maar zijn geluk had een keerzijde, en Laran wist heel goed dat hij zijn uiterste best moest doen om zijn pas verworven gebieden en positie veilig te stellen. Alles wat hij deed, zou door de andere krijgsheren nauwlettend worden gevolgd. De Hythrische politiek zat namelijk zodanig in elkaar dat instabiliteit neigde te voorkomen dat een van de krijgsheren boven de andere wist uit te stijgen. Maar na bijna dertig jaar stabiele heerschappij van het Tovenaarscollectief genoot Krakandar een ongekend niveau van voorspoed. Zelden had een krijgsheer zo'n bloeiend rijk bestuurd. Stiekem vroeg Laran zich af hoe lang hij van zijn geboorterecht zou genieten. Ronan Dell was vermoord omdat hij te nauwe betrekkingen had onderhouden met de hoogprins. Ook op hem kon door een nerveuze krijgsheer een aanslag worden beraamd, lang voordat hij enige vorm van daadwerkelijke macht had geproefd.

Dat was een ontnuchterend idee.

Maar het kan vermoeiend zijn om continu over je schouder te kijken of er geen huurmoordenaar staat. Laran zette het van zich af en liet zich opgaan in het dagelijkse bestuur van zijn uitgestrekte provincie. Net als de andere krijgsheren stond Laran aan het hoofd van zeven trouwe vazallen die op hun beurt het bewind voerden over hun eigen, kleinere landgoederen, elk bestaande uit zeven districten. Alleen al daarmee had Laran het zo druk, dat hij domweg geen tijd had om stil te staan bij huurmoordenaars, facties en de politiek in het verafgelegen Groenhaven.

Maar midwinter, toen hij net twee maanden terug was in Krakandar na de Convocatie in Groenhaven en de officiële aanvaarding van zijn erfenis, kwam er nieuws dat de jonge krijgsheer van zijn stuk bracht en bedroefde.

Glenadal Ravenspeer, de krijgsheer van de provincie Zonnegloor, de vierde man van zijn moeder, was dodelijk gewond geraakt tijdens een ongeluk te paard. Zijn oom, Kagan Palenovar, de hoge arrion van het Tovenaarscollectief, bracht hem het nieuws zelf nadat hij onverwachts was gearriveerd op zijn gouden tovenaarspaard, samen met zijn leerling, Wrayan Lichtvinger.

Vlug bracht Laran het paleis in actie en vertrok vervolgens met slechts een handjevol wachters voor de zware rit naar de stad Cabradell in de zuidelijke provincie Zonnegloor, zo'n achthonderd mijl van Krakandar, waar zijn moeder bij Glenadal woonde.

'Laran! De goden zij dank dat je zo snel bent gekomen.'

Het had iets minder dan elf dagen en verscheidene malen paarden verversen gekost om in Cabradell te komen. Afgemat van de slopende tocht nam Laran even een momentje om zichzelf te beheersen voordat hij zijn moeder omhelsde. De kleine Jeryma was aangekomen sinds hij haar voor het laatst had gezien, ongetwijfeld ten gevolge van het tevreden leven als echtgenote van Glenadal Ravenspeer.

Ook zat er tegenwoordig een vleugje zilver in het goud van haar haren. Ze was gekleed in het rood, niet in rouwwit, wat Laran opvatte als een goed teken, ook al stond haar gezicht ontmoedigd.

'Ik ben vertrokken zodra ik het hoorde,' zei hij, bezorgd starend naar haar vermoeide gezicht. 'Leeft hij nog?'

'Amper,' bevestigde ze. 'Hij vraagt steeds naar je.'

'Ik zal naar hem toe gaan. Rust jij wat uit.'

Jeryma glimlachte. 'Er is straks nog tijd genoeg om uit te rusten, Laran. Ga jij naar je stiefvader. Kagan let wel op mij.'

De hoge arrion knikte instemmend en bood zijn zus zijn arm. Na een bezorgde blik op zijn moeder beende Laran over het looppad naar de kamer van Glenadal.

Het paleis in Cabradell was eerder een villa dan een fort, genesteld aan de voet van de majestueuze Zonnegloorbergen, waarnaar de provincie was vernoemd. Het paleis, van wit pleisterwerk met rode dakpannen, spreidde zich uit over de top van een lage heuvel met prachtig uitzicht over de stad eronder. Hier dichter bij de bergen was het kouder, en de wind, die aan Larans mantel plukte terwijl hij over de looppaden tussen de verscheidene paleisvleugels liep, geurde in de verte naar sneeuw.

Toen hij aankwam bij de suite van Glenadal, deden de op wacht staande soldaten de versierde houten deuren meteen voor Laran open toen ze hem herkenden. Binnen was het donker en rook het sterk naar lavendel, dat lag te smeulen in verspreid staande oliebranders. De krijgsheer lag op een laag bed van prachtig houtsnijwerk in het midden van de flauw verlichte kamer. Naast hem op haar knieën zat een meisje met lang blond haar en een betraand gezicht. Stilletjes snikkend bracht ze een koel kompres aan op Glenadals voorhoofd, terwijl haar tranen druppelden op het zijden laken waaronder de krijgsheer lag.

Het meisje keek op toen ze de deur dicht hoorde gaan. Toen ze zag wie het was, krabbelde ze overeind, rende naar Laran en wierp zichzelf in zijn armen.

'Ik ben zo blij dat je er bent!' snikte ze, zich aan hem vastklampend.

Laran drukte zijn zus een tijdlang tegen zich aan en liet haar huilen, zonder iets te zeggen. Eigenlijk wist hij ook niet goed wat hij tegen haar moest zeggen. Het was nauwelijks voor te stellen wat ze doormaakte terwijl ze hier zat te kijken hoe haar vader stierf. Riika was net vijftien en begon de belofte van haar moeders schoonheid in te lossen.

'Waarom ga je niet even wat slapen?' opperde hij vriendelijk toen ze wat kalmer werd. 'Ik blijf wel even bij hem.'

'Nee. Ik kan hem niet alleen laten, Laran. Als er iets gebeurt...'

'Dan is dat niet jouw schuld,' stelde hij haar gerust. 'Ga nu maar!

Probeer wat te slapen. Want als je straks instort, kun je helemaal niemand meer helpen, toch?'

Ze aarzelde, wierp een blik op haar vader. 'Maar ik moet eigenlijk...'

'Zie het dan maar als iets wat je moet van je grote broer.'

Met een zucht gaf Riika zich gewonnen. 'Beloof me dat je me roept als er iets verandert.'

'Beloofd.'

Fronsend keek Riika nog een keer naar haar vader. 'Misschien moet ik eerst nog naar de tempel. Vragen of Cheltaran hem wil bijstaan.'

'De god van genezing hoort je gebeden waar je ook bent, Riika,' beloofde Laran. 'Maar jij moet nu gaan slapen.'

Ze glimlachte hoopvol. 'Misschien... knapt hij wat op... nu jij er bent. Hij hangt nu al zo lang aan een zijden draadje, Laran. Ik geloof nooit dat de goden zo wreed zouden zijn om hem nu bij me weg te halen. Na al die tijd.'

'Ga nou, Riika,' drong Laran aan, met haar naar de deur lopend omdat ze anders nooit zou gaan. Er liepen donkere kringen onder haar ogen, en haar gezicht stond afgetobd. Hoe lang zou ze niet meer hebben geslapen? Hij hield haar even tegen zich aan, drukte een kus op haar hoofd en deed de deur open. 'Ik blijf bij hem tot je terug bent.'

Ze knikte en kneep haar ogen een beetje dicht toen ze buiten het licht in stapte. Voordat ze zich kon bedenken, trok Laran de deur dicht en liep terug naar het bed waarin zijn stiefvader lag. Glenadal zwoegde om adem te halen, en in zijn mondhoek kleefde wat bloederig speeksel. Alsof hij voelde dat er iemand anders bij hem was, gingen de ogen van de oude man knipperend open. Het duurde even voordat ze zich op Laran richtten, en hij glimlachte.

'Je zou toch denken,' raspte hij moeizaam, 'dat ik op mijn leeftijd... verstandiger was dan op een paard te springen om hem te temmen.'

'Is het zo gebeurd?' vroeg Laran, naast het bed plaatsnemend op de vloer. 'Kagan zei dat het tijdens het rijden was.'

'Da's aardig van hem. Vast om mijn reputatie als... een wijze oude staatsman... te beschermen.'

'Doet het pijn?'

'Verdomme, jongen!' hijgde Glenadal, 'er steken een paar ontstoken ribben door mijn longen! Wat dénk je?'

Laran glimlachte. 'Kan ik iets voor u doen?'

Glenadal haalde een paar keer moeizaam adem voordat hij antwoordde. 'Me beloven dat je goed op Riika past.'

'Altijd.'

'En op je moeder. Pas ook goed op haar.'

'Uiteraard.'

De oude krijgsheer deed zijn ogen even dicht, oppervlakkig ademend om zijn krachten te verzamelen. Vanaf zijn zitplaats kon Laran de ziekte in Glenadals adem ruiken. De ontsteking die een gewone doorboorde long had veranderd in een levensbedreigende verwonding, had de oude krijgsheer inmiddels stevig in zijn greep. Toen hij zijn ogen weer opende, pakte hij Larans arm. Zijn greep was broos maar vastberaden.

'Dit... ongeluk is een geweldige gelegenheid voor je, Laran.'

'Je knijpt ertussenuit, oudje, en laat mij achter met een zus en een moeder om voor te zorgen,' zei Laran met een glimlach. 'Ik heb wel gezien hoe je hen hebt verwend. Binnen een maand ben ik bankroet.'

Glenadal glimlachte lusteloos. 'Goed dat je er bent, Laran. Iedereen loopt er maar wat omheen te draaien... alsof ik te stom ben om te weten dat ik doodga.'

'Heb je er wel eens bij stilgestaan dat je dit nog wel eens kon overleven, ouwe dwaas?'

'Heb ik over nagedacht,' zei hij en schudde moeizaam zijn hoofd. 'Maar mijn tijd zit erop. Ik voel het gewoon. Ik voel de Dood op het voeteneind van mijn bed zitten wachten tot ik de moed verlies.'

'Welke geweldige gelegenheid bedoelde je?'

'Mijn dood is de redding van Hythria.'

Met een liefhebbende glimlach keek Laran de oude man aan. 'Je verandert ook nooit, hè? Altijd maar denken dat jij de belangrijkste op de wereld bent.'

'Ik meen het, Laran. Ik heb geen echtelijke zoon.'

'Dus degene die met Riika trouwt...'

'Nee!' hijgde Glenadal, met de kracht der wanhoop in zijn arm knijpend. 'Ik heb haar moeder... jóuw moeder, beloofd dat ik onze dochter geen huwelijk opdring dat ze niet wil. Je moet me zweren dat je die belofte nakomt.'

'Dat zweer ik, Glenadal,' ging Laran weifelend akkoord. 'En het is een nobel gebaar, maar praktisch...'

'Ik heb mijn testament opgemaakt, Laran. Ik heb jou benoemd tot mijn erfgenaam.'

Sprakeloos staarde Laran hem aan, geschokt. 'Maar... dat kan niet! Ik heb Krakandar al. De Convocatie geeft me nooit ook nog eens de heerschappij over Zonnegloor. Goden, Glenadal, dan zou ik verdomme een derde van het hele land in handen hebben.'

'Weet ik.'

'Dit is waanzin!' zei Laran hoofdschuddend. 'Wie weten er nog meer van dit idiote idee?'

'Alleen je moeder.'

'En ging zij daarmee akkoord?'

'Ja, en dat ga jij ook. Als je de tijd hebt gehad om erover na te denken.'

'Wanneer hebben jullie kans gezien om dit belachelijke plannetje samen te bekokstoven?'

'We hebben niks *bekokstoofd*. Niet zoals jij denkt, tenminste.'

Hij moest even op adem komen voordat hij verder kon spreken. 'We hadden het er gewoon over dat jij de enige ongetrouwde krijgsheer was... en dat er, tot nog toe, geen enkele krijgsheer sterk genoeg stond voor een aanbod dat beter is dan dat waarmee de Fardohnyaan dingt naar de hand van Marla Wolfsblad.' Glenadal glimlachte lusteloos. 'En kijk me maar niet zo aan. Ik heb mijn sterfbed niet opzettelijk opgezocht. De omstandigheden... spelen met ons onder één hoedje, jongen. Wees verstandig. Grijp de gelegenheid.'

'Je ontzegt Riika haar geboorterecht.'

'Ze hééft geen geboorterecht als Fardohnya ons onder de voet loopt, Laran. Grijp je kans. Voor mij. Voor Hythria.'

'En Chaine dan?' vroeg hij behoedzaam.

De krijgsheer schudde zijn hoofd. 'Dat is niet meer dan een gerucht, Laran.'

'Maar wel eentje dat al die tijd dat ik je ken, rond is blijven gaan.'

'Toch blijft het maar een gerucht. En al zou ik zoiets toegeven, het zou de mensen van wie ik hou te diep kwetsen... om op mijn sterfbed een bastaard te erkennen. Je moeder zou zich doodschamen. Riika zou het niet te boven komen.'

'Dat is nog geen reden om je zoon geen recht te doen, Glenadal.'

'Ik heb geen echtelijke zoon, Laran. Als ik je er een plezier mee doe, dan geef ik jou toestemming recht te doen als ik er niet meer ben. Maar nu gaat het me alleen maar om Hythria.'

Glenadal sloot zijn ogen, uitgeput door het gesprek. Geruime tijd zei hij niets meer, lag daar gewoon, met zwoegende ademhaling, zich vastklampend aan het leven.

Laran bleef al die tijd naar hem kijken en wou maar dat zijn stiefvader niet doodging, want hij kon de oude dwaas wel wurgen.

'Glenadal,' verzuchtte hij en zocht zijn woorden zo zorgvuldig als hij kon. De man lag per slot van rekening op zijn sterfbed. Hij wilde hem beslist niet van streek maken. 'Je bent altijd als een vader voor me geweest, en voor advies kom ik altijd het eerste bij jou. Dat weet je. Maar dit is echt volslagen absurd. Je kunt niet van me verwachten dat ik daarmee akkoord kan gaan. Dat kun je me gewoon niet vragen.'

Glenadal glimlachte en draaide zijn gezicht naar hem toe.

'En dat, Laran Krakenschild,' mompelde de oude krijgsheer door zijn pijn heen, 'is dus de reden waarom jij het móét zijn.'

20

Jeryma nam Kagan mee naar een lage bank in de grote ontvangstzaal en beduidde een slaaf iets te drinken te gaan halen. Het was een langwerpige ruimte met een ingewikkeld patroon in zwart-witte tegels op de vloer. Het paleis in Cabradell was enorm veranderd sinds Jeryma er bijna twintig jaar geleden was komen wonen. Kamer voor kamer had ze haar stempel erop gedrukt tot het eruitzag alsof het altijd zo was geweest. Terwijl ze plaatsnamen op de kleurige, met prachtig borduurwerk versierde zijden kussens, wierp Kagans zus een blik op zijn metgezel, in afwachting te worden voorgesteld.

'Dit is Wrayan Lichtvinger.'

'Je leerling?' vroeg Jeryma met een licht opgetrokken wenkbrauw voordat ze zich omdraaide naar Wrayan en hem haar hand aanbood. 'Ik heb van jou gehoord, jongeman.'

'Geen al te slechte dingen, mag ik hopen, mijn vrouwe,' reageerde Wrayan. Hij bracht Jeryma's handpalm naar zijn lippen en maakte een sierlijke buiging.

Het bleef Kagan verbazen hoe soepel Wrayan wist om te gaan met de hofetiquette. De knul was opgegroeid in de sloppenwijken van Krakandar, maar hij leek altijd precies aan te voelen wanneer hij de charmeur moest uithangen als dat het beste van pas kwam.

Jeryma glimlachte. 'Die manieren heeft hij dus niet van jou geleerd, Kagan.'

'Ach ja, je weet hoe het gaat met jonge mensen,' schokschouderde Kagan. 'Die dingen pikken ze uit zichzelf ergens op.' Vervolgens zei hij, om zijn zus een plezier te doen, tegen Wrayan: 'Ga jij even bij de paarden kijken? De mensen van Glenadal hebben vast totaal geen kijk op tovenaarspaarden.'

'En werp even een blik op de omgeving,' voegde Jeryma eraan toe.

'Mijn vrouwe?'

Ze glimlachte. 'Ik heb gehoord van jouw bijzondere talenten, Wrayan,' verklaarde ze. 'En ik ben blij dat je er bent. Nu Glenadal op sterven na dood is, zullen de gieren zo wel komen rondcirkelen.'

'Ik neem aan dat u niet doelt op de gevederde soort, mijn vrouwe?'
'Absoluut niet.'

'Dan zal het me een genoegen zijn u bij te staan waar ik maar kan, vrouwe Jeryma,' liet Wrayan haar weten en met een lichte buiging nam hij afscheid van hen.

'Hij is erg beleefd,' merkte Jeryma op terwijl ze hem nakeken.

'Irritant, hè?'

Jeryma pakte zijn hand en kneep er liefdevol in. 'Het komt wel goed, Kagan. Ik heb al drie echtgenoten begraven. Ik begin er al aardig aan te wennen.'

'Dat betwijfel ik,' zei Kagan, zijn zus aandachtig aankijkend. 'Die drie echtgenoten kende je amper. Maar Glenadal en jij zijn al heel lang samen.'

'Het zal wel,' verzuchtte ze. Ze streek een denkbeeldige plooi uit haar rok. Jeryma's bleke, afgetobde gezicht stond afwezig. 'Heb je nou veel huwelijken geregeld, als hoge arrion?'

'Valt wel mee. Ik krijg veel verzoeken, maar de meeste sta ik niet toe.'

Kagan dacht aan één huwelijk dat hij nooit zou hebben toegestaan als iemand het hem had gevraagd: dat van Alija en Barnardo Arendspiek. Maar toen was hij nog geen hoge arrion geweest. Hij had er niets over te zeggen gehad.

Jeryma knikte instemmend. 'Alles is nu anders. Ik weet nog dat ik een hekel aan Glenadal had toen we pas waren getrouwd.'

'Nee toch,' schimpte Kagan.

'Echt waar,' verzekerde Jeryma hem. 'Ik vond hem de lompste, grofste kerel die ik ooit had ontmoet. Velma was toen nog hoge arrion. Al een maand nadat Darilyns vader was gedood. Ik was in staat zelfmoord te plegen toen ik het hoorde. Na de bruiloft nam Glenadal me mee hier naartoe, haalde alles wat scherp was uit mijn kamer en liet me daar een week zitten voordat hij terugkwam.'

'Waarom?'

'Hij wist dat ik bang was. Hij wist hoe Jacel was geweest. Hij wist dat ik tijd nodig had om te herstellen. Vergeet niet dat ik toen pas halverwege de twintig was. Mijn hele ervaring met mannen bestond toen uit Daelon Krakenschild, een opvliegende domoor, Phylrin Damaran, die eerder een vader dan een echtgenoot was, en Jacel, die eerder een beest dan een mens was.'

'Maar nu hou je toch van hem?'

'Ik denk het,' zei ze schokschouderend. 'Ik weet het eigenlijk niet. Ik heb nog nooit een vlaag van verlangen gevoeld naar een man met wie ik getrouwd was. Ik heb er tenminste nooit een ontmoet zonder wie ik niet kon leven. Ik hoop dat mijn dochters het beter treffen dan ik.'

Kagan glimlachte. 'Zij zelf ook, neem ik aan.'

'Laat ik je niet lastigvallen met mijn smarten,' zei Jeryma met een zucht. 'Je hebt al genoeg aan je hoofd. Komen Darilyn en Mahkas ook?'

'Ik heb Darilyn nog gesproken voordat ik uit Groenhaven vertrok. Ze had nog wat af te wikkelen in de stad voordat ze weg kon. Over een dag of zo zal ze er wel zijn.'

'Haar sociale agenda, zeker,' uitte Jeryma haar vermoedens met een frons. 'En Mahkas?'

'Die komt over een week of zo. Hij was op patrouille langs de grens toen ik in Krakandar aankwam. Laran moest iemand sturen om hem te gaan zoeken.'

Jeryma liet een zuinig glimlachje zien. 'Mahkas kennende voert zijn "patrouille" vast helemaal tot in Medalon. Ze zullen hem wel vinden in een Grensoordse kroeg, waar hij zijn avonturen voornamelijk beleeft bij een vat bier.'

'Het is een goeie jongen, Jeryma,' zei Kagan. 'In de kern.'

'Weet ik. Misschien wordt hij wat rustiger als hij eenmaal getrouwd is met Bylinda.'

'Mogelijk. Maar hoe is het met Riika?' vroeg Kagan, plotseling beseffend dat hij zijn jongste nichtje nog niet had gezien. 'Hoe is zij eronder?'

'Niet zo best,' gaf Jeryma toe. 'Ik hoopte dat jij en Laran haar een beetje konden troosten.'

'Ik zal doen wat ik kan. Is ze nu bij hem?' Kagan stond al op om achter Laran aan naar Glenadals kamer te gaan, maar zijn zus pakte hem bij een mouw.

'Voordat je naar hem toe gaat, moet ik je iets vertellen.'

Kagan ging weer naast haar zitten en klopte geruststellend op haar hand. Jeryma keek erg bezorgd. 'Ik heb wel vaker mannen op hun sterfbed zien liggen, hoor.'

'Het gaat me niet om je tedere gevoelens, broer. We hebben te maken met een heel andere situatie.'

'Wat bedoel je precies met "situatie"?'

'Glenadal wil Laran benoemen tot zijn erfgenaam, aangezien hij zelf geen zoon heeft.'

Kagans ogen werden groot. 'Dat keuren de andere krijgsheren nooit goed. Je moet Laran zo ver zien te krijgen dat hij weigert! Het wordt zijn dood als hij akkoord gaat. Vooral nu hij nog maar net in het bezit is van Krakandar. Nog nooit heeft iemand twee provincies gehad.'

'Ik heb Glenadal ook al gezegd dat het geen verstandig plan was toen hij er voor het eerst met me over sprak,' gaf Jeryma toe. 'Maar na een tijdje ben ik er de voordelen van gaan inzien.'

'Dat zorg ík er wel voor dat Laran weigert, Jeryma! Ik heb geen zin om mijn neefje te begraven naast die vier mannen van jou.' De schok was voor Kagan te groot om tactvol te blijven. Als hij dit legaat aanvaardde, kreeg Laran Krakenschild met de dood van zijn stiefvader bijna een derde van het Hythrische grondgebied in handen.

'Denk aan de mogelijkheden, Kagan.'

'Daar denk ik juist aan!'

'En je vindt het een slecht plan?'

'Ik vind het een gevaarlijk plan, Jeryma. Zelfs al ging Laran ermee akkoord – en ik vermoed dat hij er niets van wil horen – dan nog zou hij niet sterk genoeg zijn om te doen wat jullie van hem willen.'

'Zonder hulp niet, nee,' beaamde zijn zus cryptisch.

'Wat moet dát nou weer betekenen?'

Jeryma gaf geen antwoord. Glimlachend klopte ze hem op de arm alsof hij een klein kind was dat werd afgeleid van speelgoed waarmee hij van zijn zus niet mocht spelen.

'Ga nou maar,' zei ze. 'Neem afscheid van Glenadal, broer. Er is straks nog tijd genoeg om over politiek te praten.'

21

'Hij zegt dat jij weet van dit krankzinnige idee!'

Met een onschuldige glimlach keek Jeryma op toen Laran de grote ontvangstruimte binnen beende, waar ze zat te genieten van een zeldzaam moment van afzondering. Met een handgebaar stuurde ze de blootsvoetse slaaf weg die bezig was haar thee in te schenken, en pas toen hij de kamer uit was, antwoordde ze haar zoon. 'Dus hij heeft het je verteld?'

'Ja, hij heeft het me verteld, ja. Ik ga er niet mee akkoord.'

'Doe niet zo dom, Laran. Je móét ermee akkoord gaan.'

'Nou, moeder, ik moet helemaal niets. Ik vraag gewoon het Collectief de verantwoordelijkheid voor Zonnegloor over te nemen, net zoals met Krakandar toen ik nog niet oud genoeg was. Het Tovenaarscollectief mag de provincie beheren tot Riika trouwt met iemand die ervoor geschikt is.'

'Dat is een geweldig plan, lieverd,' reageerde Jeryma kalm. 'Op één klein detail na. Van het Collectief hoef je geen steun te verwachten. De hoge arrion is het met ons eens.'

'Kagan zou hier nooit mee instemmen!'

'Kagan is al enkele maanden met grote tegenzin bezig een overeenkomst uit te bikken waarmee wij over één generatie worden uitgeleverd aan Fardohnya, Laran. Hij staat veel welwillender tegenover de Royalisten dan jij denkt.'

'En jij weet dat ik de troon zou steunen tot mijn dood,' bracht hij haar in herinnering. 'Maar we zouden wel gek zijn om ons in een factiestrijd te storten, moeder. Laat Riika trouwen met iemand die de Zonnegloor kan besturen en laat het daarbij. Nash Havikzwaard zou haar morgen trouwen als hij kon. En Riika is net zo gek op hem. Alsjeblieft, vergeet al die rare ideeën van jou en Glenadal om de opvolging te manipuleren, want daar schiet niemand iets mee op.'

'Nashan Havikzwaard is de erfgenaam van Elasapine. Als jij jezelf niet geschikt acht om twee provincies te besturen, Laran, hoe kom je dan in naam van alle oergoden op het idee dat Nashan Havikzwaard dat wel is?'

Daar had Laran nog niet over nagedacht. Maar er moest een uitweg zijn. Hij wilde deze verantwoordelijkheid niet. Hij kon heel goed zonder de problemen waartoe dit bizarre idee zou leiden, niet alleen voor hem maar voor heel Hythria. 'Misschien iemand anders dan... Heb je er al aan gedacht dat Chaine aanspraak kan maken?'

'Chaine Tollin heeft geen aanspraak op het Huis Ravenspeer,' sprak Jeryma kil. 'En ik zal je dankbaar zijn als je hem niet op het idee brengt dat hij dat wel heeft.'

Vragend keek Laran zijn moeder aan, verbaasd over haar toon. 'Denk jij dat hij de bastaard van Glenadal is?'

'Al wist ik het zeker, Laran, dat maakt niet uit. Glenadal heeft hem nooit erkend, dus Chaine is gewoon een kapitein in dienst van Huis Ravenspeer. Een bekwaam kapitein, dat geef ik toe, met bovendien een bovengemiddelde intelligentie en vindingrijkheid, maar van geruchten word je geen erfgenaam. Dus als je het niet erg vindt, wil ik er nu niets meer over horen.'

Laran schudde zijn hoofd. Dat zijn moeder er niet over wilde praten, maakte het alleen maar erger. Zoals Jeryma zei, was Chaine Tollin een bekwaam kapitein, met een bovengemiddelde intelligentie en vindingrijkheid. En het leger van Glenadal was hem trouw. Het was ronduit dom om hem zomaar weg te wuiven alsof hij er niet toe deed. Maar op dit moment had het weinig zin om erover door te gaan.

'Heeft Glenadal geen broers met zonen? Geen neven? Niet eens een ver familielid met wie je Riika kunt laten trouwen?'

'Er is niemand anders. Trouwens, Riika is nog veel te jong om aan het huwelijk te denken.'

'Ze is net zo oud als Marla Wolfsblad,' merkte Laran zuur op.

'En dat is jammer maar helaas,' zei Jeryma ongemakkelijk terug.

Laran keek zijn moeder aan, op zoek naar sporen van tegenzin. Hij kon het niet geloven dat ze hierin mee wilde gaan. Jeryma's gezicht stond vastberaden. Als ze wroeging voelde, dan hield ze dat goed verborgen. 'Dus ik moet met Marla Wolfsblad doen wat jou is aangedaan,' beschuldigde hij.

Dat raakte een snaar. Voor het eerst kon Jeryma hem niet aankijken. 'Dit is heel iets anders, Laran.'

'Dit is precies hetzelfde, moeder,' zei hij, tegenover haar plaatsnemend op de kussens. 'Jullie willen dat ik de macht grijp over een derde van Hythria, een meisje ontvoer en trouw dat verdomme net half zo oud is als ik... en kijk me niet zo aan. Ze is beloofd aan Hablet van Fardohnya. Met geen mogelijkheid krijgen we haar betrokken bij dit wilde avontuurtje van jullie zonder geweld te gebruiken. Vervolgens verwachten jullie van mij dat ik een erfgenaam voor Huis Wolfsblad bij haar verwek – terwijl je mijn hele leven hebt gedreigd me te laten castreren als ik ooit een vrouw aan zou doen wat jou is aangedaan – en ondertussen maar mijn best moet doen om er zelf niet bij in te schieten tijdens de onvermijdelijke aanval van Fardohnya en vermoedelijk een coalitie van alle andere krijgsheren – Royalisten én Patriotten – voor de kleine kans dat Lernen de zoon van zijn zus benoemt tot zijn erfgenaam. Vooropgesteld dat ze ons het plezier doet om zowaar een zoon te krijgen. Ben ik nog iets vergeten?'

'Zoals altijd weer meteen bij de kern van de zaak, hè, Laran,' concludeerde Kagan toen hij de kamer binnenkwam. Aangekomen bij de carré van kussens in het midden van de ruime zaal boog hij zich voorover voor een kus op Jeryma's wang. 'Hij slaapt, rustig, naar omstandigheden. Riika is bij hem.'

Jeryma knikte en wierp even een blik op Laran toen Kagan naast haar kwam zitten. 'Laran is niet erg enthousiast over ons plan.'

'Óns plan?' vroeg Kagan. 'Sinds wanneer is het óns plan?'

'Zie je nou wel!' riep Laran uit, zeker dat Kagan er niets van moest hebben. 'Ik zei toch dat hij er nooit mee zou instemmen.'

'Ik heb niet gezegd dat ik niet instem met Glenadals plan, Laran. Ik vind alleen dat ik het niet verdien te worden genoemd als de bedenker.'

'Verdien het dan te worden genoemd als de verwerper. Zeg haar dat het gekkenwerk is!'

'Het is gekkenwerk,' beaamde hij. 'Maar niet per se gekkenwerk dat we zomaar moeten verwerpen.'

'Kagan!'

'Ik probeer al een uitweg uit deze nachtmerrie te vinden sinds ik van Lernen hoorde dat hij serieus nadacht over Hablets aanbod, Laran. Dit is de eerste keer dat ik iets tegenkom wat ook maar enige kans van slagen heeft. Hiermee krijgen we een kans op een Hythrische erfgenaam voor de troon van de hoogprins. Dan blijft Hythria in handen van de Hythrun zonder het in handen te spelen van een Patriot. Ik weet dat er risico's aan kleven. Maar met beide provincies onder jouw beheer heb jij de benodigde middelen om een dreigende vergelding van Fardohnya af te weren.'

'Niet als Hablet een serieuze invasie via de Zonnegloorbergen onderneemt,' waarschuwde Laran. 'Er zijn nog meer passen door de bergen van Fardohnya naar Hythria.'

'Je zou bondgenoten moeten hebben,' gaf Kagan toe.

'En wie zouden zich bij mij aansluiten, oom?' vroeg hij. 'Welke krijgsheer zou rustig blijven toekijken terwijl ik Zonnegloor en Krakandar in handen krijg, en vervolgens zijn hulp aanbieden? Ik ben eerder een doelwit dan een bondgenoot.'

'Alle Royalisten in Hythria zouden je steunen, Laran.'

Hij snoof en schudde zijn hoofd.

'Als het snel gebeurt,' opperde Jeryma. 'En stil... Het zou al een gedane zaak kunnen zijn voordat de anderen beseffen wat er aan de hand is.'

'En ervoor zorgen dat we er niet meer uit komen,' concludeerde Laran zuur.

'Als we voor deze route kiezen, Laran, heeft het geen zin om een vluchtweg te zoeken. Die is er dan niet.'

Laran keek zijn oom woedend aan. 'Wé? Hoezo, we? Hoor jij je niet buiten dit soort dingen te houden? Wat is er gebeurd met de beroemde neutraliteit van het Tovenaarscollectief?'

'Ik dien wel degelijk de belangen van het Collectief,' liet Kagan hem weten. Nogal gegriefd kijkend na de beschuldiging van zijn neefje liet hij zijn hand naar zijn diamanten hanger gaan.

'Sinds wanneer heeft het Collectief dan belang bij een oorlog met Fardohnya? Of een burgeroorlog in Hythria?'

'Sinds ik doorheb dat die Fardohnyaanse tiran hoe dan ook ieder lid van het Collectief in Fardohnya te grazen wil nemen, wat ik ook doe. Toen Hablet aan de macht kwam, was er een bloedbad in Talabar. Ik heb geen zin hem daarbij te helpen. Of hem de kans te geven dezelfde schade aan te richten in Hythria.'

'Moet je dan niet juist iets doen aan Hablet? Waarom moet alle hoop op mij worden gevestigd?'

'Omdat we jou vertrouwen, Laran,' zei zijn moeder slechts. 'Glenadal vertrouwt je.'

Laran schudde zijn hoofd. 'Dat is niet genoeg.'

'Dat zal wel moeten,' zei Kagan vlak.

Laran staarde zijn moeder verbaasd aan. 'Het is toch niet te geloven dat jij, nota bene, hiermee akkoord bent. Al die verhalen van jou toen ik klein was, al die verschrikkelijke anekdotes over het vernederende en onterende leven als dochter van een edelmanshuis in Hythria, om vanwege je stamboom te worden uitgehuwelijkt als een slaaf met een bijzondere waarde. Hoe is het daarmee, moeder? Ben je zo verzot op het idee grootmoeder van de volgende hoogprins te worden dat je veel en vaak geuite bezwaren tegen gearrangeerde huwelijken nu opeens niet meer van pas komen?'

'Dat is niet eerlijk, Laran.'

'Daar zal Marla Wolfsblad het ook vast mee eens zijn.'

'Zij hoeft niet zo te lijden zoals ik heb geleden,' verduidelijkte Jeryma. 'Jij bent een goed mens. Jij zou haar nooit kwaad doen.'

'Weet je dat wel zeker?' vroeg hij nadrukkelijk.

Ze keek hem strak aan, welhaast tartend. 'Ja, Laran. Dat weet ik zeker.'

'Ik ben twee keer zo oud als zij.'

'Marla is zestien, zo goed als, tenminste. Jij bent dertig. Dat scheelt maar veertien jaar. Over een paar jaar is jullie leeftijdsverschil van geen enkele betekenis meer.'

'En als ze met iemand anders wil trouwen? En dan bedoel ik niet Hablet.'

'Marla Wolfsblad is de zus van de hoogprins. Ze zal toch inmiddels hebben geleerd dat die keuze niet aan haar is.'

'Stel dat ík met iemand anders wil trouwen?'

'Is dat zo?'

'Daar gaat het niet om.'

'Nou, als je geen andere kandidaat in gedachten hebt, zie ík er het nut niet van in om het te bespreken.'

'Ik wil niets te maken hebben met jouw plannen om de rechtmatige hoogprins van Hythria omver te werpen, moeder.'

'Niemand vraagt je hem omver te werpen, Laran. Ik ben een overtuigd Royalist, en het krenkt me dat je daar anders over denkt. Ik vraag je alleen maar – Glenadal vraagt je alleen maar ervoor te zorgen dat de volgende hoogprins van Hythria een Hythrun is en geen Fardohnyaan.'

'Dat kan ik ook door me aan te sluiten bij de Patriotten en Alija's plan te steunen om Lernen van de troon te laten stoten door Barnardo.'

'Dat is niet leuk, Laran.'

'Dacht je dan dat het een grap was?' Hij schudde zijn hoofd, niet wetend hoe hij zich hier nog uit kon redden. Misschien moest hij dat ook niet eens proberen. Want in één ding had Glenadal gewoon gelijk. Dit plan zorgde wel voor een geschikte troonopvolger. En het zou Alija en haar trawanten een halt toeroepen. Een verleidelijker reden kon hij niet bedenken. Maar hij was nog steeds niet overtuigd. Niet helemaal. 'Het hele idee is waanzin. En zonder de steun van een andere krijgsheer lukt het nooit.'

Voordat zijn moeder iets kon zeggen, galmde er plotseling een kreet door het paleis. Het was een gekweld geween dat dwars door Larans ziel sneed.

'Dat is Riika,' zei hij, al halverwege de zaal gerend. Met Jeryma en Kagan op zijn hielen stormde hij naar Glenadals kamer, in de misselijkmakende wetenschap dat zo'n rouwklacht alleen kon worden veroorzaakt door het verscheiden van de krijgsheer van de provincie Zonnegloor.

22

Hoogkasteel was een passende naam, hoog op het ruige klif langs de zuidkust van Hythria. Van hoog op de tinnen keek Marla naar de golven die dreunend tegen de voet van het klif sloegen en hele schermen glinsterend zeewater opwierpen. De hoge bergen in de zuidelijke streken van Hythria hadden haar altijd gefascineerd. De wereld leek hier haar kleuren te verliezen. De ongerepte sneeuw van de afgelopen nacht had zich sereen gedrapeerd over de zwarte bomen, en de gehele horizon was een monochroom stilleven. De berghelling was begroeid met hoge, trotse dennen, waarvan de zware takken met zuiver wit waren bekleed. Zelfs de bewolkte hemel had dezelfde tint kleurloos grijs als de rest van de wereld.

Marla liep om de toren heen, haar bontmantel strak om zich heen geslagen, verloren in een sombere fuga die haar achtervolgde sinds Lernen haar uit Groenhaven had weggestuurd nadat hij had geregeld dat ze zou trouwen met de Fardohnyaanse koning. Ze sprak amper een woord tegen iemand. Ze at niet, sliep niet. Af en toe diende zelf-moord zich als mogelijkheid aan, maar ze was nog niet helemaal toe aan zo'n drastische stap. *Misschien doe ik het op mijn huwelijksnacht*, dacht ze. *Dat zou pas theatraal zijn. Om niet te zeggen tragisch. En pijnlijk. En het gaf ook vast een hoop rommel...*

Met een trieste zucht haalde Marla een gehandschoende hand over het berijpte steenwerk en bekeek de ijspegeltjes die aan haar hand-schoen kleefden.

'Koud genoeg naar uw zin?'

Ze schrok van de plotselinge doorbraak van haar eenzaamheid. 'Wat moet je, nar?'

Haar court'esa rilde, kwam naar de rand gestampt en ging op zijn tenen staan om naar beneden te kijken, huiverend. 'Ik moest u gaan zoeken van Lirena. Wat doet u hierboven, hoogheid? Het is ijskoud!'

'Het uitzicht bewonderen,' antwoordde ze schouderophalend.

'Hebt u het niet koud?'

'Jawel.'

Hij glimlachte en rechtte manhaftig zijn kromme schouders.

'Nou, maar als u ertegen kunt, kan ik het ook.'

Zonder het te vragen liep de dwerg naast Marla mee op de rest van haar route rondom de toren. Aan de andere kant kon ze helemaal in de verte de witte schuimkoppen op de golven in de Rouwbaai zien. Aan de overkant van de baai stond een kasteel, wit, met slanke torens, als een tekening van een betoverd koninkrijk. De eigenaars hadden het net zo sierlijk en fraai gebouwd als Hoogkasteel plomp en saai was.

'Wat zou er vanochtend allemaal gebeuren in Fardohnya?' vroeg Elezaar, probleemloos radend waarheen haar gedachten gingen terwijl ze het uitzicht in zich opnam.

'Weet je, pas nu besef ik hoe dicht we hier eigenlijk bij Fardohnya zijn.'

'Zo dichtbij is het nou ook weer niet,' zei Elezaar. 'Er zitten nogal wat mijlen aan ondoordringbare bergen tussen.'

'Kunnen ze dan niet door de baai varen?'

'Dat denk ik wel, maar daar schieten ze niet zoveel mee op. Je kunt daar nergens aan land. Heeft het daar ook een naam?'

'Tambays Zetel noemen ze het.'

'Ah,' zei de slaaf, alsof die naam enige betekenis voor hem inhield. 'Wie is Tambay?'

Met gefronste wenkbrauwen keek Elezaar op naar zijn meesteres. 'Niet *ís*. *Wás*. Dat was een van de drie beroemdste personages uit de geschiedenis van zowel Hythria als Fardohnya. Wordt er hier aan prin-sessen soms niets geleerd?'

Marla haalde haar schouders op. 'Vast wel, maar dan heb ik er niet naar geluisterd. Ik heb nooit veel waarde gehecht aan les.'

Elezaar schudde zijn hoofd. 'In mijn beroep zou een vrouw die niet kan lezen of schrijven zich uit schaamte verstoppen.'

'Maar edelmansvrouwen hoeven helemaal niet naar school,' wierp Marla nukkig tegen. 'Edelmansvrouwen hoeven er alleen maar mooi uit te zien en kinderen te baren. Ik vraag me af waarom de goden ons zelfs maar hersenen hebben gegeven. Ik bedoel, die hoeven we toch nooit te gebruiken.'

'Aha, dus dat knaagt er aan u.'

Marla keerde zich af van het uitzicht en leunde met haar rug tegen de koude muur, haar armen om zich heen geslagen. 'Het is niet eerlijk! Lernen heeft me gewoon weer hierheen gestuurd om me mijn kop te laten houden. En om te leren een goede echtgenote te zijn voor... die... die Fardohnyaanse bruut! Nou, dat gaat mooi niet lukken!'

'Dus daarom hebt u nog geen gebruikgemaakt van mijn diensten. Of die van Corin. Hoogheid, mag ik u enig advies geven?'

'Waarom niet? Ik ben net zo goed een slaaf van mijn broers grillen als jij.'

'Leer dan dit van een slaaf. Open ongehoorzaamheid levert zelden iets op als die niet met kracht kan worden bijgestaan. U hebt geen kracht, dus met uw ongehoorzaamheid maakt u alleen maar anderen opmerkzaam op uw ontevredenheid.'

'Wat kan mij het nou schelen als Lernen merkt dat ik ontevreden ben! Ik wil juist dat hij dat weet!'

'Wellicht bent u er beter bij gediend door in het donker te werken dan in het licht, mijn vrouwe.'

'Hoe bedoel je?'

'Waarom gaan we niet beneden bij een lekker warm vuurtje zitten? Misschien kan ik u dat leren bij een glas kruidwijn.'

Argwanend staarde ze de slaaf aan. Zijn hoofd was veel te groot voor het lijf waarop het rustte. 'Waarom loop je overal achter me aan om me te komen helpen?'

'Omdat ik net zomin naar Fardohnya wil als u, hoogheid.'

Ze keek de court'esa vuil aan. 'Nou, kereltje, probeer daar maar eens een stokje voor te steken als je jezelf nuttig wilt maken.'

'U bent een prinses, hoogheid, en op uw manier net zozeer een bezit als ik. Wat ons van elkaar onderscheidt, is de prijs die ze voor onze diensten vragen. Ik mag dan uw bruiloft niet kunnen verhinderen, maar als u het mij toestaat, kan ik u wel laten zien hoe u het spel zodanig kunt spelen dat u de controle over uw leven weer enigszins terugkrijgt. U hebt behoorlijk wat macht tot uw beschikking.'

'Als ik macht had, nar, dan hoefde ik niet te trouwen met Hablet.'

'U hebt macht, hoogheid,' corrigeerde Elezaar. 'Uw zoon wordt de erfgenaam van de hoogprins. Hebt u daar al aan gedacht?'

Marla kon niet geloven dat ze zo'n gesprek voerde met een slaaf. Eigenlijk zou ze een wachter moeten roepen. Om de nar te laten straffen voor zijn brutale praat. Maar er klonk iets van waarheid in de stem van de afzichtelijk mismaakte court'esa. Dat kon ze niet ontkennen. 'Doe niet zo belachelijk! Lernens zoon wordt hoogprins, niet de mijne.'

'Uw broer zal nooit een kind verwekken, mijn vrouwe,' waarschuwde Elezaar. 'De enige kinderen die hij zal zien, zullen de kinderen zijn met wie hij naar bed gaat.'

'Waag het niet dergelijke gruwelijke onzin nog eens te zeggen!'

'Waarom niet?' vroeg hij schokschouderend. 'Zo is het toch? Iedere slaaf in Groenhaven heeft wel een paar verhaaltjes te vertellen over uw broer en de slaven waarmee hij zich vermaakt. En er zijn er maar weinig die goed aflopen.'

'Dat is niet waar!'

'Bent u zo blind, hoogheid, dat u denkt dat een man niet zo laag kan zijn?' vroeg de dwerg. 'Of komt het omdat hij uw broer is, dat u de waarheid zo moeilijk kunt slikken?'

'Waar haal je het lef vandaan, slaaf, om zo tegen mij te spreken?'

'Ik leef om u te dienen, hoogheid, en ik kan u niet beter van dienst zijn dan door u de waarheid te laten inzien. Heel Hythria weet dat uw broer alleen maar leeft voor zijn eigen plezier. Hij bekommert zich niet om de levens die hij daarbij verwoest. Het uwe meegerekend.'

'Ook al is het waar, dan nog zie ik niet hoe dat mij machtig maakt.'

Elezaar glimlachte. 'Dan zal het me een eer zijn om u te onderwijzen, mijn vrouwe. U hebt behoefte aan vrienden, dunkt me.'

Marla schudde haar hoofd, in verwarring gebracht door de opmerking van de dwerg. 'Ik heb vrienden genoeg.'

'U hebt geen vrienden, hoogheid,' waarschuwde Elezaar. 'U hebt familieleden die u alleen zien als een werktuig voor hun politieke ambities. Verder is iedereen om u heen óf een slaaf, óf iemand die wordt betaald om bij u te zijn. Zelfs Lirena, die u zonder meer vertrouwt, is een bediende van uw broer, niet van u. Er is geen ziel in uw gezelschap op wie u zich kunt verlaten.' De nar aarzelde even en vervolgde toen zorgvuldig: 'Behalve ik.'

'Behalve jij?' schimpte ze, gekrenkt door zijn woorden, des te meer omdat ze besefte dat het waar was. 'Waarom zou ik me op jou verlaten?'

'Omdat u de eerste meester of meesteres bent die me niet behandelt als een circusdier, hoogheid. Ik wil, met heel mijn hart, in uw gezelschap blijven. Daarom doe ik alles om ervoor te zorgen dat u mij bij u kunt houden.'

'Ik negeer je alleen maar, nar.'

'Als het een kwelling is om in het middelpunt van de belangstelling te staan, mijn vrouwe, kan het een groter geschenk dan vrijheid zijn om te worden genegeerd.'

'En Corin?'

De dwerg aarzelde voordat hij antwoordde. 'Gebruik Corin waarvoor hij is bedoeld, hoogheid. Daar is hij erg goed in. Leer van hem wat u kunt. Maar raak niet aan hem gehecht.'

'Wou je soms zeggen dat ik hem niet moet vertrouwen?'

'Ik zeg alleen dat hij een cadeau is, hoogheid, van de vrouw die behoort tot de factie die uw broer ten val probeert te brengen. Het kan geen kwaad om voorzichtig met hem te zijn.'

'Hoe weet ik nou dat jíj geen spion bent?'

'Dat weet u niet.'

'Dan moet ik jou ook niet vertrouwen.'

De dwerg knikte goedkeurend. 'Dat is de Vierde Regel om Macht te Krijgen en Gebruiken, hoogheid. Vertrouw niemand.'

'De Vierde Regel?' Marla stampte met haar voeten tegen de kou. 'Wat bazel je? Je bent zowaar de brutaalste slaaf die ik ooit heb ontmoet. Je moest eigenlijk met de zweep krijgen.'

'U zou de eerste meesteres niet zijn die dat heeft bevolen, hoogheid,' schokschouderde Elezaar. 'Soms ook om me te straffen.'

'En de anderen?'

'Genot kent vele vormen, hoogheid. Sommige daarvan doen pijn.'

'Waar heb je het over?'

'Ik bedoel dat sommige mensen – meer dan u zou verwachten – pijn opwindend vinden.'

'Dat is absurd!' schimpte Marla. 'Wie geniet er nou van pijn?'

'Omdat pijn, als die maar lang genoeg duurt, kan leiden tot een staat van euforie.'

'Dat verzin je!'

'Echt waar. Ik zweer het. Let wel, het is niet iets voor amateurs. Het is een gevaarlijk spel om de pijndrempel te zoeken die de euforie opwekt, maar wie smacht naar het gevoel, vindt het zeer de moeite waard.'

'Ik kan me niet voorstellen dat ik iemand van wie ik hou, ooit pijn zou willen doen.'

'Waarom denkt u dat opwinding iets te maken heeft met liefde, hoogheid? U houdt helemaal niet van koning Hablet.' Opeens glimlachte de dwerg. 'Het is zelfs, zonder al te veel verbeelding, heel gemakkelijk voor te stellen dat het uwe hoogheid juist een groot genoegen zou zijn om haar nieuwe echtgenoot pijn te doen.'

Marla lachte hartelijk. 'Je bent een akelig mannetje, nar.'

'Maar wel úw akelige mannetje, hoogheid,' hield hij haar voor met een hoffelijke – zij het onbeholpen – buiging.

'Wat kun je me nog meer leren?'

'Wat u maar wilt weten. Ik kan u leren over liefde. En over haat. En ik kan u alles leren over de Dertig Regels om Macht te Krijgen en Gebruiken.' Met een ondeugende grijns voegde hij eraan toe: 'Vooropgesteld dat we dat beneden doen. Bij een lekker warm vuurtje.'

'Ja, laten we maar naar binnen gaan,' stemde ze in. 'Ik word alleen ziek van Lirena en Ninane en tante Lydia. Ze maken me gek.'

'De komende uren kunt u gerust zijn, hoogheid. Uw tante en Lirena zijn momenteel bezig met een inventarisatie van de provisiekast, en uw nicht... tja, die is zo buitenspel gezet.'

'Hoe dan?'

'Stuur Corin naar haar toe.'

'Moet ik dat kreng met dat paardengebit mijn court'esa sturen?'

'Alsof ú hem zo graag wilt gebruiken, hoogheid.'

'Dat is wel zo... maar het is... nou ja, het gaat om het principe. Waarom zou zíj wel van hem mogen genieten?'

'Omdat u dan macht over haar krijgt.'

'Hoe dan?'

De dwerg glimlachte schalks. 'Ik beloof u, prinses Marla, als u hem goed instrueert, zorgt Corin ervoor dat uw nicht voortaan alles doet wat u haar vraagt, als ze daarmee weer een bezoekje mag verwachten van – hoe noemde Venira hem? – uw court'esa met de "zilveren tong".'

'Wat een gemeen plan is dat, nar.'

'Vindt u het niet goed?'

'Ik vind het schitterend.'

'Mag ik u dan mijn assistentie aanbieden, hoogheid? Die trap is stijf bevroren en knap verraderlijk.'

Marla liet de dwerg haar arm pakken. Voor het eerst in weken werd de donkere depressie die op haar drukte als een winternevel een beetje opgelicht. *Misschien heeft die nar wel gelijk.* Als ze haar hoofd gebruikte in plaats van als een klein kind te blijven kniezen, kon ze misschien nog iets aan haar toekomst doen. Op zijn allerminst kon ze zich een paar uur ontdoen van haar nicht zonder dat ze de kantelen op moest voor een momentje rust.

'Als dit werkt, nar,' verkondigde Marla terwijl ze de ijskoude trap afdaalden, 'moet ik iets zien te verzinnen om je te belonen.'

'U zou kunnen beginnen met me Elezaar te noemen,' reageerde de nar.

23

Door een nevel van tranen vol ongeloof zag Riika Ravenspeer hoe haar vader in de familietombe op zijn laatste rustplaats werd gelegd. Nog nooit had ze in haar nog korte leven de dood van een dierbare moeten aanvaarden of zelfs maar hoeven stilstaan bij het idee om te leven zonder dat haar liefhebbende vader als een toegeeflijke beschermengel over haar waakte. Ze wist best dat ze schaamteloos was verwend en wist ook dat Glenadal en Jeryma haar hadden beschermd voor vele harde werkelijkheden van het leven. En ze wist absoluut zeker dat het leven nooit meer zou zijn zoals vroeger.

Rillend in de koude wind uit de hoge toppen van de Zonnegloorbergen stond Riika naast Laran, steun zoekend aan de arm van haar halfbroer terwijl haar oom, de hoge arrion, de goden dringend verzocht te waken over Glenadals ziel. Bijna de gehele bevolking van Cabradell was uitgelopen. De heuvel rondom de familietombe was bezaaid met mensen die in een stille, nieuwsgierige menigte waren komen kijken naar de treurende familie en een groot man die te ruste werd gelegd.

Zo nu en dan keek Laran even naar haar om te zien hoe ze zich hield. Zich ervan bewust dat iedereen naar haar keek, deed Riika haar uiterste best om sterk te zijn. Ze zou veel hebben gegeven voor maar een fractie van haar moeders waardigheid. Zelfs Darilyns stoïcijnse zelfbeheersing was beter dan het snotterende wrak dat Riika was sinds haar vader ten slotte was gezwicht voor de simpele ontsteking die hem eerst van zijn kracht en uiteindelijk van zijn leven had beroofd.

Vanuit haar ooghoek gluurde Riika even naar Darilyn. Twee dagen na Glenadals dood was haar zus gearriveerd, eindeloos klagend over de staat waarin de wegen in de provincies verkeerden en onophoudelijk vragend waarom niemand daar iets aan deed. Voor het eerst was Riika jaloers op Darilyn, die het presteerde om er tegelijkertijd vorstelijk en gepast verdrietig uit te zien. Gekleed in het wit van een weduwe, haar sluier bestikt met kleine goudbloempjes, een hand op de schouder van ieder van haar zoontjes, haalde Darilyn nog altijd veel profijt uit de dood van haar eigen man, tijdens een inval over de grens met Medalon, samen met Laran en Mahkas, nu bijna twee jaar geleden.

Darilyn genoot van het weduwschap, dacht Riika onbarmhartig. Ze was dol op de aandacht die ze ermee kreeg. Dol op het medelijden. En Darilyn vond dat wit haar best goed stond.

Kagan rondde zijn gebeden af en deed een stap terug om Jeryma bij Glenadals omhulde gestalte te laten. Haar moeder legde het zwaard van de krijgsheer boven op de lijkwade en stapte terug. Onder haar sluier bewogen haar lippen geluidloos in een gebed aan de god die ze het meest geschikt achtte om haar man door het hiernamaals te leiden. Waarschijnlijk Zegarnald. De oorlogsgod was een favoriet van Riika's vader.

Voorzichtig maakte Laran zich los van Riika's arm en stapte naar voren om haar vaders dolk naast het zwaard te leggen, gevolgd door haar halfbroer Mahkas, die Glenadals wijnbeker op de lijkbaar plaatste. Mahkas was drie jaar jonger dan Laran en veruit de knapste van de broers, een schurkachtige charmeur die het onder andere van zijn charisma moest hebben om te bereiken wat hij wilde. Als kapitein in het leger van Krakandar droeg hij een bladzilveren borstplaat met daarop in reliëf de kraken van zijn thuisprovincie, en een lange blauwe mantel tegen de kille wind. Mahkas was pas gisteren gearriveerd, zich uitputtend in excuses voor zijn late komst en jammerend dat hij Glenadal niet meer had kunnen spreken voor zijn dood.

En hij bleef maar vragen wat er straks ging gebeuren.

Riika vroeg zich af of Mahkas soms dacht dat haar vader hém tot erfgenaam van Zonnegloor had benoemd. Laran vond hij vast geen waarschijnlijke kandidaat, aangezien die immers al krijgsheer was. En Mahkas wist dat Glenadal Riika had beloofd dat ze nooit tegen haar wil zou moeten trouwen. Dacht hij dat hij daardoor de enige was die voor opvolger in aanmerking kwam? Mahkas had het best met zijn stiefvader kunnen vinden, en bij gebrek aan onafhankelijke rijkdom van zichzelf – Mahkas' vader was een berooid aristocraat geweest wiens huwelijk met Jeryma was gearrangeerd om te betalen voor een politieke gunst – verkeerde hij in een uitstekende positie om te profiteren van zijn stiefvaders vrijgevigheid.

Arme Mahkas, dacht Riika. *Hij gaat eraan onderdoor als hij erachter komt.*

Nu waren Darilyn en haar jongens aan de beurt. Haar zus legde een subtiel boeketje blauwe bergrozen – de petieterige wildbloemen die welig tierden in de Zonnegloorbergen en het embleem van het Huis Ravenspeer waren – op de lijkwade. Daarop legden de jongens allebei een uit hout gesneden paard, voor Glenadals lievelingsrijdieren,

Nofera en Donder, naast de bloemen. Toen zij waren geweest, gingen de jongens weer bij hun moeder staan en was het Riika's beurt.

Ze aarzelde, onwillig een stap naar voren te doen, onwillig deze definitieve, onherroepelijke afscheidsdaad uit te voeren. Helder zonlicht, beroofd van warmte door de wind maar genadeloos brandend, maakte haar een beetje duizelig. Misschien, als ze deze laatste, beslissende stap niet nam, zou Glenadal nog leven. Misschien ontwaakte ze dan uit deze nachtmerrie en stond haar vader aan haar bed, met in zijn hand een kaars die zijn opgewekte gezicht verlichtte. Misschien lachte hij dan om haar kinderachtige nachtmerrie en beloofde hij haar dat hij eeuwig zou leven, net zoals hij had gedaan toen ze nog klein was. *Maak je over mij maar geen zorgen*, zei hij altijd. *Zodra de Dood mij aankijkt, draait hij zich om en rent hij gillend weg.*

Als-ie een van jouw grappen hoort, zul je bedoelen, reageerde haar moeder dan met een glimlach, alsof het ritueel een vaste traditie voor hen vormde. *Daar rent iedereen gillend van weg, zelfs de Dood...*

'Riika,' fluisterde Laran vriendelijk. 'Jouw beurt.'

Riika vermande zich en dwong haar benen in beweging te komen. Ze deed een stap naar voren, zich vastklampend aan haar vaders schild. Dat was zwaar en onhanteerbaar, en haar arm deed er zeer van, maar het wapen van Huis Ravenspeer stond erop, en als zijn enige kind vond ze dat ze die eer verdiende. Mahkas had het haar afgeraden en aangeboden het schild voor haar te dragen. Het gewicht kon haar te veel worden, had hij beweerd. Hij klonk oprecht in zijn zorg, maar ze had zich toch even afgevraagd of Mahkas had aangeboden Glenadals schild te dragen omdat het hem wel van pas kwam als al deze toeschouwers (of liever gezegd: al deze burgers van Cabradell) zo'n krachtig symbool van haar vaders heerschappij over hun provincie in zijn handen zouden zien. Dat was heel goed mogelijk, als hij zichzelf als de enige logische opvolger beschouwde. Aan de andere kant had Mahkas misschien wel gewoon gemeend wat hij zei. Het schild was erg zwaar, en als heel Cabradell bij de uitvaart stond te kijken, gaf het geen pas als ze onvast ter been was. Laran had hetzelfde gedacht. Maar hij had niet aangeboden het voor haar te dragen. Hij had haar gewoon apart genomen, vlak voordat ze zich aansloten bij de lange stoet de heuvel op naar de familietombe, en haar laten zien hoe je het het beste kon vasthouden en het veiligste kon optillen om op de baar te leggen. Dat was ook in feite het verschil tussen haar broers. De een ging voor de inhoud en de ander voor de vorm.

Met een zachte kreun tilde Riika het zware metalen schild op en legde het boven op haar vaders omhulde lichaam, zoals Laran haar had laten zien. De handeling zelf deed weinig om haar smart te stillen. Ze kreeg helemaal niet het gevoel alsof er iets werd afgesloten. De enige last die van haar schouders viel, was het fysieke gewicht van haar vaders schild. Riika voelde zich teleurgesteld. Dit moest het toch gemakkelijker maken? Het hele punt van een uitvaart was toch om de familie een kans te geven afscheid te nemen? Dat moest dan toch op een of andere manier de pijn verlichten? Wat had zo'n uitvaart anders voor zin? De Dood was Glenadal toch al komen halen. Deze plechtigheid was in feite voor de levenden, niet voor de doden.

Oh, papa! Waarom ben je bij me weggegaan? Heb ik iets verkeerds gedaan? Word ik ergens voor gestraft?

'Het is goed zo, Riika,' sprak een stem troostend. Er daalde een sterke arm neer op haar schouders die haar zachtjes wegtrok van de baar. Het was Laran, besefte ze. Ze had daar als een idioot schaamteloos staan snikken. *Wat zullen de mensen wel niet van me denken?*

Wat kan mij het schelen?

Wat moet er nu van me komen?

Laran gaf haar door aan Jeryma en kwam naar voren met Mahkas en de andere baardragers die de eer hadden Glenadals lichaam in de tombe te plaatsen. De twee mannen die vooraan positie innamen, waren haar vaders grootste vertrouweling, Orly Farlo, en zijn oudste kapitein, Chaine Tollin.

Riika had luidkeels geprotesteerd tegen de deelname van de kapitein aan de uitvaart. Er gingen aanhoudende geruchten door Cabradell dat Chaine Tollin de bastaardzoon van Glenadal was, totaal ongefundeerde en kwaadwillige roddels die Riika weigerde te accepteren. Niemand die ook maar een beetje bij zijn verstand was, geloofde dat. Hij leek niet eens op Glenadal. Hij was te lang, te donker en veel te irritant om een zoon van haar vader te kunnen zijn. En trouwens, Riika had al twee halfbroers. Als er een bloedband tussen haar en Chaine bestond, dan zou ze dat toch zeker wel aan hem hebben gemerkt, anders dan de dringende behoefte om hem een klap te geven voor de aanmatigende toon waarop hij sprak. In plaats van zijn grootheidswaan de kop in te drukken, verleenden ze de geruchten enige geloofwaardigheid door hem mee te laten lopen in de uitvaartstoet. Niemand zou denken dat Chaine erbij was omdat hij de kapitein van Glenadals lijfwacht was. Ze zouden allemaal uitgaan van een diepere, veelzeggender reden.

De overige baardragers waren Haril Gulden, de trouwste vazal van haar vader, de graaf van Valcanpas, en Kahl Pendagin, de baron van Tyenne, de man die de krijgsheer van Zonnegloor de hengst had verkocht die uiteindelijk zijn dood was geworden. Riika had ook hem zo'n ereplaats niet waardig geacht, maar haar moeder had daar het laatste woord in gehad. Jeryma vond de blijvende behoefte aan de steun van heer Pendagin belangrijker dan de schuld voor niets anders dan een tragisch ongeval – wat zelfs Riika moest toegeven.

Op het bijna onhoorbare tellen van Laran tilden de zes mannen de draagbaar op hun schouders en marcheerden langzaam naar de tombe waar Riika's voorouders lagen. Hoe fraai het marmeren gebouwtje ook was vormgegeven, met een tijdloze architectuur die deed denken aan de Harshini, de tombe joeg Riika angst aan. Het was de gewoonte hier elk jaar heen te gaan op het Feest van de Dood in de maand corlio, om in de tombe eer te bewijzen aan de voorouders. In het verleden had ze er alles aan gedaan, zelfs net doen of ze ziek was, om maar te voorkomen dat ze hulde moest betonen aan al die stoffige oude skeletten. En nu zou Glenadal er daar een van worden. Het was gewoon niet eerlijk.

Ze wachtten in stilte tot de baardragers opdoken uit de tombe. Heimelijk probeerde Riika haar neus te snuiten, bang dat het overal op de stille hellingen te horen zou zijn. De verlegenheid werd haar bespaard door een van de jongens van Darilyn. Dit grotemensengedoe meer dan zat (en duidelijk door zijn moeder omgekocht om zich goed te gedragen) kronkelde Xanda zich los uit de greep van zijn moeder en draaide zich om, staarde een ogenblik naar de zwijgende menigte en richtte zich tot Jeryma in de terechte veronderstelling dat zij de baas over dat soort dingen was.

'Mogen we alsjeblieft naar huis, oma?' vroeg hij met schrikwekkend luide stem. 'Ik ben braaf geweest. Ik wil nu mijn verrassing.'

De spanning brak plotseling toen er een ongemakkelijk gegiechel door de mensen op de hellingen ging. Glimlachend bukte Jeryma zich om haar kleinzoon op te tillen. 'Natuurlijk, schat.' Ze keek op en sprak vervolgens ook tot de inwoners van Cabradell. 'Laten we allemaal naar huis gaan. Om Glenadals leven te vieren terwijl we rouwen om zijn dood.'

De baardragers kwamen terug uit de tombe toen de menigte uiteenging. Darilyn griste Xanda uit Jeryma's armen en gaf hem op zijn kop omdat hij haar voor schut had gezet.

'Hij heeft niets gedaan, Darilyn,' zei Jeryma. 'Laat hem toch.'

'Wat is er?' vroeg Laran toen Mahkas en hij weer bij de familie kwamen, zichtbaar verbaasd over de reprimande die Darilyn van Jeryma kreeg.

'Niets,' zei Jeryma. 'Geef me je arm, Laran. We gaan terug naar het huis.'

Mahkas keek naar Riika toen Laran hun moeder meenam over het pad naar de stad. 'Is alles goed, meissie?' vroeg hij vriendelijk.

Zonder iets te zeggen, schudde Riika haar hoofd, tijdelijk verblind door een nieuwe toevloed aan tranen.

Mahkas sloeg zijn arm om haar heen en draaide haar in de richting die Laran en Jeryma hadden genomen. 'Dat komt nog wel, Riika. Het wordt vanzelf beter. Uiteindelijk.'

'Wat weet jij daar nou van, Mahkas Damaran,' blafte Darilyn achter hen. 'Jij hebt jóúw vader niet eens gekend.'

'Maar de jouwe wel,' antwoordde Mahkas over zijn schouder. 'En over zíjn dood waren we zo heen.'

'Waag het niet mijn vaders naam te bezwalken...'

'Hou daarmee op!' gilde Riika. 'Jullie allebei!'

Ze trok zich los uit Mahkas' omhelzing en rende het pad af, langs Laran en haar moeder, langs Kagan, langs de mensen uit de stad die zich kwamen vergapen aan haar vaders uitvaart. Ze rende zelfs harder dan de wacht.

Niet dat ze er ook maar iets mee opschoot.

Want hoe ze het ook probeerde, Riika kon niet wegrennen voor haar verdriet.

24

Zijn pact met Dacendaran indachtig bracht Wrayan in Cabradell veel tijd door met zoeken naar iets om te stelen en zich te houden aan zijn belofte aan de god van de dieven. Het zou niet moeilijk zijn om een pruldingetje te stelen van de krijgsheer van Zonnegloor. Wrayan kon als gast in het paleis gaan en staan waar hij maar wilde, behalve in de privévertrekken van de familie.

Na verscheidene dagen stiekem in alle kamers te hebben gezocht naar een geschikt voorwerp koos hij een beeldje van een waterdraak, sierlijk gesneden uit een stuk groene jade. Het zag er in Wrayans ogen Fardohnyaans uit. Misschien was het een souvenir van een reisje dat Glenadal in zijn jonge jaren over de grens had gemaakt. En hij koos ervoor het te stelen tijdens Glenadals wake, niet omdat hij de dekking van de enkele honderden gasten nodig had, maar omdat hij de god van de dieven eerde en er nauwelijks eer school in een handeling waar geen gevaar bij betrokken was. Trouwens, halve maatregelen hadden geen zin, en Wrayan kon het zich niet permitteren een god te beledigen. Als hij Dacendaran moest eren, dat deed hij het goed ook. Het was veel gewaagder een beeldje uit de werkkamer van de krijgsheer te stelen in de aanwezigheid van half Cabradell dan om gewoon de kamer in te gaan zodra er niemand keek en het aan Dacendaran beloofde pruldingetje in zijn zak te laten glijden.

Pas laat op de dag oordeelde Wrayan de tijd rijp om de god van de dieven te eren. Het paleis was vol gasten van de uitvaart. Overal in de openbare ruimten van het paleis klonk het gedempte gegons van gesprekken, een zacht geroezemoes dat het hele gebouw doordrong. De hele middag had hij erover gedaan om de grote zaal over te steken, en hij had zich net beleefd teruggetrokken uit een gesprek tussen twee Cabradellse matrones over de beste echtgenoot voor Riika Ravenspeer, nu haar arme vader dood was, toen hij de tijd rijp achtte. Na een snelle blik door de zaal om te zien of er niemand naar hem keek, glipte hij de werkkamer in en deed de deur zachtjes achter zich dicht.

Wrayan keek rond. De plotselinge stilte na het geroezemoes in de grote zaal gonsde in zijn oren. Het was een flinke kamer, met een prachtige, enorme houten schrijftafel tegen de muur onder het venster, beladen met rollen perkament, en een lage tafel omringd door kleurrijke kussens nabij het midden, waar Glenadal zijn zaken meestal deed. Links stond een vouwscherm met prachtig borduurwerk in een veelkleurig geometrisch patroon dat paste bij de kussens rond de tafel. Daarachter stond nog een kleinere schrijftafel waar Glenadals scribent gewoonlijk zat, vlak bij zijn meester.

De jade waterdraak stond op de schoorsteenmantel, die was gemaakt van glanzend rood graniet uit Krakandar. Wrayan liep over het tapijt naar de haard toen de deurgrendel bewoog. Meteen dook hij achter het scherm bij de schrijftafel toen de deur openging en Laran Krakenschild het werkvertrek betrad, gevolgd door de kapitein van Glenadals lijfwacht, Chaine Tollin.

Geluidloos schoof Wrayan verder over de gladde vloer en kwam hijgend tot stilstand op amper een handbreedte van de muur. Hij vloekte zachtjes. Hij hoefde zich helemaal niet te verstoppen. Hij was lid van het Tovenaarscollectief. Als hij de afzondering van Glenadals werkkamer wenste, zou niemand hem het recht betwisten daar te zijn.

Buiten Dacendaran wist niemand waarom hij in werkelijkheid in de werkkamer was. Hij hoefde alleen maar van achter het scherm tevoorschijn te stappen. Er was geen enkele reden tot bezorgdheid. Hij had de waterdraak nog niet eens gepakt. Hij kon later teruggaan, als ze weg waren...

'Fijn dat je even bij me kon komen,' zei Laran Krakenschild tegen de kapitein voordat Wrayan kon handelen naar zijn beslissing.

'Ik dacht dat het eerder een bevel was dan een verzoek, mijnheer,' zei Chaine terug. De kapitein klonk geërgerd, alsof hij een keuze had gehad ten aanzien van een bevel van iemand uit de heersende familie.

Laat zien dat je er bent, zei Wrayan streng tegen zichzelf. *Voordat het te laat is en ze je achter het scherm zien staan en je een reden moet verzinnen waaróm je achter het scherm staat.*

'U hebt me iets te vertellen, neem ik aan? Over het testament?'

'Ja. En ik wil je vragen om een gunst,' zei Laran.

'Een gunst?'

'Wanneer het testament wordt voorgelezen.'

'Weet u dan wat daarin staat?'

'Ja.'

'Kom ik erin voor?' vroeg de kapitein behoedzaam.

'Nee, Chaine,' zei Laran. 'Jij komt er niet in voor.'

De kapitein zweeg een tijdlang en vloekte toen zachtjes. 'Dus die ouwe smeerlap heeft me niet erkend. Ook niet op het allerlaatst.'

'Daar had hij zijn redenen voor, Chaine.'

'En die draaien allemaal rondom Riika Ravenspeer,' reageerde de kapitein met een bittere klank in zijn stem.

'Dit heeft niets met Riika te maken. Glenadal had een veel groter geheel in gedachten. Iets waar ik misschien niet helemaal achter sta, maar het heeft zijn voordelen, niet alleen voor Zonnegloor maar voor heel Hythria.'

'En voor dat grote geheel moet ik zeker maar vergeten dat mijn vader weigerde mijn bestaan ooit te erkennen?'

'Je bent hier altijd goed behandeld, Chaine. Hij heeft jou benoemd tot kapitein van zijn lijfwacht.'

'Die rang heb ik verdíénd, heer Krakenschild. Glenadal Ravenspeer heeft me die aanstelling gegeven ondánks het feit dat ik zijn bastaard ben, niet vanwege.'

'Zeker,' erkende Laran de waarheid van Chaine's bewering. 'En je herinnert je vast nog wel dat ik degene was die jouw promotie steunde boven die van oudere, ervarener mannen.'

'Waarvoor mijn dank, mijnheer. Maar met uw steun kocht u mijn waardering, niet mijn ziel.'

'Je bent altijd al een eervol man geweest, Chaine. En om die reden wil ik nu een beroep op je doen.'

'Waarom?'

'Omdat Glenadal míj heeft benoemd tot zijn erfgenaam.'

Zwijgend liet Chaine het nieuws tot zich doordringen. Toen hij sprak, klonk hij geamuseerd. 'Dat gaat een week goed. Hooguit.'

'Dat is ook mijn inschatting van de situatie. Tenzij ik jouw hulp krijg.'

Chaine lachte ruw. 'U wilt dat ik u help nemen wat mij eigenlijk toekomt? Wat een lef.'

'Ik vraag je me te vertrouwen, Chaine.'

'U vraagt me mijn afkomst te verloochenen. Ik heb het recht...'

'Je hebt geen enkel recht. Glenadal heeft je nooit erkend, kapitein. En ook al is je afkomst een publiek geheim, je hebt geen enkel bewijs en niemand om je aanspraak te bevestigen. Dat maakt je niet meer dan een doodgewone huurling die een kans ruikt.'

'Waarom hebt u me dan laten komen? Om me daaraan te helpen herinneren? Om u daarover te verkneukelen?'

'Ik heb je laten komen om een akkoord te sluiten.'

'Wat voor een akkoord?'

'Een akkoord waarmee we allebei krijgen wat we willen.'

'Ik luister.'

'Voordat Glenadal stierf, heeft hij me gezegd dat hij je nooit zou erkennen. Hij was te bang om Jeryma en Riika te kwetsen. Maar hij vroeg me wel om de zaken recht te zetten, en dat ben ik ook van plan.'

'Hoe dan?'

'Door ervoor te zorgen dat je krijgt wat je toekomt.'

'En de prijs voor dit opmerkelijk vrijgevige gebaar?'

'Je steun. En de steun van het leger van Zonnegloor.'

'U hebt uw eigen leger.'

'Ik zal dat van jou ook nodig hebben.'

'En welke garantie heb ik dat u mijn leger niet gaat gebruiken voor uw eigen streven en mij afdankt wanneer ik niet meer van nut ben?'

'Je hebt mijn woord.'

'En wat krijg ik?'

'Wat wil je hebben?'

'Als ik nou zei dat ik de provincie Zonnegloor wil?'

'Dan zou ik zeggen dat je dat aan de verkeerde vraagt. Die kan ik je niet geven.'

'Natuurlijk kunt u die wel geven,' sprak Chaine tegen. 'Die is van u, tot op de laatste grasspriet. En al had Glenadal u niet tot zijn erfgenaam benoemd, u bent de wettige voogd van zijn enige wettige kind. Daarmee ligt deze hele provincie met alles erop en eraan in uw handen, mijnheer, en doet u nou niet net alsof ik gek ben.'

'Chaine, ik zweer bij iedere god die je maar noemt dat mijn belang bij Zonnegloor er niets mee te maken heeft dat jij niet mag opeisen wat jou – in jouw ogen – toekomt. Ik doe dit omdat het de enige manier is om te voorkomen dat er een Fardohnyaanse erfgenaam op de troon van de hoogprins komt. Als je nú denkt dat de kans heel klein is om ooit iets te zien van wat volgens jou je geboorterecht is, hoe klein wordt die kans dan als de volgende hoogprins de zoon van Hablet van Fardohnya is?'

'En dus moet ik maar niets doen? Niets zeggen? En stel dat al die macht u plotseling naar het hoofd stijgt. Stel dat u uw aandacht wat dichter bij huis brengt, als u eenmaal met Hablet hebt afgerekend. Wat dan?'

'Dan is het aan mannen zoals jij om ervoor te zorgen dat dat niet gebeurt,' antwoordde Laran.

Met onbewust ingehouden adem wachtte Wrayan af, zich afvragend wat Chaine zou gaan zeggen. Na de dood van een krijgsheer was er niets zo erg als een loslopende onerkende bastaard. Als die bastaard kon rekenen op steun van het merendeel van het leger van wijlen zijn meester, was dat gevaar extreem groot. Laran deed er zeer verstandig aan de tijd te nemen om Chaine te waarschuwen voor wat er ging gebeuren en om zijn steun te vragen. Wrayan begon te begrijpen waarom Kagan zijn neefje zo capabel vond. Die wetenschap gaf de jonge tovenaar een warm gevoel van provinciale trots. Laran Krakenschild was tenslotte krijgsheer van Krakandar, de krijgsheer van Wrayan (hoewel tovenaars alle vormen van trouw dienden te mijden, behalve die aan het Collectief en de goden). Hoe luidde dat oude gezegde ook alweer? *Ze maken ze sterk en wijs in Krakandar.*

'Welke andere keuze heb ik?' vroeg Chaine, hoewel hij het antwoord duidelijk al wist. Toen Laran niets zei, slaakte Chaine een diepe zucht. 'U kunt maar beter menen wat u zegt over het wedervaren van het recht, Laran Krakenschild.'

'Ik geef je mijn woord,' sprak Laran plechtig. 'Als de tijd rijp is, zal ik ervoor zorgen dat je wordt erkend als Glenadals zoon. En dat je een eerlijk deel van je erfenis krijgt.'

'Dan ben ik uw man,' beloofde Chaine de krijgsheer.

Wrayan kon hen niet zien, maar hij meende dat de mannen elkaar de hand drukten om het akkoord te bezegelen. *Toch jammer*, dacht hij, *dat Chaine er niet aan had gedacht de zaak te laten bijwonen door een heuse getuige.* Een handdruk mocht dan genoeg zijn tussen soldaten, maar juridisch gezien kon Laran, zonder een getuigenis van het Tovenaarscollectief, zijn belofte intrekken wanneer hij maar wilde.

Wrayan dacht niet dat hij dat zou doen. Zo was Laran niet. Maar het verontrustte de tovenaar wel een beetje dat Laran zich, met deze overeenkomst met Chaine, in feite had toegelegd op de gevaarlijke koers die Glenadal, Jeryma en Kagan voor hem hadden uitgestippeld. En voor alle anderen die in deze wervelwind werden meegevoerd.

Want met die simpele, onzichtbare handdruk was het pact gesloten en bestond er geen terugweg meer.

25

'Vertel me eens wat meer over mannen, Elezaar.'

Rusteloos liep Marla heen en weer door de kleine zitkamer van haar suite. Er raasde nu al bijna drie dagen een sneeuwstorm, en ze begon last te krijgen van claustrofobie. In tegenstelling tot de ruime, luchtige sfeer van de paleiszalen in Groenhaven waren de kamers in Groenhaven maar klein en sjofel, vol zware, donkere meubels. Aan de muren hingen dikke wandtapijten; een vergeefse poging om het warmteverlies via het koude steen te beperken. De kleine court'esa zat op de vloer bij het laaiende haardvuur dat de kamer bijna draaglijk maakte. Elezaar had meer last van de kou dan dat hij de warmte voelde. Lirena had voor de middag vrij gevraagd vanwege een volgens haar ondraaglijke hoofdpijn.

Marla vond het waarschijnlijker dat de oude kinderjuf het gewoon veel te koud had en een smoes nodig had om onder de dekens van haar bed te kruipen en daar te blijven tot die verrekte sneeuwstorm was uitgewoed.

'Zomaar, zonder meer?' grinnikte Elezaar, opkijkend uit het boek waarin hij zat te lezen. 'Vertel me eens wat meer over mannen? Wilt u soms dat ik de geheimen van mijn geslacht prijsgeef, hoogheid?'

'Jouw geslacht heeft van jou een slaaf gemaakt, Elezaar. Ik wil dat je me hun geheimen vertelt omdat ik je te eten geef en je kleed en ervoor zorg dat je een dak boven je hoofd hebt tijdens een sneeuwstorm, in ruil voor niets lastigers dan het genoegen van je gezelschap.'

'Maar ik ben nog steeds een slaaf, hoogheid.'

'Des te meer reden om te doen wat ik zeg,' bracht Marla hem in herinnering.

'Daar zit wat in,' beaamde Elezaar. Hij klapte het boek dicht maar liet een vinger tussen de pagina's op de plaats waar hij was gebleven. Zijn handen zagen er raar uit, zo groot als normale mannenhanden en volkomen buiten proportie met de rest van zijn onvolgroeide lichaam. 'Wat wilt u dan dat ik u vertel?'

'Hoe laat ik een man doen wat ik wil?'

'Dat hangt er maar helemaal van af of het iets is wat hij ook wil.'

'Wat als ik iets wil en mijn man niet? Hoe laat ik hem dan doen wat ik wil?'

'Dat hangt helemaal af van uw man.'

'Daar schiet ik niet zoveel mee op, Elezaar.'

'U stelt de verkeerde vragen, hoogheid.'

'Wat moet ik dan vragen?'

'U zou kunnen vragen wat een man beweegt. Of liever gezegd, hoe u kunt zíén wat een man beweegt. Pas dan kunt u bepalen hoe u hem het beste kunt manipuleren.'

'Wat beweegt jou?'

De dwerg glimlachte. 'De oneindige wens om bij u in genade te blijven, natuurlijk.'

'En Corin?'

Opnieuw vroeg hij zich af of hij haar moest vertellen over zijn vermoeden dat Corin spioneerde voor Alija. Uiteindelijk besloot hij van niet. Hij kon het niet bewijzen, en zolang Corin Ninane bezighield, viel hij hen niet lastig. 'De behoefte aan comfort. En veiligheid.'

'Dan is hij net zoals jij.'

Elezaar schudde zijn hoofd. 'Nee, hoogheid. Hij is heel anders. Corin zoekt veiligheid door zichzelf begeerd te maken. Ik probeer mezelf onvervangbaar te maken.'

'Maakt dat iets uit?'

'Zeer zeker.'

De prinses liep naar het venster en keek naar het wervelende wit van de sneeuwstorm buiten. 'Nou, Ninane lijkt erg op hem gesteld te zijn. Ze verzint steeds weer een andere reden waarom ze hem moet "lenen".'

'Zoals ik u al duidelijk maakte, die dag op de tinnen, nu enkele weken geleden, mijn vrouwe, kunt u uw nicht nu laten doen wat u wilt. Het enige wat u hoeft te doen om haar medewerking te krijgen bij wat u maar wilt, is dreigen zijn diensten in te trekken.'

Marla keek hem bedachtzaam aan. 'Is seks zo aanlokkelijk dat iemand zich zomaar onderwerpt om er meer van te krijgen?'

Hij glimlachte naar haar. 'Ik stel voor, hoogheid, dat u die vraag zelf beantwoordt. Zodra u ervan hebt geproefd.'

'Ik weet niet of ik dat wel wil, nu ik heb gezien wat voor een sukkel Ninane is geworden. En allemaal voor een slaaf die ik kan verkopen zodra ik daar zin in heb. Ik weet niet of ik wel wil dat iemand zo'n macht over me heeft.'

'Dan moet u zichzelf beschermen, hoogheid.'

'Beschermen?'

'Met kennis.'

'Wat voor kennis?'

Bij het zien van een nieuwe gelegenheid om zich nuttig te maken, beantwoordde Elezaar haar vraag met een wedervraag. 'Wat is dorafilie?'

Ze staarde hem wezenloos aan. 'Weet ik niet.'

'Dat is seksuele opwinding door de aanraking van leer. En formicafilie?'

'Formica-wát?'

'Dat is seksuele opwinding veroorzaakt door mieren.'

'Hebben ze daar ook nog een náám voor?'

'Het zou u nog verbazen waar ze allemaal namen voor hebben. Wat is dendrofilie?'

'Seksuele opwinding door... *gedender*?' opperde ze en hief toen verslagen haar handen in de lucht. 'Hoe moet ik nou weten wat dat betekent? En wat maakt het eigenlijk uit? Wat moet ik ermee? Encyclopedische kennis opdoen van die... perversiteiten van jou, zodat ik kan zeggen: "Kijk! Hij zit onder de mieren. Het is vast een formicafiel!" Nou, dát zal me van pas komen in een Fardohnyaanse harem.'

Elezaar wierp ongeduldig een blik op het plafond. 'Ten eerste: dendrofilie is opwinding door bomen. En ten tweede moet u die dingen weten, hoogheid, want die *kennis* is macht. Stel dat Hablet een hang blijkt te hebben naar... weet ik het... zeg... voeten.'

'*Voeten?*'

'Het zou u nog verbazen hoe vaak dat voorkomt. Als u hem wilt manipuleren, moet u weten wat hem opwindt. Als u weet wat een man prikkelt, kunt u de wereld regeren terwijl hij op uw tenen sabbelt.'

'Walgelijk!'

'Alleen omdat u die perversie niet deelt.' Hij legde het boek weg, in de hoop de jongedame te kunnen doordringen van het belang van wat hij haar trachtte te leren. Marla was een intelligent meisje, had Elezaar ontdekt, maar ze was een droomster. Met een romantisch hart. Ze koesterde nog steeds de zinloze hoop aan haar lot te ontsnappen. 'Maar als u van plan bent meer te doen dan alleen maar overleven als u in Fardohnya bent, is het van cruciaal belang dat u die dingen begrijpt. U moet leren waarmee u zich begeerlijk maakt voor een man. En misschien nog belangrijker: wat zijn begeerte de nek om draait. Beide vaardigheden zijn zeer nuttig, vooral aangezien u in Fardohnya zult leven in een harem te midden van andere vrouwen, van wie er velen de zwakheden van een man op slag kunnen zien. En u kunt het wel vergeten om enige vorm van macht te kunnen handhaven als het een of andere court'esa lukt om bij uw man in de gunst te komen.'

Marla fronste haar voorhoofd. 'Herinner je je Welenara nog?' vroeg ze, zich naar hem omdraaiend. 'Zij zat ook bij Venira toen ik jou en Corin kocht.'

'Ach, de verrukkelijke Welenara,' verzuchtte Elezaar. 'Een vleesgeworden godin, gezonden om zich tussen ons te begeven.'

'Zo mooi vond ik haar anders niet.'

Elezaar deed zijn best om niet te grijnzen. 'Natuurlijk niet, hoogheid. Nu ik erover nadenk, was ze zo lelijk als een wagen vol ouwe laarzen.'

'Kent zij al die... vreemde seksuele praktijken waar jij zoveel van lijkt te weten?'

'Uiteraard. Zij is een court'esa. Prinses of niet, zonder opleiding legt u het gewoon af tegen zo'n vrouw. Maar het verschil tussen u en Welenara is dat u erover kunt leren. Alleen zijn er vele praktijken waarvoor u zou terugschrikken, enkele waarvan u misselijk zou worden en andere waarvan u zou zeggen dat u liever doodgaat dan dat u er deel aan neemt. Als vrije vrouw hebt u het recht te weigeren. Een court'esa heeft die luxe niet. Als onze meester of meesteres zich wil smoren in slagroom en wil dat wij het van hen af likken, dan moeten we die taak verrichten met dezelfde toewijding en hetzelfde enthousiasme dat we aan de dag leggen als ze ervoor zouden kiezen om ons af te ranselen met een tak van een doornstruik of om ons onder te dompelen in hete was omdat ze worden geprikkeld door ons gegil. En ik gebruik dat voorbeeld met opzet. Ik ken iemand bij wie dat is gebeurd.'

Verbaasd liet Marla zich neerploffen in de stoel bij de haard. 'Slaven in hete was dompelen? Lijkt me een hoop gedoe voor een paar momenten geluk.'

Elezaar glimlachte naar haar. 'Ach, hoogheid. Met dat heerlijk pragmatische trekje van u wordt u nog een ontzagwekkende tegenstander als u ouder bent.'

'Hoe bedoel je?'

'Ik bedoel dat u zich door niets of niemand laat tegenhouden, prinses Marla, als u eenmaal weet wat u van het leven verwacht.'

'Jij zegt telkens maar dat ik enige controle heb over mijn lot, Elezaar.'

'Meer dan u beseft, hoogheid, zij het niet zoveel als u zou willen, vermoed ik.'

Plotseling trok er een koude luchtvlaag uit de gang door de kamer. Marla keek om om te zien wie het waagde haar te storen zonder te kloppen. Elezaar krabbelde overeind toen hij zag dat het Marla's tante Lydia was.

'Marla, wat doe je hierboven, helemaal alleen? Ik sta erop dat je beneden komt en in de zaal een poging doet om bij de familie te horen.'

'Ik ben niet helemaal alleen, tante Lydia. Ik heb Elezaar als gezelschap.'

Lydia was een broodmagere vrouw met een lang gezicht, een gerimpelder versie van haar dochter Ninane, die beiden onfortuinlijk veel leken op Marla's broer Lernen. Ze wierp een blik op de slaaf en draaide zich weer om naar Marla alsof hij niet bestond. Marla's tante voelde zich niet op haar gemak bij Elezaar. Zijn mismaaktheid deed haar griezelen. Lydia had echter geen bezwaren tegen Corin. In feite leek ze er wel mee in haar nopjes dat haar dochter Ninane gebruikmaakte van Marla's knappe jonge court'esa. Een gelorongde court'esa van Corins kwaliteit viel buiten het budget van haar man, heer Branador. Zo kon haar dochter toch nog profiteren van een court'esa-scholing zonder de daarmee gepaard gaande onkosten.

'Marla, doe niet zo saai. Kom gezellig beneden bij ons zitten. Een jongedame hoort zich niet zo af te zonderen.'

'Ik zonder me niet af. Ik heb alleen geen zin in... gezelligheid.'

Elezaar kon het de prinses niet kwalijk nemen dat ze haar neven meed. Ninane vormde geen probleem meer sinds Marla Corin aan haar was gaan uitlenen, maar Braun en Kaul waren wat ouder dan Marla en leken er een sport van te maken om haar te plagen. Nu er al dagen een sneeuwstorm woedde en iedereen binnen zat, waren vooral de jongens (of liever gezegd de jongemannen – Kaul was tweeëntwintig, en zijn broer Braun bijna twintig) onhandelbaar, en daarom had Marla besloten vandaag in haar kamer te blijven. Lydia leek er nooit iets van te merken wanneer haar zoons hun nichtje pestten, en de enkele keren dat Marla erover had geklaagd, had haar tante gezegd dat het niet meer was dan het gekscheren van twee jongens die Marla beschouwden als hun lieve kleine zusje. Elezaar vermoedde dat het eerder jaloezie was. Per slot van rekening was Marla de dochter van Garel Wolfsblad. Kaul en Braun waren de zoons van zijn jongste halfzus, en de verwantschap liep verder via de vrouwelijke lijn. Zij stamden niet af van de familie Wolfsblad. Braun noch Kaul zou ooit aanspraak kunnen maken op de kroon van de hoogprins.

'Heus, mijn vrouwe, ik blijf liever hier bij de lessen van Elezaar.'

'Wat heeft die nar jou nou voor iets interessants te leren dat je afziet van het gezelschap van normale mensen, Marla?'

Met een knipoog naar Elezaar liet Marla een stralende glimlach zien. 'We zijn seksuele perversiteiten aan het doornemen,' verkondigde ze. 'We zijn al bij de "D". We zijn net klaar met de les over dorafilie, wat met leer te maken heeft, en Elezaar wilde me net vertellen over dendrofilie, wat met bomen te maken heeft. Wilt u niet blijven luisteren, tante Lydia? Of weet u daar alles al over?'

Verslagen wierp Lydia haar handen omhoog, mompelde iets wat verdacht veel leek op een nogal grove vloek en deed de deur dicht, Marla alleen achterlatend met haar slaaf.

'Ik geloof zowaar dat je gelijk hebt, Elezaar,' peinsde Marla.

'Hoogheid?'

Met een ondeugende grijns keek ze hem aan. 'Het kan inderdaad handig zijn om dit soort dingen te weten.'

Elezaar glimlachte en dacht aan wat hij had gezegd tegen de andere slaven in de cellen achter Venira's Slavenkorf, de avond na de moord op Ronan Dell. *Iedere court'esa die zijn halsband waard is, weet ervoor te zorgen dat een man of een vrouw hem wil. Daar zijn we voor opgeleid. Maar om in veiligheid te zijn, echt in veiligheid, moet je onvervangbaar zijn.*

Kijkend naar Marla's samenzweerderige glimlach was Elezaar zeer tevreden over de vooruitgang die hij boekte. Onvervangbaar was hij nog niet, maar wel had Marla zojuist zijn gezelschap verkozen boven dat van haar familie.

Dat was zeer beslist een stap in de goede richting.

26

Toen de sneeuwstorm eenmaal was uitgewoed, werd het weer rond Hoogkasteel zoveel beter dat Marla zich afvroeg of het niet gewoon de stormengod was geweest die hen waarschuwde voor de naderende gure maanden in plaats van het echte invallen van de winter. Binnen een week was de hemel onbewolkt en begon het te dooien, waarmee de valse indruk werd gewekt dat het voorjaar eraan kwam.

Hoewel de pas zelf enkele mijlen ten noorden van het fort lag, was Hoogkasteel een drukke stad. De meeste inkomsten waren afkomstig uit belastingen op reizigers die de pas namen, en daarom bracht Marla's oom, heer Frederak Branador, een groot deel van de dag door met toornige kooplieden, misnoegde reizigers en het grote aantal douanebeambten in zijn dienst, van wie de meeste woonden in Dakinsrust, een stadje aan de andere kant van de rivier de Loquilarill, zo'n acht mijl ten oosten van het kasteel.

Het was een flinke stad, met nog een garnizoen soldaten naast de bureaucraten en hun gezinnen die er woonden. Het ging tegenwoordig zo goed met de handel dat de bevolking van Dakinsrust onlangs was toegenomen tot ruim vijfduizend mensen.

Lydia besloot de omslag in het weer te baat te nemen om eens nodig in de stad te gaan winkelen. Haar dochter en haar nichtje zouden haar vergezellen. Ninane, twee jaar onder dan Marla, was een lange, slungelige jonge vrouw met een lang gezicht en een beperkt intellect. Marla verfoeide Ninane al zo lang als ze het zich kon herinneren, al kon ze niets noemen wat haar was bijgebleven als de reden voor haar intense afkeer van haar nicht. Ze had gewoon altijd al een hekel aan Ninane gehad en Ninane aan haar. Zo was het nu eenmaal, en daar deed je niets aan.

Maar met de komst van Corin in het huishouden was het machtsevenwicht subtiel verschoven in Marla's richting. Ninane moest nu bij Marla in de gunst blijven om het gebruik van haar court'esa veilig te stellen.

Die verandering was Marla een groot genoegen. En het had haar een waardevolle les geleerd. Ze besloot Ninane met Corin haar gang te laten gaan, want zij had het vermogen zijn diensten in te trekken, en dat wist Ninane heel goed. Na een leven lang gepest en getreiterd te zijn, bleek Marla plotseling Ninanes nieuwe beste vriendin, en ze genoot van de macht die ze nu over haar nicht had.

'Niet zo zelfingenomen kijken.'

Marla keek over haar schouder naar de dwerg. Ze stond haar sluier vast te knopen ter voorbereiding op de rit naar Dakinsrust. Lirena zat bij de haard met zachtjes tikkende naalden te breien. Elezaar had naar zijn meesteres staan kijken en had haar in zichzelf zien glimlachen in de spiegel.

'Waar heb je het over, nar?'

'U kijkt zelfingenomen, mijn vrouwe.'

'Helemaal niet!'

'Het lukt nooit als u dat doet.'

'Wat lukt nooit?'

'Winnen,' antwoordde de dwerg.

'Ik heb echt geen idee wat je bedoelt.'

'Als je straks in dat rijtuig klimt,' zei Lirena zonder op te kijken van haar breiwerk, 'met zo'n zelfingenomen gezicht, gaat Ninane zich afvragen waaróm je zo zelfingenomen kijkt.'

Elezaar knikte bevestigend. 'Dan is ze er zo achter. En zodra ze erachter is, hebt u geen enkele macht meer over haar.'

'Ik keek niet zelfingenomen,' hield Marla vol.

'Als u het zegt, hoogheid.'

Ze draaide zich om om hem vuil aan te kijken maar werd gestoord doordat de deur openging. Corin kwam binnen en maakte een diepe buiging. De dwerg tijdelijk vergeten wendde ze zich tot haar andere court'esa. 'Waar heb jij de hele nacht gezeten?'

'Bij vrouwe Ninane, vrouwe,' informeerde Corin haar, ietwat verdedigend. 'U had me opgedragen zoveel tijd bij uw nicht door te brengen als ze wilde.'

Dat was waar. 'Hoe is ze in bed?'

'Mijn *vrouwe?*'

'Ninane. Mijn nicht. Hoe is ze in bed?' vroeg Marla nieuwsgierig. Ze kon zich geen voorstelling maken van een door hartstocht verhitte Ninane. Nu ze erover nadacht, klopte er hoe dan ook iets niet aan het idee van een waar dan ook door verhitte Ninane.

'Atletisch,' antwoordde Corin tactvol. 'En nogal fantasieloos.'

Marla glimlachte. 'Verbaast me niets.'

'In elk geval doet zij nog wat,' merkte Lirena korzelig op vanuit haar stoel bij de haard.

'Wat moet dat nou weer betekenen?' vroeg Marla, gekwetst door de beschuldigende toon in Lirena's stem.

'Wat ik bedoel, meisje, is dat je over amper drie maanden al gaat trouwen en je court'esa nog niets anders heeft gedaan dan je nicht amuseren sinds we terug zijn uit Groenhaven.'

Marla knipoogde naar de dwerg voordat ze de kinderjuf van repliek diende. 'Dat komt doordat ik een van Elezaars regels om Macht te Krijgen en Gebruiken toepas, Lirena.'

'Geen idee dat er eentje bij zat die zegt: "Als je problemen wilt met je toekomstige echtgenoot, moet je alle goede raad die je krijgt, in de wind slaan",' mopperde de oude kinderjuf.

'Doe niet zo hatelijk,' berispte Marla haar. 'Trouwens, het is regel nummer acht: "Gebruik de zwakheden van je vijanden tegen hen". Corin is Ninanes zwakheid. Daar maak ik gebruik van.'

'Maar regel nummer zevenentwintig luidt dat u mag denken wat u wilt, zolang u zich maar betamelijk gedraagt, hoogheid,' bracht Elezaar haar in herinnering. 'Weigeren te leren wat er van u wordt verwacht, is niet echt de manier om die regel toe te passen.'

'Is regel nummer drieëntwintig niet: "Weet wanneer je je adviseurs moet negeren"?'

'Nee, mijn vrouwe, dat is regel tweeëntwintig. En dit is niet het moment om die regel toe te passen. U loopt een ernstig risico door dit spelletje te spelen.'

Lirena knikte, de woorden van de nar beamend. 'Onwetendheid staat een nieuwe bruid erg slecht.'

'Ik ben niet onwetend!' protesteerde Marla. 'En ik speel geen spelletjes. Ik heb alleen geen... zin gehad.'

'Dat is een luxe die je je niet meer kunt permitteren als je eenmaal getrouwd bent.'

'In Kariën wordt de maagdelijkheid van vrouwen anders geprezen, hoor,' liet ze hun weten, zich terugdraaiend naar de spiegel om de sluier op zijn plaats te spelden. 'Daar is het een zonde om de liefde te bedrijven voordat je getrouwd bent.'

'En ook na de bruiloft een zonde om het voor iets anders te doen dan de voortplanting,' onderwees de dwerg. 'Maar we zijn hier niet in Kariën, mijn vrouwe, en er zit iets in wat Lirena zegt. Als u niet opzettelijk recalcitrant bent, dan laat u het er wel erg op aankomen als u van plan bent nog iets nuttigs te leren in de tijd die u nog rest voor de bruiloft.'

'Misschien moeten ze de bruiloft maar uitstellen als ik niet fatsoenlijk ben opgeleid,' opperde ze. Haar hoopvolle toon verried de ware reden voor haar weerwil om gebruik te maken van een van de beide court'esa die ze voor dat specifieke doel had gekregen.

'Onwaarschijnlijk, mijn vrouwe,' zei Elezaar haar. 'De enige waarschijnlijke uitkomst van zo'n voorstel zou de dood van zowel Corin als mij zijn wegens plichtsverzaking.'

'Maar het is jullie schuld niet.'

'Dat maakt weinig uit, hoogheid,' waarschuwde Corin.

Het verbaasde Marla een beetje zijn stem te horen. Hij sprak zelden. Maar hij luisterde wel altijd. Toen hij nog maar net met haar was meegekomen naar Hoogkasteel, had Marla gedacht dat Corins gaven eerder lichamelijk waren dan intellectueel. Maar de laatste tijd begon ze daaraan te twijfelen. Er ontging hem niet veel, en om een of andere vage en onrustbarende reden werd ze daar zenuwachtig van.

'Corin en ik zijn slaven,' vervolgde Elezaar. 'Daarom zijn wij, per definitie, verantwoordelijk voor de gebreken van onze meesteres.'

'Dat is ook hardvochtig.'

'Maar wel de realiteit van de situatie,' beaamde Lirena, en ze legde haar breiwerk neer om haar meesteres aan te kijken. 'Sta daar nog maar eens bij stil voordat je Corin de volgende keer wegstuurt.'

Marla keek de drie slaven vuil aan, stellig onder de indruk dat ze tegen haar samenspanden. Maar het was ook zo moeilijk om het iemand uit te leggen. Marla's weerstand om iets van haar court'esa te leren over de kunst van verleiding en liefde was een vorm van onuitgesproken ongehoorzaamheid. Als ze accepteerde dat ze iets van Corin of Elezaar moest leren, accepteerde ze ook dat haar lot onvermijdelijk was, en daar was ze gewoon nog niet aan toe. Ze koesterde nog steeds de hoop dat de hoge arrion had gemeend wat hij zei over het zoeken naar een uitweg. Ze ging 's nachts nog steeds slapen met de droom om verliefd te zijn. Of het hof te worden gemaakt, of te worden ontvoerd...

Haar fantasieën hadden zelfs een gezicht. Heer Nashan Havikzwaard van Elasapine.

Als Marla haar ogen sloot en een betere toekomst wenste, was Nash de man die dat mogelijk maakte.

Als ze in slaap viel met de gedachte verliefd te zijn, was het Nash die haar in haar dromen bezocht.

Maar als Marla haar ogen opendeed, was er helaas niets anders dan Elezaar en Corin en de harde werkelijkheid dat ze over drie maanden al moest trouwen met de koning van Fardohnya en dat ze alleen nog door een wonder kon worden gered.

27

'We worden allemaal vermoord in ons bed,' verkondigde Larans zus Darilyn nukkig.

'Stel je niet aan,' zei de hoge arrion tegen haar, en hij nam een slok wijn.

Ze zaten in de kleine tuin van Jeryma's suite te genieten van het vale winterzonnetje. In de hoek van de met wingerd begroeide hoge muren van de binnenhof maakte een fonteintje een vrolijk borrelend geluid. De opgetogen gilletjes van Darilyns twee zoontjes, Travin en Xanda, die probeerden de goudvis in de vijver te vangen met hun blote handen, vormden een schril contrast met het gesprek dat de volwassenen voerden.

Darilyn keerde zich tegen de oude tovenaar. 'Jij hebt makkelijk praten! Jij bent de hoge arrion! Niemand waagt het zich met het Tovenaarscollectief te bemoeien. Maar mijn kinderen en ik dan? Wij staan niet boven de wet.'

'Niemand heeft hier een wet overtreden,' bracht Kagan op redelijke toon naar voren. 'Het gebruik om een nieuwe krijgsheer aan te wijzen in plaats van de macht van een bestaande te vergroten als de opvolging onduidelijk is, is een traditie, geen wet.'

'Dat zal vast een hele troost zijn voor mijn kinderen als hun de keel wordt doorgesneden!'

'Darilyn, je broer laat jou of je kinderen niets overkomen,' zei Jeryma geruststellend. 'Het verbaast me dat je zelfs op het idee komt.'

Darilyn richtte haar aandacht op haar moeder. 'Hij is mijn hálfbroer,' maakte ze pijnlijk duidelijk. 'Als mijn vader nog had geleefd, dan zou deze situatie zich nooit hebben voorgedaan.'

'Als je vader nog had geleefd, zou er nog veel meer anders zijn,' reageerde Jeryma even pijnlijk. 'Je bent volkomen veilig onder Larans bescherming.'

'Dat was mijn man ook, weet ik nog,' merkte ze bitter op.

'Jouw man heeft zich waarschijnlijk op een Medalonische kling gestort om aan jouw gezanik te ontsnappen,' mopperde Kagan ongeduldig.

Laran vermoedde dat Kagan het niet hoorbaar had willen zeggen, maar zijn opmerking klonk alarmerend luid in de stilte van de ochtend. Zijn broer Mahkas, die naast Jeryma zat, smoorde een grijns terwijl Darilyn zich weer op Kagan stortte.

'Jij gevoelloos monster! Hoe kun je zoiets zeggen? *Moeder?*'

'Dat was nergens voor nodig, Kagan,' zei Jeryma berispend. 'Maar ik vind wel dat je hier een veel te groot drama van maakt, Darilyn. Jouw zonen worden geen doelwit in het komende conflict.'

'Als jij je zo bezorgd maakt over je dierbare hachje,' zei Laran, die Darilyns gezeur niet langer kon aanhoren, 'dan laat ik je wel overplaatsen naar het kasteel in Winternest. Dat is het best bewaakte fort in heel de provincie Zonnegloor. Daar zijn de jongens en jij volkomen veilig. Dan neem je Riika maar mee als gezelschap.'

'Jij bent door mijn vader benoemd als zijn erfgenaam, Laran,' zei Riika. 'Ik blijf hier bij jou in Cabradell. Ik heb niets tegen zijn besluit.' Ze zag er vermoeid uit, vond Laran, en hij vroeg zich af of Riika veel had geslapen sinds Glenadals dood.

'Dank je, Riika,' zei hij, oprecht ontroerd. 'Maar jij bent juist degene die het meeste gevaar loopt. Menig ambitieuze jonge krijger zal menen dat hij je vaders provincie kan opeisen als hij jou tot zijn vrouw neemt. Die zorg heb ik liever niet.'

'Je vindt het dus niet erg om háár te beschermen, hè?' bitste Darilyn, overeind springend. 'En ik dan? Ben je niet bang dat iemand mij zal ontvoeren om dezelfde reden?'

'Als ik iemand kon vinden die gek genoeg was om jou te ontvoeren en te trouwen, Darilyn, dan had ik dat maanden geleden al geregeld,' zei Laran, die nu eindelijk zijn geduld met haar verloor. 'Hou nou in vredesnaam eens op met alleen maar aan jezelf te denken!'

Meteen ging Darilyn weer zitten. Laran schoot zelden uit zijn slof, en zelfs zij was niet zo dom om hem tot het uiterste te drijven. 'Nou, goed, dan ga ik wel naar Winternest als het van jou moet.'

'Dat moet, ja,' verkondigde Laran. 'En bovendien blijf je daar verdomme ook met Riika tot ik jullie toestemming geef om te vertrekken. Begrepen?'

'Moeder?' vroeg ze smekend. 'Is het ook jouw wens dat ik word opgesloten in het sombere Winternest tot dit voorbij is?'

Jeryma's gezicht stond zorgvuldig neutraal. 'Dat lijkt me wel het beste, ja. En de jongens hebben altijd in Groenhaven gewoond, dus die hebben nog nooit sneeuw gezien. Die krijgen de tijd van hun leven. Zie het maar als een vakantie.'

'En als de Fardohnyanen aanvallen?' vroeg Darilyn. 'Wie weet, Laran, misschien breng je ons niet in veiligheid maar juist in gevaar.'

'Zelfs als de Fardohnyanen zouden aanvallen,' antwoordde hij, 'dan nog zit je in Winternest veiliger dan ergens anders. Het is een fort, Darilyn, en het is in de hele geboekstaafde geschiedenis nog nooit gevallen.'

Dat was niet helemaal waar. Het fort was eenmaal gevallen, ongeveer een halve eeuw geleden, toen de Fardohnyanen een plaag in het fort hadden verspreid, maar voordat ze daar profijt van hadden kunnen trekken, hadden ze zich om onverklaarbare redenen teruggetrokken. 'Ik zou je daar niet heen sturen als ik dacht dat er enig risico bestond.'

'Je zou *Riika* daar niet heen sturen als je dacht dat er enig risico bestond, zul je bedoelen.' Ze stond op en streek de opbollende plooien uit haar witte broek. 'Nou, als ik dan toch word verbannen, dan ga ik maar vast regelen dat er wordt gepakt.'

Laran keek haar na terwijl ze naar de vijver liep en slaakte een zucht van verlichting toen ze naar binnen verdween met in haar kielzog de jongens, luidkeels protesterend omdat ze niet verder mochten spelen.

'Ik zou haast willen... nee, toch niet,' mompelde hij vermoeid.

'Mahkas, regel jij een troep Stropers om hen te begeleiden? Ik meende wat ik zei over Riika. Zij is in groter gevaar dan ik.'

'Ik zal met Chaine praten.'

'Nee!' protesteerde Riika. 'Hij niet.'

Laran en Mahkas keken elkaar verbaasd aan. 'Je bent volkomen veilig bij Chaine, Riika.'

'Kan me niet schelen. Ik wil Chaine Tollin niet bij me in de buurt. Dan voel ik me... ongemakkelijk.'

'Je kunt ook wat troepen uit Krakandar meesturen,' stelde Jeryma voor aan Laran. 'Die nieuwe kerel, Almodavar, lijkt me bekwaam genoeg.'

'Nieuwe kerel?' grinnikte Mahkas. 'Die is al bij ons sinds hij veertien is, moeder.'

'Zo lang alweer?' vroeg Jeryma. 'Ik kom tegenwoordig nog maar zo zelden in Krakandar. Het leek wel gisteren dat hij zich aanmeldde bij de Stropers.'

'Ik denk dat ik Almodavar wel tijdelijk kan sturen,' schokschouderde Laran, meevoelend met zijn zusje maar lichtelijk geërgerd doordat ze maar niet over haar problemen met Chaine heen kon komen. De man kon er niets aan doen wie hij was en had, naar Larans ervaring, Riika of haar moeder nooit anders dan met het grootste respect behandeld. Laran vroeg zich af of Riika een hekel had aan Chaine omdat ze hem werkelijk niet mocht of gewoon uit wrok. Chaine Tollin was het levende bewijs dat Glenadal niet de heilige was die zijn dochter graag in hem zag.

'Ik zal ervoor zorgen,' stemde Mahkas in, bemoedigend glimlachend naar zijn zusje. 'Weet je, Riika, als bruid zou je nu elke prijs kunnen vragen.'

'Ik wil helemaal niet trouwen, Mahkas.'

'En dat hoef je ook niet, tot je mij iets anders laat horen,' beloofde Laran.

'Weet ik. Dank je.' Ze stond op en zuchtte veelzeggend. 'Laat ik Darilyn maar gaan helpen. Jullie weten hoe ze is.'

'Maar al te goed,' beaamde Laran. 'Je zult het best naar je zin hebben in Winternest, Riika. Het is er erg mooi.'

Riika glimlachte, voor het eerst sinds Laran zich kon herinneren na het overlijden van Glenadal. Het deed haar gezicht oplichten, en even zag ze eruit als het kind dat ze nog was. 'Ik heb ook nog nooit sneeuw gezien. Papa beloofde altijd om me een keer mee te nemen, maar daar is hij nooit aan toe...'

Ze zweeg abrupt, draaide zich om en vluchtte met een luide snik de tuin uit.

'Riika!' riep Laran haar na.

'Laat haar maar, Laran,' adviseerde Kagan. 'Ze heeft alleen tijd nodig.'

Voordat Laran iets kon terugzeggen, kwam er een slaaf de binnenhof op gerend om een diepe buiging te maken voor zijn meesteres. 'Mijn vrouwe, meester Lichtvinger laat weten dat de krijgsheer van Elasapine onderweg is met zijn zoon en verzoekt om een audiëntie bij u en heer Laran.'

'Dank je, Nikki,' zei Jeryma met een uitdrukkingsloos gezicht. 'Breng hen maar naar de ontvangstzaal als ze er zijn, en zorg voor iets te drinken. Zeg heer Havikzwaard en zijn zoon dat we er zo aan komen.' Terwijl de slaaf achteruit de binnenhof uit liep, slaakte ze een vermoeide zucht. 'Eén maand is Glenadal vandaag dood. En het begint al.'

'De officiële rouwperiode is nu voorbij,' merkte Kagan op, stijfjes overeind komend. 'Het verbaasde me al dat ze het fatsoen hadden nog zo lang te wachten.'

28

De krijgsheer van Elasapine was een grote man met een bos dik grijs haar en een even indrukwekkende baard. Hij droeg zijn staatsieharnas – het gedreven zilveren haviksembleem van zijn huis omrand met goud – om aan te geven dat hij in vrede kwam, maar zijn zwaard, groot en zwaar en vol krassen en sporen van de strijd, logenstrafte de indruk die hij trachtte te wekken. Net als zijn vader had ook Nash een harnas aan. Op het hardlederen kuras dat hij droeg, stond in reliëf het haviksembleem van zijn provincie, maar zijn wapenrusting was veel praktischer dan dat van zijn vader.

Toen ze de zaal binnenkwamen, maakte Nash eerbiedig een buiging voor Kagan en Jeryma en knipoogde vervolgens naar Laran.

'Ik had kunnen weten dat de hoge arrion betrokken zou zijn bij dit fiasco,' blafte Charel Havikzwaard. 'Ga rechtop staan, idioot,' vervolgde hij tegen zijn zoon. 'Kagan is hier om zijn zus Jeryma te troosten, niet in zijn hoedanigheid als hoge arrion. Dat is hem tenminste geraden,' voegde de krijgsheer er onheilspellend aan toe met een vuile blik op Kagan.

Jeryma glimlachte. 'Charel, ga toch zitten.'

De krijgsheer maakte stijfjes een buiging, daarbij ietwat gehinderd door zijn staatsieharnas. 'Mijn vrouwe, ik kom u oprecht condoleren met uw verlies. En ook,' vervolgde hij, zijn aandacht richtend op Laran, 'om erachter te komen wat deze verrekte idioot denkt dat hij aan het doen is door Glenadals legaat te accepteren!'

'Hallo, Charel. Nash,' zei Laran.

'Achterlijke klootzak!' De klankvolle bariton van de krijgsheer rees tot een flink gebulder. 'Laran, je hebt niet meer hersens dan een vlo! Heb je soms zin in een mooie staatsbegrafenis? Allemaal vrouwen die zich op de borsten slaan om het verlies van Krakandars krijgsheer?'

'Charel Havikzwaard! Ga zitten!' herhaalde Jeryma op ferme toon.

Enigszins geschrokken kijkend liet de grote man zich op de kussens zakken. Jeryma glimlachte. 'Dat is beter. Nu dan, wat is precies je bezwaar?'

Charel haalde een keer diep adem voordat hij verder sprak. 'Laran, ik ken je al vanaf je geboorte. Ik heb je grootgebracht. Ik heb geholpen bij je opleiding. Ik ben er altijd van uitgegaan dat je intelligent was. Wat heeft je bezield om dit te accepteren? Is er niet ergens een knul met potentieel die Riika kan trouwen en kan worden aangesteld als krijgsheer van Zonnegloor? Je denkt toch zeker niet dat de anderen zich zomaar neerleggen bij deze machtsconcentratie? Het is nog maar een paar maanden geleden dat je je vaders provincie kreeg. Is dat niet genoeg voor je?'

'Glenadal wilde dat ik de provincie Zonnegloor kreeg,' antwoordde Laran.

'Glenadal was een sentimentele ouwe dwaas,' kaatste Charel terug. Toen haalde hij diep adem en sprak verder op een veel redelijker toon. 'Luister, ik weet ook wel dat hij als een vader voor je was, Laran, maar jij bent nu zelf ook krijgsheer. Is het niet genoeg om de heer van de rijkste provincie van Hythria te zijn? Wat wil je nou eigenlijk? Het hele kloteland?'

'Als het moet,' beaamde Laran.

'De goden bewaren ons allemaal voor een nieuwe Hythrische burgeroorlog,' mompelde Charel. Het oude gebed was iets wat Kagan in geen jaren meer had gehoord. De krijgsheer richtte zijn blik op Kagan en vrouwe Jeryma. 'Wat is hier nou werkelijk aan de hand?' vroeg hij, plotseling behoedzaam. 'Wat hebben jullie me nog niet verteld?'

'Lernen heeft geregeld dat zijn zus gaat trouwen met de koning van Fardohnya,' zei Kagan, met de gedachte dat het slagen of mislukken van dit waagstuk afhing van de volgende paar minuten. Ze konden praten wat ze wilden, maar zonder de steun van Elasapine, de provincie die Krakandar scheidde van Zonnegloor, had het geen zin om er zelfs maar aan te beginnen.

'Dat is oud nieuws.'

'O ja? Heb je er dan al aan gedacht wat er gaat gebeuren als Lernen geen erfgenaam voortbrengt?'

'Is daar dan een reden voor?'

'Lichamelijk zal hij er best toe in staat zijn,' gaf Laran toe. 'Maar zijn keuze van bedpartners maakt het wat onwaarschijnlijk.'

'Als Lernen kinderloos sterft,' vervolgde Jeryma, 'zal de zoon die Marla baart voor Hablet, zijn troon erven. Het was Glenadals grootste angst dat Hablet de twee landen Hythria en Fardohnya weer verenigt.'

'Verenigt?' snoof Charel. 'Mijn vrouwe, als er iemand de krijgsheren van Hythria wil verenigen, dan is dat uw zoon! Ze zullen allemaal verenigd zijn in hun wens zijn hoofd op een staak te zien zodra dit bekend wordt.'

'Glenadal mag dan sentimenteel zijn geweest,' gaf Laran toe, 'maar een dwaas was hij niet, Charel. Ook zonder jouw hulp voer ik nu het bevel over bijna een derde van de legers van Hythria. Een zoon uit een huwelijk met Marla Wolfsblad zou de geboren erfgenaam zijn.'

'Dat gebeurt nooit. Marla is al beloofd aan Hablet. Maar hoe dan ook is het discutabel. De Convocatie van Krijgsheren gaat er nooit mee akkoord dat jij Zonnegloor krijgt. Al vinden ze jou nog zo vaak de edelste en minzaamste ziel in Hythria, het precedent is veel te gevaarlijk.'

'De hoogprins kan de Convocatie herroepen,' bracht Jeryma hem in herinnering. 'Wat dat betreft kan hij naar eigen goeddunken een krijgsheer benoemen, net zoals hij zijn zus kan uithuwelijken aan wie hij maar wil. De gewoonte dat de hoogprins de Convocatie vraagt erover te stemmen, is een beleefdheid, geen wet.'

'Denken jullie nou echt dat Lernen hiermee gaat instemmen?'

'Ik denk dat ik hem er het nut van kan laten inzien,' bevestigde Kagan voorzichtig. 'Door hem te wijzen op de juiste... voordelen.'

Moeizaam kwam Charel overeind en begon te ijsberen, trekkend aan zijn baard, alsof die beweging hem hielp zijn gedachten op een rijtje te zetten. Terwijl hij nadacht over het probleem, keken de anderen zwijgzaam toe, in de wetenschap dat de man zowel een vriend als een potentieel sterke vijand was. Uiteindelijk bleef hij staan en draaide zich om naar Laran.

'Stel – even aangenomen – dat ik hieraan meedoe,' zei hij bedachtzaam. 'Let wel, dat doe ik niet, maar laten we even aannemen dat ik dat wel doe. Hebben jullie erbij stilgestaan welk effect zo'n conflict zou hebben op onze noorderburen? Ik geloof nooit dat die zomaar met hun armen over elkaar blijven zitten.'

'De Medaloniërs vormen geen dreiging,' wierp Laran tegen. 'Die hebben hun eigen interne problemen aan hun hoofd.'

'Dat is zo,' beaamde Jeryma. 'Sinds Trayla aan de macht is, lijkt de Zusterschap meer gericht op zelfdestructie dan op expansie. Je vraagt je af hoe lang dat nog kan doorgaan.'

'En de Kariënen?'

'Ook te druk met zichzelf om een dreiging te vormen,' concludeerde Kagan.

'En de Fardohnyanen dan? Wat denk je dat Hablet gaat doen? Als het tot een burgeroorlog komt, zal hij op zijn allerminst proberen te profiteren van onze onenigheid. In het ergste geval komt hij achter jou aan, Laran, ofwel omdat je hem hebt beledigd door zijn aanstaande bruid af te pakken, ofwel uit angst voor de machtsconcentratie die jij vertegenwoordigt. En ik kan je verzekeren, Hablet van Fardohnya zit er echt niet mee om de wereld van Krakandars krijgsheer te bevrijden.'

'Wat allemaal nog steeds te prefereren is boven een Hablet die Hythria verovert tussen de gespreide benen van Marla Wolfsblad,' hield Kagan hen botweg voor.

'En hoe wou je dat dan voorkomen?' vroeg Charel ongelovig. 'Bovendien, had je er al aan gedacht dat terwijl je dat probéért te voorkomen, de Patriottenfactie zo snel in het gat springt, dat je pas doorhebt dat ze hebben gewonnen als je op je knieën zit om trouw te zweren aan hoogprins Barnardo?'

'Het is juist vanwege Alija en de Patriotten dat we dit moeten doen, en snel ook,' waarschuwde Kagan. 'Sinds de moord op Ronan Dell en Marla's verloving met Hablet, hebben ze er in sommige kringen nog nooit zo goed voor gestaan.'

Charel keek de hoge arrion hoofdschuddend aan. 'Als jij wist dat het er voor Lernens vijanden gemakkelijker op werd, Kagan, waarom heb je dan in naam van alle oergoden eigenlijk die regeling met Fardohnya getroffen?'

'Omdat we daar tijd mee wonnen. Ik moest iets doen, Charel, want anders hadden we op de afgelopen Convocatie niet hoeven stemmen om Laran zijn provincie te geven maar trouw moeten zweren aan een nieuwe hoogprins.'

Zelfs Charel Havikzwaard kon dat niet ontkennen. Hij ijsbeerde verder, zo hard aan zijn baard trekkend dat Kagan verwachtte dat er plukjes los zouden laten.

'Had je al nagedacht over de logistiek voor jullie plannen?' vroeg hij, alsof hij niet kon geloven dat iemand bij zijn volle verstand zo'n koers ook maar zou overwegen. 'Lernen zal ermee akkoord moeten gaan. Op een of andere manier moet je Marla Wolfsblad te pakken zien te krijgen zonder argwaan te wekken. Je moet haar trouwen en er verrekte zeker van zijn dat het huwelijk wordt voltrokken voordat er ook maar íémand lucht van krijgt. Je zult zonder argwaan te wekken troepen moeten verplaatsen om zowel de pas bij Hoogkasteel als de Weduwmakerspas bij Winternest te blokkeren, want die zijn allebei kwetsbaar voor een aanval van Fardohnya als Hablet besluit zijn ongenoegen uit te drukken door zijn leger in te zetten.'

'Er zijn straks al troepen van Krakandar gestationeerd in Winternest,' lichtte Laran hem in. 'Zogenaamd om Riika, Darilyn en haar jongens te beschermen. Met weinig moeite zijn hun aantallen op vecht-sterkte gebracht.'

'Zodat alleen de pas bij Hoogkasteel nog kwetsbaar is voor een aanval. Je hebt me nogal hard nodig, denk ik, Laran Krakenschild.'

'*Hythria* heeft je nogal hard nodig, Charel,' verbeterde Laran.

'Woont Marla daar niet?' vroeg Nash. 'In Hoogkasteel? Frederak Branadors vrouw is toch de tante van Lernen?'

'Lydia is... was... Garel Wolfsblads jongere halfzus. Ze zorgt al zo'n beetje voor Marla sinds ze geboren is,' bevestigde Jeryma. 'Het was vrij onverwacht dat de prinses voor de Convocatie in Groenhaven ver-scheen, heb ik gehoord.'

'Hablet wilde zien wat hij kocht,' verklaarde Kagan. 'Meteen na-dat de Convocatie was afgelopen, stuurde Lernen Marla terug naar Lydia en Frederak met een paar court'esa en de instructies haar voor te bereiden op de bruiloft.'

'En hoe krijg je haar uit Hoogkasteel zonder dat er alarm wordt geslagen?'

'Dat zou ik kunnen doen,' bood Nash aan.

Ze keken hem allemaal aan.

'Jij?' vroeg Charel zijn zoon argwanend.

'Het is niet wat jullie denken! Alleen... nou ja... Marla walgt van het idee om met Hablet te trouwen. Dat heeft ze me zelf gezegd. Ze smeekte me zelfs haar van hem te redden, vlak voordat...'

Nash aarzelde en wierp een blik op Kagan, die hem dreigend aan-keek. Hij haalde zijn schouders op. 'Vlak voordat ze het feest verliet. Als ik op Hoogkasteel verscheen met de boodschap dat ik iets heb ge-vonden om haar te redden van het huwelijk, zou ze me volgen als een jachthond op een bloedspoor.'

Jeryma liet een flauw glimlachje zien. 'Ondanks de nogal kleurrij-ke woordkeuze van je zoon, Charel, kon hij daar nog wel eens gelijk in hebben. En ik vind het ook bemoedigend om te weten dat Marla Wolfsblad tegen het huwelijk is,' voegde ze eraan toe, Laran nadruk-kelijk aankijkend. 'Met haar medewerking wordt deze hele onderne-ming stukken eenvoudiger.'

'Ik heb nog niet gezegd dat we hiermee akkoord zijn,' waarschuw-de Charel, vuil kijkend naar zijn zoon.

'Laten we het nou maar doen, vader,' zei Nash, achteroverleunend op de kussens. 'Ik bedoel, in feite komt het hierop neer: óf we steu-nen het plan dat ons een Hythrische erfgenaam bezorgt, óf we doen niets en staan toe dat de volgende hoogprins een Fardohnyaan is, óf we laten die idioot van een Barnardo Arendspiek de troon bestijgen, met een tovenares die het achter de troon voor het zeggen heeft. Ik weet wel wat ik zou kiezen.'

'In plaats van wat we nu hebben?' vroeg Charel, nadrukkelijk Kagan aanstarend.

'Ik denk dat je mijn advies aan Lernen iets minder verontrustend zou vinden dan het advies dat Barnardo zal krijgen van Alija en haar trawanten.'

'Dit is levensgevaarlijk,' waarschuwde Charel na een moment van stilte. 'Alles zal exact volgens de plannen moeten verlopen.'

Kagan slaakte een zucht van opluchting.

'Dus je doet mee?' vroeg Laran.

Charel Havikzwaard aarzelde een lang, geladen moment en knikte toen. 'Ja. Het Huis Havikzwaard staat achter je. En mogen de goden ons allemaal bijstaan als het mislukt.'

29

De jade waterdraak stond nog steeds op de schoorsteenmantel in Glenadals kantoor. Na zijn laatste afgebroken poging hem te stelen, had Wrayan besloten te wachten op een betere gelegenheid. Dit leek wel een goed moment te zijn. Hij tilde het siervoorwerp van de mantel, glimlachte om de subtiele volmaaktheid ervan en liet hem toen stiekem in de zak van zijn jasje glijden.

'... en we moeten minstens nog eens vijfentwintig centuriën Stropers naar Hoogkasteel verplaatsen,' zei Laran.

Wrayan keek om naar de tafel, waar krijgsheer Laran Krakenschild, diens halfbroer Mahkas Damaran, Charel en Nash Krakenschild, Chaine Tollin en Kagan Palenovar zich bogen over de op Glenadals kaartentafel uitgespreide landkaart van Hythria.

'Ik zal onze troepen naar Hoogkasteel brengen,' bood Nash aan.

'Ga jij met tweeënhalf duizend Elasapinese manschappen helemaal door Zonnegloor?' vroeg zijn vader. 'Denk je niet dat er dan verbaasd wordt opgekeken?'

'Wintermanoeuvres,' schokschouderde Nash. 'Een paar jaar terug gingen we met twee keer zoveel manschappen naar Pentamor om oorlogje te spelen met het leger van Vosklauw. Zo ongebruikelijk is dat niet.'

'Ik weet het niet...' zei Charel weifelend.

'Het geeft Nash een goede reden om in de bergen te zijn,' voegde Mahkas eraan toe. 'En het verhoogt de kans dat een van ons prinses Marla te spreken krijgt. Nash kan heer Branador en vrouwe Lydia vertellen dat ze op exercitie zijn. Dat zal Frederak helemaal niet erg vinden. Misschien is hij er zelfs wel blij mee. Hij klaagt toch altijd dat er nooit genoeg aandacht is voor de verdediging van de grenspassen?'

'De grenspassen versterken is tot daaraan toe, maar met vijfentwintig centuriën Stropers uit een naburige provincie?' vroeg Charel met een opgetrokken wenkbrauw. 'Branador is niet gek, Mahkas. Dan weet hij meteen dat er iets loos is.'

'Wat eigenlijk geen enkel probleem is zolang hij zijn vermoedens niet deelt met iemand in Fardohnya,' grinnikte Nash.

'Nee,' verkondigde Laran. 'Als we dit gaan doen, dan moet ik zelf naar Hoogkasteel. Ik kan niet van Nash verwachten dat hij mijn bruid voor me ontvoert.'

'Vind ik niet erg, hoor,' liet Nash hem opgewekt weten.

'Desondanks, het is iets wat ik toch echt zelf moet doen.'

'Waarom gaan jullie niet samen?' stelde Kagan voor. 'Ik ben het met je eens dat je zelf met Marla moet praten, Laran, maar Nash heeft ook gelijk over de troepen. En Frederak zal er niet van opkijken als je hem een bezoek brengt. Je bent nu tenslotte zijn leenheer. Neem Nash en de extra manschappen voor Hoogkasteel mee, praat met Marla en laat dan Nash de pas bewaken als ze ermee heeft ingestemd.'

'En als prinses Marla niets met me te maken wil hebben?' vroeg Laran. Wrayan bespeurde een zweem van hoop in de stem van de krijgsheer. Laran gaf uitvoering aan dit plan, maar wel duidelijk als onwillig dienstplichtige. Als Marla hem weigerde, ging hij vrijuit.

'Marla doet alles om niet met Hablet te hoeven trouwen,' stelde Kagan de vergadering gerust. 'Ik heb haar zelfs beloofd naar een uitweg te zoeken. Je vertelt haar gewoon dat ik je heb gestuurd en dat dit de ontsnapping is die ik heb beloofd.'

Laran keek sceptisch. 'Ik heb het gevoel dat het niet zo soepel zal gaan als u beweert, oom.'

Kagan schokschouderde, onbekommerd. 'Heb eens een beetje vertrouwen, Laran.'

'Zijn vijfentwintighonderd man wel genoeg om de pas bij Hoogkasteel te houden?' vroeg Charel Havikzwaard.

Chaine Tollin knikte. 'Meer dan genoeg. De pas is op het smalste punt maar een paar stappen breed. Als het moet, kun je die met honderd man jaren vasthouden.'

Nash knikte bevestigend. 'Als er genoeg sneeuw in de pas ligt, kunnen we zelfs een lawine veroorzaken, zodat hij potdicht zit tot halverwege het voorjaar.'

'Dan ga ik meteen naar Grosbrand als ik hier wegga,' bood Charel Havikzwaard aan. 'Als we Bryl Vosklauw het voordeel van ons plan kunnen laten inzien en hij komt met de troepen van de provincie Pentamor om ons te steunen, staat ons vrijwel niets meer in de weg.'

'Behalve Winternest,' zei Laran, met zijn vinger priemend op een punt op de kaart dat vermoedelijk de plaats in kwestie aangaf. Wrayan kon dat niet goed zien vanaf zijn plek bij de schoorsteenmantel.

'Hoeveel man heb je daar momenteel?' vroeg Charel.

'Maar driehonderd extra boven op het normale garnizoen van duizend,' gaf Mahkas antwoord voor Laran. 'Ik heb Almodavar met hen meegestuurd toen Riika en Darilyn uit Cabradell vertrokken.'

'Maar die moet ik wel terug hebben, als we zoveel manschappen van Krakandar door Zonnegloor willen verplaatsen,' zei Laran. 'Mahkas, ga jij daarheen met de rest van de Krakandarse troepen die ik heb meegebracht.'

'Zou het niet beter zijn om mijn mannen te gebruiken?' vroeg Chaine met een peinzende frons. 'Mijn Stropers zijn het gewend in de bergen te vechten. Met alle respect, mijnheer, maar uw manschappen komen van de vlakte. Die kennen de bergen niet zo goed als wij.'

'Bedankt voor de waarschuwing, Chaine,' stelde de krijgsheer hem gerust. 'Maar met jouw troepen heb ik andere plannen.'

'Misschien moest je je zusters maar weghalen uit Winternest,' opperde Charel. 'Als we een aanval uit Fardohnya krijgen, zijn er veiliger plekken in Hythria.'

'Daar heb ik over nagedacht,' gaf Laran toe. 'Maar Riika moet vóór alles beschermd zijn tegen een ontvoering vanaf deze kant van de grens. Voor haar komt het gevaar niet uit Fardohnya maar van iemand in Hythria...'

'Die met uw zus doet wat u van plan bent met Marla Wolfsblad?' maakte Chaine zijn zin voor hem af.

Laran keek Chaine een tijdlang zwijgend aan en knikte toen. 'Dat is precies wat ik bedoel, kapitein. Ik kan de troepen niet missen om haar ergens anders heen te sturen en haar voldoende te beschermen. Trouwens, als Riika niet meer veilig is in een fort als Winternest met dertienhonderd Zonnegloorse Stropers boven op een paar duizend Krakandarse Stropers daaromheen, dan kan ze vrijwel nergens anders meer in Hythria terecht.' Laran richtte zijn aandacht weer op de landkaart nu de discussie over Riika kennelijk was gesloten.

Er komt nog een hoop last met Chaine Tollin voordat dit voorbij is, besloot Wrayan. *Laran moet heel erg op zijn tellen passen als hij hem binnen wilde houden.*

'Als Hablet op ons af wil komen,' vervolgde Laran, 'vermoed ik dat hij eerst de zuidelijke pas zal proberen, want die ligt dichter bij de kust, en dan kan hij versterkingen laten overvaren via het ankerpunt bij Tambays Zetel. Als hij merkt dat die weg voor hem is afgesloten, zal hij zijn aandacht richten op de Weduwmaker. Als het je lukt de pas dicht te houden, Nash, laat dan een kleine troepenmacht achter en ga zo snel mogelijk naar Winternest om Mahkas te steunen. Als Hablet een gecombineerde poging doet om door te breken, hebben ze daar alle hulp nodig die ze maar kunnen krijgen.'

Hij verplaatste zijn vinger over de kaart naar een zuidelijker gelegen punt. 'Chaine, jij komt met de Zonnegloorse troepen mee met ons als escorte. Als we eenmaal in Warrinhaven zijn, zullen we die nog nodig hebben om de grens te verdedigen tegen een eventuele inval van de andere krijgsheren vanuit het oosten of het zuiden. Zij vormen dan ons verdedigingsfront als iemand de bruiloft probeert tegen te houden.'

'Is die kans groot?'

'Dat hangt ervan af hoe snel het bekend raakt wat wij aan het doen zijn. Pas als het mij is gelukt om Marla uit Hoogkasteel weg te krijgen zonder ons in de kaart te laten kijken, tref ik jou, Kagan, in Warrinhaven, met de hoogprins, vandaag over vier weken. Murvyn was een van Glenadals oudste vrienden. Van hem hoeven we geen problemen te verwachten.'

'En anders?' vroeg Chaine. De kapitein keek wat knorrig bij het vooruitzicht niet te worden betrokken bij eventuele acties tegen de Fardohnyanen aan de grens.

'Ik stuur Jeryma vast vooruit terwijl wij achter Nash aan gaan om Marla op te halen. Mijn moeder moet Murvyn wel aan kunnen. Door haar aanwezigheid zullen onze troepen trouwens ook een stuk minder bedreigend overkomen. Maar als er onraad komt, dan vertrouw ik erop dat jij het regelt, kapitein. Bij voorkeur zonder dat er doden vallen.'

Chaine glimlachte grimmig. 'U kent de oude Murvyn zeker niet zo goed, mijnheer?'

'Zodra mijn moeder hem vertelt dat de hoogprins bij hem te gast zal zijn, draait hij wel bij.' Laran keek Kagan aan. 'Weet je zeker dat je Lernen op tijd in Warrinhaven krijgt? Het is een heel eind vanuit Groenhaven.'

'Hij zal er zijn. Al moet ik hem meeslepen. Wat vermoedelijk ook het geval zal zijn. Veel moeilijker is het een aannemelijke reden te verzinnen waarmee hij Groenhaven kan verlaten zonder dat Alija of iemand anders in haar factie doorheeft wat er gebeurt.'

'Maar Alija en Barnardo zullen toch al wel weer in Dregian zijn?'

'Mogelijk, maar ze heeft een netwerk van spionnen waar het moordenaarsgilde trots op zou zijn. Reken er maar op dat ze hier eerder van hoort dan je denkt.'

Ondertussen verwonderde Wrayan zich over dit vreemde verbond van mannen dat samenspande om de troon te beschermen voor een man die ze allemaal verachtten. Larans motieven meende hij wel te begrijpen. De jonge krijgsheer was bijzonder wetsgetrouw en zou er alles aan doen om de troon in handen te houden van de familie waartoe die volgens de traditie behoorde, ook al vond hij persoonlijk dat de huidige hoogprins die positie niet verdiende.

Charel Havikzwaards motieven waren lang niet zo hoogdravend. Als verstokte Royalist was hij hierin eerder pragmatisch dan trouw en beschermde hij zijn provincie door zich te scharen bij de sterkste macht (die bovendien aan twee zijden aan hem grensde), volgens hem namelijk Laran Krakenschild. Zijn zoon deed mee voor het avontuur, vermoedde Wrayan. Nash kon het in elk geval lang niet zoveel schelen als zijn vader of de stamboom van Wolfsblad aan de macht bleef. Maar het idee om een prinses te laten verdwijnen, zodat hij voor de komende generaties de troonsopvolging mede kon bepalen, sprak hem vast enorm aan.

Chaine Tollin, Glenadals onerkende bastaard, had ook zijn eigen bedoelingen. Om wettig te kunnen bereiken wat hem naar zijn gevoel rechtmatig toekwam, moest hij Laran nu eenmaal steunen. Wel was het interessant dat Laran de troepen uit Krakandar eropuit had gestuurd om de Weduwmakerspas tussen de provincie Zonnegloor en Fardohnya te beschermen, terwijl het veel logischer was om de man te sturen wiens kennis van de omgeving een voordeel voor hem kon zijn. *Was dat onoplettendheid van Larans zijde?* Wrayan betwijfelde het. Er ontging Laran Krakenschild maar weinig, dus er moest een andere reden zijn waarvan Wrayan zich niet bewust was, waardoor Laran zich gedwongen zag zijn eigen mannen in te zetten op onbekend bergachtig terrein en het Zonnegloorse leger beneden op de vlakte rondom Warrinhaven, waar de troepen uit Krakandar duidelijk beter tot hun recht kwamen.

En Kagan? vroeg Wrayan zich af. *Wat doe jij nou eigenlijk hier, jij ouwe intrigant? Je zus steunen? Je neefje? Heb je een groter plan in gedachten waar je me niets over vertelt?* Of was het gewoon dat Kagan alles zou doen om Alija Arendspiek in haar ambities te dwarsbomen?

Frunnikend aan de jade waterdraak in zijn zak vroeg Wrayan zich af wat zíjn rol in dit geheel ging worden. Waarschijnlijk Kagan helpen om Lernen veilig uit Groenhaven te loodsen voor de bruiloft van zijn zus in Warrinhaven – een bruiloft waarvan hij nu nog niets wist. Kagan had gelijk over het moeten vinden van een geschikte reden voor Lernens afwezigheid.

De hoogprins waagde zich zelden uit zijn slaapkamer, als je de geruchten over hem mocht geloven. Een plotselinge, onverklaarde wens om naar Warrinhaven te gaan, zou in heel Groenhaven alarmklokken laten luiden.

Alija was niet de enige met een spionagenetwerk in de hoofdstad.

Laat ik deze gelegenheid maar aangrijpen om meteen iets te stelen van Laran Krakenschild en Charel Havikzwaard voordat we weggaan, besloot Wrayan. *Met al deze praat over ontvoeringen en oorlog krijg ik misschien geen nieuwe kans meer om de komende tijd in de buurt van een van deze krijgsheren te komen.*

Dacendarans prijs moest nog worden betaald. Hoe Wrayan bij de andere vier Hythrische krijgsheren moest komen, had hij nog niet uitgewerkt, maar daar maakte hij zich nog geen zorgen over. Hij had nog acht maanden om zijn missie te voltooien. Met het dreigende conflict kwam er vast nog wel een keer een gesprek tussen de krijgsheren waarbij de hoge arrion betrokken zou zijn – en waarbij de aanwezigheid van zijn leerling gewenst was. Misschien zelfs een Convocatie als dit snel genoeg werd opgelost.

'Dan hebben we het wel zo'n beetje gehad,' zei Charel toen Wrayan weer naar de tafel keek. De oude krijgsheer ging rechtop staan, wrijvend over zijn rug die stijf was van het langdurige buigen over de kaart.

'Nog vragen?' Laran keek de kring rond. Iedereen schudde zwijgend het hoofd. De tijd voor vragen was voorbij, en dat wist iedereen.

'Dan gaan we aan de slag,' sprak de krijgsheer.

De samenzweerders knikten bevestigend. Wrayan weerstond de neiging hun gedachten af te luisteren. Eigenlijk hoefde dat ook niet eens. Hun gevoelens stonden duidelijk zichtbaar op hun gezichten, en de algemene emotie was angst.

Want het enige wat niemand hardop had uitgesproken, was het feit dat, als dit plan mislukte, de kans zeer groot was dat ze allemaal zouden worden opgehangen wegens hoogverraad.

30

Enigszins tot haar verbazing genoot Riika zowaar van haar eerste paar weken in Winternest. Het andere landschap, de met ongerepte sneeuw overladen bossen, de majestueuze bergtoppen, de frisse, ijle lucht, zelfs het drukke komen en gaan van kooplieden langs de grenspost, alles droeg eraan bij om de treurende jonge vrouw zo ver uit haar vertrouwde omgeving weg te voeren, dat haar smart er uit zichzelf door verminderde. Het leek wel alsof ze het grootste deel van haar verdriet in Cabradell had achtergelaten.

Darilyns zoons droegen ook flink bij aan haar herstel. Bij hun ongebreidelde enthousiasme kon je gewoon niet neerslachtig blijven. Travin en Xanda waren zulke schatten en zo levenslustig dat Riika zich onmogelijk aan haar verdriet kon blijven vastklampen. Tegen het einde van de derde week was ze al sneeuwballen aan het gooien met haar neefjes, hard meelachend met de jongens die hun best deden het van haar te winnen. Ze maakten een sneeuwpop op de binnenplaats van het kasteel en versierden hem met takjes en een helm die Travin had geleend van een van de Stropers, die continu op hen pasten, en ze hadden hem Heer Geluk genoemd omdat Xanda vond dat ze geluk hadden dat hij niet was gesmolten voordat hij af was.

Zoals te verwachten wisselde Darilyns reactie op Riika's uitstapjes met haar zoons tussen dankbaar dat haar zus de jongens voor haar bezighield, en wrokkig toen ze doorkreeg dat de jongens liever bij Riika waren dan bij haar. Afhankelijk van haar stemming verdroeg Darilyn hun spelletjes met liefhebbende tolerantie of snijdende intolerantie.

Vandaag had Darilyn een van haar betere buien, en Riika had haar zus zo ver gekregen dat ze de jongens mee mocht nemen naar het berijpte beekje dat langs de kasteelmuren liep, om te zien of ze vis konden vinden. Haar oudere zus was een talentvol muzikante, en na weken zeuren bij Almodavar had de kapitein eindelijk toegezegd haar harp van thuis over te laten komen. Die was gisteren gearriveerd met een van de kooplieden uit Groenhaven.

Verlangend naar wat rust en vrede, zodat ze het enorme instrument kon stemmen, had Darilyn meteen toegestaan dat de jongens eropuit mochten met hun tante.

Vergezeld door een van kapitein Almodavars luitenants en twaalf van zijn Stropers sjouwde Riika door de tot haar knieën reikende sneeuw. De jongens renden vooruit, naar elkaar roepend over de vissen die ze in het smalle stroompje beslist zouden vinden, al zouden de dieren die ze beschreven eerder thuishoren in een oceaan.

Winternest rees majestueus achter hen op, alsof de massieve muren op de berghelling rechtstreeks uit het gesteente waren gegroeid in plaats van op de normale manier opgetrokken door mensenhanden. Riika dacht dat ze best gebouwd konden zijn door de Harshini. De hoge torens en sierlijke lijnen deden in elk geval wel denken aan het verloren ras. Het kasteel bewaakte de Weduwmakerspas (zo genoemd naar het grote aantal vrouwen dat weduwe was geworden tijdens de talloze veldslagen die er zich hadden afgespeeld), een van slechts twee begaanbare passen over de Zonnegloorbergen tussen Fardohnya en Hythria. De andere pas lag veel verder naar het zuiden, nabij Hoog-kasteel.

De veste deed dienst als garnizoen, douanehuis, herberg en fort, en richtte zich op de gestage verkeersstroom tussen de twee landen. Handel was de levensader van Fardohnya. Ook in tijden van oorlog probeerden ze die rendabel te houden. Glenadal zei vroeger vaak dat er maar één reden was dat Fardohnyanen hun eigen oma niet verkochten, en dat was dat verder iedereen in Fardohnya al op hetzelfde idee was gekomen, zodat de markt in oma's allang was verzadigd. Riika's ogen vertroebelden toen ze dacht aan haar vader.

Ongeduldig veegde ze de tranen weg, blij te beseffen dat ze nu tenminste aan hem kon denken zonder compleet in te storten. Misschien had Mahkas toch gelijk. Misschien werd het mettertijd toch beter.

Eigenlijk was Winternest twee kastelen in één, gebouwd aan weerszijden van de weg die door de pas naar Fardohnya liep. Een zwaar verstevigde boogbrug, hoog boven de weg, vormde de schakel tussen de noordelijke vleugel, waar de handel van de grenspost werd uitgevoerd, en de zuidelijke vleugel, die het privédomein vormde van de familie Ravenspeer wanneer die aanwezig was. Aan de Fardohnyaanse kant van de grens stond een soortgelijk fort, op zo'n tien mijl naar het westen, aan het andere einde van de pas. Riika had het nog nooit gezien, maar haar vader had altijd bij hoog en bij laag beweerd dat het lang niet zo statig en indrukwekkend was als Winternest.

Haar ogen liepen weer vol tranen. Riika struikelde over de bevroren grond maar werd opgevangen door een sterke arm voordat ze viel.

'Voorzichtig, mijn vrouwe.'

Dankbaar glimlachte Riika naar de jonge luitenant die haar overeind hielp. Ze veegde haar tranen weg, snoof onelegant en hoopte maar dat hij dat zou uitleggen als een reactie op de koude lucht. 'Dank je, Raek. Ik ben vandaag zo onhandig als een nar. Kon ik maar net zo handig als Travin of Xanda over elk terrein rennen en vliegen zonder op mijn gezicht te vallen.'

'Dat is een gave die is voorbehouden aan jongetjes van vijf tot zeven, mijn vrouwe. Alle anderen moeten net zo strompelen als wij, vrees ik.'

Riika mocht Raek Harlen wel. Hij was de zoon van een van Larans vazallen nabij de zuidelijke grens van Krakandar en de aangrenzende provincie Izcomdar. Raek had het hoffelijke gedrag van een edelmanszoon en het scherpe reactievermogen van een goed getraind soldaat. Riika voelde zich altijd veiliger als hij erbij was. Verlegen klopte ze de poedersneeuw van haar rok en hield toen nieuwsgierig haar hoofd schuin.

'Hoor je dat?' vroeg ze.

'Wat?' zei Raek, maar een ogenblik later hoorde hij het ook. Paarden. Heel veel paarden. 'Het komt uit het oosten.'

'Dreigt er nu gevaar?'

Raek gaf geen antwoord. Glijdend en glibberend ging hij langs de helling omlaag naar het kasteel en riep naar de uitkijk op de brug. Op zijn bevel draaide een van de mannen hoog boven de weg zijn kijkglas naar het oosten. Even later riep hij iets omlaag naar Raek, die knikte, zich omdraaide en terug de helling op klauterde naar Riika.

'Zien ze iets?'

Raek knikte, lichtelijk buiten adem van zijn inspanningen. 'Het zijn onze mensen, mijn vrouwe. Troepen van Krakandar, bedoel ik. Ze marcheren onder de banier van uw broer.'

'Is Laran híér?'

Raek schudde zijn hoofd. 'Het is de banier van heer Damaran.'

'O,' zei ze, een beetje teleurgesteld. 'Wat moet Mahkas hier met Larans leger? Zou het zijn begonnen?'

'Over tien minuten weten we het,' zei Raek. 'Ze zijn er bijna. De uitkijk heeft hen al vanaf vanochtend in de gaten.'

'En dat hebben ze tegen niemand verteld?'

'Het lijkt me dat het is gemeld bij kapitein Almodavar zodra ze waren herkend, mijn vrouwe,' verduidelijkte Raek. 'En vrouwe Darilyn.'

Natuurlijk, besefte Riika. *Ik ben het kleine zusje. Het jonkie van de familie. Niemand verzint het om iets aan mij te melden.*

'Wilt u liever terug naar het kasteel om op uw broer te wachten, mijn vrouwe?'

Riika keek langs de helling omhoog naar de jongens, die vooruit waren gerend met een kluitje nogal zwaar belaste Stropers die ploeterden om hen bij te houden. Travin stond al bij de rand van de beek opgewonden naar haar te roepen.

'Dolgraag, Raek,' verzuchtte ze met een glimlach. 'Maar ondanks het feit dat er een leger onderweg is, zullen we geen van allen iets anders te doen krijgen totdat Travin en Xanda hun vissen hebben gezien.'

'Mahkas!'
Riika rende de grote zaal door en kwam glijdend over de glad geboende vloer tot stilstand bij haar broer en Darilyn, die aan de andere kant van de zaal bij de haard stonden. Kasteel Winternest was koud en tochtig, maar met de kleurige wandtapijten aan de muren en het feit dat Darilyn erop stond dat er in alle haarden van het kasteel continu flink werd gestookt, viel het met de kou wel mee.

Haar oudere zus schudde afkeurend haar hoofd.
'Werkelijk, Riika,' verzuchtte Darilyn. 'Het zou geen kwaad kunnen als je zo nu en dan eens gewóón loopt, hoor. Met een waardige pas bereik je net zoveel als je kunt doen op een holletje.'

'Ach, laat haar toch, Darilyn,' kwam Mahkas tussenbeide en breed grijnzend omhelsde hij Riika. Zijn leren harnas drukte koud tegen haar wang. 'Je ziet er stukken beter uit, Riika. Hoe gaat het?'

'Wel goed,' verzekerde ze hem. 'De ene dag wat beter dan de andere maar... ik red me wel.'

'Je krijgt de groeten van moeder en Laran.'
'Wat attent van hen,' merkte Darilyn zuur op. 'Laran heeft ons ook bijna tweeënhalf duizend Stropers gestuurd. Vast omdat hij zo zeker weet dat wij geen gevaar lopen door dat krankzinnige plan van hem.'

'Ach ja, je kent Laran. Altijd al vrijgevig geweest.'
Mahkas was Darilyn opzettelijk aan het voeren. Dat was een spelletje waar geen van haar broers ooit genoeg van kon krijgen toen ze nog klein waren. Riika wist niet zeker of Darilyn zo was omdát haar broers haar altijd hadden gepest, of dat ze met haar karakter het gedrag van haar broers over zich af had geroepen. Riika kon het ook niet echt begrijpen. Zowel Laran als Mahkas was voor hun jongste zusje altijd alleen maar lief geweest.

'Ga je al gauw weer weg, Mahkas?'
'Zonder een kans een paar Fardohnyanen de keel af te snijden als Hablet hoort dat zijn bruid voor zijn neus is weggekaapt? Ik dacht het niet!' Mahkas trok zijn rijhandschoenen uit en stak zijn handen uit naar het vuur. 'Ik kom namelijk Almodavar vervangen. Laran wil hem aan het hoofd van de resterende troepen die hij meeneemt naar Warrinhaven.'

'Mooi!' verklaarde Darilyn knorrig. 'Die vent kan niets.'
'Kan niets?' vroeg Mahkas verwonderd. 'Hij is een van de beste mensen die we hebben, Darilyn.'

'Als hij zo goed was, Mahkas, dan kon hij toch zeker wel zoiets simpels regelen als een harp laten overbrengen zonder dat het rotding onherstelbaar wordt beschadigd!'

'Is je harp stuk?' Dat verbaasde Riika want toen de slaven hem die ochtend hadden uitgepakt, zag hij er nog prima uit.

'Het houtwerk is nog heel,' vertelde Darilyn. 'Ondanks die bruten die hem hebben vervoerd. Maar er zijn minstens drie snaren gebroken. Ik heb hem naar mijn kamer laten brengen om hem voor meer schade te behoeden. Waar ik hier in dit godverlaten oord iemand moet vinden om nieuwe snaren op een harp te zetten, mogen de goden weten!'

'Een paar kapotte snaren is niet echt onherstelbaar,' zei Mahkas. 'En de schade is toch zeker de schuld van de mannen die hem hebben gebracht? Niet van Almodavar.'

'Hij heeft het vervoer geregeld. Het is zíjn schuld. Hij kan naar mijn zin niet vroeg genoeg weg.'

Dit kon nog wel eens een langdurige en zeer onprettige jammerklacht worden. Met een stralende glimlach trachtte Riika het gesprek af te leiden van Darilyns harp. 'Nou, de jongens zullen wel blij zijn te horen dat jij hem komt vervangen, Mahkas.'

Als om Riika's voorspelling te bevestigen, werden ze onderbroken door een blij gegil. 'Oom Mahkas!'

Travin en Xanda kwamen de zaal door gerend en stortten zich op Mahkas, die hen optilde en innig omhelsde. Mahkas was verreweg hun lievelingsoom. Laran was te afstandelijk, te formeel, om met een paar jochies over de grond te rollen. Ook kleefde er enige mate van schuld aan Larans relatie met zijn neefjes, vermoedde Riika. Het was ten slotte Laran die twee jaar geleden Jaris Taranger per ongeluk in een Medalonische hinderlaag had gestuurd en zo de jongens van hun vader had beroofd. Uiteraard zorgde Laran goed voor hen. Als krijgsheer van Krakandar was hij de executeur-testamentair van het landgoed Taranger en hield hij de erfenis voor zijn neefjes in bewaring. In materieel opzicht ontbrak het Darilyn of haar zoons nergens aan. Maar Laran vond het nog steeds moeilijk naar de jongens te kijken zonder zich verantwoordelijk te voelen voor hun situatie.

'We hebben een vis gevonden, oom Mahkas!' verkondigde Xanda toen zijn oom hem neerzette. 'Ik heb hem geaaid.'

'Is dat zo?' vroeg Mahkas met grote ogen. Hij ging op zijn hurken zitten zodat hij op ooghoogte met Xanda kwam. 'Was het een grote?'

'Hij heeft helemaal niets geaaid,' schimpte Travin, geërgerd naar zijn oom kijkend. Travin was al zeven en beschouwde zichzelf al heel volwassen vergeleken bij zijn vijf jaar oude broertje. 'Die stomme vis was allang weer weggezwommen.'

'Ik heb hem wél geaaid!' protesteerde Xanda terwijl zijn ogen vol tranen liepen.

'Nietes.'

'Welles!'

'Nietes.'

'Genoeg!' brulde Darilyn. 'In godensnaam, hou op, jullie allebei!'

'*Welles!*' fluisterde Xanda hard naar zijn broer.

'Afgelopen!' verklaarde hun moeder. 'Ik ben dat eeuwige gebekvecht van jullie zat! *Veruca!*'

Riika's oude kinderjuf moest vlakbij hebben staan wachten. Het duurde maar enkele tellen voordat ze verscheen bij de ingang van de zaal. Enige jaren geleden was ze met pensioen naar Winternest gegaan en hoorde eigenlijk helemaal niet op de jongens te passen, maar ze kon Darilyn niet uitstaan en vond haar veel te intolerant voor het onstuimige karakter van haar zoons. Wat was begonnen als een poging van Veruca om hulpvaardig te zijn, was geleidelijk aan zo ver gegaan dat ze vrijwel de complete zorg voor de kinderen had overgenomen, net zoals ze had gedaan toen Riika klein was. De oude kinderjuf klaagde er met grote regelmaat over, maar diep vanbinnen, meende Riika, genoot Veruca van de kans om weer over een paar kleine kinderen te moederen.

'Wil je alsjeblieft die jongens hier weghalen? Ze bezorgen me hoofdpijn.'

'Natuurlijk, mijn vrouwe,' zei Veruca. 'Travin. Xanda. Kom eens hier, alsjeblieft.'

Na een hulpvaardig duwtje van Mahkas voldeden de kinderen zonder protest aan Veruca's verzoek, wat Darilyn des te meer irriteerde omdat ze zich zo voorbeeldig gedroegen bij een slavin.

'Die jongens worden nog eens mijn dood,' klaagde ze terwijl Veruca de kinderen bij de hand pakte en met hen de zaal uitliep. 'Ze missen hun vaders discipline.'

'Er is niets mis met die jongens, Darilyn,' verzekerde Mahkas haar, in de wetenschap dat de opmerking van zijn zus evenzeer voor hem was bedoeld als voor Laran. Hij was per slot van rekening ook bij de uitval geweest die haar man fataal was geworden en had de brutaliteit gehad om het te overleven. 'Ze zijn alleen nog wat jong en onbesuisd.'

'Wat weet jij daar nou van, Mahkas Damaran? Je hebt zelf niet eens kinderen.'

Mahkas zuchtte maar was wel zo verstandig om er niets op te zeggen. Darilyn leek op zoek naar ruzie. Hij wendde zich maar tot

Riika. 'Ik heb een bericht voor je van Laran. Ik moest je vertellen dat het hem spijt dat je niet naar de bruiloft kunt komen, maar hij zal proberen te regelen dat je zo snel mogelijk kennis kunt maken met prinses Marla als alles wat rustiger is geworden.'

'Toch wel raar, dat Laran gaat trouwen met iemand die net zo oud is als ik.'

'Het is heel gewoon dat een bruid veel jonger is dan de bruidegom,' merkte Darilyn op. 'Heeft hij ook gezegd wanneer ík kennis kan maken met de prinses?'

'Hij bedoelde vast dat jullie allebei kennis met haar maken zodra het weer rustig is,' verzekerde Mahkas hen haastig toen hij zijn blunder besefte.

Darilyn was er niet van overtuigd. 'Maakt niet uit. Je hoeft hem niet te verdedigen. Ik weet waar ik sta bij Laran.' Ze trok haar sjaal strakker om haar schouders. 'Riika mag je gezelschap houden, Mahkas. Ik trek me terug. Ik heb hoofdpijn.'

Ze beende weg zonder te wachten of een van hen iets terugzei.

Mahkas keek haar na en schudde glimlachend zijn hoofd. 'Ze zou veel aardiger zijn als ze... verhuisde naar... Kariën.'

'Doe niet zo lelijk,' zei Riika berispend. 'Zo erg is ze nou ook weer niet.'

'Ik ben blij dat je dat vindt. Ik ben hier nog maar een halfuur, en ik wil haar nu al wurgen.'

'Je laat het! En hou eens op over Darilyn en vertel me wat er thuis allemaal is gebeurd.'

'Nou, heel Cabradell is nogal in rep en roer, zoals je zult begrijpen. Laran en Nash Havikzwaard zijn met zijn vaders troepen naar Hoogkasteel om de pas in het zuiden te blokkeren en om Marla naar Warrinhaven te brengen.'

'Gaan ze daar trouwen?'

Mahkas knikte. 'Kagan en Wrayan zijn voor een paar weken naar Groenhaven om alles met Lernen te regelen. En ik ben hier, klaar om jouw lieve kleine hachje te beschermen.'

Riika keek hem even aan, verbaasd over zijn toon. 'Is er iets, Mahkas? Je klinkt een beetje... bitter.'

'Doe niet zo raar. Waar moet ik dan bitter over zijn?'

'Je bent toch niet jaloers omdat mijn vader Zonnegloor aan Laran heeft nagelaten en niet aan jou?'

'Ik ben altijd al op de tweede plaats na Laran gekomen, Riika. Ik verspil er geen tijd meer aan om daar jaloers over te zijn.'

'Je bent wél kwaad.'

Hij glimlachte ontwapenend. 'Jij ziet spoken. Je vader heeft alleen maar gedaan wat hij het beste voor Hythria vond. Wat ik daarvan vind speelt daarbij geen enkele rol. Dit gaat lukken doordat Laran nu twee provincies in zijn beheer heeft. Ik heb niets in beheer, dus als hij mij Zonnegloor had nagelaten, had dit allemaal nooit gekund.' Hij sloeg een arm om haar heen en trok haar tegen zich aan. 'Dus maak je maar geen zorgen, gekkerd. Ik hou nog steeds van je. En ik vermoord hier iedere smeerlap die mijn zusje aan durft te raken.'

Glimlachend liet Riika zich omhelzen, met zijn borstplaat koud tegen haar gezicht, maar toch had ze het gevoel dat Mahkas niet zozeer háár ervan trachtte te overtuigen dat hij zich Larans erfenis niet aantrok, als wel zichzelf.

31

Alija Arendspiek vertoefde veel liever in de residentie te Groenhaven dan op het kasteel in de provincie Dregian, de traditionele zetel van de familie van haar man. Met zeventien slaapkamers, eigen stallen, accommodatie voor meer dan vijftig slaven en sanitair in de grote suites was de residentie stukken comfortabeler dan de hoge, smalle, tochtige toren van Kasteel Dregian met de constant ruisende oceaan, het vochtige klimaat, de eindeloze trappen en de hopeloos verouderde voorzieningen. Maar zelfs Alija kon de terugkeer naar huis niet oneindig rekken, en het was al bijna twee maanden geleden sinds ze haar jongens had gezien. Ze miste hen vreselijk.

Eigenlijk had ze geen geldig excuus om in Groenhaven te blijven. De regeling met Fardohnya was getroffen. Marla Wolfsblad ging in het voorjaar trouwen met de Fardohnyaanse koning, zodra ze zestien was. De jongedame zat weer in Hoogkasteel, met haar court'esa om de voor een aantrekkelijke echtgenote vereiste kunsten te leren.

Zo zou het tenminste moeten zijn. Alija's rapporten waren nogal vaag geweest op dat punt. Uiteraard had ze een spion in Marla's gevolg, zodat ze vrijwel onmiddellijk wist wat er daar gebeurde, maar ze verwachtte pas iets uit Hoogkasteel te horen als de wintersneeuw was gedooid. En Marla was ook niet echt een probleem.

Alleen maar een dom wicht, zonder enig besef van de macht die ze in haar domme, onschuldige handjes hield.

De vrouwe van Dregian was zeer tevreden over haar werk. De zaden van angst en onenigheid onder de krijgsheren waren gezaaid, en nu hoefde ze slechts te wachten tot ze tot wasdom kwamen, namelijk zodra Marla Wolfsblad een zoon baarde voor Hablet van Fardohnya. Dat was voor Barnardo het moment om in actie te komen. Al duurde het jaren voordat Marla een jongen voortbracht, zodra Lernen een poging ondernam om een kind van de Fardohnyaanse koning te benoemen tot zijn erfgenaam, was hij er geweest. De andere krijgsheren zouden het nooit goedkeuren.

Zelfs de krijgsheren achter de Royalistenfactie zouden dan meteen in actie komen om de hoogprins te vervangen door de enige man van koninklijke afkomst die Hythria kon voorzien van niet één, maar twee zuiver Hythrische erfgenamen.

Barnardo Arendspiek.

In het Collectief kon Alija ook niet veel doen. Lang geleden had ze al alle tekstrollen uit de bibliotheek van het Collectief verwijderd die enig inzicht gaven in de unieke macht die ze als Innatief had. Ze hoefde niet hier in Groenhaven te zijn om die te bestuderen. In feite kon ze zelfs beter niet hier in de stad met de tekstrollen experimenteren, zo dicht bij het Collectief, waar iemand het zou kunnen merken.

Kagan en zijn leerling waren weg, dus die hoefde ze ook niet in de gaten te houden. De zwager van de hoge arrion was onlangs overleden. Hij zat in het noorden, in de provincie Zonnegloor, om zijn zus te troosten en vermoedelijk wanhopig te zoeken naar een geschikte echtgenoot voor zijn nichtje, Riika Ravenspeer, om de provincie in de familie te houden. Als de Ravensperen op de volgende Convocatie verschenen terwijl Riika was getrouwd met een geschikte maar onschadelijke en niet controversiële kandidaat, was de kans groter dat de Convocatie gewoon de aanstelling van haar nieuwe echtgenoot als de volgende krijgsheer van Zonnegloor zou goedkeuren, en dan was de kous daarmee af. Alija had gespeeld met het idee om zelf een man voor het kind naar voren te schuiven, maar uiteindelijk had ze toch maar alleen haar condoleances gestuurd. Er was niemand die ze voldoende vertrouwde om hem in zo'n machtspositie te brengen. Trouwens, de krijgsheren kwamen zelden rechtstreeks tussenbeide bij de opvolging van elkaars provincies. Dat gaf een verkeerd signaal af.

Eerst eens zien met wie de familie zal komen, besloot ze. *Daarna kan ik aan de slag met de kaarten die het lot me toebedeelt.*

In één ding had Alija namelijk het volste vertrouwen, en dat was haar vermogen om van mensen gedaan te krijgen wat ze wilde.

Met een zucht draaide Alija zich om van het venster van haar werkkamer en wierp een blik op het werk dat lag te wachten, verspreid over haar met fraai houtsnijwerk versierde schrijftafel. Het was altijd een hele klus om te verhuizen tussen Groenhaven en Dregian. Je moest het huis afsluiten, slaven wegsturen, andere die ze niet meer nodig had verkopen op de slavenmarkt, uitnodigingen afslaan, uitnodigingen zelf versturen voor een laatste soiree voor haar vertrek volgende week.

Duizend kleine details die ze aan niemand anders kon toevertrouwen.

Ook moest ze regelingen treffen voor haar berichten. De spionnen die Alija overal in Hythria had zitten, konden niet weten dat ze niet langer in Groenhaven resideerde. Ze kon het risico niet lopen dat er ook maar één van die berichten in verkeerde handen viel.

De enige aan wie Alija dergelijke dingen toevertrouwde tijdens haar afwezigheid, was Tarkyn Lye, de court'esa die al sinds haar zestiende bij haar was. Tegenwoordig deed ze nog maar zelden een beroep op zijn diensten als court'esa, aangezien hij op andere gebieden te nuttig was gebleken om hem te verslijten als speeltje. Tarkyns trouw was een van de weinige dingen waarvan Alija zeker was. Zo ver als dat veilig kon zonder hem te doden was ze in zijn gedachten gedoken en ze had niets anders gevonden dan toewijding aan de meesteres die hem had gered uit de slavenkuilen.

Zowel Tarkyn als Alija wist heel goed dat ze hem alleen maar had gekocht omdat haar familie zich geen court'esa van betere kwaliteit kon veroorloven, maar als tovenaarsleerling moest ze er nu eenmaal minstens eentje hebben, al was het alleen maar voor de buitenwereld. Een gelorongde court'esa lag toen zo ver buiten het bereik van haar familie dat er niet eens over werd nagedacht. Daarom waren ze naar de openbare markt gegaan, op zoek naar een koopje.

Het gebeurde nog wel eens dat er een goed opgeleide court'esa terechtkwam op de openbare markt. Slaven die te oud waren geworden of hun figuur waren kwijtgeraakt of zich niet netjes hadden gedragen, werden aan het einde van hun nuttige leven vaak verkocht als gewone huisslaven. Tarkyn was verkocht omdat hij verliefd was geworden op een andere slaaf. Hun meester had hen beiden in bed betrapt, en dat was een reusachtig vergrijp voor een slaaf, vooral als die werd beschouwd als fokvee. In een vlaag van woede had hij Tarkyns geliefde terechtgesteld en de ogen van de court'esa uitgestoken voor het kijken naar een andere vrouw terwijl hij in dienst was van zijn vrouw (zelfs in zijn woede had de heer begrepen dat Tarkyn te waardevol was om zomaar te doden). Vervolgens had hij Tarkyn verscheept naar de markt in Groenhaven om nog iets van zijn investering te redden.

Aanvankelijk leek een blinde court'esa niet zo'n goede koop. Maar Tarkyns blindheid verborg een scherpe geest en een brandende wens om wraak te nemen op de man die hem zijn geliefde en zijn gezichtsvermogen had afgenomen. Ook had zijn blindheid nog een ander interessant bijverschijnsel. Een court'esa die alles op de tast moest doen, was een geweldige leraar.

En hij was een geslepen politiek adviseur. Het was Tarkyn die haar erop had gewezen dat het tijdverspilling was om met Laran Krakenschild te trouwen als ze serieus op zoek was naar macht. Het was Tarkyn die Alija had geleerd wat ze moest weten om Barnardo te verleiden.

En het was Tarkyn Lye die haar twee kinderen had verwekt, al wist dat buiten Alija en haar court'esa verder niemand.

Barnardo was een dikke, impotente dwaas, maar met genoeg wijn om zijn ego te strelen en een tovenares als vrouw die naar believen zijn geest kon binnendringen, was de krijgsheer van Dregian ervan overtuigd dat hij een zeer bedreven en schier onuitputtelijk minnaar was. Haar man was dol op zijn kinderen, en aangezien ze allebei dezelfde lichte kleur hadden, was het zeer onwaarschijnlijk dat iemand ooit de waarheid zou vermoeden. Alija voelde zich niet schuldig om haar misleiding. Ze was ook zeker niet de eerste edelmansvrouw die de bastaard van een slaaf liet doorgaan voor het kind van haar echtgenoot.

Tarkyn had Alija haar kinderen gegeven, en in ruil daarvoor had ze hem de wraak gegeven die hij zocht. Heer Parrinol, de man die hem blind had gemaakt, was verscheidene jaren geleden dood aangetroffen, ogenschijnlijk het slachtoffer van zijn eigen, nogal exotische seksuele praktijken, gewurgd door een strop aan de kroonluchter in zijn slaapkamer tijdens wat iedereen in Groenhaven hield voor een gevalletje ernstig uit de hand gelopen genot. De praktijk om een hoogtepunt te beleven door gebrek aan adem won en verloor beurtelings aan populariteit onder de verveelde en geblaseerde lage adel. Ten tijde van heer Parrinols dood was het allang uit de mode, hoewel Alija had gehoord dat zijn verscheiden had geleid tot enkele nipte gevallen bij andere idioten die wilden weten hoe het was om klaar te komen als je stikte. Niemand had geweten dat hij die bepaalde fetisj aanhing, maar zijn court'esa zwoer dat hij het vaak deed, en zijn vrouw was blij om van hem af te zijn, dus schonk er niemand te veel aandacht aan zijn dood.

Het was een zeer bevredigende onderneming geweest. Tarkyn had zich gewroken, heer Parrinols vrouw was bevrijd van een verschrikkelijk huwelijk, de court'esa die zo plechtig had gezworen dat hun heer er dol op was om zichzelf te wurgen voor zijn genot, was flink beloond, en Alija was een toegewijd dienaar rijker die bereid was te sterven voor zijn meesteres.

Dat was het kleine fortuin dat het had gekost om heer Parrinols 'ongelukje' te regelen bij het moordenaarsgilde, dubbel en dwars waard geweest.

Alsof hij wist dat ze aan hem dacht, klonk het vertrouwde tikken van Tarkyns wandelstok op de tegels buiten op de gang. Ze riep al dat hij binnen mocht komen voordat hij op haar deur had geklopt.

'En dan te bedenken dat ik dacht u te besluipen,' merkte Tarkyn op toen hij de deur opendeed.

'Dat deed je ook,' zei ze glimlachend. 'Maar je vergeet dat ik tovenares ben. Mijn magie is zeer krachtig.'

Op Tarkyns eens knappe gezicht verscheen een glimlach. Heer Parrinol had Tarkyn blind gemaakt met een brandend stuk hout. De huid rond zijn ogen zat vol putten en littekens, en de oogleden waren permanent dichtgeschroeid. Alija had zijn pijn weten te verlichten met magie, maar herstel van zijn gezichtsvermogen, of zelfs zijn littekens, lag niet binnen haar vermogens. Hij droeg een sjaal voor zijn ogen opdat anderen zich niet aan zijn afschuwelijke uiterlijk hoefden te storen, maar nam daar bij Alija nauwelijks de moeite voor. In feite zag ze de littekens niet eens meer. Tikkend liep hij door de kamer naar de stoel waarvan hij wist dat die voor haar schrijftafel moest staan. Alija had slaven laten geselen wanneer die de meubels ook maar een klein stukje van hun normale plaats hadden verschoven in de kamers waar Tarkyn vaak kwam.

'Ik laat je hier alleen,' kondigde ze aan toen hij ging zitten.

'Ik verwacht bericht uit Hoogkasteel, en ik wil dat jij er bent om dat in ontvangst te nemen.'

'Een voortgangsrapport over prinses Marla, zeker?' vroeg hij terwijl hij zijn wandelstok dwars over zijn knieën legde. 'Voyeurisme had ik nooit achter u gezocht.'

'Het kan me niet schelen wat ze uitspookt met haar court'esa, Tarkyn. Ik wil weten hoe bereidwillig ze dit huwelijk ingaat. Het zou me heel goed van pas komen als ik kon aantonen dat ze tegen haar wil werd gedwongen.'

'Waarom?' schimpte Tarkyn. 'De meeste Hythrische edelmansvrouwen worden gedwongen tot een huwelijk dat ze niet willen. Daar zal echt niemand vreemd van opkijken.'

'Je denkt als een man, Tarkyn.'

'O ja? Ik kan me niet *voorstellen* hoe dat is gekomen.'

Ze glimlachte. 'Als het moment daar is om Lernen ten val te brengen, zullen diezelfde Hythrische edelmansvrouwen die nog goed weten dat ze tegen hun wil moesten trouwen, meekijken over de schouder van hun man en in zijn oor fluisteren. Dat bedoel ik. Zo kunnen ze zelfs de beslissing van hun man beïnvloeden. Ook al zijn ze nu tevreden met hun lot, ze weten nog goed hoe het was om jong en angstig op te kijken tegen een leven van dienstbaarheid aan een volslagen vreemde. En ze zullen het Lernen kwalijk nemen dat hij zijn zus heeft uitgehuwelijkt aan een Fardohnyaan.'

'Ja, maar even afgezien van alle onbegrijpelijke vrouwenlogica, heb ik wat nieuws dat uw terugkeer naar huis kan uitstellen.'

'Welk nieuws?'

'Kagan Palenovar is terug.'

'Sinds wanneer?' vroeg ze, geërgerd omdat ze het nu pas hoorde.

'Vanochtend. Een van onze mensen heeft hem door de westerpoort zien komen.'

'Was hij alleen?'

'Wrayan Lichtvinger was bij hem, als u dat soms bedoelt. Maar ik heb ander nieuws dat u mogelijk nog verontrustender zult vinden.'

'Voor de draad ermee, Tarkyn. Ik heb geen tijd om het uit je te trekken.'

Tarkyn draaide zijn gezicht naar haar toe, alsof zijn blinde ogen haar zowaar konden zien staan bij het venster.

'Glenadal Ravenspeer heeft Laran Krakenschild benoemd tot zijn erfgenaam.'

Eén kort, versteend, kristallijn moment bleef Alija's wereld nog zoals die zojuist nog was geweest, toen haar grootste probleem werd gevormd door de logistiek rondom het afsluiten van het huis in Groenhaven om terug naar huis te gaan.

En toen brak die wereld in een miljoen kleine stukjes toen Tarkyns nieuws tot haar doordrong en ze begon te beseffen wat het kon betekenen.

'Ik haal Barnardo terug naar Groenhaven,' verkondigde ze, veel kalmer klinkend dan ze zich voelde. 'Dit is geen goed moment voor hem om de stad uit te zijn.'

'Inderdaad.'

'Weten we al of Laran het legaat zal accepteren?'

'Het enige wat er bekend is, is dat Glenadal Ravenspeer is gestorven en Laran zijn provincie heeft nagelaten, en dat Charel Havikzwaard meteen naar Cabradell is gereden toen hij het hoorde. Nu weet u net zoveel als ik.'

Ze staarde uit het venster over de platte witte daken maar zag niets. 'Als Laran akkoord gaat...' zei ze. 'Als hij een meerderheid van de andere krijgsheren achter zich krijgt... goden, dan heeft hij meer dan een derde van het land in handen.'

'Het spijt me.'

Alija keek de court'esa nieuwsgierig aan. 'Het spijt je? Wat dan?'

'Ik heb u aangeraden Laran opzij te zetten voor Barnardo. Misschien heb ik me vergist.'

'Dit was onmogelijk te voorspellen, Tarkyn.'

'Ja, maar er is één probleem dat we nu niet zouden hebben als u met Laran was getrouwd.'

'Wat dan?'

'Dan zou Laran nu niet ongetrouwd zijn.'

'Wat maakt dat dan uit?'

'Niet zoveel, denk ik,' schokschouderde de blinde court'esa. 'Maar wel als de goede krijgsheer van Krakandar de waarde inziet van de buit die hem in Hoogkasteel wacht.'

'Waar doel je op?'

'Nou, mijn vrouwe, als ik Laran Krakenschild was, ging ik nu zo snel als mijn beentjes me konden dragen naar Hoogkasteel om Marla Wolfsblad te ontvoeren en haar te trouwen om haar te bezwangeren met de volgende erfgenaam van Hythria.'

Alija schudde haar hoofd. 'Vergeet dat maar. Laran is veel te nobel voor zoiets berekenends. Hij zal het Collectief verzoeken Zonnegloor te beheren tot Riika is getrouwd met iemand die geschikt is. Ik ken hem, Tarkyn. Hij wil niets te maken hebben met politieke intriges.'

'Ik hoop dat u gelijk hebt, mijn vrouwe.'

'Geloof me maar, Tarkyn,' zei ze met een glimlach. 'Laran probeert hier vast zo snel onderuit te komen, dat het idee om een meisje te ontvoeren en te trouwen dat net zo jong is als zijn geliefde zusje, alleen maar om mijn plannen te dwarsbomen met een erfgenaam, niet eens in hem opkomt.'

32

'We hebben bezoek, mijnheer.'

Op aandringen van Lydia zat de familie bijeen in de grote zaal van Hoogkasteel. Marla's tante had besloten dat ze niet genoeg tijd samen doorbrachten en had iedereen bevolen die avond aanwezig te zijn. Kaul zat te schaken met zijn vader, Frederak, aan de andere kant van de haard. Ninane en Marla waren bezig met hun borduurwerkjes, samen met Lydia en haar gezelschapsdames.

Braun zat bij de haard op de vloer te spelen met een jong jachthondje dat hij had meegenomen uit de kennel. Het was warm en best knus, een zeldzaamheid voor een kamer op Hoogkasteel. Volgens Marla had Lydia er opzettelijk voor gezorgd dat het vuur hoger stond dan normaal, om ervoor te zorgen dat geen van haar zoons zou wegdwalen op zoek naar ander vertier in koudere delen van het kasteel.

Marla's oom Frederak was een broodmagere man wiens zure gezicht in tegenspraak was met zijn vriendelijke karakter. Met opluchting keek hij op van het schaakbord. Zoals gewoonlijk kreeg hij er van Kaul flink van langs.

'Bezoek? Op dit uur?' vroeg Frederak de slaaf. 'Wie is het?'

'Heer Havikzwaards zoon Nashan, mijnheer.'

Marla's hart sloeg een slag over toen ze het hoorde. Ze keek op en stak zich daarbij met haar borduurnaald.

'Au!' riep ze uit en bracht haar vinger naar haar mond.

Lydia schudde afkeurend haar hoofd. 'Marla, je maakt nog bloedvlekken op het linnen. Pas een beetje op, alsjeblieft.'

'Laat hem dan vooral binnenkomen,' droeg Frederak de slaaf op en wierp zijn zoon een verwonderde blik toe. De beide mannen keken elkaar belangstellend aan. Bezoek van de zoon van een naburige krijgsheer, laat op de avond en onaangekondigd, dat was iets zeer opmerkelijks. Met bonzend hart draaide Marla zich om naar de deur, zich afvragend wat Nash kwam doen.

Kwam hij bij haar op bezoek? Haar misschien zelfs redden? Vol verwachting staakte Marla haar pogingen belangstelling te tonen voor haar borduurwerk. Ze keek naar de andere vrouwen in de kring rond de haard. Die naaiden allemaal ijverig door alsof ze zich nergens door lieten afleiden van zulk belangrijk werk.

Korte tijd later ging de deur open, en Marla dacht dat ze flauw zou vallen van blijdschap toen Nash de zaal binnenstapte. Hij droeg een leren wapenrusting en een met dik bont afgezette mantel. Zijn haar zat in de war, en zijn gezicht was rossig van de kou. Hij beende de zaal door alsof hij hier de baas was. Frederak en zijn zoon kwamen overeind om hem te begroeten.

'Mijnheer Havikzwaard,' sprak Frederak met een eerbiedige buiging. 'Wat een onverwachte eer.'

'Alstublieft, blijft u vooral zitten,' drong Nash aan. 'Het is niet mijn bedoeling uw familiebijeenkomst te storen.'

'De komst van de zoon van de heer van Elasapine is nooit storend, mijnheer,' reageerde Frederak hoffelijk. 'U herinnert zich mijn vrouw Lydia toch nog wel?'

'Uiteraard,' zei Nash met een sierlijke buiging terwijl Lydia overeind kwam. 'Het doet me deugd u weer te zien, hoogheid.'

'U hoeft me geen koninklijk predicaat te geven, heer Havikzwaard,' zei Lydia bescheiden. 'De erfopvolging verliep immers via mijn broer.'

'En verloopt nog steeds zo,' reageerde Nash, langs Marla's tante heen kijkend om naar haar te knipogen voordat hij Lydia's hand pakte en de palm kuste. Daarop wendde hij zich tot Marla met een glimlach waarvan ze smolt. 'Goedenavond, hoogheid.'

Meteen gooide Marla haar borduurwerkje opzij en stond op om verlegen glimlachend Nash haar hand aan te bieden. 'Wat leuk om u weer te zien, mijnheer.'

'Hadden jullie elkaar dan al eens ontmoet?' vroeg Lydia argwanend.

'Op het bal ter ere van het Feest van Kaelarn,' legde Nash uit en kuste Marla's handpalm. Marla dacht dat ze doodging van de brok in haar keel die haar beslist zou wurgen. 'Daar heeft prinses Marla mijn hart gestolen, en tegelijk daarmee de harten van alle andere mannen in Groenhaven.'

'Wat aardig van u om dat te zeggen, mijnheer,' reageerde tante Lydia terwijl ze haar naaiwerk oppakte. 'Maar neemt u ons niet kwalijk, wij dames trekken ons terug. U komt natuurlijk spreken met mijn man.'

Lydia richtte haar strenge blik op de overige vrouwen in de kring rond de haard. Haar drie gezelschapsdames en haar dochter Ninane begrepen de hint en begonnen hun spulletjes te pakken. Marla bleef naar Nashan kijken.

'Marla,' riep Lydia. 'We laten de mannen maar even alleen.'

'Dank u, maar ik blijf.'

Lydia keek Marla vuil aan, zichtbaar geërgerd doordat haar nichtje zo terloops haar gezag waagde te ondermijnen in het bijzijn van haar kleine hofhouding. 'Je oom krijgt vast nog wel gelegenheid om je de groeten te doen van je broer in Groenhaven, lieverd,' drong ze aan met gespannen stem.

Bij het horen noemen van haar broer wierp Marla een blik op Frederak, die de uitwisseling nauwgezet negeerde. Maar over het onderwerp Vrouwe Lydia waren Marla en haar oom het roerend met elkaar eens. Ze mocht blijven omdát Lydia erop stond dat ze meeging.

'Nou, eigenlijk heb ik ook bericht voor hare hoogheid,' voegde Nash eraan toe.

'Mag ik dan blijven, oom Frederak?' vroeg ze lief.

'Natuurlijk,' stemde hij in. 'Ik zou toch zeker nooit de communicatie tussen jou en de hoogprins in de weg staan.'

Marla keek haar tante aan. 'Maakt u zich maar geen zorgen, tante Lydia, ik laat het u wel weten als het iets spannends is,' beloofde ze opgewekt.

Lydia keek alsof ze elk moment kon ontploffen. 'Zoals je wilt,' zei ze stijfjes en marcheerde de zaal uit met haar hofdames en haar dochter in haar kielzog. Marla grijnsde breeduit.

Frederak schudde meewarig zijn hoofd. 'Marla, ik zie dat je de kunst van de diplomatie nog niet meester bent.'

'Het spijt me, oom Frederak,' zei ze in alle ernst. 'Het was echt niet mijn bedoeling om tante Lydia boos te maken. Ze is alleen...' Marla weifelde, niet in staat precies te omschrijven waardoor Lydia haar zo rebels maakte.

'Ik begrijp het wel, Marla,' zei Frederak met een flauw glimlachje. 'Echt waar.'

'En, wat brengt u naar Hoogkasteel, mijnheer?' vroeg Marla aan Nash, zich afvragend of hij de ware reden voor zijn bezoek (namelijk dat hij haar kwam redden) eruit zou flappen of dat hij in het bijzijn van haar oom wat terughoudender zou zijn.

'U krijgt de groeten van mijn vader, de krijgsheer van Elasapine.'

'Doe hem zeker de groeten terug,' stelde Frederak de jongeman gerust. 'Maar wat brengt heer Havikzwaards zoon hartje winter zo ver zuidwaarts?'

'Op manoeuvre,' liet Nash hem weten met een achteloos schouderophalen. 'Ervoor zorgen dat de manschappen scherp blijven. U weet wat winterse lethargie met een leger kan doen. Laran en ik vonden dat het de jongens goed zou doen om een beetje met hen door de sneeuw te gaan marcheren.'

'U hebt heer Krakenschild meegenomen?' vroeg Kaul verrast. Zijn gezicht lichtte plotseling op van verwachting. Iedereen wist dat hij stond te springen om bij de Zonnegloorse Stropers te gaan, maar zijn vader gaf hem geen toestemming omdat het voor Kaul, als erfgenaam van Hoogkasteel, ongepast was huurling te worden, ook al was het voor de leenheer van Hoogkasteel.

'En enkele duizenden Stropers. We wilden even naar de pas om daar wat rond te kijken.'

Frederak keek wat paniekerig. 'Mijnheer, al begrijp ik dat het nodig is om uw troepen actief te houden, maar vindt u het ook niet wat... provocerend om ermee door de pas te marcheren?'

'Hoezo?' vroeg Nash.

'We genieten momenteel van een zeldzaam stabiele periode in deze regio. Er zijn nog nooit zo weinig bandieten geweest. De handel tiert welig, en daarmee ook de douaneheffingen. Is het wel verstandig om deze voorspoed te schaden om de manschappen van een aangrenzende provincie een beetje beweging te geven?'

'De Fardohnyanen zullen onze manoeuvres vast niet verkeerd uitleggen, Frederak.'

'En heer Krakenschild? Is die ook van plan om op bezoek te komen?'

'Uiteraard!' verzekerde Nash hem. 'Hij wilde zelfs vanavond al met me mee, maar ik zei hem dat het ronduit oneerlijk van een nieuwe krijgsheer was om zomaar aan de deur van een vazal te komen kloppen, en daarom heb ik voorgesteld om u te komen waarschuwen dat hij hier over een dag of zo zal zijn. U zult de grootboeken op orde willen hebben, neem ik aan. Laran houdt wel van dat soort dingen.'

Frederak was zichtbaar opgelucht. 'Dat stel ik zeer op prijs, heer Havikzwaard. Natuurlijk hebben we gehoord dat Glenadal Ravenspeer enkele weken geleden was overleden. Maar wegens het barre weer in die tijd konden we de uitvaart in Cabradell helaas niet bijwonen.'

'Vrouwe Jeryma zal daar vast begrip voor hebben gehad,' stelde Nash hem gerust.

'Dus heer Krakenschild is van plan de provincie Zonnegloor te houden?' vroeg Marla nieuwsgierig, denkend aan een gesprek dat ze onlangs met Elezaar had gevoerd, toen ze net het nieuws over Glenadal Ravenspeer hadden vernomen. De dwerg was van mening dat Laran het legaat waarschijnlijk zou weigeren. Tenminste, dat zou hij móeten doen, als hij niet levensmoe was.

'Maar natuurlijk,' antwoordde Nash. 'Waarom niet?'

'Burgeroorlog?' opperde Marla.

Frederak keek haar geschrokken aan. 'Waarom zou dat leiden tot burgeroorlog?'

'Omdat hij al krijgsheer is,' zei Marla, daarmee verbaasde blikken ontlokkend aan de aanwezige mannen. 'De Convocatie zal nooit toestaan dat één man twee provincies in handen krijgt.'

'Leg dat eens uit,' gebood Frederak, een beetje uit zijn hum door Marla's onomwondenheid.

Dat deed Marla graag, zodat al die saaie dingen die ze van Elezaar had moeten leren, zoals geschiedenis, bestuur en economie, zowaar eens van pas kwamen. Bovendien wilde ze dolgraag indruk maken op Nash met haar pas verworven inzichten in de politiek.

'Als krijgsheer van twee provincies is hij in wezen de gevaarlijkste man in Hythria,' sprak Marla de mannen toe. 'De andere krijgsheren zullen zo'n machtsconcentratie nooit accepteren. Met zoveel manschappen achter hem, zou hij het hele land kunnen innemen als hij wilde. Een zoon heeft hij niet, hè?'

'Niet dat ik weet,' zei Frederak, nadenkend over haar analyse. 'Zou dat iets uitmaken?'

'Het verschil tussen leven en dood, lijkt me. Als hij een zoon had, was hij vervangbaar. Het kind kon dan worden benoemd tot zijn erfgenaam en ergens in veiligheid worden gebracht terwijl ze de vader uit de weg ruimden om hem vervolgens meteen te verwijzen naar de gelederen van machtswellustelingen die moesten worden uitgeschakeld.'

'Sinds wanneer heb jij zoveel verstand van krijgsheren?' vroeg Braun vanaf zijn plekje bij de haard. Hij was niet van het haardkleed afgekomen, ook niet om Nash te begroeten toen die binnenkwam.

'Ik ben geneigd hetzelfde te vragen, hoogheid,' zei Nash, met nieuw respect naar haar kijkend.

'Ik heb gestudeerd,' verklaarde Marla, blij dat ze indruk op Nash had gemaakt met haar lezing van de situatie.

'En wat vindt uw vader hier allemaal van, heer Havikzwaard?' vroeg Frederak. 'Schaart hij zich bij de overige krijgsheren, zoals mijn nichtje verwacht, om een einde aan de ambities van Laran Krakenschild te maken?'

Nash glimlachte. 'Hij is bezorgd dat een van de krijgsheren een uitval in Fardohnya zal willen doen voor slaven om zijn rijkdom te verhogen in het licht van de naderende problemen.'

'Vandaar dat u onaangekondigd met enkele duizenden manschappen in Hoogkasteel verschijnt?' Frederak glimlachte veelzeggend. 'Bent u hier echt op manoeuvre, mijnheer? Of om de grens te beschermen?'

Nash glimlachte. 'U hebt ons door, mijnheer.'

'Zijn uw troepen híér, mijnheer?'

'Nee. Die kamperen aan de overkant van de rivier, buiten Dakinsrust.' Nash lachte. 'We wilden u niet het idee geven dat we bij u binnenvielen, Frederak!'

'Maar u blijft toch wel hier tot de ochtend, mijnheer?' vroeg Marla gretig. 'U bent toch niet van zins om vanavond nog helemaal terug naar Dakinsrust te rijden?'

'Het zou me een genoegen zijn een warm bed voor de nacht te accepteren als er een vrij is,' beaamde Nash.

'Maar natúúrlijk bent u hier welkom, heer Havikzwaard!' dweepte Frederak, plots in verlegenheid. 'U vindt me vast een nalatig gastheer! En ik heb u nog niet eens iets ter versterking aangeboden! Wat mag het zijn? Iets te eten? Wijn?'

'Wijn zou fijn zijn,' zei Nash. 'Kruidwijn, bij voorkeur.'

'Natuurlijk, mijnheer. Ik zal er meteen voor zorgen.'

Frederak vertrok haastig om Nash' onderkomen voor de nacht en zijn kruidwijn te regelen en liet de zoon van de krijgsheer achter met

Marla en haar twee neven. Zonder aandacht voor Kaul en Braun wendde hij zich tot Marla.

'Nu ik hier toch ben, kunnen u en ik misschien even onder vier ogen spreken, hoogheid?' vroeg Nash met een onschuldige glimlach.

Marla's hart begon sneller te slaan. *Ik had gelijk! Hij is echt hier om me te redden!*

'Het zou me een genoegen zijn, mijnheer.'

Hij pakte Marla's hand en bracht hem weer naar zijn lippen. 'Dan zal ik niet slapen tot ik u weer zie.'

Marla voelde haar gezicht warm worden en vreesde dat ze bloosde. Met een kniebuiging en een banaal weerwoord dat ze zich een minuut later niet eens meer kon herinneren, verontschuldigde ze zichzelf en vluchtte de zaal uit.

Eenmaal buiten op de koude gang tilde Marla haar rokken op en rende met twee treden tegelijk de trap op naar haar kamer op de bovenverdieping. Ze stormde de gang door naar haar suite, haar adem als een bevroren nevel achter haar aan. Ze smeet de deur open en trof Lirena bij de haard en Elezaar en Corin boven een schaakbord. Verwachtingsvol keken ze op.

'Lirena! Elezaar! Het is tijd dat jullie je terugtrekken.'

Alle drie wisten ze wel beter dan hun meesteres tegen te spreken wanneer ze bevelen begon uit te vaardigen. Ontevreden mompelend pakte Lirena haar breiwerk op terwijl Corin het schaakbord, met de stukken er nog op, wegzette op de tafel onder het venster.

'Welterusten, hoogheid,' zei Elezaar, en met zijn komische loopje waggelde hij de kamer uit. Lirena volgde hem op de hielen, al zei zij niets ten afscheid. In plaats daarvan keek ze Marla vuil aan, duidelijk kwaad dat ze uit de knusse kamers van de prinses werd verbannen naar haar eigen, veel minder comfortabele – en veel koudere – verblijf één verdieping hoger.

'Jij niet, Corin,' gelastte Marla toen de court'esa aanstalten maakte zijn metgezellen te volgen.

'Hoogheid?' reageerde hij met een verbaasde frons.

Marla deed de deur achter de andere twee dicht en leunde ertegenaan. 'Jou heb ik vannacht hier nodig.'

'Maar ik heb vrouwe Ninane beloofd...'

'Het kan me niet schelen wat je Ninane hebt beloofd. Je bent mijn court'esa. Jij blijft hier.'

'Waarvoor, precies?' vroeg hij met de lichtste zweem van een spottende glimlach.

Ondanks al haar beweringen van het tegendeel dacht Corin dat

Marla geen gebruik van zijn diensten maakte uit angst en niet omdat ze zich vast had voorgenomen alle medewerking te weigeren. 'Jij moet me leren.'

'Wat moet ik u leren?'

'Alles.'

'Alles?'

'De omstandigheden zijn gewijzigd, Corin. En ook mijn toekomst staat geloof ik op het punt radicaal om te slaan.' Marla aarzelde, denkend aan alles wat Nash in de zaal had gezegd. *Prinses Marla heeft mijn hart gestolen. Kan ik u onder vier ogen spreken, hoogheid? Ik zal niet slapen tot ik u morgen weer zie.*

Dat kon maar één ding betekenen.

En, had Marla zojuist in paniek beseft, ze was er totaal niet op voorbereid.

'Ik heb besloten dat ik toch moet weten wat jij me kunt leren,' verklaarde ze, zich losmakend van de deur. 'En dat moet ik vóór morgenochtend weten.'

Corin glimlachte. 'Ik sta tot uw dienst, hoogheid.'

Marla kon zijn toon niet in het minst waarderen. 'Dat sta je verdomme zeker,' waarschuwde ze. 'En denk erom dat je elke penning waard bent die vrouwe Alija voor jou heeft betaald.'

'Ik geloof, hoogheid,' stelde Corin haar zelfverzekerd gerust, 'dat u morgenochtend weinig te klagen zult hebben.'

'Goed, dan,' zei Marla de kamer rondkijkend, niet goed wetend wat er nu moest gebeuren. 'Waar beginnen we?'

33

Tijdens de reis naar het zuidelijke Groenhaven verzon Kagan allerlei manieren om Lernen voor de bruiloft van zijn zus naar Warrinhaven te krijgen. De meeste plannen die hij bedacht, verwierp hij vrijwel meteen nadat ze bij hem op waren gekomen. Gelet op de beperkte tijd die hij had om Lernen ervan te overtuigen mee te gaan naar het noorden – namelijk ongeveer een dag als ze op tijd in Warrinhaven kwamen – was er eigenlijk maar één manier.

Het probleem was, uiteraard, dat als er ook maar iemand vermoedde dat iemand in Lernens hoofd had zitten prutsen, het niet meer zou uitmaken wat er daarna gebeurde. Dan braken de krijgsheren nog liever het Tovenaarscollectief af dan dat ze zo'n risico wilden lopen. Voor hun eigen bescherming deden de tovenaars van het Collectief hun uiterste best om onder het volk het idee te verspreiden dat een tovenaar nog liever stierf dan dat hij zomaar iemands gedachten binnendrong. Ook had Kagan veel gedaan om het geloof aan te wakkeren dat als iemand gewoon zijn medewerking weigerde, dat zelfs een beginneling voorzag van een solide barrière die niet kon worden geslecht zonder dat het slachtoffer dat merkte – terwijl er ironisch genoeg waarschijnlijk maar twee tovenaars bestonden die zoiets konden. Maar ook dat maakte niet uit als hij op dit avontuurtje werd betrapt. Door de ontdekking dat de hoogprins zo eenvoudig te manipuleren viel, zou al zijn harde werk op slag worden verwoest.

En niet alleen zijn leven liep dan gevaar. Als er ook maar één mens besefte hoe eenvoudig het voor iemand als Wrayan was om andermans gedachten binnen te gaan, vooral die van een zwakke geest zoals die van Lernen Wolfsblad, zou het doodvonnis voor de jonge tovenaar worden geëist. Kagan vermoedde dat Alija Arendspiek een soortgelijk talent bezat. Zij was per slot van rekening een Innatief, en het zou meteen verklaren waarom Barnardo in haar handen zo kneedbaar was. Gelukkig hadden Innatieven met telepathische vermogens meestal lichamelijk contact met het slachtoffer nodig om in hun gedachten te kunnen kijken. Maar Alija zou de beperkingen (of het gebrek daaraan) van haar vermogens nooit onthullen, om precies dezelfde reden als waarom Wrayan er zo zwijgzaam over was.

Kagan besloot niet meteen naar het paleis te gaan, als hij eenmaal thuis was. En dat was niet omdat hij tijd over had. Dat had hij niet. Alleen waren er op het Tovenaarscollectief andere dingen die om zijn aandacht vroegen en hij wilde niet de indruk wekken dat hij alleen maar terug naar de hoofdstad was gekomen om de hoogprins op te halen. Het zou hoe dan ook al tot verbazing leiden, als Lernen plotseling de stad verliet. Kagan wilde geen voeding aan de geruchten geven dat híj de reden achter het haastige vertrek van de hoogprins was. Kagan moest op het paleis worden ontboden en de opdracht krijgen Lernen naar Warrinhaven te vergezellen. Iedereen in de stad móést geloven dat de hoge arrion tegen zijn wil met de hoogprins meeging.

Nadat hij tot de conclusie was gekomen dat hij, om geen aandacht op zichzelf of Wrayan te vestigen, de boel al in beweging moest zetten voordat ze arriveerden, liet Kagan zijn leerling op zoek gaan naar Lernens gedachten toen ze nog op twee dagen ten noorden van Groenhaven zaten. Tot zijn opluchting en geringe ongerustheid bleek Wrayan, zelfs op een afstand van honderd mijl, de hoogprins te kunnen vinden en zijn gedachten te kunnen horen.

'Hij is bezig met de aanleg van een tuin,' verkondigde Wrayan. De jongeman zat met gekruiste benen bij het kampvuur, de handen op de knieën, de ogen gesloten, zijn door de vlammen verlichte gelaat een portret van concentratie.

'Een tuin?' vroeg Kagan, in zijn handen wrijvend om ze te verwarmen. Hij vond het verschrikkelijk om buiten te slapen maar kon het er niet op wagen dat iemand dit merkwaardige tafereel gadesloeg. Op nog geen vijf mijl van de beschutte kampeerplek die Wrayan voor hen had gevonden, stond een uitstekende herberg. *Misschien later*, dacht Kagan. *Ik moet een borrel voordat de avond om is, denk ik.*

'Sinds wanneer is Lernen zo geïnteresseerd in plantkunde?'

'Het is eerder een dierentuin,' verbeterde Wrayan zonder zijn ogen te openen. 'Hij wil er legendarische wezens in onderbrengen. Nimfen en goden en Harshini.'

'Echt waar?' vroeg Kagan met een zucht. 'En waar wil hij die nimfen en goden en Harshini vandaan halen?'

'Hij gaat met... Goden, Kagan, het is alsof je door een riool baggert.' Wrayan haalde diep adem voordat hij verderging. 'Hij gaat op zoek naar jonge mensen... slaven, denk ik... mooie jongens en meisjes... die hij aankleedt als Harshini en goden en wat zijn perverse hartje verder nog begeert. Hij wil een schijn creëren. Ik denk dat hij de legendarische seksuele kundigheid van de verloren rassen wil nabootsen. Of daar tenminste van wil proeven.' Wrayan viel een tijdlang stil en vloekte toen zachtjes. 'Volgens mij probeert hij ook iets te vinden om hun ogen zwart te maken, maar bij de vorige experimenten met kleurstof zijn de slaven, waarop hij het uitprobeerde, blind geworden, zodat hij een andere oplossing zoekt.'

Wrayan deed zijn ogen open en staarde Kagan onheilspellend aan. 'Zetten we echt alles op het spel om deze idioot op de troon te houden?'

Kagan gaf niet meteen antwoord en vroeg zich af of Wrayan wel besefte dat zijn eigen ogen helemaal zwart waren geworden toen de jonge tovenaar de macht naar zich toetrok om van zo'n afstand Lernens gedachten te kunnen bereiken. Voor Kagan was er geen twijfel meer mogelijk. Wrayan was een Harshini, of hij het nu wilde of niet. 'Het mag dan een idioot zijn, Wrayan, maar zijn tijd gaat voorbij. Ondertussen is de schade die Lernen kan aanrichten als hoogprins veel kleiner dan de schade waartoe een hoogprins met een ambitieuze Innatief als vrouw in staat is. Lernen is gewoon het minste van twee kwaden, vrees ik.'

'Heb je er al aan gedacht om hen allebei uit de weg te ruimen? Anarchie lijkt me een stuk aantrekkelijker dan te moet kiezen tussen Lernen Wolfsblad en Barnardo Arendspiek.'

Kagan liet een zuinig glimlachje zien. 'Dat zal best. Kun je Lernens gedachten van deze afstand ook beïnvloeden of alleen lezen?'

'Ik kan hem beïnvloeden. Ik heb net voorgesteld dat hij nog wat wijn bestelde, en dat heeft hij gedaan, dus het zal geen probleem zijn hem te laten doen wat je wilt.'

Kagan dacht erover na en knikte. 'Plant het idee in zijn hoofd dat Murvyn Rahan de knapste slaven in heel Hythria heeft. Laat hem geloven dat hij zelf naar Warrinhaven moet om ze uit te kiezen.'

'Verder nog iets?'

'Nou, het zou leuk zijn als je kon suggereren dat de hoge arrion hem moet vergezellen op zijn reis naar Warrinhaven. Maar dat idee voegen we er pas aan toe als we in Groenhaven zijn.'

Wrayan was even stil en opende zijn ogen. Ze hadden hun normale kleur terug. 'Klaar.'

'Nu al?'

'Wat had je dan verwacht?'

Kagan haalde zijn schouders op. 'Weet ik niet. Ik kan er alleen maar niet aan wennen om iemand magie te zien bedrijven zonder een bezwering op te zeggen.'

'Zymelka te eren, bedoel je?' vroeg Wrayan met een glimlach.

'Wat?'

'Da's iets wat Dacendaran tegen me zei.'

Kagan schudde verwonderd zijn hoofd. 'Hoor dat nou eens praten over zijn gesprekken met de goden alsof het de gewoonste zaak van de wereld is.'

'Dat is het een tijdlang ook geweest.'

Kagan keek hem nieuwsgierig aan. 'Heb je de laatste tijd nog goden gezien?'

'Niet sinds we uit Groenhaven zijn vertrokken.'

'Nou, zo was het wel weer genoeg voor vandaag.' Kagan nestelde zich tegen zijn zadel dat hij als rugsteun gebruikte. 'Zal ik de eerste wacht nemen?'

'Zou je het niet veel prettiger vinden als we de paarden zadelden en naar dat dorpje gingen waar we vlak voor zonsondergang langskwamen?'

'Dan moeten we morgen een uur langer doorrijden.'

'Ik weet het,' beaamde Wrayan met een glimlach. 'Maar jij hebt 's morgens geen last van je gewrichten als je in een fatsoenlijk bed slaapt, en dan ben je een stuk beter te verdragen.'

'Neem jij een omweg van tien mijl om mij een goed humeur te bezorgen?'

'Dan loop ik nog wel op mijn blote voeten dwars door Hythria, als het moet. Sommige dingen zijn nu eenmaal gewoon onbetaalbaar, Kagan.'

De volgende avond herhaalden Kagan en Wrayan de oefening van de avond ervoor. Op een beschutte kampeerplek op enige afstand van de weg naar Groenhaven drong Wrayan de gedachten van Lernen binnen om het idee te versterken dat de enige slaven in heel Hythria die goed genoeg waren voor zijn Harshinituin, te vinden zouden zijn in Murvyn Rahans slavenstal te Warrinhaven.

Deze keer was er geen dorp vlakbij om onderdak te zoeken nadat ze klaar waren, zodat Kagan de nacht oncomfortabel doorbracht op de grond. Bij het krieken van de volgende ochtend konden ze de witte muren van Groenhaven en het schitteren van de haven erachter al zien in de verte.

Pas halverwege de ochtend galoppeerden ze door de stadspoorten. De soldaten van het Tovenaarscollectief, strak in hun efficiënte zilveren tunieken, salueerden toen de hoge arrion met zijn leerling onder het valhek door reden. Kagan hield even halt voor een gesprekje met de kapitein van het poortdetachement en reed toen door de stad naar het Collectief.

Bij het Tovenaarscollectief wachtte hun weinig drukte. Kagan hoopte zelfs dat hij stiekem naar binnen kon zonder dat iemand het merkte. Hij begon net te denken dat het hem zowaar nog was gelukt ook, toen Tesha Zorell zijn suite binnen denderde zonder te kloppen om hem te vertellen dat de hoogprins al dagen naar hem vroeg en hij op het paleis werd verwacht zodra hij terug was in Groenhaven.

Kagan hoefde dus toch geen hele dag te wachten.

'Mijnheer Palenovar!' dweepte Lernen zodra hij Kagan zag lopen over het tegelpad door het in de daktuin van de westelijke vleugel zo zorgvuldig geplante gebladerte. 'Kom! Je moet mijn laatste aanwinst eens zien!'

Zich afvragend welke dwaasheid de hoogprins zich nu weer had laten smaken, liep Kagan langs verscheidene werklui en de dikke takken van een goudpalm en trof Lernen op een kleine open plek, vol bewondering kijkend naar een standbeeld waaraan de touwen nog hingen waarmee de werklui het nog maar net op zijn plaats hadden gemanoeuvreerd. De prins was gekleed in het wit, vermoedelijk uit piëteit met Glenadal Ravenspeer, tenzij hij vannacht weer een slaaf had vermoord. Na een moord droeg Lernen vaak rouwkleding, alsof het feit dat hij rouwde om zijn dode slaven op een of andere manier iets afdeed aan de gruwelijke wijze waarop ze hun dood hadden gevonden.

'Wat vind je, Kagan?'

De hoge arrion keek een tijdlang naar het standbeeld terwijl hij zocht naar iets geschikts om te zeggen. Het standbeeld was gemaakt uit één stuk marmer en stelde een meer dan levensgroot copulerend paar voor. De vrouwengedaante hing achterover, en haar gezicht stond nogal gekweld. De man had echter een welhaast zalige uitdrukking op zijn gezicht.

'Het heet: *De Verkrachting van Medalon.*'

'Medalon is een land, hoogheid,' voelde Kagan zich gedwongen te verduidelijken. 'Geen vrouw.'

Lernen wierp ongeduldig een blik ten hemel. 'Dat weet ik ook wel! Maar het is symbolisch, snap je wel? De vrouw staat voor Medalon. De man staat voor de omverwerping en vernietiging van de Harshini.'

'Aha,' reageerde Kagan, en hij bedacht dat er niets zo onnozel was als een man die totaal geen verstand heeft van kunst. Wat Kagan betrof was het gewoon een standbeeld van een copulerend paar. Lernen vond het duidelijk nodig er een andere draai aan te geven om de aankoop te rechtvaardigen. Naar Kagans idee kon dat maar één ding betekenen. 'Wat heeft het gekost, hoogheid?'

'Niet zoveel als het waard is,' verzekerde Lernen hem. 'Ik kan erg scherp onderhandelen als ik dat wil.'

Wat inhield dat de kunstenaar Lernen het drievoudige van de prijs had genoemd en vervolgens de hoogprins had laten afdingen naar het dubbele van wat het rotding waard was.

'En de rest van uw nieuwe... tuin? Wat heeft die de Hythrische schatkist gekost?'

'Ach, doe toch niet zo pietluttig, Kagan! Ik kan het me permitteren. Je hebt toch gehoord wat Hablet me gaat betalen voor Marla?'

'Dat krijgt u pas als uw zus is getrouwd, hoogheid.'

'Weet ik wel, maar wat kan er nou misgaan, toch? Je maakt je veel te veel zorgen!' Lernen haakte zijn arm door die van Kagan en voerde hem mee over het pad, dieper de tuin in. 'Dit wordt mijn lusthof, Kagan. Hier zullen mijn vrienden en ik de geneugten van Harshiniliefde kunnen herontdekken. Dartelen met god en godin. Kunnen genieten van waar je maar zin in hebt. Jongens. Meisjes. Harshini. Nimfen. Alles hier zal een genot voor het oog zijn!'

'Ik wist niet dat er op de Groenhavense slavenmarkt Harshini of nimfen te koop waren, hoogheid.'

'Natuurlijk kun je die hier niet kopen,' grinnikte Lernen, in de zichtbare veronderstelling dat Kagan een grap maakte. 'Maar ik weet wel waar je de mooiste slaven in heel Hythria kunt krijgen. De mooiste van de hele wereld, trouwens. Je raadt het nooit.'

'Vast niet, hoogheid.'

'Warrinhaven!' verkondigde Lernen verrukt. 'Ik weet niet hoe ik op het idee kwam van heer Rahans stal. Het idee kwam eigenlijk zomaar in me op. Maar ik weet zeker dat ik gelijk heb. Ik ben zelfs al voorbereidingen aan het treffen om er aan het einde van de week naartoe te gaan. Je gaat toch mee, hè, Kagan? Dat wordt ontzettend leuk.'

'Ik heb hier werk te doen, hoogheid.'

'Onzin! Wat is er nou belangrijker dan je hoogprins te dienen?'

Kagan keek naar Lernen, met zijn geverfde lippen, volkomen in beslag genomen door zijn eigen genot, zonder enige aandacht voor zijn verantwoordelijkheden als hoogprins. *Grote goden, waar ben ik mee bezig? Wrayan heeft gelijk. Waarom zetten we alles op het spel voor deze gek?*

Omdat we anders een nog grotere gek op de troon zetten, antwoordde een stemmetje in zijn hoofd. *Eentje met een Innatief als vrouw.*

'Hoogheid, het zal me een genoegen zijn om u te vergezellen naar Warrinhaven,' sprak de hoge arrion. 'Het wordt vast een reis die u nooit zult vergeten.'

34

Marla voelde zich totaal gesloopt gedurende de hele week dat ze wachtte tot Nash in actie zou komen, en wist zeker dat ze zich niets meer zou kunnen herinneren van wat ze in de afgelopen dagen allemaal van Corin had geleerd als haar eigen huwelijksnacht zou aanbreken. Dat haar bruiloft – met Nash, uiteraard – de reden was dat de jongeman haar onder vier ogen wilde spreken, stond voor Marla al vast. Wat haar betrof was het ook volkomen logisch. De hoge arrion wist wat ze van Nash vond.

En hij had beloofd te zoeken naar een alternatief voor Hablet van Fardohnya. Daarom had hij gedaan wat hij moest doen en alles geregeld zoals het hoorde.

Het hele kasteel was in rep en roer sinds de komst van Nashan Havikzwaard. Twee dagen later was Laran Krakenschild gearriveerd om zich de dagen daarna op te sluiten met haar oom Frederak om de financiële zaken van het district door te nemen. Marla had hem amper gezien, maar Nash zag ze vaak genoeg. Hij had haar zelfs een keer mee uit rijden genomen en was zeer onder de indruk van haar omgang met Soeverein, het tovenaarspaard dat ze had gekregen toen ze leerde paardrijden. Ofschoon ze Soeverein al op haar zevende verjaardag had gekregen van wijlen haar vader, had ze pas in het afgelopen jaar het zelfvertrouwen ontwikkeld om hem de baas te blijven. Maar dat wist Nash niet. Die dacht dat ze in het zadel was geboren, en die indruk ging ze niet verpesten door hem te laten weten dat ze pas sinds kort niet meer bang was voor de enorme gouden hengst.

'Hoe gaat het?' informeerde Lirena toen ze Marla een beker warme kruidwijn gaf. Het weer was weer omgeslagen. Vandaag zou er niet worden gereden.

'Prima.'

'Hoe gaat het met Corin?'

'Hij is zeer leerzaam,' antwoordde Marla stijfjes, lichtelijk geërgerd doordat Lirena vroeg naar details.

De oude vrouw glimlachte. 'Leerzaam, hè?' Ze wierp een blik op Corin, die op de vloer bij de haard takken in het vuur stak. 'Hoor je dat, Corin? Hare hoogheid zegt dat je *leerzaam* bent.'

De jongeman keek op van het vuur en glimlachte lusteloos. 'En jij gaat je de rest van de dag natuurlijk zitten afvragen wat dat precies betekent, hè, Lirena?'

De kinderjuf maakte een geluid dat nogal grof klonk, maar voordat Marla er iets van kon zeggen, werd er op de deur geklopt. Marla's hart begon te bonzen terwijl Elezaar naar de deur waggelde en hem opendeed.

Elezaar keek naar Marla. 'Heer Krakenschild wil u spreken, hoogheid. Bent u er?'

Laran Krakenschild? Wat doet die hier? Toen glimlachte Marla in het besef dat hij vast kwam als gezant van Nash.

'Doe niet zo raar, Elezaar. Natuurlijk ben ik er. Vraag heer Krakenschild binnen en doe de deur dicht voordat je alle warmte naar buiten laat.'

Laran Krakenschild kwam de kamer binnen en maakte een sierlijke buiging. 'De hartelijke groeten van de hoge arrion, hoogheid.' Hij wierp een blik op Corin, Elezaar en Lirena, en zijn glimlach verflauwde wat. 'Zijn uw slaven te vertrouwen, mijn vrouwe?'

'Net zo goed als u, mijnheer,' antwoordde ze koeltjes. De prinses maakte een kalme indruk, maar Marla kon haar opwinding nauwelijks beteugelen. Hij kwam haar de groeten doen van de hoge arrion! Ze had het dus goed geraden: Kagan had zijn belofte gehouden. Ze wou maar dat Laran wat sneller door de formaliteiten ging, zodat hij haar kon vertellen over het bod. *Laran zegt vast altijd wat hij moet zeggen. Heel beleefd. Daarom zal Kagan hem hebben gekozen als gezant van Nash.*

Vechtend om haar zelfbeheersing te bewaren ging ze rechtop zitten in haar stoel. 'U komt toch met iets meer dan alleen de groeten van de hoge arrion, hoop ik, heer Krakenschild.'

'Inderdaad, hoogheid. Ik kom met het nieuws waar u, zoals hij me heeft verzekerd, om hebt gebeden.' Zijn stem werd iets zachter. 'Kagan heeft een manier gevonden om onder uw huwelijk met Hablet van Fardohnya uit te komen.'

'Moet ik met iemand anders trouwen?'

'Ja.'

'Met wie moet ze trouwen?' vroeg Lirena met de felheid van een over haar welp wakende leeuwin.

Laran leek het niet erg te vinden. 'Met iemand die haar op een dag een hele provincie kan geven.'

Zijn behoedzame glimlach naar Marla nam haar laatste twijfels weg. Het was waar. Kagan had weten te regelen dat ze ging trouwen met Nashan Havikzwaard.

Lirena zag het niet zo duidelijk. Ze staarde de krijgsheer aan, met de handen op de heupen, ontevreden over dit ontwijkende antwoord. 'Dat kan de zoon zijn van iedere krijgsheer in Hythria, alleen snap ik het niet, tenzij ze moet trouwen met die jongen van Havikzwaard! De zoons van Barnardo Arendspiek zijn nog te klein. Glenadal Ravenspeer heeft geen erfgenaam nagelaten. U hebt geen kinderen. Rogan Beerboog heeft een zoon, maar die is nog geen jaar oud. Heer Vosklauws enige zoon is al getrouwd, en de twee jongens van Valklans zijn een paar jaar jonger dan Marla. Goden, Kagan laat haar toch niet trouwen met een van hen, wel?'

'U hebt een uitstekend begrip van de stamboom van Hythrische edelmansfamilies, meesteres,' zei Laran tegen haar. Marla dacht dat hij stiekem moest lachen om Lirena. En dat maakte haar een beetje bezorgd. Als ze met Nash ging trouwen, waarom zei hij dat dan niet gewoon meteen...

En toen begon haar de wrede waarheid te dagen en zonk de moed haar in de schoenen. 'Maar ik ga niet trouwen met Nash, hè?' Ze huilde niet, maar de tranen glinsterden wel in haar ogen.

'Nash Havikzwaard?' vroeg Laran, lichtelijk in verwarring. 'Nee, natuurlijk niet... O, ik snap het...'

Vlug veegde Marla de tranen uit haar ogen en keek naar haar slaven. 'Eruit! Jullie allemaal!'

'Marla...' begon Lirena medelevend, maar ze duwde de oude kinderjuf weg. 'Eruit, zei ik! Laat me alleen! Ik wil met heer Krakenschild spreken!'

Met tegenzin gehoorzaamden de slaven en deden de deur zachtjes achter zich dicht. Marla stond op en liep naar het vuur, met haar armen om zichzelf heen geslagen. Opeens leek het binnen net zo koud als buiten.

'Is de identiteit van mijn toekomstige echtgenoot u bekend?' vroeg ze stijfjes.

'Ja.'

'En bent u vrij om mij zijn identiteit te onthullen?'

'Weet u zeker dat u het wilt weten?'

Boos draaide ze zich naar hem om. 'Wat voor een vraag is dat? Natuurlijk wil ik...' Marla zweeg abrupt, en haar ogen werden groot van afgrijzen. 'O, bij alle oergoden, toch niet met u, hè?'

'Het spijt me.'

Teleurstelling werd bliksemsnel vervangen door woede. 'Het spijt u? Het spijt u helemaal niet! Doe nou maar niet net alsof!'

'Hoogheid, als ik het even mag uitleggen...'

'Wat uitleggen? Ik ben niet gek! U denkt dat u zomaar hier kunt binnenwalsen om mij te trouwen, nu u twee provincies en de steun van twee legers hebt. Niet te geloven! Wat was het plan, mijnheer? Mij dwingen tot een huwelijk en hopen dat ik een zoon krijg, en dan mijn broer zo ver zien te krijgen dat hij uw zoon benoemt tot zijn erfgenaam?'

'Daar komt het in het kort wel op neer, hoogheid,' beaamde hij, nogal verrast dat ze zo snel zijn intenties doorzag. 'Al denk ik eerder dat u de voordelen van ons plan zult inzien in plaats van te denken dat u ergens toe wordt gedwongen.'

'De kans is groter dat de Harshini terugkeren!' kaatste ze terug. 'Gaat Kagan Palenovar hier echt mee akkoord?'

'Ja.'

'En mijn broer?'

'Ik weet niet of die het al weet. Maar we verwachten dat hij zal instemmen.'

Woest beende Marla heen en weer door de kleine zitkamer, geagiteerd een spoor in het tapijt slijtend. 'Maar... Grote goden! Hablet zal razend zijn! Hij zal met zijn leger...' Ze zweeg en sloeg zich tegen het voorhoofd, haar eigen dwaasheid vervloekend. 'Daarom is Nash hier met u en een paar duizend man op wintermanoeuvre, nietwaar? En de andere helft van uw leger zal Winternest wel bewaken.'

'Voor zover dat niet in Warrinhaven zit,' bevestigde hij, met een verwonderde frons naar haar kijkend. 'Ik moet zeggen, hoogheid, u beschikt over opmerkelijk veel inzicht in de politieke gevolgen van dit... plan.'

'Dat heb ik van de dwerg geleerd, mijnheer.'

'De dwerg?'

'Laat maar,' zei ze en bleef vlak voor hem staan. 'Wil je echt met me trouwen, Laran?'

Hij liet een flauw glimlachje zien. 'Eigenlijk niet.'

'Waarom doen we dit dan?'

'Wil jij echt trouwen met Hablet?'

'Natuurlijk niet.'

'Dan is dit je enige uitweg. Een andere is er niet, Marla. Zoveel keus heeft je broer namelijk niet. Jij bent het enige wat hij nog kan verkopen.'

'Waarom zegt iedereen dat nou toch steeds?'

'Het is geen perfecte oplossing,' gaf Laran toe. 'Dat weet ik ook best. Jij vindt mij vast een oude man, en ik heb een zus van jouw leeftijd die ik nog steeds beschouw als een kind. Maar gelet op het alternatief is dit het minste van twee kwaden.'

'Het is zo oneerlijk!' Marla's woede maakte geleidelijk aan plaats voor wanhoop. 'Wordt mij dan nooit eens iets gevraagd?'

'Ik vraag het nu.'

'Ik wil dit niet.' Even vreesde ze te klinken als een nukkig en angstig kind. Laran zou het zo hebben opgevat als hij niet eerder getuige was geweest van haar bliksemsnelle inschatting van de politieke uitvloeisels van zijn voorstel. 'Ik weiger zelfs!'

'Uitstekend,' stemde hij in en liep naar de deur.

Marla keek hem argwanend na. 'Hoezo, uitstekend?'

Hij bleef staan met zijn hand op de grendel. 'Ik ga mezelf niet aan je opdringen, Marla. Als je hier echt niets van wilt weten, dan laten we het zoals het is. Dan kun je in het voorjaar naar Fardohnya, en dan is daar de kous mee af.'

'Maar...'

'Ja?' vroeg hij, over zijn schouder kijkend.

Ze vocht tegen tranen. 'Je biedt me alleen maar een keuze tussen twee echtgenoten die ik niet wil. Wat maakt jou zo bijzonder? Hablet kan een koningin van me maken.'

'Ga dan maar naar Fardohnya om koningin te worden,' antwoordde hij. 'Mij maakt het echt niet zoveel uit.'

Marla kon niet geloven dat hij daar zo gevoelloos over kon zijn.

Toen aarzelde Laran, en er verzachtte iets in zijn houding. Alsof hij plotseling medelijden met haar kreeg, draaide hij zich bij de deur vandaan en liep de kamer door. Hij pakte Marla's onwillige handen vast en glimlachte bemoedigend. 'Marla, als je slim genoeg bent om te verzinnen wat dit inhoudt, ben je ook verstandig genoeg om te weten wat er gebeurt als je je medewerking weigert. Ik hoef je niet te dreigen of iets te beloven waar ik me toch niet aan kan houden.'

'Je geeft niets om me. Je kent me niet eens.'

'En denk je dat Hablet wel om je geeft?'

'Natuurlijk niet!'

'Waarom is dit aanbod dan zoveel erger dan het bod dat al op tafel ligt?'

'Maar jij bent niets beter dan Hablet,' beschuldigde ze. 'Je begeert me niet. Je bent alleen maar geïnteresseerd in de kinderen die ik kan krijgen.'

'Totdat en tenzij uw broer een paar gezonde zonen op de wereld zet, hoogheid, is iedere man, vrouw en kind in Hythria alleen maar geïnteresseerd in de kinderen die u kunt krijgen. Dat begrijpt u toch zeker wel?'

Ze trok haar handen los en sloeg haar armen over elkaar tegen de kou. 'En als mij dat nou niets kan schelen? Als ik geen zin heb om de bewaarplaats te zijn voor Hythria's dromen over de stamboom Wolfsblad?' Met een zuinig glimlachje voegde ze eraan toe: 'Voor hetzelfde geld, mijnheer, sympathiseer ik met de Patriottenfactie.'

Gelukkig had Laran Krakenschild een goed gevoel voor humor. Hij lachte om het idee. 'Een Patriot, hè? U lijkt me geen gevaarlijke oproerling, hoogheid.'

'Jij bent ook niet precies wat ik me had voorgesteld als echtgenoot, Laran Krakenschild.'

'Weet ik,' beaamde hij. 'En geloof het of niet, ik begrijp heel goed hoe moeilijk dit voor u zal zijn. Maar uiteindelijk gaat het erom of u Hythria uit handen van Hablet wilt houden of niet. Daar komt het op neer.'

'Het is niet eerlijk.'

'En dat zal het ook nooit zijn,' zei hij.

Marla zuchtte en verbaasde zich erover hoe snel hoop kon omslaan in wanhoop. Precies zo had ze zich ook gevoeld op het bal in Groenhaven, toen ze had ontdekt dat ze zou gaan trouwen met Hablet. *Je zou haast denken dat ik eraan ging wennen.*

'Wil je meteen mijn antwoord?'

Hij schudde zijn hoofd. 'Ik ben hier nog een paar dagen. U hebt de tijd tot ik vertrek, hoogheid. Ik vertrouw erop dat u tot het juiste besluit komt en met mij meegaat.'

'Ik zal erover nadenken,' beloofde ze.

'Meer vraag ik niet.'

Laran draaide zich om naar de deur, maar Marla had nog één vraag voor hem. 'Als ik... let wel, áls... ik met u meega, mijnheer, kan ik dan mijn slaven meenemen?'

'U mag uw kinderjuf meenemen,' antwoordde hij.

'En mijn court'esa?'

'Court'esa worden doorgaans verkocht als een vrouw trouwt, hoogheid. Het is de taak van de echtgenoot om nieuwe court'esa voor zijn vrouw te verzorgen als ze daar behoefte aan heeft.'

'Maar stel dat ik gehecht ben geraakt aan de court'esa die ik nu heb?'

'Zijn ze zo belangrijk voor u?'

'Zou u dat dan iets uitmaken?'

Laran glimlachte. 'Dat is een zeer beladen vraag, hoogheid.'

'U vraagt me mijn medewerking, mijn lichaam en mijn leven aan u te schenken, heer Krakenschild, omdat u me wilt laten geloven dat u een betere man bent dan de koning van Fardohnya. Dan is het niet meer dan eerlijk dat ik iets verzin om u de maat te nemen.'

Hij knikte instemmend. 'U mag de kinderjuf en een van de court'esa houden. Dat is een beter aanbod dan u van de meeste mannen zou krijgen.'

'Dank u.'

'Ik spreek u nog voor mijn vertrek?'

'Gegarandeerd.'

Laran zei verder niets, nam afscheid met een hoffelijke buiging en liet Marla alleen om na te denken over een toekomst waarvan ze, tot een paar dagen geleden, had gedacht dat die niet verder uit de hand kon lopen dan al was gebeurd.

35

'Alija is nog steeds hier in Groenhaven.'

Met een frons keek Kagan op van zijn schrijftafel. Tesha had hem een stapel werk bezorgd dat zich in zijn afwezigheid had opgehoopt, en hij probeerde er zo veel mogelijk van weg te werken voordat hij naar Warrinhaven vertrok. Hij wierp een blik uit het venster en zag tot zijn verbazing de zon laag aan de horizon staan. De kruik op zijn tafel was bovendien leeg. Hij moest uren bezig zijn geweest.

'Weet je dat zeker?' vroeg hij zijn leerling, zijn schouders pijnlijk strekkend. *Misschien moest ik een paar van de secretaresses hier leren mijn handtekening te vervalsen*, bedacht hij weemoedig. *Dat zou de werklast aanzienlijk verminderen.*

Wrayan liet zich onelegant neerploffen in de stoel tegenover Kagans schrijftafel. 'Ik kwam Tarkyn Lye tegen in de bibliotheek.'

'Wat moet een blinde nou in een bibliotheek?' vroeg Kagan argwanend.

'Een tekstrol terugbrengen die Alija had geleend, volgens Tarkyn,' antwoordde Wrayan. 'Maar het was best een interessant gesprek. Hij probeerde mij de hele tijd uit te horen over jouw plannen, terwijl ik hem stiekem ondervroeg over Alija's verrichtingen.'

'Wie heeft er gewonnen?'

'Geen van beiden, vrees ik. Wist je dat zijn gedachten zijn afgeschermd?'

'Hoe kan dat nou? Tarkyn Lye heeft nog geen magisch botje in zijn lijf.'

'Nee, maar dat is duidelijk het werk van Alija. Maar wat zou hij weten dat niemand van haar mag weten als die zijn gedachten zou lezen?'

'Waarom kijk je daar niet gewoon naar in zijn gedachten?'

'Lukt niet,' schokschouderde Wrayan. 'Tenminste, niet zonder te verraden dat ik in zijn hoofd heb gezeten.'

Kagan smeet zijn veer neer en leunde achterover in zijn stoel. 'Zou hij hebben gehoord dat Lernen morgen uit Groenhaven vertrekt?'

'O, reken daar maar op, Kagan,' bevestigde Wrayan. 'En als Tarkyn Lye het weet, dan weet Alija het zeker ook.'

'Stik!'

'Wat wou je eraan doen?'

'Weet ik niet. Zou jij haar niet voor me willen afleiden?'

'Hoe dan?'

Kagan grijnsde naar hem, met een vette knipoog. 'Door lief voor haar te zijn. Een goed wijntje... mooie muziek... Barnardo zit vast in Dregian, en ze heeft altijd al een oogje op je gehad...'

'O, wat ben *jij* grappig,' reageerde Wrayan zonder ook maar een zweem van een glimlach. 'En de enige reden dat Alija een oogje op mij heeft, is omdat ze bang is dat ik sterker ben dan zij en ze daar dolgraag achter wil komen.'

'Is ze dat?'

'Is ze wat?'

'Sterker dan jij?'

'Hoe moet ik dat nou weten?' vroeg Wrayan onbehaaglijk.

'Volgens mij kan dat nooit,' peinsde Kagan, vrij ernstig. 'Volgens mij heb je met een beetje Harshinibloed veel meer macht dan een Innatief.'

'Ik ben geen Harshini, Kagan.'

'Natuurlijk wel, domme jongen. En spreek me niet tegen. Ik ben je meester.'

Wrayan negeerde dat. 'Wat wou je eraan doen?'

'Ik heb geen idee. Ik weet alleen dat Alija niet mag weten waarom Lernen naar Warrinhaven gaat. Of in de gelegenheid is ons te volgen als we morgen vertrekken.'

'Ze laat jou nooit zomaar met Lernen uit Groenhaven vertrekken. Waarschijnlijk probeert ze mee te gaan. Op zijn minst zal ze een spion in Lernens gevolg proberen te plaatsen.'

'Over Lernens gevolg gesproken,' vroeg Kagan, 'nog enig idee hoe we daar een weekje of twee van af kunnen komen? Ik wil niet dat onze hooggeachte hoogprins zich laat afleiden, en je kunt het wel op je buik schrijven dat hij met een stuk of twaalf giechelende hovelingen in zijn kielzog op tijd is in Warrinhaven.'

'Vergiftigen,' opperde Wrayan.

'*Pardon?*'

Zijn leerling glimlachte om de blik in Kagans ogen. 'Ik bedoel niet met dodelijke afloop. Gewoon meteen de eerste avond iets in de wijn doen waar ze een paar dagen van lopen te kotsen. Lernen denkt dan dat het een aanslag betreft, en dan kan jij hem zo snel het kamp uit smokkelen dat hij pas vraagt waar je hem heen brengt als jullie halverwege Warrinhaven zijn.'

Kagan staarde hem aan. 'Soms maak je me ongerust, jongen.'

'Je vergeet waar ik vandaan kom, Kagan.'

'Volgens mij vergeet jij waar je bent,' zei de tovenaar hoofdschuddend. 'Maar toch, het is een geweldig idee. Ik wou zelfs dat ik het had bedacht.'

'Beschouw het maar als mijn kleine bijdrage voor het goede doel.'

Kagan keek Wrayan nieuwsgierig aan. 'Jij vindt dat we dit niet zouden moeten doen, hè?'

Wrayan aarzelde even voordat hij antwoordde. 'Als ik het eerlijk mag zeggen, dan: nee, ik vind dat we zoiets helemaal niet zouden moeten doen.'

'Waarom niet?'

'Waarom niet?' vroeg Wrayan ongelovig. 'Heb je wel eens goed gekeken naar de man die je zo verschrikkelijk graag op de troon probeert te houden? Ik heb in zijn hoofd gekeken, Kagan. Lernen Wolfsblad denkt werkelijk geen moment aan iets anders dan zijn eigen genoegens, en dat zijn nog behoorlijk perverse genoegens ook, zal ik je vertellen. Weet je hoe vaak ze slaven in een zak uit zijn kamer moeten dragen? Deze man denkt dat hij virieler wordt door het drinken van de melk van jonge moeders en het bloed van jonge jongens!'

'Hoeveel slaven denk je dat hij heeft vermoord?' vroeg Kagan.

'Weet ik niet.' Wrayan haalde zijn schouders op en wierp vol afkeer zijn handen omhoog. 'Een stuk of veertig, misschien meer.'

'Een kleine prijs.'

'Waarvoor?'

'Om Barnardo van de troon te houden.'

'Ik zou niet weten hoe die erger zou kunnen zijn dan waar we nu mee zitten.'

'O nee? Denk hier dan eens over na. Je hebt helemaal gelijk over de hoogprins. Lernen Wolfsblad denkt *werkelijk* geen moment aan iets anders dan zijn eigen genoegens. Maar het verschil tussen Lernen en zijn neef? Lernen maakt zich verder nergens druk om. Hij heeft geen zin om iemand te gaan overwinnen. Hij heeft geen zin om iemand de oorlog te gaan verklaren. Hij heeft niet eens zin om in te grijpen als de krijgsheren onenigheid hebben. Lernen is alleen maar geïnteresseerd in zijn eigen genot, en dat vind ik prima, want zolang hij jacht maakt op zijn nepnimfen en zijn zogenaamde Harshini en zijn valse goden en godinnen in zijn tuin op het dak van de westelijke vleugel om een beetje aan zijn trekken te komen, wordt dit land tenminste bestuurd door bekwame lieden die ervoor zorgen dat we welvarend en in veiligheid blijven. Lernen is een boegbeeld, Wrayan, verder niets. Weliswaar niet het beste boegbeeld dat we ooit hebben gehad, maar het alternatief is veel verontrustender.'

'En met de vage hoop op een erfgenaam, die op een dag meer zal zijn dan een nutteloos boegbeeld, vertrouw je een derde van de militaire macht en rijkdom van het land toe aan Laran Krakenschild?'

'Als mijn neef hem verwekt, durf ik er alles onder te verwedden dat de volgende hoogprins van Hythria een man van formaat zal zijn.'

'Er is een woord voor wat jij aan het doen bent, Kagan.'

'Vriendjespolitiek?' vroeg hij met een glimlach.

'Hoogverraad had ik in gedachten. Net als iedereen op die vergadering in Cabradell, mag ik wel zeggen, ook al voelde niemand er iets voor om het hardop te zeggen.'

'Het is pas hoogverraad als het mislukt, Wrayan.'

Met een opgetrokken wenkbrauw keek Wrayan zijn meester aan. 'En jij beschuldigt het dievengilde van een dubbele moraal?'

Dat was een stelling die Kagan eigenlijk niet kon verdedigen, en daarom veranderde hij van onderwerp. 'Wat doen we aan Alija?'

'Weet ik niet,' verzuchtte Wrayan, zichtbaar ongelukkig dat zijn pleidooi om Lernen niet langer te steunen op dovemansoren was gestuit. 'Haar ergens mee afleiden, denk ik. En we hebben het dus niet meer over jouw eerdere suggestie over mijn betrokkenheid daarbij.'

'Maar het zou wel eens de enige manier kunnen zijn,' zei Kagan bedachtzaam.

'Kagan, nog in geen miljoen jaar gelooft Alija Arendspiek dat ik...'

'Nee, je begrijpt me verkeerd,' onderbrak Kagan. 'Wat je net zei, klopt als een bus. Alija heeft alleen maar belangstelling voor je omdat ze niet weet of ze sterker is dan jij. Misschien moesten we dat eens uit gaan zoeken.'

'Als het maar niet is wat ik denk, Kagan.'

'Je moet haar uitdagen.'

'Waarmee dan? Wij zijn tovenaars, Kagan, geen krijgsheren die elkaar de handschoen toewerpen na een belediging.'

'We moeten iets zoeken om Alija te dwingen de strijd met jou aan te binden.'

'En dan?'

'En dan zullen we wel eens zien wie er de sterkste is. Als die strijd zich afspeelt wanneer ik met Lernen uit Groenhaven vertrek, komt zij nooit te weten wat er zich afspeelt in Warrinhaven.'

'En stel dat ze toch sterker blijkt dan ik?'

'Dan denk ik dat je nog wel een paar dagen zult rondlopen met knallende koppijn.'

'Dat mocht ik hopen. Dan maakt ze me af, Kagan. Of nog erger, ik haar. Ik heb er geen zin in om de rest van mijn leven een krijgsheer achter me aan te hebben die uit is op wraak voor de moord op zijn vrouw.'

'Niemand wordt vermoord, en niemand zal uit zijn op wraak,' suste Kagan. 'Daag haar nou maar gewoon uit, dan zien we vanzelf wat er gebeurt.'

'Je hebt nog steeds niet gezegd hoe, Kagan.'

Daar dacht de hoge arrion even over na, en toen glimlachte hij.

'Tarkyn Lye,' zei hij zelfverzekerd. 'De zekerste weg naar Alija Arendspiek verloopt via Tarkyn Lye.'

36

Elezaars broze veiligheid spatte aan duizend gruzelementen toen hij Marla haar slaven hoorde vertellen over de strekking van Laran Krakenschilds aanzoek. Ze zaten de ochtend daarop gezellig bijeen in haar kleine zitkamer, met buiten vies en grauw weer, en de prinses vertelde omstandig over het ongelooflijke plan van de hoge arrion om haar te redden van het huwelijk met de koning van Fardohnya door haar te laten trouwen met de krijgsheer van de provincies Krakandar en Zonnegloor.

Terwijl hij zat te luisteren, kreeg Elezaar datzelfde gevoel van naderend onheil dat hij had ervaren toen Alija Arendspiek na de moord op Ronan Dell bij Venira's Slavenkorf binnen kwam wandelen. Dit was voor hem nog veel te vroeg. Elezaar wist best dat de kans zeer klein was dat Marla hem zou mogen houden als ze met Hablet ging trouwen, maar dat zou nog maanden duren. Tegen die tijd had hij zichzelf zo waardevol voor haar willen maken, zo onvervangbaar, dat hij zijn meesteres gerust om een gunst had kunnen vragen voordat ze ging trouwen. Dan had hij haar kunnen vragen hem ergens heen te sturen waar het veilig voor hem was. Hem misschien zelfs weg te geven, aan een ander huishouden, ver buiten de invloedssfeer van Alija Arendspiek.

Larans bod maakte een einde aan elke hoop daarop. Als Marla dit aanbod aannam, zou ze over een paar dagen al trouwen en was Elezaar precies even ver als op de dag dat hij Alija's soldaten iedereen had zien vermoorden – inclusief zijn broer – in het paleis van Ronan Dell.

'Je denkt er toch niet aan om hem te accepteren!' riep Lirena uit toen Marla klaar was met vertellen wat Laran haar had geboden, precies verwoordend wat Elezaar dacht.

'Waarom niet?'

'Je bent al beloofd aan Hablet van Fardohnya!' hielp de oude kinderjuf haar herinneren. 'Je kunt niet zomaar terugkomen op die belofte.'

'Maar ik heb helemaal niets beloofd, Lirena,' maakte Marla duidelijk. 'Er is mij zelfs niet eens iets over gevraagd.'

'Niettemin heeft Lirena geen ongelijk, hoogheid,' zei Corin, zich scharend aan de zijde van de kinderjuf. Het was wel duidelijk waarom, dacht Elezaar. Hij was van Alija, en Laran Krakenschilds aanbod maakte een voortijdig einde aan de plannen van de Patriottenfactie. Hij kon niet anders dan proberen Marla te ontraden Laran te accepteren.

En dat hield automatisch in dat Elezaar geen andere keuze had dan hem tegen te spreken.

'Ik vind het een briljant idee,' verkondigde hij nadat Corin en Lirena hun bezwaren hadden verwoord.

Marla keek hem verwonderd aan. 'Waarom?'

Hij pakte haar wijn op die voor de haard stond op te warmen, liep naar haar stoel en gaf hem aan met een korte buiging. 'Om te beginnen betekent het dat u niet hoeft te trouwen met Hablet.'

'Ja, maar dat wil nog niet zeggen dat hare hoogheid hem wil vervangen door een andere ongewenste echtgenoot,' kaatste Corin terug. 'Laran Krakenschild is maar een krijgsheer. Hablet is koning. In Fardohnya is ze veel beter af.'

'Aan wiens kant sta jij nu eigenlijk, Corin?' vroeg Elezaar streng. 'Hare hoogheid hoort helemaal niet in een buitenlandse harem tussen een stel verveelde vrouwen en court'esa die allemaal over haar heen buitelen om hogerop te komen. Ze verdient veel beter.'

Terwijl hij sprak, keek hij vanuit zijn ooghoek naar Marla in de hoop dat het beeld dat hij schetste van een harem vol vijanden genoeg zou zijn om de jonge prinses over te halen. Er dreigde dan wel een huwelijk met Laran Krakenschild, maar die had haar tenminste beloofd dat ze één court'esa mocht houden als ze met hem meeging. En ze móést geloven dat Elezaar de enige was die haar situatie begreep. Hij gokte op het feit dat het, als ze koos voor Laran, en Corin daartegen was, niet de knappe jonge court'esa was die morgen samen met zijn meesteres Hoogkasteel verliet.

Terwijl de slaven rondom haar discussieerden, nam Marla bedachtzaam een slokje van haar wijn, kennelijk goed gebruikmakend van zijn lessen. Het was tegenwoordig onmogelijk te zeggen wat ze dacht, als ze erop lette.

'Aan wiens kant sta jíj, klein kereltje?' vroeg Corin. 'Je moedigt de prinses aan zich niet te houden aan een afspraak van haar broer, om Hythria en het hele Huis Wolfsblad te schande te maken.'

'Toch denk ik niet dat mijn broer zich erg druk maakt over de eer van Huis Wolfsblad,' liet Marla zich ontvallen. 'Of die van Hythria.'

'Het hele zaakje stinkt, als je het mij vraagt,' mopperde Lirena.

Elezaar dacht goed na voordat hij weer sprak en wierp een behoedzame blik op Corin. De knappe court'esa was nogal vol van zichzelf sinds Marla had besloten gebruik te maken van zijn diensten – alsof hij in de rangorde was gestegen omdat hij het bed met haar deelde. Elezaar vond het hoog tijd dat de jongeman zich realiseerde dat goed zijn in bed nog niet betekende dat je ergens anders van nut was. De dwerg had zich in allerlei bochten gewrongen om vriendschap te sluiten met de prinses en haar te onderwijzen sinds hij in Hoogkasteel was, en hij liet zijn veilige toekomst niet verpesten door een mooi spionnetje van Alija Arendspiek. Niet nu. Niet nu hij zo dichtbij was dat hij het bijna kon voelen.

Maar hij moest subtiel zijn. Voorzichtig. Marla kon soms een nukkig klein kind zijn, maar ze kon ook zo scherp als een karwats zijn als ze daar zin in had, en ongevoelig voor vleierij. De waarheid, besloot Elezaar, was het enige waarmee hij deze discussie kon winnen. Daar kon Corin niets tegenin brengen.

'Er zijn heel veel machtige mensen in Hythria die liever zien dat de bruiloft van prinses Marla en Hablet niet doorgaat,' zei Elezaar tegen Corin, hoewel zijn woorden waren bedoeld voor de prinses. 'Het verbaast me geenszins dat er iemand is gekomen met een plan om die bruiloft te voorkomen. En heer Krakenschild zei dat de hoogprins al in Warrinhaven zou zijn. Als hij erbij betrokken is, mag je aannemen dat het een legitiem plan is.'

'Ik denk dat de vraag eerder is in hoeverre je Laran Krakenschild vertrouwt,' zei Corin.

'Hoe bedoel je?' vroeg Marla.

'Nou, die man heeft duidelijk ambities die veel verder reiken dan uw hand, hoogheid. Als u zijn zijde kiest en zijn plan mislukt, bent u ook schuldig aan hoogverraad.'

'Hoezo mislukt?' schimpte Elezaar. 'De man wil trouwen met onze meesteres, Corin, meer niet. Dat is toch geen hoogverraad.'

'Dat wil hij vandaag,' wierp de court'esa tegen. 'Maar als hij eenmaal is getrouwd met de zus van de hoogprins, wat dan? Hoe lang duurt het dan voordat hij begint te gluren naar de troon?'

Marla keek hen beiden aan en schudde haar hoofd. 'Laran heeft het daar helemaal niet over gehad. Jullie zijn gek!'

Grijnzend wendde Elezaar zich tot de prinses. 'Nou, eigenlijk is er waarschijnlijk maar één van ons gek, hoogheid. Het is uw taak te bepalen wie.'

Ze keek naar haar kinderjuf, op zoek naar een aanwijzing die het eenvoudiger maakte de moeilijkste beslissing van haar leven te nemen, maar Lirena trok slechts hulpeloos haar schouders op. 'Mij hoef je niet aan te kijken, kind. Ik weet ook niet wat je moet doen.'

'En jij, Corin? Jij vindt duidelijk dat ik met Hablet moet trouwen.'

'Ja, hoogheid. Ik vind dat u de afspraak moet nakomen die uw broer maanden geleden in Groenhaven heeft gemaakt. Anders kon het wel eens oorlog worden met Fardohnya.'

Ze nam een slok wijn, met haar wenkbrauwen bedachtzaam samengeknepen, voordat ze zich richtte tot de dwerg. 'En jij, Elezaar?

Jij lijkt te vinden dat ik het aanbod van heer Krakenschild moet accepteren.'

'Ik denk niet dat het een aanbod is, hoogheid.'

'Hoe bedoel je?'

'Als uw broer in Warrinhaven op u wacht, dan wacht u in Fardohnya geen kroon meer. Ik denk dat heer Krakenschild u een aanbod komt doen omdat hij u de illusie wil geven dat u nog enige zeggenschap over uw lot hebt. Bovendien vermoed ik dat het weinig zal uitmaken wanneer u zijn aanbod afslaat. Er zitten hier machtige lieden achter, mijn vrouwe. Die accepteren niet zomaar een nee.'

'Dus je denkt dat het niet uitmaakt wat mijn besluit zal zijn?'

'Niet in het minst. Volgens mij is dit al enige tijd geleden en ver hiervandaan besloten.'

'Dat slaat nergens op!' verklaarde Corin. 'Waarom dan de prinses vragen als ze geen keus heeft?'

Elezaar schokschouderde. 'Misschien gewoon om aardig te doen.'

'Denk je dat, Elezaar?' vroeg Marla hoopvol. Ook al had ze geen keus, het idee dat de man die ze moest trouwen in elk geval enig fatsoen in zijn lijf had, was iets waaraan ze zich kon vastklampen.

'Het is een krijgsheer,' hield Corin hen voor. 'Aardig is geen goed woord om iemand van adel mee te omschrijven. Vooral geen krijgsheer.'

'Glenadal Ravenspeer is altijd aardig voor me geweest. En die was ook krijgsheer.'

Marla klonk lichtelijk gekwetst. En ze begon zich aan Corin te ergeren. Dat voorspelde goeds voor Elezaars toekomst. Als hij zo doorging, kon Corin het wel vergeten dat ze hem mee zou nemen naar Warrinhaven.

'En Laran Krakenschild is de man die door heer Ravenspeer is aangewezen als zijn opvolger, hoogheid,' hielp Elezaar haar herinneren. 'Ik denk dat u er goed aan zou doen om dat niet te vergeten.'

Marla knikte afwezig en nam nog een slokje van de kruidwijn. Elezaar wou dat hij een magische kracht bezat, een manier om haar gedachten te lezen. Of nog beter, een manier om die te beïnvloeden.

'Laat me alleen,' gebood ze plots. 'Ik wil hier nog even over nadenken zonder dat jullie tegen me aan zitten te kwekken.' Alle drie stonden ze op en liepen naar de deur, uit ervaring wetend dat het geen zin had de prinses tegen te spreken wanneer ze in zo'n bui verkeerde. 'Jij niet, nar.'

Ietwat bezorgd bleef Elezaar staan en keerde terug naar haar stoel bij de haard terwijl de andere twee vertrokken. Ze had hem al in geen maanden nar genoemd.

'Hoogheid?'

Marla leunde achterover in haar stoel en keek hem even onderzoekend aan voordat ze sprak. 'Vertel me wat je weet over Laran Krakenschild.'

'Waarom denkt u dat ik iets over hem weet, hoogheid?'

'Jij hoort wel eens wat. Dat weet ik best. De mensen slaan geen acht op jou omdat ze denken dat je niet goed snik bent, net zoals ze mij negeerden toen ik nog klein was. Of ze zien je niet eens. Ik wil weten wat je over hem hebt gehoord.'

'Niet zoveel, hoogheid,' bekende hij, zichzelf vervloekend omdat hij dit niet had zien aankomen. Had hij maar geweten dat Laran zou kunnen komen dingen naar Marla, dan zou hij er werk van hebben gemaakt om alles over de krijgsheer van Krakandar aan de weet te komen. Maar Elezaar was niet voor één gat te vangen. Hij wist hoe hij zijn onwetendheid in zijn voordeel kon aanwenden. 'Maar dat zegt al iets op zichzelf, hoogheid.'

'Wat zegt het dan?'

'Het zegt dat hij waarschijnlijk niet zoveel slechte gewoonten heeft. En anders houdt hij ze voor zichzelf.'

'Dat begrijp ik niet.'

'De slaventamtam is zeer effectief, hoogheid. Over sommige mensen zou ik u dingen kunnen vertellen die u zich niet voor kunt stellen. Neem dat maar van mij aan. Hoe erger de roddel, hoe sneller die zich verspreidt door de gelederen der slaven. Dus als ik over Laran Krakenschild niets heb gehoord, dan is de kans groot dat hij ook nooit iets heeft gedaan wat het geroddel van zijn slaven rechtvaardigt.' Hij glimlachte toen hij zich iets herinnerde wat hem van pas kon komen. 'Maar ik kan u wel wat vertellen over zijn zus.'

'Zijn zus?'

'Vrouwe Darilyn Taranger. Ze woont in Groenhaven.'

'Ja, en?'

'Nou, naar verluidt heeft vrouwe Darilyn een paar jaar geleden een ongelukje gehad, kort na het overlijden van haar man. Dat moest nogal discreet worden afgehandeld, gaat het verhaal.'

'Je bedoelt dat ze een abortus heeft gehad?' vroeg Marla ongeduldig. 'Nou en? Dat doen vrouwen zo vaak na een ongelukje.'

'Vrouwe Darilyn komt uit een schatrijke familie, hoogheid. In dat huishouden is geen behoefte aan een aborteur. Haar court'esa zijn allemaal gelorongde mannen. Ze zijn echt allemaal steriel.'

'Dus je bedoelt eigenlijk dat haar baby niet was verwekt door een court'esa?'

'Ik geloof dat, toentertijd, het vaakst werd gegokt op Oscarn, echtgenoot van vrouwe Sybel, de beste vriendin van vrouwe Darilyn. Die staat in de lagere regionen trouwens bekend als "de Does", omdat hij het volgens zijn court'esa graag op zijn hondjes doet.'

Ondanks zichzelf schoot Marla in de lach. 'Wat ben je toch een schandalige smeerlap, Elezaar.'

'Eigenlijk ben ik een erg slechte en ontrouwe schandalige smeerlap, hoogheid.'

'Ontrouw? Aan wie?'

'Alle slaven ter wereld, hoogheid. Ik hoor onze roddels helemaal niet te vertellen aan mijn meesteres. Zoiets is namelijk zeer onbehoorlijk.'

Dat leek ze wel grappig te vinden. 'Maar het is wel volkomen normaal om op zo'n manier onder elkaar over jullie meerderen te spreken, nietwaar? Hebben jullie voor al jullie meesters bijnamen zoals "de Does"?'

'Voor de meesten,' gaf hij toe.

'Hoe noemen ze tante Lydia beneden?'

'Het zou me mijn leven kosten als ik u dat vertelde, hoogheid.'

'Hebben de slaven een naam voor mij?'

'Het zou me ook mijn leven kosten als ik u dat vertelde, hoogheid.'

'Het is niet aan mij om jou ter dood te veroordelen, nar.'

Marla stond op en liep naar het venster. Het weer was er niet veel beter op geworden sinds ze vanochtend wakker waren geworden. Er was nog steeds een zee van ondoordringbaar wit achter het glas. Ze glimlachte afwezig maar drong niet verder aan.

U veroordeelt me ter dood als u me wegstuurt! wilde hij tegen haar schreeuwen. Maar hij kon het risico niet nemen. Het gaf totaal geen pas om Marla te laten weten hoe wanhopig hij was.

'Ik zou met plezier voor u sterven, mijn vrouwe,' zei hij daarom maar, met een hoffelijke buiging.

'Bewijs het,' gebood ze, zich naar hem omdraaiend.

Elezaar glimlachte. 'Neem mij mee wanneer u morgen vertrekt. Dan beloof ik u dat ik bij de eerste gelegenheid die ik krijg, voor u zal sterven.'

'Áls ik vertrek... neem ik Corin misschien wel mee.'

Ze plaagt me, hield Elezaar zichzelf voor. *Goden, alsjeblieft, laat het een plagerijtje zijn!*

'Maar u kunt me goed gebruiken, hoogheid.'

Marla slaakte een diepe zucht, leegde haar wijnbeker en staarde weer naar de allesverhullende sneeuwstorm buiten. 'Wat ik goed kan gebruiken, Elezaar, is iemand die me kan omtoveren in een man. Dan hoef ik namelijk helemaal niet te trouwen.'

'En als we dat niet kunnen regelen voor morgenochtend? Wat doet u dan?'

Met weinig enthousiasme haalde Marla haar schouders op. 'Met Laran Krakenschild trouwen, lijkt me.'

'Zal ik dan vast gaan pakken?' opperde hij, in de hoop dat het niet zo wanhopig klonk als hij zich voelde.

Marla draaide zich om naar Elezaar en stelde de ene vraag waarvan zijn knieën dreigden te knikken van opluchting. 'Denk je dat Alija beledigd zal zijn als ik haar cadeau verkoop? Ik geloof nooit dat ik Corin hierna nog nodig zal hebben.'

'Waarom stuurt u hem niet terug naar haar?' opperde Elezaar, met grote moeite zijn gevoelens beteugelend. 'Hij is per slot van rekening een waardevolle slaaf. Uw nicht zal het vast kunnen waarderen om nog iets van haar investering terug te zien. Misschien houdt ze hem wel voor zichzelf.'

'Dat is geen slecht idee. Ik laat hem in elk geval niet hier zodat Ninane met hem kan spelen. Stel jij de brief naar Alija op? Als we morgen vertrekken, heb ik daar, denk ik, geen tijd meer voor.'

Impulsief greep hij Marla's hand en kuste die devoot.

'Hoogheid,' antwoordde Elezaar met een stralende glimlach, 'ik spreek de waarheid als ik zeg dat u me nog nooit iets hebt gevraagd te doen wat me zoveel deugd deed.'

37

Tarkyn was laat voor hun vaste ochtendbespreking, wat Alija's stemming niet bepaald verlichtte. Iedereen treuzelde maar aan, deze ochtend, en dat Tarkyn nu ook al te laat was, droeg alleen maar bij aan haar frustratie.

Ze had een boodschapper naar Dregian gestuurd om Barnardo terug naar Groenhaven te manen, maar het zou nog dagen duren voordat haar man hier kon zijn, en tegen die tijd was Lernen allang met Kagan Palenovar uit Groenhaven vertrokken, op weg naar een bestemming die alleen de goden en Lernen Wolfsblad bekend was. De kans dat zij zou worden gevraagd met Lernen mee op reis te gaan, was uiterst klein. De hoogprins wist dat Barnardo op zijn troon aasde en was niet van zins om hem, of zijn vrouw, een dienst te bewijzen.

Het doel van Lernens reis – was ze te weten gekomen via haar spionnen – was om slaven te kopen voor de lusthof die hij op het dak van de westelijke paleisvleugel aan het bouwen was. Haar spionnen hadden ook bevestigd dat Kagan met enige tegenzin had besloten met de hoogprins mee te gaan. Dat gaf haar een iets geruster gevoel. Had Kagan zich er ook maar enigszins enthousiast over getoond, dan zou ze meteen argwaan hebben gekoesterd.

Maar aan de andere kant wist Kagan dat ook. Was zijn tegenzin om die reden geveinsd?

Alija kreeg er hoofdpijn van als ze erover nadacht.

'Mijn vrouwe, Tarkyn Lye is terug,' verkondigde een slavin met een buiging.

'Zeg hem dat hij meteen komt.'

'Ik... eh...' De jonge vrouw aarzelde even voordat ze verder sprak. 'Dat kan lastig worden, mijn vrouwe.'

'Lastig? Waarom?'

'Ik denk dat u maar beter zelf kunt gaan kijken, mijn vrouwe.'

Met een zeer onbetamelijke vloek smeet Alija haar schrijfveer neer, stond op en volgde de slavin de trap af naar de grote hal van het huis. Dat was een grote, ronde zaal met een prachtige tegelvloer en een koepelplafond van matglazen panelen die de hal lieten baden in het licht.

Tarkyn Lye stond midden in de hal met zijn blinde ogen te staren naar de koepel, met een vreemd zalige uitdrukking op zijn gezicht.

'Tarkyn? Waar kom jij vandaan?'

'Mooie lichtjes kijken,' antwoordde hij met een dromerige, eentonige stem.

'Tarkyn!'

'Ik zie de mooie lichtjes. Al die mooie lichtjes. Mooie lichtjes zijn mooi...'

'Ben je dronken?' Ze wendde zich tot de jonge slavin die haar uit haar werkkamer was komen halen. 'Weet jij waar hij is geweest?'

'Nee, mijn vrouwe. Ik nam aan dat hij voor u sinds gisteren op weg was. Hij is de hele nacht het huis uit geweest.'

'Niet dronken,' zuchtte Tarkyn. 'Mooie lichtjes.'

Nu eerder bezorgd dan geërgerd liep Alija naar haar court'esa toe en legde voorzichtig een hand op zijn schouder. 'Tarkyn?'

'Ziet u de mooie lichtjes?'

'Ja,' bevestigde ze, als een moeder tegen een klein kind. 'Ik zie ze. Waar ben je geweest?'

'Naar de mooie lichtjes kijken.'

'Maar wáár ben je naar de mooie lichtjes wezen kijken?'

'Die heeft Wrayan me laten zien.'

Geschokt staarde Alija hem aan. 'Wrayan *Lichtvinger?*'

'Lichtvinger heeft de mooie lichtjes gemaakt. Hij heeft ze me laten zien.'

Zonder op Tarkyns verklaring te wachten, stortte Alija zich in zijn gedachten. Het schild dat ze zo zorgvuldig om hem heen had opgetrokken om te beschermen wat hij wist, was verdwenen. Degene die dit had gedaan, was door Tarkyns gedachten gegaan als een dief die in een ladekast zocht naar waardevolle spullen. De schade was waarschijnlijk niet permanent, maar het was niet erg handig gedaan. Wrayan had geen enkele poging gedaan om zijn daden verborgen te houden. Zelfs de 'mooie lichtjes' waar Tarkyn zo door was betoverd, waren met opzet in zijn geest geplant.

Het was bijna alsof Wrayan wilde dat ze wist wie dit had gedaan.

'Ik maak hem af.'

'Mijn *vrouwe?*' hijgde de jonge slavin.

Alija had niet beseft dat ze het hardop had gezegd. Maar de verwoording van haar woede deed niets af aan haar behoefte aan wraak. Wrayan Lichtvinger zou hiervoor boeten, en flink ook. Hij had iets geschonden dat van haar was, iets zo persoonlijks dat het bijna gelijkstond aan verkrachting. Vissen in de diepte van Tarkyns geest, met daarin intieme kennis van haar gedachten en gevoelens, haar angsten en haar onzekerheden, was een veel ernstiger misdrijf dan verkrachting. Het ging niet alleen om de informatie die Tarkyn kon hebben. Tarkyn wist hoe Alija precies in elkaar zat.

Nog verontrustender was het besef dat Wrayan hiertoe in staat was. Ze had in de leerling van de hoge arrion nooit meer verwacht dan een bundeltje ruwe macht. Waar had hij geleerd om een schild, zoals ze op Tarkyn had gebruikt, te ontmantelen zonder de geest van de court'esa permanent te beschadigen?

Maar waar Alija nog het razendst over was, was het idee dat een doodordinaire leerling het waagde haar zo te tergen. Tarkyns toestand was een regelrechte uitdaging. Als Kagan – en ze twijfelde er geen moment aan dat de hoge arrion hierachter zat – Tarkyn had willen ondervragen, dan had hij dat kunnen doen wanneer hij wilde. En daarna had hij de court'esa kunnen vermoorden, zodanig dat het leek op het werk van zakkenrollers of huurmoordenaars, als hij zijn aandeel in de misdaad verborgen wenste te houden. Maar dit; het gedachteschild vernietigen en vervolgens Tarkyn lyrisch ijlend over 'mooie lichtjes' naar huis sturen – dat was meer dan provocerend. Dat was een regelrechte oorlogsverklaring.

Alija reikte opnieuw in Tarkyns geest, en hij zakte aan haar voeten in elkaar, bewusteloos. Ze kon hem niet de hele dag rond laten dwalen en zich overal voor gek laten zetten met zijn geblaat over de mooie lichtjes.

'Tressa, laat jij Tarkyn even naar zijn kamer brengen. En laat mijn draagstoel voorkomen.'

'Gaat u op pad, mijn vrouwe?'

'Ik heb iets dringends te doen op het Tovenaarscollectief. Ik ben in mijn werkkamer. Roep maar als de draagstoel klaarstaat.'

'Ja, mijn vrouwe,' antwoordde Tressa met een diepe buiging.

Alija liep terug naar de trap. Haar woede was als een smeulend vuur, zo dicht aan de oppervlakte dat ze wel kon gillen.

Dit laat ik niet op me zitten, Wrayan Lichtvinger, zwoer ze in stilte. Ze zou hem zelf aan flarden scheuren en vervolgens de stukken overhandigen aan het Tovenaarscollectief dat het verder mocht afhandelen. Wrayan had zoveel verboden van het Collectief over het binnendringen van andermans gedachten geschonden, dat ze bijna niet meer te tellen waren. En ook al kon ze niet afdoende bewijzen dat Kagan achter de aanval op Tarkyn zat, met Wrayan Lichtvinger was het afgelopen in het Collectief. Daar zou ze persoonlijk voor zorgen.

Leunend op haar schrijftafel bleef Alija even staan om haar gierende adem te laten kalmeren en haar gedachten op een rijtje te zetten. Ze moest kalm blijven. Beheerst. Hoe gerechtvaardigd haar woede ook was, ze kon het zich niet permitteren haar tegenstander te onderschatten. Die had immers haar schild onklaar weten te maken.

Wie weet wat hij nog meer kan?

Toen ze zich weer een beetje in de hand had, ging Alija naar het verlakte kastje onder het venster en zwaaide er met haar arm overheen om de magische sloten te openen die de inhoud beschermden tegen nieuwsgierige ogen. Ze hoorde het slot zachtjes klikken en deed de deurtjes open. Van de stapel tekstrollen die verscheen, waren sommige zo oud dat ze bijna tot stof dreigden te vergaan. Nadat ze uiterst voorzichtig een van de rollen eruit had gehaald, deed ze het kastje weer dicht en liep met de rol terug naar haar schrijftafel.

Met de grootste zorg rolde Alija het eeuwenoude document open en betreurde het dat ze het Harshinischrift niet beter kon lezen. Maar ze wist er genoeg van om de macht van deze tekstrol te begrijpen. Genoeg om te beseffen dat Wrayan Lichtvinger, met deze macht, niet tegen haar op kon, hoe sterk hij ook was. Met deze tekstrol kon ze zijn kracht namelijk tegen hem gebruiken. Hoe harder hij vocht, hoe sterker zij zou worden.

'Mijn vrouwe,' meldde Tressa vanuit de deuropening. 'Uw draagstoel staat klaar.'

'Zeg maar dat ik er zo aankom,' antwoordde Alija. 'Is er voor Tarkyn gezorgd?'

'Ja, mijn vrouwe. Bildon en Franken hebben hem in zijn kamer gelegd, en Plia zei dat ze bij hem zou blijven tot u terug was.'

'Mooi.'

'Wordt hij wel weer beter, mijn vrouwe?'

Het meisje klonk zeer bezorgd. Alija keek haar even aan en vroeg zich af of Tarkyn zich met de jonge vrouw had geamuseerd en dat haar ongerustheid die van een minnares was, of dat hij gewoon een groot respect onder de overige slaven genoot. Het was niet bepaald een aantrekkelijk meisje. Alija zorgde er altijd voor om gewone, zelfs ronduit onaantrekkelijke slavinnen te kopen, en haar Huis bezat ook geen vrouwelijke court'esa.

Ze wilde niet dat Barnardo zich liet afleiden. Maar het zou Tarkyn niet kunnen schelen hoe ze eruitzag. Hij was blind. Het maakte ook niet uit. Zolang Tarkyn er was wanneer Alija hem nodig had, moest hij zelf maar weten wat hij met de huisslaven uitspookte.

'Hij komt er weer helemaal bovenop. Als ik eenmaal de tijd heb gehad om naar hem te kijken.'

'Uitstekend, mijn vrouwe.'

Alija keek nog één keer goed naar de zorgvuldig genoteerde instructie, rolde het document toen voorzichtig op en legde het terug in het kastje onder het venster voordat ze naar beneden ging voor de onvermijdelijke confrontatie met Wrayan Lichtvinger.

38

Wrayan wachtte Alija op in de grote tempel van het Tovenaarscollectief. Hij stond onder de Zichtsteen en dacht na. Als Kagan gelijk had en hij inderdaad voor een deel Harshini was, hield dat dan in dat hij de Zichtsteen kon gebruiken? Als hij bij de kristallen monoliet ging staan en zijn handen erop legde, zou hij dan contact krijgen met Sanctuarion, de verloren stad in de Sanctuarionbergen in Medalon? Zou hij dan kunnen spreken met het verborgen fort dat onderdak moest bieden aan de laatsten der Harshini die zich daar hadden teruggetrokken toen de zuivering in Medalon te gevaarlijk voor hen werd om zich nog langer in de mensenwereld te vertonen? Zou dan het onmogelijk schone gezicht van een Harshini verschijnen in de diepte van de steen,

sereen glimlachend, met ogen zo zwart als onyx, zoals ze in de kunst-
werken van het Tovenaarscollectief vaak werden afgebeeld?

Het enorme kristal op zijn zwart marmeren sokkel torende hoog
boven de tovenaarsleerling uit. Waren er eigenlijk nog wel Harshini
over? Was er wel een die de zuivering had overleefd, of was het verhaal dat de overlevenden naar Sanctuarion waren gevlucht, slechts een
verhaaltje dat het Tovenaarscollectief liet rondgaan ter geruststelling
van de heidenen die niet konden accepteren dat het vredige ras zomaar kon zijn uitgeroeid door een stelletje wraakzuchtige, atheïstische
vrouwen?

Op Kagans bevel was de tempel verlaten. De kaarsen in de zilveren houders die het kristal verlichtten, waren al een heel eind opge-
brand, merkte Wrayan op met een frons. De tovenaars die hier regelmatig kwamen om de goden te smeken om hun hulp, was gezegd
buiten de tempel te blijven. Niet dat ze voor deze confrontatie een grote vrije ruimte nodig hadden, maar Kagan vond het gewoon beter dat
er verder niemand getuige van was.

Wrayan keek over zijn schouder naar de holle, donkere tempel. Het
geometrische patroon in de tegelvloer trok het oog zeer opzettelijk
naar het midden van de zaal. Maar het gebouw bleef leeg, zoals het
al uren was geweest. Wrayan had dorst. Hij had iets te drinken moeten meenemen.

Misschien vergiste Kagan zich. Misschien kon het Alija niet schelen wat er met Tarkyn Lye gebeurde. Of was ze weg toen Tarkyn thuiskwam en wist ze nog niet hoe hij eraan toe was. Misschien was dit
alles zinloze tijdverspilling omdat Alija was gaan winkelen...

Aan de andere kant was de kans groot dat ze wist dat er iets mis
was. Al Wrayans pogingen om Tarkyn in de afgelopen uren te vinden,
hadden geresulteerd in een verbijsterende stilte. Niet dat hij Tarkyns
gedachteschild niet kon vinden en kraken wanneer hij maar wilde. Het
was eerder alsof Tarkyn niet meer bestond.

Had Alija ontdekt dat er met haar court'esa was geknoeid en had
ze hem in razernij gedood?

Wrayan vond dat zeer onwaarschijnlijk, nadat hij Tarkyn Lyes gedachten had uitgeplozen. De blinde court'esa wist dingen over Alija
die gevaarlijker voor haar waren dan een kamer vol huurmoordenaars.
*Het bestaat niet dat ze deze schending zomaar over haar kant laat
gaan.*

Maar waar bleef ze dan?

Had ze niet in het aas gehapt? Had ze de valstrik doorzien en besloten Kagan en Lernen de stad uit te volgen in plaats van zich te gaan
wreken voor de aanval op haar slaaf? Liet Alija zich wel zo gemak-

kelijk afleiden? Zou ze wel trappen in zo'n doorzichtige poging om haar plannen te dwarsbomen?

Er begon twijfel aan Wrayans zelfvertrouwen te knagen. Dit plan was niet alleen slecht bedacht maar ook nog eens gevaarlijk. Alija was niet gek. Natuurlijk zou ze de plotselinge, aanleidingsloze aanval op Tarkyn Lye in verband brengen met het vertrek van de hoogprins. *Ze trapt er niet in... Ze komt niet...*

En toen voelde hij haar naderen, langs de uiterste rand van zijn bewustzijn, nog voordat hij de deuren dicht hoorde slaan toen er iemand de tempel binnenkwam. Ze verzamelde haar macht, mogelijk in een poging hem te intimideren. Wrayan staarde omhoog naar het grote kristal van de verloren Harshini en vroeg zich af wat een Harshini in dit geval zou doen. *Waarschijnlijk alleen maar glimlachen*, dacht hij. *Zo waren de Harshini nu eenmaal.*

'Hallo, Alija,' zei hij, zonder zich om te draaien.

Alija bleef achter hem staan, haar gedachten zwaar afgeschermd.

'Wrayan.'

'Kom je de goden om hulp smeken?' vroeg hij, zich naar haar toe draaiend.

Ze droeg haar officiële zwarte gewaad. De bestikte zoom van haar japon streek fluisterend over de tegelvloer, en haar gezicht ging schuil onder de donkere kap die ze over haar hoofd had getrokken. Alija droeg haar officiële gewaad niet vaak. Ze droeg het nu, wist Wrayan zeker, om hem eraan te herinneren wie hier de tovenaar was en wie de leerling. Wrayan had de moeite niet genomen om zich hiervoor om te kleden. Behalve veel te theatraal was het ook veel te bloedheet in Groenhaven voor dikke wollen kleren.

'Misschien moest jíj hun maar om hulp smeken,' opperde Alija kil toen ze vlak voor hem bleef staan. 'Die zul je nog nodig hebben voordat ik klaar met je ben.'

Wrayan forceerde een glimlach die hij eigenlijk niet voelde. 'Is dat niet een beetje theatraal, Alija?'

'Zal ik je eens iets theatraals laten zien, Wrayan Lichtvinger?' Ze sloeg de zwarte kap achterover.

Er was iets vreemds met haar afgeschermde macht, een aspect dat Wrayan onbekend was.

'Ik heb al zoveel theater gezien, mijn vrouwe,' liet hij haar weten, standhoudend uit pure wilskracht. Als een oven straalde ze macht uit. Hij voelde haar razernij erin woeden. 'Er gaan nogal wat interessante toneelstukjes om in Tarkyns hoofd, vind je niet?'

'Je had het recht niet mijn slaaf te beschadigen.'

'Heb ik ook niet gedaan. Over een dag of zo is hij weer helemaal in orde.' Wrayan glimlachte. 'Als de mooie lichtjes eenmaal uit zijn gegaan.'

'Heb jij er enig idee van wat ik met jou zou kunnen doen?' siste Alija. 'Weet je hoeveel wetten van het Tovenaarscollectief je hebt geschonden, of kun je zo ver niet tellen?'

'Is Tarkyn Lye echt de vader van je kinderen?' kaatste Wrayan terug.

Ze aarzelde, zichtbaar verontrust omdat Wrayan zo diep in de gedachten van haar court'esa had weten te dringen. 'Ik maak je kapot, Wrayan Lichtvinger,' beloofde ze. Door haar kalme zelfvertrouwen klonk het dreigender dan wanneer ze hem zou hebben toegeschreeuwd. 'En daarna grijp ik die dwaas die jij hoge arrion noemt en begraaf ik hem naast jou.'

'Zou je van mijn misdrijf echt aangifte doen bij het Tovenaarscollectief?' vroeg hij, opzettelijk het gesprek afwendend van Kagan. 'Terwijl je weet wat ik over jou te weten ben gekomen? Dat is wel een heel groot risico, Alija.'

'O, daar zou ik me maar geen zorgen over maken, Wrayan. Als ik klaar met jou ben, is dat zielige beetje wat er dan nog over is van jouw geest, niet in staat iets te onthullen.'

'Ben je zo goed?'

'Zullen we dat eens uitproberen?' opperde ze.

Wrayan zette zich mentaal schrap, redelijk zeker dat hij alles kon overleven wat ze op hem af stuurde. *Alija staat stijf van ontketende macht, maar ik ben sterker en bovendien...*

De vlaag die ze losliet, tilde Wrayan van zijn voeten. Hij smakte zo hard tegen de sokkel van de Zichtsteen dat de lucht uit zijn longen werd geslagen. Ze sloeg opnieuw toe en timmerde hem tegen het zwarte marmer, deze keer zijn schedel splijtend.

Er dansten witte lichtjes voor Wrayans ogen.

Alija deed niet eens haar best om subtiel of zelfs maar bijzonder slim te zijn. Ze wilde alleen maar haar tegenstander treffen, lichamelijk dan wel geestelijk. Lucht in zijn lege longen zuigend, en met de pijn van de schedelfractuur die ze hem beslist had bezorgd, had Wrayan de grootste moeite zijn gedachten af te schermen.

'Kom op, Wrayan, waarom vecht je niet terug?' daagde Alija hem uit met een valse grijns. 'Durf je geen vrouwen te slaan?'

Verscheidene malen naar adem snakkend krabbelde Wrayan moeizaam overeind. 'Ik wacht tot je serieus wordt,' wist hij uit te brengen. Het klonk dapper, maar Alija liet zich niet beetnemen.

'Je kúnt niet terugvechten,' concludeerde ze met kwaadaardig genoegen. 'Toch? Je kunt niets doen! Al die ziedende macht, en je hebt geen flauw idee wat je ermee moet.'

'Geloof wat je wilt... als je daar blij van wordt, Alija.' Wrayan stond weer rechtop, maar het dreunde in zijn hoofd en de witte lichtjes wilden niet weggaan. Terwijl hij zich vastklampte aan de sokkel van de Zichtsteen om steun te zoeken, sijpelde er wat bloed ergerlijk omlaag in zijn nek.

'O, je moest eens weten hoe blij ik hiervan word,' zei ze en kwam een stap dichterbij. 'Wat moet dit frustrerend voor je zijn. Je kunt bij de bron. Je kunt hem voelen. Je kunt er zelfs zo nu en dan uit putten. Maar zonder opleiding zul je nooit meer kunnen doen dan wat je met Tarkyn hebt gedaan, of wel soms? Kagan kan je niets leren. Hij heeft niet eens het recht om zichzelf magiër te noemen. En aan de bibliotheek heb je ook al niets, want alles wat er in de bibliotheek over de omgang met innatieve macht te vinden zou moeten zijn, is weg, nietwaar?'

'En je krijgt zeker geen prijs als je kunt raden waar die informatie is gebleven?'

Opnieuw gaf Alija hem een klap. Gewoon omdat ze het kon, dacht Wrayan toen hij andermaal tegen de Zichtsteen werd geslagen. Ze hield hem daar vast, met zijn voeten bungelend vlak boven de vloer, tegen het enorme kristal geplakt, zonder te kunnen bewegen.

'Ach, Wrayan,' verzuchtte ze terwijl ze naderbij kwam, snel van tactiek wisselend om hem uit zijn evenwicht te houden. 'Het had zo mooi kunnen zijn, jij en ik samen. Met mijn kunnen en jouw macht... Wat jammer dat het allemaal niet doorgaat doordat jij uit het Collectief wordt gegooid, met je geest verbrand tot as.'

'Zo werkt dat niet bij het Collectief.' Wrayan verzette zich spartelend tegen de macht die hem vasthield, maar zonder zijn schild te laten zakken kon hij niets doen om haar aanval af te weren. Hij wist heel zeker dat hij Alija dwars door de tempel kon slingeren als hij zijn verdediging zou laten zakken. Uiteraard kon ze dan wel meteen zijn gedachten zien en was de reden voor deze schijnvertoning dan op slag duidelijk. Hij moest Kagan zo veel mogelijk tijd geven.

'Jouw geest wordt ook niet vernietigd door het Collectief, Wrayan Lichtvinger.'

'Ik geloof nooit dat je dat zou doen,' daagde hij haar uit.

Ze kwam nog dichterbij, zo dichtbij dat hij haar adem kon voelen op zijn huid. Het ging haar er nu niet meer om hem pijn te doen. Integendeel, zelfs. 'Geloof je niet dat ik het zou dóén?' vroeg ze met zachte, dreigende stem. 'Of geloof je niet dat ik het zou kúnnen?'

Hij hing nog steeds tegen de Zichtsteen, met zijn voeten bungelend boven het patroon van de tegelvloer, toen Alija op haar tenen ging staan en zich tegen hem aan drukte. Haar adem blies warm op zijn gezicht, en haar lippen lagen als een zijden fluistering op zijn wang. Bijna in paniek wilde hij terugdeinzen, maar hij werd vastgehouden door haar macht. Alija's tong flitste over zijn lippen, en haar door court'esa opgeleide vingers trokken een spoor van verrukkelijke kwelling langs de binnenkant van zijn dijbeen.

Wrayan had zich overal voor schrap gezet, maar hiervoor niet.

'Kom nou, Wrayan,' spinde ze met een zijdezachte stem die een eigen magie leek te hebben. 'We hoeven niet te vechten om dit op te lossen. Er zijn... andere manieren...'

'Alija...'

'Ik kan je lesgeven, Wrayan,' hijgde ze in zijn oor. 'Ik kan je wonderen laten zien waar je nog nooit van hebt gedroomd...'

In zijn afgeschermde hoofd schreeuwde Wrayan zijn stille verzet uit terwijl alles in zijn lichaam erop wees dat Alija deze confrontatie ging winnen, en ruim ook. Er was, merkte hij met een soort onthechte wetenschappelijke belangstelling, geen enkele fysieke verbinding tussen de delen van zijn gestel dat hunkerde naar Alija en zijn brein, dat zich volledig bewust was van het feit dat ze hem alleen maar zo ver probeerde te krijgen om zijn schild te laten zakken.

Toen kuste Alija hem, met alle deskundigheid van een court'esa. Wrayan deed zijn best om aan zo veel mogelijk andere dingen te denken terwijl haar tong langs zijn tanden flitste en haar handen zijn lendenen in vuur en vlam zetten, maar zijn verraderlijke vlees had veel te veel belangstelling voor wat er werd geboden om zich iets aan te trekken van wat zijn hoofd wilde. Een andere stem in zijn hoofd merkte, zeer redelijk, op dat het zijn taak was om Alija op te houden. Haar af te leiden. En dit was zeker iets wat afleidde. Bijna overstemde die de stem die schreeuwde: VERZET JE, WRAYAN, ZWICHT NIET!

'O, goden!' kreunde Wrayan, zich vastgrijpend aan het idee van verzet als een drenkeling aan een reddingslijn in noodweer.

Hij moest hier een einde aan maken. En wel nu meteen. Zijn concentratie was aan talloze kleine stukjes geslagen, en hij verzamelde het kleine beetje verstand dat hem nog restte om zijn schild te laten zakken, met de vaste bedoeling Alija tegen het plafond te prikken, als dat nodig was...

Ze was klaar voor hem. Zodra zijn schild weifelde, werd Wrayans geest geschonden. Alija was alleen maar uit op schade. Ze probeerde niet eens zijn gedachten te lezen. Ze sloeg domweg een bres met een kracht die beslist magisch was versterkt.

In de fractie van de seconde tussen het moment waarop zijn schild het begaf en Alija naar binnen stootte, had hij de tijd om zich af te vragen hoe ze dat had geleerd. Toen werd de pijn onbeschrijfelijk en zakte Wrayan op de vloer ineen.

Alija stapte achteruit bij hem vandaan, haar gewaad gladstrijkend. Minachtend keek ze neer op zijn slappe lichaam.

'Stommeling,' zei ze op bijtende toon.

De tovenares stapte over hem heen en liep zonder om te kijken naar de uitgang van de tempel. Hij hoorde de scharnieren piepen toen de massieve deuren opengingen en hoorde de deuren achter haar dichtslaan.

En toen verloor hij het bewustzijn.

39

Zoals Wrayan had voorspeld, waren Tarkyns 'mooie lichtjes' een dag later uitgedoofd. Het duurde nog een dag of twee voordat hij volledig was hersteld, maar blijkbaar had Wrayan de court'esa van Alija geen blijvende schade toegebracht. Tegen de tijd dat Barnardo terug was uit Kasteel Dregian, was Tarkyn Lye weer helemaal in orde en had Alija besloten het hele voorval te verzwijgen voor haar man. Ze wist eigenlijk niet eens wat ze hem precies moest vertellen, want ze had geen bewijs van Wrayan Lichtvingers verraad. Ze had helemaal niets.

Wrayan Lichtvinger was verdwenen.

Nadat de leerling van de hoge arrion was verslagen en bewusteloos op de tempelvloer was gegleden (mogelijk zelfs dood – Alija had de tijd niet eens genomen om te kijken), had ze zich triomfantelijk de Tempel van de Goden uit gehaast om een getuige van haar overwinning te halen. Kagan zou zich onmogelijk tegen haar beschuldigingen kunnen verdedigen als zijn leerling op heterdaad was betrapt, en ze zou deze flagrante onverschilligheid voor de regels van het Collectief met harde hand laten bestraffen.

De voor de hand liggende keuze was Tesha Zorell, de lagere arrion en een van Alija's mentoren toen zij nog leerling was geweest. Haastig had ze uitgelegd wat er zich had voorgedaan tussen haar en Wrayan (de zorgvuldig geredigeerde versie, uiteraard) terwijl ze vrouwe Tesha bijna meesleepte naar de tempel voor het bewijs van Kagans machtsmisbruik in zijn positie van zowel hoge arrion als meester van een leerling.

'Ik geloof nooit dat de hoge arrion achter een aanval op uw court'esa zit, mijn vrouwe,' zei Tesha Zorell nadat de deuren achter hen waren dichtgeslagen. 'En om zijn leerling te beschuldigen...'

'Wacht maar tot u Wrayan Lichtvinger zelf hebt ondervraagd, vrouwe Tesha,' raadde Alija haar aan. 'Dan mag u mij zeggen dat ik niet het slachtoffer ben van een opzettelijke terreurcampagne van de hoge arrion, bedoeld om mij en mijn man te intimideren.'

Ze kwamen bij de Zichtsteen. Tesha keek ongeduldig rond. 'Nou? Waar is hij?'

'Ik heb hem hier achtergelaten.' Voor het eerst begon Alija zich onzeker te voelen. 'Hij was... Hij kan niet zijn... Iemand moet hem hebben verplaatst.'

'Iemand moet hem hebben verplaatst, hè?' vroeg Tesha. 'Een van de andere samenzweerders die het op u en uw man hebben gemunt, neem ik aan?'

'Ik verzin dit toch niet, Tesha!' blafte Alija de oudere vrouw toe. 'Wacht maar tot je ziet wat hij met Tarkyn Lye heeft gedaan!'

'Als uw court'esa als een snaterend wrak thuiskwam, mijn beste, dan heeft hij vast gewoon een aardig nachtje doorgebracht met lurken aan een yakkah-pijp.'

'Denk jij soms dat ik het verschil niet kan zien tussen bedwelming en opzettelijk ingrijpen?'

'Ik denk, Alija, dat je op zoek bent naar een excuus om iemand de schuld te geven voor iets wat past binnen jouw wereldbeeld,' zei Tesha medelevend. Ze klopte de jongere vrouw op de arm en vervolgde met een glimlach: 'Ik weet dat het vervelend voor je is, Alija, en ik zou je best willen helpen als ik kon, maar als je me hier niet aan een van die zogenaamde samenzweerders kunt helpen, wil ik graag weer aan het werk.'

Alija wist niets terug te zeggen. Tesha was haar vriendin, maar ze was bovenal toch de lagere arrion. Haar trouw gold altijd nog het Collectief boven het individu. Toen de vrouwe van Dregian er het zwijgen toedeed, draaide Tesha zich met een trieste glimlach om. Haar voetstappen galmden langzaam weg in de verte, gevolgd door het piepen van de deuren en een ogenblik later het bijbehorende dichtslaan.

'Je bent nog niet van me af, Wrayan Lichtvinger!' Alija's kreet kaatste terug tegen de muren en galmde door de lege tempel. Ze keek rond maar kon totaal niets meer merken van de dralende magie die ze had moeten voelen als Wrayan ergens in de buurt was geweest. Ze zou nog wel gaan informeren om te zien of iemand had gezien dat hij de tempel uit was gedragen, maar diep vanbinnen wist Alija dat Wrayan Lichtvinger op een of andere manier zo volledig was verdwenen dat ze hem waarschijnlijk nooit zou kunnen vinden.

Barnardo was wat uit zijn hum omdat hij was teruggeroepen, maar toen hij hoorde dat Kagan Palenovar en de hoogprins met onbekende bestemming de stad hadden verlaten, raakte hij algauw over zijn aanvankelijke irritatie heen. Het werd allemaal nog geheimzinniger toen de pakweg twaalf hovelingen die de hoogprins op zijn reis hadden vergezeld, enkele dagen na hun vertrek Groenhaven weer binnen kwamen strompelen, een nogal verloren en zieke indruk makend. Slechts een dag later deed het verhaal de ronde dat er op de eerste avond buiten Groenhaven een poging was gedaan om de hoogprins te vergiftigen en dat de hoge arrion hem had weggetoverd naar een plek waar ze beiden zouden blijven tot het voor de hoogprins weer veilig werd geacht om terug te komen.

Alija vond dat gerucht de ongelooflijkste onzin die ze ooit had gehoord. De symptomen van het gif dat volgens iedereen bij deze zogenaamde moordaanslag was gebruikt, wezen op niets meer dan een overdosis struikelkruid, een laxeermiddel dat vaak werd gebruikt om de darmen te reinigen. Daar was echt nog nooit iemand van doodgegaan. En ze wist ook zeker dat Kagan de hoogprins nergens naartoe had 'weggetoverd'.

Wat Kagan ook in zijn schild voerde, hij had daar Lernen voor nodig, en deze list met de kotsende hovelingen was vast een ingewikkelde truc om Lernen ervan te overtuigen dat hij werd vergiftigd, zodat hij zonder meer met Kagan mee zou gaan, waarheen de oude charlatan hem ook voerde.

Maar tegen de tijd dat Alija het hoorde, had Kagan al een voorsprong van enkele dagen. Ze had er geen idee van waar hij was of waarheen hij de hoogprins had meegenomen.

En Wrayan Lichtvinger was nog steeds niet terecht.

Alija's onderzoek naar de onverklaarbare verdwijning van de tovenaarsleerling had niets opgeleverd. Niemand had hem uit de tempel zien komen. Niemand was de tempel in geweest terwijl zij Tesha Zorell was gaan halen. Niemand had hem sindsdien gezien of gesproken. Zijn kamer bij het Tovenaarscollectief bleef onaangeroerd. Niemand die met Kagan en de hoogprins op reis was gegaan, had de leerling van de hoge arrion ergens in Lernens gevolg gezien. Het was alsof Wrayan Lichtvinger compleet van de wereld was verdwenen.

Alija had nog naar hem gezocht met haar geest, maar ook dat had niets opgeleverd. Niet dat ze dat had verwacht. Ze was dwars door Wrayans geest heen gedenderd zonder de bedoeling hem voor schade te behoeden. Achteraf gezien nam ze zichzelf dat wel een beetje kwalijk. Ze had op zijn minst de tijd moeten nemen om even een blik op zijn gedachten te werpen. Dat hield natuurlijk wel in dat ze Wrayan een kans zou hebben gegeven terug te slaan, en dat risico had ze niet mogen nemen. Het was moeilijk te zeggen hoeveel macht hij had, en Alija was er vrij zeker van dat hij, wanneer het aankwam op brute kracht, sterker dan zij zou blijken. Het enige voordeel dat ze in deze strijd had gehad, waren haar snelheid en de tekstrol met daarop de bezwering waarmee ze haar eigen macht veel krachtiger had gemaakt, zij het zeer tijdelijk.

Opkijkend van de rekeningen die ze zou moeten betalen, wierp Alija een blik op de waterklok en verbaasde zich erover hoeveel tijd ze had verspild met zich zitten afvragen wat Kagan en die geniepige leerling van hem nu werkelijk in hun schild voerden.

'Is er iets mis, mijn vrouwe?' vroeg Tarkyn, die zoals altijd met onfeilbare nauwkeurigheid haar stemming aanvoelde.

Hij zat tegenover haar te wachten tot ze de volgende rekening oplas, opdat hij die aan haar kon verklaren. Tarkyn runde in feite het huishouden hier in Groenhaven, dus ze deed de rekeningen altijd in zijn aanwezigheid. Dan hoefde ze later niet meer om uitleg te vragen.

'Ik vroeg me gewoon af waar Kagan en de hoogprins waren. En Wrayan Lichtvinger.'

'Denkt u dat hun verdwijningen met elkaar in verband staan?'

'Weet ik niet zeker,' gaf ze toe. 'Ik begin het idee te krijgen dat die hele toestand met jou en Wrayan door Kagan is geënsceneerd om mij bezig te houden terwijl hij stiekem met Lernen uit Groenhaven vertrok. Maar ik zie niet hoe hij Wrayan in de tempel bij het Tovenaarscollectief heeft kunnen helpen als hij al halverwege de grens met Zonnegloor was toen ik hem aanpakte.'

Ze werden onderbroken door geklop op de deur voordat Tarkyn zijn mening kon geven. Denkend dat het Barnardo was, riep Alija toestemming om binnen te komen. Haar slaven wisten wel beter dan de vrouwe van het huis te storen wanneer ze alleen was met haar court'esa.

'Neemt u mij niet kwalijk dat ik u stoor, mijn vrouwe,' zei Tressa nogal beverig terwijl ze de deur opende en een diepe buiging voor haar meesteres maakte. 'Maar er is iemand die u wil spreken.'

'Wie dan?'

'Een slavenhandelaar, mijn vrouwe. Hij zegt dat hij iets heeft wat van u is.'

'Wat heeft hij dan dat van mij is?' vroeg ze ongeduldig. Ze had onlangs geen slaven gekocht.

'Meester Venira zei u te zeggen dat hij Corin heet, mijn vrouwe.'
Geschokt sprong Alija overeind. 'Is Corin híér?'
'Met de slavenhandelaar, mijn vrouwe. Ze kwamen ongeveer een uur geleden bij de ingang voor de leveranciers, maar ik hoorde net pas dat hij er was. Ik moest u zeggen dat hij weet dat hij niet had moeten komen, maar wat Corin u te vertellen heeft, is te belangrijk om via andere wegen te laten lopen.'

'Corin zou u nooit in opspraak brengen als het niet belangrijk was,' beaamde Tarkyn.

'Maar Venira is alleen maar hier voor het geld,' mompelde ze alvorens zich tot Tressa te richten. 'Laat Corin komen,' gebood ze. 'Meteen. Zeg meester Venira dat ik hem bedank voor zijn consideratie en dat ik zal zorgen voor een compensatie voor zijn moeite. En zeg heer Arendspiek, als hij wakker wordt, dat ik vraag of hij komt.'

'Ja, mijn vrouwe.'

Tressa rende weg om te doen wat haar meesteres had opgedragen, en Alija staarde met een bezorgde frons Tarkyn aan. 'Als die stommeling is weggelopen...'

'Dat ligt niet in Corins aard, Alija,' verzekerde Tarkyn haar. 'Het is een gelorongde court'esa. Hij weet hoe waardevol hij is. En hij weet ook dat zijn eigenares geen kosten of moeite zou sparen om hem op te sporen als hij zomaar wegliep. Trouwens, hij is nu al lang genoeg bij u in dienst om te weten wat bij u de gevolgen van ongehoorzaamheid zijn.'

Voordat Alija iets kon zeggen, ging de deur weer open en stapte Corin de werkkamer in. Alija was geschokt door zijn uiterlijk. De gewoonlijk zo knappe en onberispelijk verzorgde court'esa was ongeschoren en vies. Zijn hemd en broek waren stoffig, op zijn laarzen zaten slijtplekken en de kraag van zijn hemd stond omhoog om zijn met juwelen bezette metalen slavenhalsband te verbergen. Dat was op zich een misdrijf. Het was een slaaf niet toegestaan zich voor te doen als een vrij mens.

'Mijn vrouwe,' zei hij met een buiging.

'Het nieuws dat je brengt kan maar beter een kwestie van iemands leven of dood betekenen, Corin,' waarschuwde ze, furieus omdat hij zomaar op klaarlichte dag midden in Groenhaven aan haar deur was verschenen. Weliswaar zou het niemand verbazen dat ze een spion in Marla's gevolg had geplaatst, maar dat Venira er openlijk mee geurde dat de jonge court'esa was verbonden aan Huis Arendspiek was politieke zelfmoord. 'Want geloof me, het is een kwestie van leven of dood voor jóú.'

'Vrees niet, mijn vrouwe,' beloofde Corin. 'Ik denk dat het nieuws dat ik breng het risico van ontmaskering waard is.'

'Is het ook waard dat je uit Hoogkasteel bent weggelopen?'

'Ik ben niet weggelopen, mijn vrouwe. Ik ben weggestuurd.'

'Door wie?' vroeg Alija streng. 'En om welke reden?'

'Ik ben weggestuurd, mijn vrouwe, omdat prinses Marla gaat trouwen en mijn diensten niet meer nodig heeft.'

'*Wat?* Met wie?'

'Laran Krakenschild, mijn vrouwe.'

Sprakeloos liet Alija zich neerploffen op haar stoel.

'Krakenschild verscheen onaangekondigd op Hoogkasteel met heer Havikzwaards zoon en enkele duizenden manschappen op wintermanoeuvre, zo beweerde hij, met de bedoeling de grenspas in te gaan. Hij vroeg Marla onder vier ogen te spreken toen hij daar was en liet haar vervolgens weten dat de hoge arrion haar huwelijk met hem had geregeld.'

'En Frederak en Lydia lieten haar zomaar gaan? Wanneer is dit gebeurd?' vroeg Tarkyn.

'Afgelopen vierdag,' bevestigde Corin.

'Dan zullen ze nu al wel in Warrinhaven zitten,' zei Tarkyn tegen Alija. 'De kans is groot dat prinses Marla al getrouwd is.'

'Maar met Laran Krakenschild?' riep Alija vol ongeloof uit. 'Die zou zoiets nooit wagen! En Lernen zou het risico niet nemen om de koning van Fardohnya te schofferen door zich niet te houden aan de huwelijksregeling!'

'Misschien toch wel,' merkte Tarkyn op.

'Doe niet zo belachelijk!'

'Laran Krakenschild is nu krijgsheer van twee provincies. Hij heeft de legers van Zonnegloor en Krakandar onder zijn bevel. Zo te horen heeft hij ook de steun van Charel Havikzwaard, want anders zou het zomaar als een invasie kunnen worden beschouwd wanneer Nash Havikzwaard met manschappen in het zuiden van Zonnegloor verscheen om de grenspas te beschermen. Samen met de troepen van Elasapine heeft Laran dan een leger van bijna honderdduizend man als hij de reserves uit alle drie de provincies zou oproepen. Hij is een Hythrun. En totdat de andere krijgsheren eisen dat hij Zonnegloor opgeeft, is hij voorlopig net zo rijk als Hablet. Een mededinger is er dus eigenlijk niet. En ook niemand anders met wie Lernen onder deze omstandigheden akkoord zou gaan. Door manschappen naar Hoogkasteel te sturen, is hij duidelijk – vooruitlopend op Hablets reactie op het nieuws – de grenspassen aan het versterken. Reken maar dat Winternest net zo zwaar bewaakt is. En mocht het aan uw aandacht zijn ontglipt: hij is nog steeds het neefje van Kagan Palenovar.'

'Maar Laran... Dat geloof ik gewoon niet. Jij kent hem niet zo goed als ik, Tarkyn.'

'Ik zou haast zeggen, mijn vrouwe,' wierp de blinde court'esa tegen, 'dat ú hém niet zo goed kent als u denkt.'

Ze wendde zich weer tot Corin, weigerend te accepteren wat de court'esa haar zei. Het bestond gewoon niet dat ze Laran zo verkeerd had beoordeeld. 'Je zei dat Marla hier vrijwillig aan deelnam?'

'Marla Wolfsblad heeft standvastig geweigerd een toekomst als vrouw van Hablet in overweging te nemen,' bevestigde Corin. 'Ze weigerde zelfs mijn diensten. Maar toen ze heer Krakenschilds aanbod eenmaal had vernomen, veranderde haar houding volkomen. Ik zou zelfs zeggen dat ze maar al te vrijwillig deelnam, mijn vrouwe. Ze greep de gelegenheid met graagte aan.'

'Het kan Laran nooit zijn,' hield Alija vol, ontzet dat ze mogelijk de situatie zo slecht had ingeschat.

'Daar kunt u zo achterkomen,' opperde Tarkyn.

'Hoe dan?'

'Ga naar Warrinhaven. Per slot van rekening hebt u Marla's court'esa hier. Het is zelfs niet meer dan beleefd. Breng haar haar eigendom terug. Zeg haar dat u er niet over piekert een cadeau terug te nemen.'

'Als hij me dit heeft geflikt...' begon ze, denkend aan Laran, zich er volledig van bewust dat de kans dat Barnardo ooit op de troon kwam, van waarschijnlijk omsloeg in onmogelijk zodra Marla Wolfsblad een zoon baarde van een man die zo onberispelijk Hythrisch was als Laran Krakenschild.

Dit kan niet waar zijn. Dit is niet echt.

'Regel het,' gelastte ze Tarkyn. 'Ik wil binnen het uur op weg.' Ze bekeek Corin van top tot teen. 'Ga je wassen en zorg ervoor dat je klaarstaat om mee te gaan, al zal er vast geen court'esa met enige connecties met de familie Arendspiek in dat huishouden worden toegelaten, als het waar is wat je zegt.'

Corin maakte een buiging en verliet de kamer, Alija alleen met Tarkyn achterlatend, maar voordat ze iets kon zeggen, ging de deur alweer open en kwam haar man binnen, nog steeds in zijn nachthemd. Hij zag eruit alsof hij net wakker was.

'Tressa zei dat je me wilde spreken,' zei hij, een geeuw onderdrukkend, ook al liep het al tegen de middag. Even knipperde hij met zijn ogen naar Tarkyn, en toen keek hij naar zijn vrouw. 'Wat kijk je bedremmeld, liever. Heb ik iets gemist?'

40

In de twee weken tussen Larans boodschap dat ze gingen trouwen en haar komst in Warrinhaven, was Marla voor haar gevoel een heel leven ouder geworden.

Noch Lydia, noch Frederak had er bezwaren tegen dat Marla Hoogkasteel verliet. Volgens Ninane had Laran heer Branador apart genomen om hem op ondubbelzinnige wijze duidelijk te maken dat hij, als hij heer van Hoogkasteel wilde blijven, zich niet zou bemoeien met de zaken van zijn nieuwe krijgsheer. Marla had het idee dat Frederak wel zou hebben geprotesteerd als hij had gedacht dat Marla tegen haar wil werd meegenomen, maar toen ze hem had verzekerd dat ze best met heer Krakenschild mee wilde gaan naar haar broer, de hoogprins, in Warrinhaven, bracht haar oom daar verder niets tegenin.

Het was alsof de reis haar veel verder had gevoerd dan de paar honderd mijl tussen Hoogkasteel en de oostgrens van de provincie Zonnegloor. De reis voerde haar van onschuld naar desillusie, van naïef vertrouwen naar afgestompt cynisme, in een bestek van slechts enkele dagen.

Terwijl ze zich lichamelijk verplaatste van de kou van de bergen naar de vochtige warmte van de alluviale vlakte, leek haar hart in tegengestelde richting te gaan. Marla had Hoogkasteel verlaten in de berusting dat haar niets meer wachtte dan een kille, praktische toekomst, waarin de politiek de primaire zorg was van alle betrokkenen en haar vermogen tot voortplanting haar waardevolste goed was.

Hoewel Marla's hart was gebroken door het besef dat haar droom over Nashan Havikzwaard niets anders was dan haar eigen domme verbeelding, was ze niet zo ontdaan dat ze de voordelen van deze regeling niet inzag. Ze zou altijd van Nash blijven houden, besloot ze voor zichzelf, maar hij bevond zich buiten haar bereik. Ze was de enige zus van de hoogprins van Hythria. Voor Marla Wolfsblad bestond er geen keus.

Het had erger kunnen zijn, hield ze zichzelf voor. Het zóú ook erger zijn geweest als ze Hythria had moeten verruilen voor Fardohnya en een leven in de afgeslotenheid van Hablets harem. Van dat lot was ze tenminste gered.

Laran Krakenschild was geen man die Marla zou hebben gekozen, maar ze besefte dat ze veel slechter af had kunnen zijn. Laran was niet onuitstaanbaar oud. Hij was niet ongemanierd of anderszins aanstootgevend. Hij leek zelfs rekening te houden met haar omstandigheden. En lelijk was hij ook niet, al stond zijn gezicht te streng om hem knap te noemen. Hij was waarschijnlijk opgeleid door een court'esa. En hij was in elk geval rijk genoeg om haar alles te geven wat haar hartje begeerde. En daar hoefde ze hem alleen maar een zoon voor te schenken.

Of liever gezegd: haar broer een neefje te schenken. Het regende weer, zoals bijna de hele tijd sinds Marla in Warrinhaven was. Het water tikte op de dakpannen en sijpelde in grijze straaltjes langs het venster omlaag, samenvloeiend in een grotere plas op de vensterbank. Ze droeg haar trouwjurk, een mooie roodzijden japon, afgezet met gouden borduursels en zaadparels, gekregen van Larans moeder, die Marla en Laran al hier in Warrinhaven had opgewacht. Vandaag was het Feest van Jashia, de vuurgod. Trouwen op het Feest van Jashia moest betekenen dat je een vurige relatie tegemoet kon zien, een onfortuinlijke overtuiging die vrouwe Jeryma had afgedaan als dom bijgeloof.

Kan ik wel een vurige relatie tegemoetzien? vroeg Marla zich af. *Moet er daar niet minstens een beetje passie voor zijn? Die voel ik niet. Tussen Laran en mij is er slechts een beleefde afstand.*

Een andere, cynischer stem in haar hoofd voegde daaraan toe: *Maar op een dag ben je de moeder van de hoogprins van Hythria.*

Chaine Tollin, de kapitein van Larans wacht, had haar dat gezegd voordat ze Hoogkasteel verlieten.

Marla dacht aan haar gesprek met hem terwijl ze wachtte tot de bruiloft begon. Het was geweest op de dag dat ze met Laran zou vertrekken. Marla had zenuwachtig ijsberend in haar kamer gewacht tot Lirena terugkwam met haar koffers toen Chaine was gekomen, tegelijk met haar ontbijt. Hij liet de huisslaaf de maaltijd neerzetten bij de haard, stuurde hem weg, ging toen zitten en pakte een van de met honing besmeerde tarwekoeken.

'Gaat u zitten, hoogheid,' bood hij aan. 'Laran en Nash zijn op valkenjacht met uw oom, dus deze ochtend ben ik uw enige gezelschap, vrees ik.'

'Waar zijn mijn slaven?' had ze gevraagd, want ze vond het erg raar dat de kapitein van Larans wacht zich zo vertrouwd gedroeg bij iemand die duidelijk zo ver boven zijn stand verkeerde.

'De dwerg stond in de keuken te bekvechten met uw kinderjuf toen ik daar was. Iets over hoeveel koffers u van plan was mee te nemen.' Hij glimlachte. 'Het zag ernaar uit dat het nog wel even kon gaan duren, en daarom bood ik aan uw ontbijt naar boven te brengen terwijl zij het uitvochten. Die andere... hoe heet hij ook alweer... Dorin?'

'Corin.'

'Die was op weg naar vrouwe Ninane, geloof ik.'

'Komt u mij hier bewaken?'

'Moet u dan worden bewaakt?'

Marla werd heen en weer geslingerd tussen haar honger en de ver-ontwaardiging over de nogal luchthartige manier van doen van de ka-pitein. Haar honger won, zodat ze plaatsnam tegenover Chaine en haar bord begon vol te stapelen met de tarwekoeken.

'Dus de krijgsheer van Krakandar heeft behalve zijn eigen leger ook dat van Zonnegloor in zijn zak,' zei ze na een blik op de afdruk van de raaf in het kuras van de kapitein.

'Nou, Laran en ik kennen elkaar eigenlijk al van kinds af aan,' zei hij. 'Ik ben opgegroeid in paleis Cabradell.'

Dat wist Marla niet. De macht die Laran tot zijn beschikking stond, fascineerde haar. Ze begreep het gevaar waarin Laran zich had bege-ven door een tweede provincie te accepteren. Maar met de steun van het leger van Zonnegloor had hij het dubbele van de manschappen van ieder ander in Hythria. En wie had gedacht dat ze hem zomaar zouden volgen?

'Was uw vader in dienst van Glenadals huishouden?'

'Mijn vader wás Glenadal Ravenspeer,' antwoordde de kapitein botweg.

Ze keek hem nieuwsgierig aan. 'Dus ú bent de bastaard?'

'U zegt dat alsof u van mij hebt gehoord, hoogheid.'

'Geruchten,' schokschouderde ze. 'Heeft heer Ravenspeer u niet er-kend in zijn testament?'

'Nee.'

Marla hield haar hoofd schuin. 'Waarom volgt u Laran Kraken-schild dan, kapitein, en verzet u zich niet tegen hem?'

'Op dit moment vallen mijn belangen en die van Laran geloof ik samen.'

'En als ze niet langer samenvallen?'

Chaine glimlachte. 'Dat zien we wel als het zover is.'

'En wie werken er nog meer mee aan dit staatsgreepje?' vroeg ze met een mond vol tarwekoek. 'Laran heeft de hoge arrion in zijn zak, als ik moet geloven wat hij over Kagan Palenovar zegt. En heer Ha-vikzwaard en zijn zoon zijn erbij betrokken, want anders was Nash niet hier.' Marla zei het zonder erbij na te denken, en plots moest ze een nieuwe ronde tranen wegslikken. *O, Nash, waarom heb je niets gezegd? Waarom heb je me niet gewaarschuwd?*

Chaine haalde zijn schouders op. 'Laran heeft plannen die hij zelfs mij niet toevertrouwt. Maar als ik in zijn schoenen stond, zou ik pre-cies hetzelfde doen. Vooral met u als uiteindelijke hoofdprijs.'

Marla werd totaal overrompeld door het compliment.

'Dank u, kapitein,' zei ze, hevig blozend. 'Dénk ik.'

'Ik bedoelde het als een compliment, hoogheid.'

Abrupt had hij zijn lege bord neergezet en was hij overeind gesprongen om wat losse kruimels weg te vegen en vervolgens na een buiging naar de deur te lopen. Marla kreeg de indruk dat Chaine hier niet alleen maar was om haar gezelschap te houden, maar dat hij zich op het laatste moment had bedacht.

Aarzelend was hij met zijn hand op de deurknop blijven staan. 'Hoogheid,' zei hij, een beetje nerveus, 'als u... als u ooit...' Chaine had de moed verloren en keek zeer ongemakkelijk.

'Kapitein?' spoorde ze hem aan.

'Ik wou alleen maar zeggen... als u ooit op zoek bent naar een vriend...'

Marla keek hem bedachtzaam aan. 'Dan kan ik rekenen op ú? Waarom?'

Chaine rechtte zijn schouders en haalde een keer diep adem voordat hij sprak. 'Omdat u op een dag geen kind meer bent, hoogheid. Op een dag bent u de moeder van de hoogprins van Hythria. Ik ben maar een laaggeboren zoon zonder een kans om te krijgen wat me toekomt als ik zelf geen vrienden – invloedrijke vrienden – heb.'

Marla glimlachte. 'Denkt u dat ik op een dag invloedrijk zal zijn?'

'Zeker een derde van de legers van het land zijn gemobiliseerd omdat u gaat trouwen, hoogheid,' merkte hij op. 'Dat is lang geen slecht begin.'

'Zo had ik er nooit over gedacht.'

'Nou, het aanbod staat, als u er behoefte aan hebt.'

'Bedankt, kapitein,' had Marla geantwoord. Nu ze eraan terugdacht, kreeg ze het gevoel dat Chaine echt had gemeend wat hij zei. Mogelijk had hij getracht bij haar in de gunst te komen om zijn eigen politieke bedoelingen, maar ze had toch de indruk dat er meer achter school. Misschien wist hij, als verschoppeling, wel goed hoe het was om het slachtoffer te zijn van andermans snode plannen.

'Je ziet er prachtig uit, lieverd.'

Het is zo ver, dacht Marla en ze zette alle gedachten aan eventuele politieke bondgenoten van zich af. Ze draaide zich om van het venster en keek naar de deur. Daar stond vrouwe Jeryma, met een hartelijke glimlach op haar gezicht en haar hand op de deurknop.

'Maakt dat dan iets uit?' schokschouderde Marla. 'Het gaat toch alleen maar om mijn baarmoeder, vrouwe Jeryma, niet om hoe ik er aan de buitenkant uitzie.'

Jeryma schudde haar hoofd en deed de deur dicht. Ze liep naar het slaapkamertje dat Marla door heer Murvyn was toegewezen toen ze in Warrinhaven was aangekomen, en pakte de prinses bij de hand. De weduwe van de krijgsheer voerde haar mee naar het bed en ging naast haar zitten, haar gezicht medelevend en begripvol.

'Ik ben vier keer getrouwd geweest, Marla,' zei ze. 'De eerste keer met een dronken imbeciel. Mijn tweede man was als een vader voor me. De derde was een bruut varken, en de vierde was iemand van wie ik zielsveel ben gaan houden. Jij hebt geluk, lieverd. Jij begint met nummer vier.'

'Vrouwe Jeryma, ik begrijp best wat u wilt zeggen...'

'Nee, Marla, volgens mij niet,' zei Jeryma. 'Ik probeer je namelijk te vertellen dat het niet het einde van de wereld is. Je gaat trouwen met een goed mens. Een eerbaar man. En je beschermt de troon van Hythria tegen een buitenlandse pretendent.'

'Alleen als ik een zoon krijg.'

'Die krijg je ook,' voorspelde Jeryma zelfverzekerd.

'Stel dat ik zes dochters krijg?'

'Dan zal Laran van ieder van hen houden alsof het de belangrijkste persoon ter wereld is. Zo is hij, Marla. Laat je niet door kinderlijke dromen over romantiek verblinden voor het feit dat je nieuwe echtgenoot een goed en fatsoenlijk man is.'

'Hij verveelt zich vast dood bij mij,' waarschuwde Marla. 'Hij vindt me tenminste nog maar een kind.'

'Je bent geen kind meer, Marla,' verzekerde Jeryma haar. 'Je bent een Hythrische prinses. Jij bent de toekomst van dit land. Kleineer jezelf niet door iets anders te denken.'

'Maar ik weet niet wat ik moet dóén,' biechtte ze op, de tranen vervloekend die ze had gezworen niet te zullen schreien. 'Ik bedoel... het is heel anders dan wanneer je verliefd bent, toch? Of met een court'esa. Daar is geen kunst aan. Iedereen kent zijn plaats en weet wat er wordt verwacht. Maar wat moet ik tegen Laran zeggen? Wat moet ik doen?'

'Is dat het enige waar je je zorgen over maakt, meisje?'

'Ja, en het feit dat de Convocatie van Krijgsheren ons vast de oorlog verklaart als ze erachter komen wat er hier vandaag is gebeurd,' merkte ze op. Vrouwe Jeryma leek dat kleine maar uiterst relevante detail in haar gloedvolle aanbeveling van haar oudste zoon over het hoofd te hebben gezien.

'Mogelijk,' gaf vrouwe Jeryma toe. 'Maar dat is niet jouw probleem. En wat mijn zoon betreft, nou, naar mijn ervaring reageert hij beter op de waarheid dan op welke overtuiging dan ook. Als je bang bent, Marla, zeg dat dan gewoon. Hij zal je er niet voor straffen.'

'Maar ik ben niet fatsoenlijk opgeleid,' bekende Marla schoorvoetend terwijl ze haar ogen uitwreef. 'Ik was zo kwaad omdat ik met

Hablet moest trouwen dat ik niets met mijn court'esa te maken wilde hebben, tot een paar nachten voordat Laran op Hoogkasteel verscheen.'

'Zeg hem dat ook, Marla. Je hebt niets te verliezen en alles te winnen.'

Marla snifte haar tranen weg en keek vrouwe Jeryma onderzoekend aan. 'Heeft hij u hierheen gestuurd om me gerust te stellen?'

'Goden, nee!' grinnikte Jeryma. 'Hij zou het besterven als hij dacht dat zijn moeder hier bij zijn toekomstige bruid zat om te bespreken hoe ze het beste met hem naar bed kon gaan.'

'Het is ook wel een beetje bizar.'

Jeryma glimlachte en kneep geruststellend in haar hand. 'Maar noodzakelijk, denk ik. Wees niet bang, Marla. Wees trots. Wij vrouwen van Hythria kunnen maar zelden iets doen wat van groot belang is. Laat jouw kans niet verloren gaan.'

'Zoals u het zegt, klinkt het zo... nobel.'

'Het is ook nobel, Marla,' verzekerde Jeryma haar. Ze stond op. 'Droog nu je tranen, dan gaan we naar beneden. Zoals mijn derde man graag zei: verdraag het maar met een glimlach, meisje, want het is voorbij voordat je er erg in hebt.'

Marla's bruiloft met Laran Krakenschild vond weinig meer dan een uur later plaats, op een regenachtige middag in Warrinhaven, in de ridderzaal van heer Murvyn Rahan, de baron van Charelle. Marla mocht tijdens de plechtigheid niets zeggen. Bij een Hythrisch huwelijk telde alleen de mening van de bruidegom. Ze hoefde er alleen maar fraai uit te zien, terwijl Kagan Palenovar Laran liet zweren dat hij zou zorgen voor zijn vrouw en alle kinderen en eigendommen die ze in het huwelijk bracht – een grap, dacht Marla, als je erbij stilstond dat ze werd verkocht als een fokmerrie.

Marla had er geen idee van wat er voor haar was betaald – hoeveel geld, eigendommen, hoeveel gunsten. Maar wat het ook had gekost, Laran Krakenschild leek het niet erg te vinden, en haar broer Lernen leek meer dan gelukkig met deze regeling. Ze wist ook niet welke onderhandelingen er zich onderweg naar Warrinhaven hadden afgespeeld tussen de hoge arrion en haar broer, maar de hoogprins was, zeer ingenomen met het idee dat Marla de vrouw van Laran werd, op het landgoed verschenen en leek de afspraak met Hablet alweer te zijn vergeten.

De hoogprins keek opgewekt toe tijdens de plechtigheid en lachte bemoedigend naar haar terwijl Kagan sprak. Lernen was helemaal gezwicht voor de krijgsheer van Krakandar en zijn trawanten, wat inhield dat ze hem aanzienlijk meer in het vooruitzicht moesten hebben gesteld dan Hablet voor haar hand had geboden. Ook moest de hoog-prins er inmiddels van overtuigd zijn geraakt dat hij niet zou lijden onder het feit dat hij zich niet hield aan de afspraak met Fardohnya. Mogelijk had Laran zelfs aangeboden de kosten voor de verdediging van de grenspassen te dragen – en de goden mochten weten wat nog meer – om zich van de instemming van de hoogprins te verzekeren.

Laran had ook nog iets anders van haar broer gedaan gekregen wat Marla nooit voor mogelijk had gehouden. Het was iets wat een hoog-prins in geen duizend jaar had gedaan. Lernen Wolfsblad had beloofd zich te zullen uitspreken tegen elk decreet van de Convocatie van Krijgsheren waarmee Glenadals testament zou worden ingetrokken, om Laran Krakenschild het rentmeesterschap over de provincie Zon-negloor te gunnen.

Met die belofte werd Laran meer dan slechts een pretendent, meer dan slechts een krijgsheer.

Daarmee werd hij de machtigste man van Hythria.

Na een kort applausje van de mannen en vrouwen in de ridderzaal van Murvyn Rahan besloot Kagan Palenovar zijn toespraak. En zo eenvoudig werd Marla Wolfsblad de echtgenote van Laran Kraken-schild.

Deel III

Over familie, vrienden en verraad

41

Het nieuws dat de hoogprins van Hythria zich had bedacht over het aanstaande huwelijk van zijn enige zus met de koning van Fardohnya bereikte Hablet in Talabar slechts acht dagen later.

Aan de andere kant stond Lernen er in zijn verontschuldigende communiqué op dat Hablet de verrukkelijke court'esa Welenara hield, ter kleine compensatie voor het ongemak dat de koning had geleden ten gevolge van de verandering van Marla's omstandigheden. Hablet zou Welenara hoe dan ook hebben gehouden, gewoon uit principe, maar hij was nogal gehecht geraakt aan de jonge slavin, en het deed hem deugd dat hij haar niet hoefde te executeren. Dat zou zijn enige toevlucht zijn geweest wanneer Lernen haar terug had gewild. Hij kon haar onmogelijk terug laten gaan naar Hythria.

Wat moest Lernen trouwens met een court'esa van het vrouwelijke geslacht? De tijding van Marla's huwelijk met Laran Krakenschild werd afgeleverd door de Hythrische ambassadeur in Talabar, een zeer spijtbewuste en zenuwachtige heer Rene Sharroan, een neef van de krijgsheer van Pentamor. Hablet liet hem prompt executeren als vergelding voor de diepe belediging aan het adres van zijn koninklijke persoon.

Lernen Wolfsblad had hem schandalig verraden. Niet alleen had de hoogprins van Hythria zich onttrokken aan een zakelijke afspraak (in Fardohnya een grotere zonde dan moord), hij had Hablet ook nog de enige kans ontnomen om legaal een oplossing te vinden voor een oude, vergeten maas in de Fardohnyaanse opvolgingswetten, waarin was bepaald dat bij ontstentenis van een mannelijke erfgenaam van Fardohnya, de oudste nog levende Wolfsblad zijn troon zou erven.

Lecter Turon had de eeuwenoude wet ontdekt toen hij op zoek was naar heel iets anders – Hablet wist niet eens meer wat – en had hem meteen onder de aandacht van zijn koning gebracht.

Er bestond een gedegen historische reden voor deze bepaling. Toen

Groot-Fardohnya (zoals de twee zuidelijke landen eens heetten) zo'n twaalfhonderd jaar geleden werd gesplitst, betrof dit een minnelijke schikking, maar om zijn tweelingzus Doranda te garanderen dat ze altijd welkom zou zijn in haar vaderland, was koning Greneth de Oude van Fardohnya ermee akkoord gegaan dat, bij gebrek aan een mannelijke erfgenaam, Doranda's zoon van de pas gekroonde hoogprins van Hythria, haar echtgenoot Jaycon Wolfsblad, als eerste in aanmerking zou komen voor de troon. De koning verwekte echter een zoon, evenals iedere andere monarch die door de eeuwen heen na hem kwam. De wet was een vergeten stukje geschiedenis geworden en zou dat waarschijnlijk ook gewoon blijven.

Maar Hablet hield niet van risico's. Hij had al zijn vaders court'esa en al zijn laaggeboren broers en zussen vermoord toen hij de troon besteeg, zelfs de halfbroers en halfzusters die hem beschouwden als een vriend, gewoon om er zeker van te zijn dat er geen pretendenten meer waren om onrust te stoken wanneer hij eenmaal koning was. Op het vernemen van zijn moordpartijen had zijn enige wettige zus hem erop aangesproken en gedreigd zijn gruwelijke misdrijf wereldkundig te maken. Hablet had dus ook Harryat terecht moeten stellen, maar hij verspreidde het verhaal dat ze onbaatzuchtig de hand aan zichzelf had geslagen opdat ze niet per ongeluk een kind kon voortbrengen dat op een dag aanspraak dreigde te maken op de troon van haar broer. Hij had zelfs een erg fraai altaar voor haar opgericht in de tempel van Jelanna in de stad.

Het domme wicht geniet als martelares meer populariteit dan toen ze nog leefde, redeneerde Hablet. *Ze zou me dankbaar moeten zijn.*

Hablet twijfelde er niet aan dat ook hij de vereiste zoon zou verwekken, net zoals zijn voorouders al twaalfhonderd jaar hadden gedaan.

Maar het zou leuk zijn geweest om de maas te dichten die inhield dat er op een dag een Hythrun over Fardohnya kon heersen als het ergste gebeurde en de zittende koning geen wettige erfgenaam kon krijgen. Als Hablet met Marla kon trouwen en haar zoon de volgende erfgenaam van Fardohnya werd, zou het kind tenminste een Fardohnyaan zijn en was het gedaan met de dreiging dat er ooit een Hythrische Wolfsblad in Talabar kon regeren.

Dat de Hythrun het net zo belangrijk vonden dat hun hoogprins was geboren op Hythrische bodem interesseerde Hablet niet in het minst. Wat de Hythrun wilden kon hem net zo weinig schelen als wat er gebeurde met die wilde teven die de scepter zwaaiden over Medalon, ten oosten van Fardohnya, of met die godsdienstwaanzinnigen in Kariën in het noorden. Hem interesseerde maar één ding, en dat was

Fardohnya. En in het bijzonder de zekerheid van zijn eigen bewind. De rest was, tja, bijzaak.

Maar het eerste agendapunt van vandaag was vergelding voor de belediging van de Hythrische hoogprins. Er bestond een oude Fardohnyaanse traditie, de *mort'eda*, de kunst van het wreken, en Hablet was van plan een nieuwe maatstaf in finesse en venijn te vestigen met de bloedprijs voor de belediging om hem de bons te geven.

Ongeduldig beende Hablet heen en weer door zijn kantoor, wachtend tot Lecter Turon terugkwam met nieuws over de gebeurtenissen in Hythria.

Volgens het laatste verslag dat Hablet enkele dagen geleden had ontvangen, heerste er grote onrust. Laran Krakenschild had een tweede provincie gekregen en een verbond gesmeed met de krijgsheren van de twee provincies die tussen Krakandar en Zonnegloor in lagen, dus hij had nu meer dan de helft van het land in zijn beheer. Enkele andere krijgsheren spraken er met veel misbaar over om tegen hem ten strijde te trekken, maar Larans meerderheid was zo groot, dat het Hablet zou verbazen als ze meer deden dan wat kletteren met hun zwaarden en hem uitschelden alvorens af te druipen naar hun eigen provincies om hun wonden te likken.

De hoogprins zat weer in Groenhaven en gaf geld uit alsof hij goud bloedde uit een open wond. Voor zover Hablet kon zien, bestuurde Lernen het land helemaal niet. Die had het veel te druk met zijn eigen vermaak om zich door dergelijke botheden te laten afleiden. Hythria stond onder de leiding van de hoge arrion van het Tovenaarscollectief, Kagan Palenovar, en de mensen die hij rondom de hoogprins had verzameld.

De Convocatie van Krijgsheren was gedegradeerd tot de zijlijn (nu Laran zoveel van Hythria in handen had, was dat instituut hoe dan ook een farce) en zelfs Barnardo Arendspiek, het boegbeeld van de Patriottenfactie en Lernen Wolfsblads luidruchtigste tegenstander, had zich als een geslagen hond teruggetrokken in Kasteel Dregian en hield zich uitermate koest.

Eerst had Hablet Hythria willen binnenvallen om de belediging te wreken, maar daarin werd hij nog het meest gehinderd door de geografie. De majestueuze Zonnegloorbergen telden maar twee begaanbare passen naar Hythria, en die lagen allebei in de provincie Zonnegloor. De ene – de Weduwmakerspas – lag in het noorden van de provincie, bij Winternest. De andere lag aan de kust, bij Hoogkasteel. Maar aan die route had hij niets, want zijn verkenners meldden dat de zuidelijke pas was versperd door een lawine (Hablet vermoedde met opzet) – zodat alleen Winternest over was, een nagenoeg onneembare vesting, beschermd door, volgens de laatste telling, bijna vierduizend man. Hablet kon een wel honderd keer zo groot leger op de been brengen, maar daar had hij niet veel aan als hij maar een zes man brede linie de pas in kon sturen terwijl de Hythrische verdedigers de indringers op hun dooie gemak een voor een afschoten.

De deur ging open en Lecter Turon repte zich de kamer binnen, zijn kale kop glimmend van het zweet op het vochtige middaguur. Hij gunde zijn koning een plichtmatige buiging voordat hij ter zake kwam.

'Ik heb Marla Wolfsblad gevonden!' verkondigde de eunuch, zeer vergenoegd kijkend.

'Wel wat laat, Lecter. Vóórdat ze was getrouwd met iemand anders zou me beter van pas zijn gekomen.'

'Nee, u begrijpt me verkeerd, majesteit. Ik spreek niet van haar waarde als echtgenote maar haar waarde als gijzelaar. Ik geloof dat ze verborgen wordt gehouden vanwege een mogelijke burgeroorlog. De krijgsheren van de Patriottenfactie zijn niet gelukkig met de huidige situatie. En ze zijn razend omdat de hoogprins zomaar heeft beslist in Larans voordeel, zonder de Convocatie te raadplegen.'

'En, waar houden ze haar verborgen?'

'Winternest.'

'Weet je dat zeker?'

'Ik ben nog nadere inlichtingen aan het inwinnen, maar het ziet er wel naar uit. Het garnizoen in Winternest is versterkt met een groot aantal extra manschappen rond dezelfde tijd als de bruiloft. Maar het zijn geen Zonnegloorse troepen die het fort bewaken. En ook geen mannen van Charel Havikzwaard uit Elasapine, wat heel logisch zou zijn, aangezien Winternest zo dicht bij de grens met Elasapine ligt. Het zijn Krakandarse troepen onder het bevel van Laran Krakenschilds halfbroer, Mahkas Damaran.'

'Dat bewijst niets.'

'Op zichzelf niet, nee,' beaamde Lecter. 'Maar gepaard aan de verslagen die ik heb van ooggetuigen die haar op het kasteel hebben gezien...'

'Is ze gezien?' vroeg Hablet verbaasd.

'Er wordt daar inderdaad een jong meisje bewaakt. Blond haar, een jaar of zestien. De hele zuidelijke arm van het kasteel is verzegeld en tot haar beschikking. Ik zou niet weten wie het anders moest zijn. En als Laran bang is voor een aanval van een andere Hythrische krijgsheer, kan hij Marla niet veel verder uit de buurt van het gevaar brengen zonder haar over de grens in Fardohnya te zetten.'

'Dus je denkt niet dat hij bang is voor mij?'

'Volgens mij gelooft Laran Krakenschild eerder – vrij terecht – dat u geen belangstelling voor Marla Wolfsblad meer hebt nu ze met een ander is getrouwd. Het gaat u om de belediging, majesteit. Marla kan u eigenlijk helemaal niets schelen.'

Hablet schudde zijn hoofd. 'Ik zie nog steeds niet wat we met die inlichtingen opschieten, Lecter. Winternest is het best verdedigde fort in Hythria. Hoe krijgen we haar daar ooit vandaan zonder ons halve leger eraan te verspillen?'

'Door te doen waar we goed in zijn, majesteit,' opperde Lecter met een zalvende glimlach.

'En wat is dat, Lecter?'

'De handel.'

'Handel?'

Lecter knikte, zeer zelfingenomen kijkend. 'Alles heeft een prijs, majesteit, zelfs een Hythrische prinses. Geef me voldoende middelen, en ik koop uw prinses voor u. Zelfs uit Winternest.'

Hablet glimlachte. 'Dat zou Lernen flink irriteren, hè?'

'Om nog maar te zwijgen van Laran Krakenschild.'

Bedachtzaam krabde Hablet in zijn baard. 'Hij is erg rijk, hè? Volgens mij zouden we een hoop losgeld voor haar kunnen eisen.'

'Winstgevend én verrukkelijk ironisch, majesteit.'

Hablet dacht er even over na en stelde zich het gezicht voor van dat perverse kleine kereltje als hij erachter kwam dat Hablet zijn zus uit Winternest had ontvoerd. Hij knikte naar zijn kamerheer. 'Dat moesten we maar eens doen.'

Lecter glimlachte en maakte een buiging voor zijn koning. 'Ik ga het meteen regelen, sire.'

'Doe dat,' zei Hablet. Het enige wat nog beter was dan een bloedprijs in het kader van mort'eda, was een prijs die bestond uit echt geld.

42

Je kon veel zeggen van Alija Arendspiek, maar bovenal was ze een voortreffelijk politica. Ze kon de grillige windstromingen van politieke verschuivingen lezen zoals anderen een naderende weersomslag konden voelen.

En ze wist wanneer ze was verslagen. Het huwelijk van Marla Wolfsblad en Laran Krakenschild was een voldongen feit tegen de tijd dat ze in Warrinhaven arriveerde, met Barnardo en Marla's ongewenste court'esa op sleeptouw. Dientengevolge moest ze als eerste haar woede inslikken en Laran en Marla met hun huwelijk feliciteren alsof ze het werkelijk meende. Marla had geen reden te vermoeden dat Alija's hartelijke felicitaties niet oprecht waren. Laran, echter, was zeer argwanend maar kon niets anders, in het openbaar tenminste, dan haar beste wensen te aanvaarden in de geest waarin ze bedoeld leken.

Het was voor iedereen een ongemakkelijke situatie geweest, en Alija was van plan Warrinhaven zo snel als ze beleefd kon te verlaten, met als smoes een dringende afspraak over enkele dagen met de graaf van Glint in de provincie Dregian, zodat ze niet langer konden blijven dan een dag of twee.

Zo erg had het allemaal niet hoeven zijn, als ze de zelfingenomen tevredenheid van Kagan Palenovar niet had hoeven verdragen. Zich verkneukelend over zijn verbluffende staatsgreep hield de oude tovenaar haar aan in de gang buiten de grote zaal van heer Murvyn, nadat ze zich had verontschuldigd voor haar haastige vertrek.

'Dus u verlaat ons al, mijn vrouwe?' riep Kagan haar na toen ze terug wilde lopen naar de gastenverblijven in de zuidelijke vleugel van het kleine paleis. Het was laat in de middag, en het zonlicht stroomde door de smalle vensters op het westen, de gang opluisterend met strepen schaduw en fonkelende stofdeeltjes die dansten in de stille lucht.

'Wat jammer,' voegde hij er met enorme onoprechtheid aan toe.

Met een zorgvuldig neutraal gehouden gezicht draaide Alija zich naar hem om. Ze wist dat Kagan haar aan het voeren was. Haar enige troost was de voortdurende en onverklaarde verdwijning van Wrayan Lichtvinger. Van de leerling ontbrak elk spoor in Warrinhaven, en al kon ze niet zien of de hoge arrion brandde van verlangen om haar te ondervragen over de gebeurtenissen in de Tempel van de Goden, hij kon niets zeggen zonder toe te geven dat hij zelf had meegeholpen om haar court'esa opzettelijk te beschadigen.

'Het heeft weinig zin hier nog te blijven,' schokschouderde Alija. 'En het lijkt me dat u hier ook niet meer zo lang zult zijn, mijnheer. U hebt uw eigen problemen, nietwaar?' De afwezigheid van zijn leerling doemde tussen hen op als een onzichtbare muur die ze geen van beiden konden benoemen zonder hun eigen schuld in de affaire toe te geven.

Maar Kagan was te scherpzinnig om te laten blijken dat hij ook maar iets wist van haar confrontatie met Wrayan. 'Een van de geneugten van het ambt van hoge arrion, vrees ik. Er zijn altijd wel problemen. Ik neem aan dat u als actievoerend hoofd in de factie die de hoogprins zo graag van de troon wil stoten, net zulke verantwoordelijkheden draagt.'

Alija glimlachte, maar vanbinnen ziedde ze. Toegegeven, Kagan had goede redenen om met zichzelf ingenomen te zijn. Hij wist net zo goed als Alija dat er met het huwelijk van Marla met Laran, een Hythrun van onbesproken afkomst, een einde was gekomen aan de campagne van de Patriottenfactie om Barnardo op de troon te plaatsen. Met de kans dat Lernens zus een mannelijke nazaat voor het Huis Wolfsblad zou voortbrengen die hem op een dag kon vervangen, leken de tekortkomingen van de hoogprins een stuk eenvoudiger te tolereren. Over Lernens perversies, die een maand geleden nog leidden tot eindeloze verbolgenheid onder de adel, werden nu al (slechts dagen na de bruiloft) gesproken als onschuldige verzetjes die niemand kwaad deden – daar slaven niet tot echte mensen werden gerekend. Opeens werd Lernen beschouwd als een machteloze dwaas en niemand nam de moeite iets aan hem te doen.

'Dit blijft niet onbestraft, oudje,' waarschuwde ze. 'De Convocatie van Krijgsheren zal razend zijn. Lernen heeft hen in de kwestie van Glenadals testament terzijde geschoven en hun wensen op dit gebied eigenmachtig weggewuifd.'

'Kan best,' beaamde Kagan onbekommerd. 'Maar hij heeft ook zijn plan ingetrokken om zijn enige zus uit te huwelijken aan de Fardohnyaanse koning, waarmee zijn beslissing om Laran Krakenschild de heerschappij over de provincie Zonnegloor en de hand van zijn zus te gunnen, het minste van twee kwaden is geworden, vindt u ook niet?'

'Met een huwelijk van zijn zus met een Hythrun verandert er nog niets aan Lernen zelf.'

'En wie maakt zich daar verder druk om, Alija?' schokschouderde de oude man. 'Lernen heeft jullie patriottische krijgsheren precies gegeven waar u voor streed: een Hythrische erfgenaam, zij het eentje die nog moet worden verwekt. Jullie aanval op de kroon van de hoogprins was uitsluitend gebaseerd op het feit dat uw echtgenoot een Hythrun is, twee gezonde Hythrische zonen heeft en afstamt van het koninklijk huis, ook al was zijn overgrootmoeder het laatste familielid dat de naam Wolfsblad droeg. Dat maakt nu allemaal niets meer uit. Wij krijgen onze Wolfsbladse erfgenaam, een geboren en getogen Hythrun. U en uw echtgenoot – alsmede uw factie – staan nu buitenspel.'

'Dat denk je maar, Kagan, want de Convocatie zal dit niet zomaar over haar kant laten gaan.'

'U onderschat hoeveel respect Laran geniet onder zijn gelijken, mijn vrouwe. Het is goed mogelijk dat hij de enige in Hythria is die zo'n brutaal plan ongestraft kan uitvoeren.'

Met tegenzin knikte Alija beamend. Larans reputatie onder de krijgsheren was geen toeval. Jeryma had haar zoon zeer doelbewust ondergebracht bij zowel Charel Havikzwaard als Bryl Vosklauw toen hij nog klein was, zodat beide krijgsheren hem bezagen met bijna vaderlijke trots. Ook had zijn moeder erop gestaan dat Laran tijdens zijn jeugd werd onderricht in de krijgskunst, niet door hun eigen commandanten in Krakandar maar door Rogan Beerboog, de krijgsheer van Izcomdar, de provincie die in het zuiden aan Krakandar grensde. 'Dus met drie Hythrische krijgsheren die hem beschouwen als een zoon, de hoogprins in zijn zak, de hoge arrion in zijn familie en rechtstreekse zeggenschap over nog eens twee provincies, zou niemand het wagen iets tegen Laran te ondernemen?'

Kagan glimlachte sereen. 'Dat denk ik inderdaad, Alija. Laran – en de hoogprins ook, overigens – staan buiten de invloedssfeer van u en die steeds onbeduidender wordende factie van u.'

'Nu nog wel,' beaamde ze, zich afvragend of Kagan dacht dat ze haar plannen om haar man mettertijd op de troon te zetten, had laten varen.

'Nu is het enige wat telt,' zei Kagan, en hij draaide zich om en liep weg terwijl zij hem nastaarde, zoekend naar een uitweg voor de machteloze woede die haar te veel dreigde te worden.

Tijdens haar korte verblijf in Warrinhaven merkte Alija met enige zorg dat Marla zich totaal niet leek te bekommeren om Corins terugkeer. Het zou hem dus niet meevallen haar beste vertrouweling te worden, wat zijn nut als spion zou beperken. Die rol leek gereserveerd voor de dwerg, die blijkbaar op veel intiemere voet met zijn meesteres stond dan de knappe court'esa die Alija Marla cadeau had gedaan.

Het had vrijwel onmogelijk geleken om Barnardo ervan te overtuigen het onvermijdelijke te accepteren. Hij had zijn zinnen op de troon van de hoogprins gezet en was ervan overtuigd dat Lernen met alles wat hij deed, domweg zíjn positie in de ogen van de andere krijgsheren versterkte. Uiteindelijk had Alija hem met haar innatieve magie op andere gedachten gebracht, zodat hij er tenminste niet meer over zeurde tot ze naar huis konden om te hergroeperen en iets op deze onverwachte wending van gebeurtenissen te vinden.

Marla kwam hen uitzwaaien toen Alija en Barnardo uit Warrinhaven vertrokken. Alija had voorzichtig de oppervlakkige gedachten van de jonge prinses gelezen toen ze elkaar omhelsden en niets verontrustends gevonden. Ze leek het onvermijdelijke van haar situatie te accepteren. Op de achtergrond loerde zelfs een zweem van eigendunk.

Kennelijk had iemand Marla het idee gegeven dat ze een nobel doel in het leven diende. Dat kon in de toekomst een probleem blijken als ze daar echt in ging geloven.

Het enige wat Alija verder had kunnen vaststellen uit haar korte blik op Marla Wolfsblads gedachten, was dat ze nog steeds verliefd was.

En, wist Alija, niet op haar echtgenoot.

'Ik hoop echt dat je gelukkig wordt, nichtje van me,' had Alija tegen haar gezegd toen ze de prinses hartelijk had omhelsd terwijl Barnardo's witte rijtuig voor het kleine paleis werd gereden. De prachtige, met bordeauxrood leer en verguldsel afgezette koets werd getrokken door zes identieke schimmels, met op hun gareel pluimen in de kleuren van Dregian, groen en goud. De hele uitrusting schreeuwde buitensporige rijkdom uit, en dat was precies de indruk die Alija wilde wekken.

Warrinhaven was eigenlijk slechts de buitenplaats van een vrij onbeduidend edelman, maar door gedegen investeringen en verscheidene generaties zorgvuldig beheer van het district genoot heer Murvyn een levensstijl die gewoonlijk was voorbehouden aan een krijgsheer. Het weliswaar kleine paleis was erg mooi, en de mozaïcktegeltrap waarop ze stonden te wachten, liep omlaag naar een weids plein met een grote, in brons gegoten fontein die de god Kaelarn voorstelde.

Marla huiverde en trok haar sjaal wat dichter rond haar schouders. Het was fris, die ochtend. 'Ik red me wel.'

'Laat je niet inpakken,' fluisterde Alija toen ze Marla een kus op de wang drukte. 'Vooral niet door Jeryma Ravenspeer. Die kan echt zo doordrammen.'

'Heus, Alija,' verzekerde Marla haar, 'ik red me wel.'

'Ja, maar denk eraan, als je troost zoekt, dan is Corin er voor je.'

'Ik zal het onthouden.'

Met gefronst voorhoofd vroeg Alija zich af of Marla wel ooit een beroep op de court'esa zou doen. Pas getrouwd en onder de last van hoge verwachtingen zou ze vast alleen nog maar denken aan de erfgenaam die ze van iedereen zo nodig moest baren.

Misschien moet ik haar nog een slaaf sturen, besloot Alija. *Of een slavin. Dit meisje heeft geen behoefte aan seks. Ze zoekt een vriendin.*

'En je moet er echt over nadenken om die dwerg weg te doen, Marla,' adviseerde ze. 'Dat is echt geen geschikt gezelschap voor de vrouw van een krijgsheer.'

'Laran heeft me beloofd dat ik hem mocht houden.'

'Vast alleen maar om aardig voor je te zijn, lieverd. Maar als je even stilstaat bij de positie van je echtgenoot... nou, denk er maar eens over na hoe het eruitziet. Een nar zoals hij als court'esa om je te vermaken? Wat zegt dat over je man?'

'Ik zal erover nadenken,' beloofde Marla, ook al was het zonneklaar dat ze dat geenszins van plan was.

'Doe dat, Marla. En als je mijn hulp nodig hebt, waarmee dan ook, stuur je maar bericht. Dan kom ik meteen.'

Marla glimlachte dankbaar. 'Dank je.'

Alija omhelsde haar nogmaals en stak het betegelde plein over naar de koets waarin Barnardo op haar zat te wachten. Ze liet zich door een slaaf in het rijtuig helpen en zwaaide lachend naar Marla toen ze wegreden, omringd door de wacht van Dregiaanse Stropers die ze hadden meegenomen als escorte.

Alsof ze het bijna was vergeten, liet Alija de greep los waarin ze haar man had gehouden om te voorkomen dat hij iets doms zei voordat ze uit Warrinhaven konden vertrekken.

'Gaan we weg?' vroeg Barnardo, alsof hij ontwaakte uit een diepe slaap.

'Ja, weet je dat niet meer? Je wilde per se meteen weg uit Warrinhaven.'

'O ja?' zei hij, wat vaag. 'Heb ik ook gezegd waar we heen gaan?'

'Naar huis,' lichtte ze hem in. 'Naar Dregian.'

'De jongens hebben je gemist,' waagde hij.

'En ik hen.'

Barnardo keek uit het raam van de koets, duidelijk verbaasd dat hij zo plots had besloten terug naar Dregian te gaan. 'Heb ik ook gezegd hoe lang we daar deze keer blijven?' vroeg hij behoedzaam.

'Nou, je klonk zelfs zeer beslist toen je zei dat we daar wel even zouden blijven. Daarom zul je ook wel zoveel bezoek hebben gewild.'

'Heb ik het ook over bezoek gehad?'

'Weet je dat dan niet meer, lieverd? Je was erg enthousiast over het idee om in het voorjaar een serieuze jachtpartij te organiseren. Je had het erover om Rogan uit Izcomdar uit te nodigen om mee te gaan.'

'Dat zou hem wel aanspreken. Heb ik verder nog iemand genoemd?'

'Ja, want het zou ook geen echt jachtseizoen worden als we de jongens van Valklans niet vroegen. En je wilde dit jaar ook enkele zonen van je vazallen uitnodigen. Om hen een beetje te leren kennen.'

'Dat is een goed idee,' zei Barnardo, alsof het van hemzelf afkomstig was.

'En er was nog iets,' zei ze, terwijl ze deed alsof ze zich iets probeerde te herinneren. Toen glimlachte ze plots. 'Natuurlijk, dat was die andere naam die je noemde.'

'Wie dan?'

'Nash Havikzwaard,' zei Alija tegen haar man. 'Je zei dat je Nash Havikzwaard eindelijk eens wat beter wilde leren kennen.'

'Denk je dat we daar iets mee opschieten?'

Het spel is nog niet uit, hield ze zichzelf voor. *Alleen het speelveld is veranderd.*

Alija glimlachte haar man veelbetekenend toe. 'Je hebt geen idee.'

43

Mahkas Damaran was eraan gewend te worden gepasseerd. Als de enige van Jeryma Palenovars vier kinderen die geen substantieel fortuin van een overleden vader had geërfd, teerde hij al zijn hele leven op de liefdadigheid van zijn broer en zussen. Zijn aanstelling als kapitein in het leger van Krakandar was afkomstig van zijn broer. Hij reed op een tovenaarspaard doordat hij dat van zijn broer had gekregen. Het eten dat hij at, zelfs de kleren die hij droeg, had hij te danken aan Larans liefdadigheid.

En dat maakte hem horendol.

Mahkas' frustratie werd alleen maar gecompenseerd door zijn positie in Winternest om zijn zussen te beschermen. Of liever gezegd: om Riika te beschermen, voor het geval iemand het verzon om met de enige dochter van de krijgsheer van Zonnegloor als zijn vrouw aanspraak te kunnen maken op haar nalatenschap.

Een dergelijke aanval was uitgebleven. Laran was nu getrouwd met Marla Wolfsblad, hij werd gesteund door Charel Havikzwaard en Bryl Vosklauw, en de hoogprins was akkoord met de buitengewone omstandigheid dat Laran Zonnegloor overnam zonder de zegen van de Convocatie van Krijgsheren, dus er was domweg niemand in Hythria die het in zijn hoofd haalde om tegen Laran in opstand te komen. Zelfs Chaine Tollin, Glenadal Ravenspeers bastaardzoon, had besloten dat het gemakkelijker was om Laran te steunen dan hem te bestrijden.

Teleurstellend genoeg had Hablet, de versmade koning van Fardohnya, ook niet de moeite genomen om terug te slaan. Daar had Mahkas toch een beetje op gehoopt. Met vierduizend verv-eelde manschappen die maar wat in Winternest rondhingen tot er iets gebeurde, zou het leuk zijn geweest als ze iets om handen hadden. Maar nee, zelfs de koning van Fardohnya was kennelijk, net als iedereen, tot de conclusie gekomen dat het gewoon niet de moeite waard was om iets tegen Laran Krakenschild te ondernemen.

Mahkas werd kriegelig van al dat stilzitten. Hij blafte zijn neefjes af wanneer die te luidruchtig werden met hun spelletjes en had Darilyn vanochtend weer aan het huilen gemaakt toen hij haar gezanik over het moeten wachten op nieuwe harpsnaren uit Groenhaven zo zat was dat hij had gezegd dat ze haar kop moest houden. Zelfs Riika's lieve vriendelijkheid werkte hem op de zenuwen. Nog één diepe zucht, nog één weemoedige blik in de verte wanneer iemand per ongeluk Glenadals naam noemde, en Mahkas was in staat om ook zijn jongste zus te wurgen.

Toch had Mahkas er goede hoop op dat het binnenkort beter zou worden. Met twee provincies onder zijn beheer had Laran veel te veel te doen, en Zonnegloor moest op orde worden gebracht.

Het was niet meer dan logisch dat Laran terugging naar Krakandar om daar zijn zaken te regelen terwijl zijn jongere broer ging zorgen voor de veiligheid in Zonnegloor. Mahkas kon zichzelf wel in die rol zien. Meer macht hoefde hij ook eigenlijk niet. Maar hij verdiende hoe dan ook enige consideratie. Dat was Laran hem op zijn minst verschuldigd. Bovendien wilde Mahkas als een belangrijk man naar huis. De provincie Krakandar was dan wel van Laran, maar Mahkas kwam daar ook vandaan. Hij wilde erkenning voor zijn eigen prestaties in plaats van zich te koesteren in de afgestraalde glorie van Larans verrichtingen. In een volmaakte wereld zou hij teruggaan naar Krakandar nadat hij in Zonnegloor orde op zaken had gesteld, trouwen met zijn aanstaande, Bylinda Telar, de dochter van de rijkste koopmansfamilie van Krakandar, en een rustig leventje in luxe en respect leiden.

In een volmaakte wereld...

Zijn zorgen over zijn toekomst van zich afzettend keek Mahkas naar de lucht terwijl hij over de brug liep tussen de zuidelijke en noordelijke armen van Kasteel Winternest. Het kon wel eens weer gaan sneeuwen vandaag. Mahkas bracht zijn tijd grotendeels door in de noordelijke vleugel van het kasteel. Dat was het zakelijke deel van het fort, doorgaans vol handelslieden en soldaten, terwijl er in de zuidelijke helft alleen maar zanikende vrouwen en irritante jongetjes zaten.

De Stropers op de stenen brug hoog boven de weg salueerden naar Mahkas terwijl hij overstak. Hij salueerde terug en zei hun vriendelijk gedag in het voorbijgaan.

Mahkas genoot van zijn populariteit onder de manschappen. Die gaf hem het gevoel alsof hij het bevel voerde omdat de Stropers hem mochten en respect voor hem hadden en niet omdat hij de berooide halfbroer van hun krijgsheer was.

Aan de andere kant van de brug trok hij de deur van het trappen-
huis open en nam de smalle, door fakkels verlichte trap omlaag naar
de kelderniveaus. Ondanks de vrees dat Fardohnya zou aanvallen zodra Hablet lucht kreeg van het lot van zijn aanstaande bruid, bestond
er nog altijd een levendige handel tussen de twee landen.

Nu de pas in het zuiden bij Hoogkasteel was versperd door sneeuw,
waarschijnlijk tot ver in het voorjaar, liep al het verkeer momenteel
via Winternest, waardoor het er veel drukker was dan normaal.

Nash Havikzwaard was langs geweest. Na meer dan een maand
met zijn Elasapinese Stropers te hebben gewacht of er iets zou gebeuren, volgend op hun bezoek aan Hoogkasteel, had Nash uiteindelijk
besloten terug naar Byamor te gaan. Al na een week was de eerste
knokpartij tijdens verlof uitgebroken. Beide commandanten waren het
erover eens dat er wat ruimte tussen de twee troepenmachten moest
komen. Nash zat nog steeds zo dichtbij dat hij binnen enkele dagen
hier kon zijn met versterking als Mahkas hem nodig had, en een paar
duizend man uit Elasapine, Krakandar en Zonnegloor extra in Winternest zonder iemand anders om mee te vechten, was gewoon vragen
om moeilijkheden.

De grote zaal aan de noordkant van Winternest was deels douane-
kantoor, deels taveerne en deels administratiepost voor alle handel tussen Fardohnya en Hythria. Zoals gewoonlijk wemelde het er van de
mensen die hun papieren in orde lieten maken door de nogal bedremmeld kijkende douanebeambten, wier taak het was te bepalen welke
belasting verschuldigd was over elke vracht die Hythria in of uit ging.
Mahkas benijdde de mannen hun werk niet. De meeste kooplieden die
Hythria in kwamen, waren aan de Fardohnyaanse kant van de grens
al belast voor het recht om het land te verlaten. Erg gelukkig waren
ze er nooit mee om enkele uren later opnieuw te worden belast voor
het recht om Hythria te betreden. Veel kooplieden kwamen regelmatig langs, maar als je hen zo hoorde protesteren, zou je nog gaan denken dat de belastingen net vorige week waren ingesteld in plaats van
eeuwen geleden.

Mahkas baande zich een weg door de drukke zaal naar de tapkast
aan de andere kant, waar een kleine taveerne gouden zaken deed met
het doorsmeren der kelen van al deze dorstige kooplieden. Toen de
man achter de tapkast Mahkas zag aankomen, schepte hij een beker
bier voor hem vol uit het open vat achter de tapkast en wuifde betaling weg.

'Van het huis, kapitein,' zei de taveernehouder met een grijns.

'Bedankt,' antwoordde Mahkas alsof hij zulke vrijgevigheid niet had verwacht. Uiteraard was dat maar schijn. Mahkas had nog nooit voor bier betaald in de tijd dat hij hier was. De kooplieden van Winternest wisten best hoe ze bij de broer van hun nieuwe krijgsheer in de gunst konden blijven.

Na een slok uit zijn kroes zocht Mahkas zich een weg naar de tafel nabij het laaiende haardvuur dat deze zijde van de zaal verwarmde. Daar zaten al twee mannen, zo te zien Fardohnyaanse kooplieden. De man links kende Mahkas. Dat was Grigar Bolonar, een slavenhandelaar uit de buurt van Lanipoor. De man rechts van hem was een vreemde. Hij was helemaal kaal en gedroeg zich steels, als iemand die niet op wilde vallen.

'Hallo, Grigar,' zei hij, nieuwsgierig naar diens metgezel.

'Heer Damaran!' riep de koopman uit en sprong overeind. 'Wat een aangename verrassing!'

'Je dag is vast weer helemaal goed nu je mij hebt gezien,' reageerde Mahkas met een glimlach. 'Wie is je vriend?'

De kale man stond op. 'Symon Kuron,' antwoordde hij en stak zijn hand uit naar Mahkas. 'Ik kom in Hythria kijken naar fokvee voor mijn slaven. De blonde kleur die onder uw volk zo gewoon is, is namelijk zeer gewild in Talabar.'

'Dat wist ik niet,' antwoordde Mahkas, zich afvragend waarom de man zo graag zijn aanwezigheid in Hythria wenste te verklaren. Hij hoefde helemaal niet te weten wat hij hier kwam doen. Dat kon hem ook helemaal niets schelen. 'In Groenhaven zult u vast wel kunnen vinden wat u zoekt.'

'Nou, mijnheer, eigenlijk hoopte ik niet zo ver te hoeven gaan.'

'Dan zou ik het proberen in Warrinhaven. Naar verluidt heeft de oude Murvyn een nogal indrukwekkende stal.'

Symon Kuron glimlachte. 'Ik dank u voor uw assistentie, mijnheer.'

'U hoeft mij geen heer te noemen,' zei hij terug. 'Kapitein volstaat.'

Verwonderd trok de koopman een wenkbrauw op. 'Maar u bent toch de halfbroer van de nieuwe krijgsheer van Zonnegloor?'

'Dat maakt mij nog geen heer,' zei hij met een schouderophalen, en in één teug leegde hij vrijwel de helft van zijn bierkroes. 'Het was me een genoegen, koopman Kuron. Grigar.'

Hij wendde zich af. Hij had geen zin in een gesprek over zijn titel, of het gebrek daaraan. En al helemaal niet met een of andere vettige Fardohnyaanse koopman.

'Hebt ú hier geen slaven die ik zou kunnen kopen, kapitein?' vroeg de slavenhandelaar.

Mahkas draaide zich weer naar hem toe. 'Nee.'

'Maar ik zag u eerder vandaag op de kantelen met een jonge vrouw met een hoogst verfijnd uiterlijk. Is zij niet te koop?'

Hij glimlachte. 'Beslist niet.'

'Dan zijn de geruchten dus waar?'

'Welke geruchten?'

'Dat Laran Krakenschild zijn nieuwe vrouw hier in Winternest verborgen houdt uit angst voor een Hythrische moordenaar?'

Mahkas moest lachen om het idee. 'U zou beter moeten weten dan te luisteren naar geruchten, meester Kuron.'

'Uiteraard, kapitein.' Met hoffelijke gratie maakte de koopman een buiging. 'Mijn verontschuldigingen voor het feit dat ik daar enig geloof aan heb gehecht.'

'U hoeft zich niet te verontschuldigen. Als u de geruchten maar niet verder verspreidt.'

'Natuurlijk niet. Mijn lippen zijn voor eeuwig verzegeld inzake deze kwestie.'

Mahkas keek de man even schuin van opzij aan en dronk toen de rest van zijn bier op. 'Mooi,' zei hij, en met een klap zette hij de kroes op de tafel. 'Houen zo.'

Enige tijd later, toen Mahkas terugging naar de zuidelijke vleugel van de veste voor het middagmaal, trof hij Raek Harlen op de brug tussen de twee torens, stampend met zijn voeten tegen de kou. Hij bleef staan, wierp een blik op de weg beneden en keek de jongeman aan.

'Raek, heb jij iets gehoord van een gerucht dat Marla Wolfsblad hier in Winternest is?' vroeg hij.

'Ja,' antwoordde de luitenant met een lachje. 'Dat gaat al een tijdje rond. Voor het eerst kort nadat uw zussen arriveerden, denk ik.'

'Hoe is dat dan ontstaan?'

'Vast door Riika.'

'Denk je dat Riika dat praatje heeft rondgestrooid?'

'Nee. Ik denk dat dat komt door de aanwezigheid van vrouwe Riika,' verduidelijkte Raek. 'Ze is net zo oud als Marla Wolfsblad en heeft net zulk haar, heb ik gehoord, en maar weinig mensen wisten dat Glenadal een dochter had, zo afgeschermd als hij haar in Cabradell hield. Ziet u er een probleem in?'

Mahkas schudde zijn hoofd. 'Ik vind het eigenlijk wel een mop. Is niemand op het idee gekomen om de Fardohnyanen op de hoogte te brengen?'

Raek glimlachte. 'Waarom zouden we? Als iedereen denkt dat prinses Marla hier in Winternest zit in plaats van prinses Riika, is het hier toch veel veiliger voor Riika? Iemand die haar zoekt, denkt dan dat ze nog steeds in Cabradell is.'

'Daar zit wel wat in. Ik vind het alleen zo gek dat die maffe Fardohnyanen het verschil niet weten tussen Riika en de zus van de hoogprins.'

'Misschien lijken wij wel allemaal op elkaar,' opperde Raek grinnikend.

'Daar kon je wel eens gelijk in hebben, luitenant,' stemde Mahkas in voordat hij doorliep naar de zuidelijke veste in het vooruitzicht van een lekkere warme maaltijd. Hij dacht er niet meer over na.

44

Kagan Palenovar haastte zich over het looppad tussen zijn kamer en de privévertrekken van zijn zus, zijn gewaad fladderend in een straffe wind. Nu de winterkou geleidelijk aan plaatsmaakte voor de voorjaarsbelofte, ging het hier in Cabradell steeds vaker waaien, gierend langs de bergen omlaag dat het een aard had, waardoor het in het hele dal niet erg prettig toeven was in de maanden voordat de zomerse hitte de lucht verwarmde en de wind voorlopig weer ging liggen. Ze noemden de Cabradellvallei niet voor niets de Windvallei.

Enkele weken geleden was Kagan samen met Laran, Jeryma en Marla Wolfsblad in Cabradell teruggekeerd, eindelijk tevreden dat het wat rustiger werd. Charel Havikzwaard en Bryl Vosklauw waren terug in hun provincies. De hoogprins zat weer in Groenhaven, en de andere krijgsheren hadden zich mokkend teruggetrokken om te overpeinzen hoe hun zo'n merkwaardige wending van gebeurtenissen had kunnen overkomen zonder dat ze iets hadden zien aankomen.

Hoogst ongerust over Wrayan was Kagan liever meteen teruggegaan naar Groenhaven om zijn vermiste leerling op te sporen, maar er was nog zoveel te doen en te regelen om al die bondgenootschappen in evenwicht te houden, dat hij zo kort na de bruiloft niets aan het lot kon overlaten. Maar nu was het dan toch tijd om te gaan. Wrayans blijvende afwezigheid hield hem 's nachts wakker uit angst voor wat er met de jongeman was gebeurd. Hij moest terug naar Groenhaven om uit te zoeken wat hem was overkomen.

De Convocatie van Krijgsheren had zich bereidwillig teruggetrokken nadat het Charel Havikzwaard was gelukt om Bryl Vosklauw aan hun losse verbond toe te voegen. Toen Laran eenmaal een meerderheid van de krijgsheren achter zijn plan had staan, maakte zelfs Lernens arbitraire besluit om Glenadals testament te bekrachtigen weinig verschil meer uit. Laran mocht Zonnegloor houden, met en zonder de hoogprins.

Hablet had ook niets gedaan, behalve de onfortuinlijke ambassadeur onthoofden die hem het nieuws over Marla had moeten brengen. Lernen verkeerde in de hoopvolle veronderstelling dat de kous daarmee af was, maar Kagan was daar niet zo zeker van. Eén dode ambassadeur leek hem een veel te kleine prijs voor het beledigen van een naburige monarch.

Van alle spelers in dit spektakelstuk had Marla Kagan nog het meest verrast. Toen ze hoorde dat haar ongewenste huwelijk alleen maar was afgewend door het organiseren van een ander ongewenst huwelijk, had hij een soortgelijk optreden verwacht als dat op het bal in Groenhaven. Maar de prinses leek de situatie opmerkelijk goed te accepteren. Eerst vertrouwde Kagan die verandering in haar niet, maar na een tijdje herkende hij de invloed van een kalmere, volwassener geest. Het duurde even voordat hij besefte wie daarvoor verantwoordelijk was, maar toen hij erachter was, verbaasde het hem eigenlijk niets. Slimme court'esa wisten zich wel vaker in een positie van diep vertrouwen te manoeuvreren. Alija's eerste – en enige – court'esa, Tarkyn Lye, had een nauwere band met zijn meesteres dan wie ook, haar echtgenoot inbegrepen. Ze nam ook zeker zijn advies vaker ter harte dan dat van Barnardo.

De dwerg, de court'esa Elezaar, had duidelijk begrepen welk een unieke gelegenheid hem was geboden op de dag dat Marla hem nukkig had verkozen boven geschikter gezelschap, en wilde daaruit halen wat hij kon. Zelden week hij van de zijde van zijn meesteres, maar hij deed geen enkele poging haar voor zich te winnen met zijn vaardigheden als minnaar of als nar. Hij had zich onvervangbaar gemaakt door Marla te helpen navigeren door de gevaarlijke politieke wateren waarin ze nu zwom. Dat had Kagan zorgen kunnen baren, alleen leek het juist de dwerg die Marla ervan had overtuigd dat er een betere toekomst in het verschiet lag langs het pad van samenwerking, niet dat van opstandigheid, en met zijn raad had een mogelijk zeer zwaar beladen situatie opmerkelijk eenvoudig uitgepakt.

Marla's zestiende verjaardag ging vrijwel onopgemerkt voorbij in het kielzog van haar haastige trouwerij met Laran. Jeryma had een poging ondernomen het te vieren, maar ze waren toen nog onderweg en kampeerden die avond zo'n tachtig mijl ten zuiden van de hoofdstad op de terugreis naar Cabradell, zodat het maar een halfbakken feestje was geweest. Kagan vermoedde dat Jeryma zich schuldig voelde over het gedwongen huwelijk tussen haar zoon en de jonge prinses en daarom haar uiterste best deed om Marla op haar gemak te stellen in de familie, alsof ze daarmee haar daden vergeeflijk maakte. Misschien zag ze zichzelf wel weerspiegeld in de ogen van Marla Wolfsblad.

Of misschien wil ze zo graag dat de prinses komt met de erfgenaam waar iedereen zo om zit te springen, dacht hij cynisch, *en maakt ze zich zo druk om het welzijn van haar schoondochter om ervoor te zorgen dat ze erbij is wanneer wordt bevestigd dat Marla zwanger is.*

Niemand wist wanneer het zo ver zou kunnen zijn, maar iedereen verwachtte dat eerder vroeg dan laat. Uit enkele subtiele inlichtingen (Kagan had de slaven ondervraagd die de prinses bedienden) had hij weten vast te stellen dat Laran en Marla het bed deelden. Meer was hij echter niet aan de weet gekomen, en voor zover hij wist zaten ze de hele nacht te discussiëren over hoge literatuur en was het huwelijk nog niet eens geconsummeerd.

Zeer waarschijnlijk was dat echter niet. Laran was een door een court'esa geschoold edelman, getrouwd met een zeer begeerlijke, door een court'esa geschoolde prinses die zich er geen enkele illusie over maakte wat er van haar werd verwacht.

Kagan klopte op Jeryma's deur en deed hem open zonder op antwoord te wachten. Hij had vanochtend haast. Nu hij het besluit had genomen om terug te gaan naar Groenhaven, zag hij het nut er niet van in zijn vertrek ook maar één moment langer uit te stellen dan nodig was.

'Kagan!'

Jeryma zat in haar binnentuintje te genieten van haar ontbijt in het beschutte zonlicht.

'Dacht al dat ik je hier zou vinden,' zei hij. 'Ik kom afscheid nemen.'

Ze zette haar thee neer en stond op. 'Ik dacht al dat je binnenkort zou vertrekken. Nog steeds geen bericht van Wrayan, dus?'

De hoge arrion schudde zijn hoofd. 'Geen woord. Goden, ik hoop maar dat hem niets is overkomen.'

'Maar je vreest van wel,' merkte Jeryma op. Het was een mededeling, geen vraag.

'Wrayan heeft Alija Arendspiek uitgedaagd, Jeryma. Je zou toch denken dat hij tenminste zo fatsoenlijk zou zijn het me te laten weten als hij dat had overleefd.'

'Heeft Alija er niets over gezegd toen ze in Warrinhaven op bezoek was?'

'Geen woord.'

'Denk je dat hij dood is?'

'Vreemd genoeg niet, nee. Ik denk dat zelfs Alija Arendspiek er moeite mee zou hebben om de dood van een andere tovenaar in de doofpot te stoppen. Ik ben er eerder bezorgd over dat er iets is gebeurd met zijn geest. Voor zover ik weet, dwaalt hij nu door de straten van Groenhaven zonder enig idee wie hij is. Of waar hij is. Of wat hij is.'

'Het zal stil zijn als je er niet meer bent. Laran gaat over een paar dagen naar Winternest om bij Mahkas en de meisjes op bezoek te gaan. Wat zal het hier stil worden.'

'Je hebt Marla nog als gezelschap.'

Zijn zus glimlachte. 'Marla zal het zonder mijn gezelschap uitstekend kunnen stellen. Ik ben niet bepaald de meest onderhoudende begeleiding voor een zestienjarig meisje.'

'Toch lijkt het wel goed met haar te gaan.'

'Veel beter dan ik had verwacht. Ik ben ook best op haar gesteld geraakt. Ik had alleen een jongere, plooibaarder versie van Lernen verwacht, maar ik geloof dat de rijkdommen in de familie Wolfsblad zeer oneerlijk zijn verdeeld. Lernen heeft alle slechte dingen gekregen. Marla lijkt voornamelijk de goede te hebben geërfd.'

'Alleen voornamelijk?' vroeg Kagan met een opgetrokken wenkbrauw.

'Nou ja, ze hecht nogal ongezond veel waarde aan die dwerg.'

'Neem dit van mij aan, Jeryma: laat die dwerg met rust. Die doet meer goed dan kwaad.'

'Weet je dat zeker?' vroeg ze weifelend.

'Niet helemaal,' gaf Kagan toe. 'Maar voor zover ik heb gezien, heeft hij haar meer geleerd over wetenschap dan seks en meer over geschiedenis dan toneelkunst. Volgens mij zou je er goed aan doen om de situatie gewoon te accepteren en je druk te maken over belangrijker zaken.'

'Als hij haar meer leert over wetenschap dan over seks, wat heeft hij dan voor nut? En wie leert Marla dan wat ze moet weten, als haar court'esa zich daar niet mee bemoeit? Vorige week heeft ze haar andere court'esa teruggestuurd naar haar nicht Ninane, in Hoogkasteel.'

'Dat bedoel ik nu juist, zusterlief. Haar andere court'esa was een cadeautje van Alija Arendspiek. Hem wegsturen uit Larans huishouden was misschien wel het slimste wat Marla met hem kon doen.'

'Maar een dwérg, Kagan.'

'Daar kan Laran vast wel tegen.'

'Weet ik wel, maar het hoort gewoon niet...'

'Nou, zolang ze daar geen van beiden over klagen, stel ik voor dat je iets anders zoekt om je over te verbijten. Het verbaast me dat dat je enige zorg is. Ze zijn nu al bijna twee maanden getrouwd. Ik dacht dat je wel in paniek zou zijn omdat er nog geen kind onderweg is.'

'Twee maanden is nog geen reden voor paniek, Kagan.' Ze glimlachte plots en haakte haar arm door de zijne. 'Ik laat er nog wel een maandje overheen gaan voordat ik besluit dat het arme kind onvruchtbaar is.'

'Ja, maar wat je ook doet, maak het Marla niet te moeilijk. Het is een lieve meid. Zij kan er ook niets aan doen dat ze Lernens enige zus is, hoor.'

'Ik beloof dat ik goed voor haar zal zorgen.'

Kagan boog zich voorover en drukte een kus op Jeryma's wang. 'Weet ik wel.'

'Succes met het zoeken naar Wrayan. Ik hoop maar dat alles goed met hem is. Ik vond hem best charmant.'

'Verbaast me niets.'

Glimlachend gaf ze een kneep in zijn arm. 'Wou je een escorte? Ik kan wel regelen dat Chaine je met wat Stropers tot aan de grens brengt.'

'Heeft hij nog steeds overal vrede mee?' vroeg Kagan nieuwsgierig.

'Laran heeft na de uitvaart met hem gesproken. Ik weet niet precies wat hij Chaine heeft beloofd, maar hij is de samenwerking en trouw zelve sinds Glenadal dood is. En hij kan het ook goed vinden met Marla. Die twee gaan zeer vriendschappelijk met elkaar om.'

'Best een slimme zet voor een bastaard zonder officiële erkenning van zijn status.'

'Marla wordt nou niet direct zoveel beter van Chaine's vriendschap, Kagan.'

'Nee,' beaamde hij. 'Maar voor hém kan het geen kwaad te worden gerekend tot de vrienden van de zus van de hoogprins.'

Jeryma schudde haar hoofd. 'Jij ziet spoken. Marla heeft geen macht, en ik weet zeker dat Chaine Tollin hier geen andere bedoelingen mee heeft. Hij doet gewoon wat hij moet doen, om zijn positie hier veilig te houden. Nou, wil je nu een escorte of niet?'

'Bedankt voor het aanbod, maar in mijn eentje schiet ik sneller op.'

Ze knikte, en haar glimlach verdween. 'Hebben we hier wel goed aan gedaan, Kagan?'

'Dat vraag je je nú pas af?'

'Je weet best wat ik bedoel.'

'Ja, weet ik,' antwoordde Kagan na een ogenblik nadenken. 'Maar of we hier juist aan hebben gedaan? Dat zal de geschiedenis ons leren.'

Jeryma keek hem bedachtzaam aan. 'Er schoot alleen iets vreselijks door me heen.'

'Wat dan?'

'Stel dat Marla een zoon krijgt en we hem hoogprins maken, en hij blijkt nog erger te zijn dan wat we nu hebben?'

'Maak daar nou alsjeblieft geen grappen over.'

'Ik ga Laran en Marla vragen hun zoon Damin te noemen.'

'Naar de eerste Damin Wolfsblad? Damin de Wijze? Dat is nogal veel gevraagd van een kind dat nog niet eens is geboren. En misschien nog niet eens is verwekt, als je daar pietluttig over wilt doen.'

'De eerste Damin Wolfsblad heeft Hythria stabiliteit gebracht en ons een periode van vrede en voorspoed gegeven die sindsdien zijn weerga niet heeft gekend.'

Kagan schudde zijn hoofd om Jeryma's hoopvolle gezicht. 'Denk je nou echt dat je met een naam kunt bepalen hoe het kind zal zijn?'

'Misschien niet,' zei Jeryma met een glimlach. 'Maar het kan toch geen kwaad om voorzorgsmaatregelen te treffen?'

Kagan gaf haar nog een kus op de wang en liet Jeryma's hand los. 'Nou, ik zou maar uitkijken voordat ik Marla vertelde dat ik een naam voor haar kind had gekozen en had bepaald wat voor een man het gaat worden, als ik jou was. Ze moet er nog steeds aan wennen dat ze getrouwd is.'

'Maak jij je nou maar niet druk om mij of Marla. Ga jij je leerling maar zoeken. Wij redden ons wel. Hythria redt zich wel.'

'Als jij het zegt,' zei Kagan, en hij zou het mooi hebben gevonden als hij maar half zo zeker over de toekomst van Hythria was als zijn zus.

45

'Is-ie er al?' vroeg Travin voor de tiende keer in even zoveel minuten. Zijn broer en hij waren schoon en aangekleed in hun rustdagse goed, met hun haar strak achterover en hun laarzen glimmend gepoetst. Riika vond het eigenlijk maar een beetje raar. Alsof Laran zijn neefjes nog nooit vies had gezien.

'O, in godensnaam!' mopperde Darilyn. 'Vraag dat niet meer! En Xanda! Ga onmiddellijk bij die tafel vandaan!'

In afwachting van de komst van hun krijgsheer waren slaven bezig eten uit te stallen op de lange tafel in het midden. Schuldbewust trok Xanda vlug zijn hand terug van de schaal met gebakjes waarvan hij had willen proeven. De koks waren al de hele dag aan de slag met prachtig geglazuurd gebak, vruchtentaarten en gekruide dobbelsteentjes vlees en groenten aan het spit, gerangschikt op diepe borden en warm gehouden met oliebrandertjes onder de zilveren schalen. Het aroma van al dat verleidelijke eten bleek te veel voor een klein jochie. Riika glimlachte om haar neefjes en had medelijden met Xanda toen zijn onderlip begon te trillen na zijn moeders scherpe ingrijpen.

'Hij komt zo,' beloofde Riika. 'De wacht is vast al bezig om de poort te openen voor oom Laran.'

'Mogen we eten als oom Laran er is?' vroeg Xanda, smachtend naar de tafel kijkend.

'Zou hij een cadeautje voor ons hebben meegebracht?' voegde Travin eraan toe.

'Nou, als hij cadeautjes heeft, dan mogen jullie ze van mij niet hebben,' bitste Darilyn. 'Jullie zijn allebei niet braaf genoeg geweest om cadeautjes te verdienen.'

'Dat is ook streng,' vond Riika. Travin keek diepbedroefd.

'Trek mijn beslissingen niet in twijfel waar de kinderen bij zijn, Riika,' commandeerde Darilyn. 'Die zijn al onhandelbaar genoeg zonder dat jij bij elke gelegenheid mijn gezag ondermijnt.'

'Ik ondermijn...' begon Riika, maar voordat ze nog iets kon zeggen, gingen de deuren aan het einde van de zaal open en kwam Mahkas binnen, met Laran aan zijn zijde. Meteen renden de jongens naar hun ooms, hun gebruikelijke terughoudendheid tegenover Laran ietwat getemperd door het idee dat hij misschien wel cadeautjes bij zich had.

'Oom Laran!'

'Heb je iets voor ons meegebracht?'

Laran hurkte neer, omhelsde de twee jongens en stak een hand in zijn zak. Daaruit kwamen twee porseleinen ridders te paard met lange lansen in blauw glazuur en bijpassend glazuren harnas met op hun schild de klimmende kraken van Krakandar geschilderd.

'Kijk eens, mama!' riep Travin verrukt uit. 'Tante Riika! Kijk eens wat oom Laran voor ons heeft meegebracht!' Hij rende terug om zijn moeder en tante het cadeau te laten zien. Het waren prachtige stukken, waarschijnlijk uit Walsark in de provincie Krakandar, het district waar de jongens vandaan kwamen. Dat was beroemd om zijn porselein.

'Ik had gezegd dat ze geen cadeautjes mochten hebben,' verkondigde Darilyn, niet onder de indruk. Ze keek Mahkas vuil aan. 'Heb je hem niet gezegd dat ik niet wil dat hij hier cadeautjes komt uitdelen? Dan zijn ze helemaal niet meer te houden.'

'De cadeautjes zijn niet van mij, Darilyn, die zijn van moeder.' Laran stond op en maakte even Xanda's haar in de war met zijn hand. Travin trok zich haastig terug van zijn moeder, in de veronderstelling dat hij beter af was bij zijn ooms. 'En nu opgehoepeld, jullie. En maak het je moeder niet zo lastig.'

'Mogen we iets eten?' vroeg Xanda hoopvol.

'Ga je gang,' noodde Laran met een glimlach.

Xanda en Travin gristen een handvol van de kleine gebakjes van het dichtstbij staande bord, en met hun nieuwe speelgoed en de plakkerige lekkernijen tegen de borst gedrukt, stoven ze naar de deur voordat Darilyn de kans kreeg hun iets anders op te dragen, wat zowel Laran en Mahkas enorm leek te amuseren.

Darilyn vond het helemaal niet grappig.

'Kijk niet zo zelfvoldaan,' waarschuwde ze. 'Jullie allebei. Ik zit weer met de gebakken peren nadat jullie me machteloos hebben gemaakt tegenover mijn eigen kinderen.'

'Er is niets mis met jouw jongens, Darilyn.' Laran trok zijn rijhandschoenen uit terwijl hij naar hen toe liep. 'En ik denk niet dat ze een leven van misdaad en verdorvenheid tegemoet gaan door twee speelgoedriddertjes en een bord gebakjes.' Aangekomen bij de haard waar de vrouwen zaten, sloeg hij een arm om Riika. Hij kuste haar op het voorhoofd. 'Je ziet er al een stuk beter uit.'

'Ik voel me ook beter,' verzekerde Riika hem met een glimlach.

Larans komst naar Winternest betekende een keerpunt voor Riika. Hij zou nooit zijn gekomen als ze niet dringend versterking nodig hadden aan de grens of als alles naar wens was verlopen. Aangezien er vanuit Fardohnya niets anders was gekomen dan een handelstoename sinds de zuidelijke pas bij Hoogkasteel dichtzat, kon Larans bezoek alleen maar het laatste betekenen.

'En jij, Darilyn? Hou je het een beetje uit?'

Al zou ze het niet snel toegeven, Darilyn was net zo blij om haar oudere broer te zien als Riika. De nieuwigheid was er algauw van af om voor haar eigen bescherming onder bewaking weggestopt te zitten in een fort. Nu voelde ze zich alleen nog maar gevangen, dacht Riika. Darilyn verveelde zich dood hier in Winternest en trappelde om haar sociale leventje in Groenhaven weer op te pikken. Aangezien ze zo dom was geweest ermee in te stemmen Winternest niet te verlaten zonder Larans toestemming, zag ze hem dolgraag komen zodat hij die kon geven. Darilyn had haar buik vol van de kou, de sneeuw, het gebrek aan beschaafde conversatie, het koude weer dat haar (nog altijd te repareren) harp had vernield – zo liet ze Riika vrijwel dagelijks weten – en ze vreesde dat haar jongens barbaren zouden worden met niemand anders dan Stropers en koopmanskinderen om mee te spelen. Met alle genoegen zou Riika zich sterk maken voor haar zusters wens. Al zou ze haar neefjes nog zo missen, als ze Darilyn een jaar niet meer hoefde te zien, zou ze dat helemaal niet erg vinden.

'Ik word hier gek,' bitste Darilyn, Riika verrassend met haar onbehouwenheid. 'Ik wil naar huis.'

Erg verrast toonde Laran zich niet. Hij glimlachte en wendde zich tot zijn broer. 'En jij dan, Mahkas? Word jij ook gek op deze hoogte?'

'Ik ben klaar om te gaan waarheen je me maar stuurt, Laran.'

Mahkas kon de hoop in zijn stem niet verhullen. Hij had net zo uitgekeken naar Larans komst als hun zus, bedacht Riika. Hij verveelde zich met niets anders om handen dan manieren verzinnen om de manschappen in conditie te houden voor het geval het tot oorlog kwam. Hij wilde terug naar Cabradell. Laran had immers zijn hulp nodig bij het bestuur van zijn nieuwe provincie, dus hij was al plannen aan het maken om zijn verloofde, Bylinda Telar, vanuit Krakandar over te laten komen naar de provincie Zonnegloor in plaats van de bruiloft nog langer uit te stellen. Mahkas' plannen baarden Riika enige zorgen. Laran had nooit gezegd dat hij Mahkas het beheer over Zonnegloor zou geven, en als Laran niet zou doen wat Mahkas verwachtte, zou hij nog zwaarder teleurgesteld zijn dan hij was geweest toen Kagan na de uitvaart haar vaders testament had voorgelezen en hij erachter was gekomen dat Glenadal zijn stiefzoon niets meer had nagelaten dan een paar paarden en zijn allerbeste wensen voor de toekomst.

'Mooi,' zei Laran, met enige opluchting in zijn stem. 'Want ik wil dat je hier nog even blijft.'

'Waarom, in godensnaam?' vroeg Mahkas. 'Er is niets gebeurd. Hablet werd link toen hij het nieuws over Marla hoorde, hakte onze ambassadeur de kop af, en dat was het dan. Hij komt ons niet aanvallen. Ik hoef hier niet te zijn. Onze troepen hoeven hier niet te zijn.'

'Toch hou ik ze nog even hier.'

'En Zonnegloor dan?'

'Wat is daarmee?'

'Jij moet toch terug naar Krakandar?' hielp Mahkas hem herinneren. 'Als de boeren in Medalon erachter komen dat twee derde van onze troepen de Fardohnyaanse grens en niet hun grens bewaken, is er geen koe, schaap of geit tussen de Grensstroom en de stad Krakandar meer veilig voor hun strooptochten.'

'Ik raak liever een paar stuks vee kwijt aan een Medalonische boer dan dat ik Hablet van Fardohnya onderschat, Mahkas. Jij blijft hier.'

'Wie past er dan op Cabradell?'

'Daar is moeder. Die is heel goed in staat de provincie te beheren tijdens mijn afwezigheid. Daar had ze evenveel over te vertellen als Glenadal toen hij nog leefde. Ik zou niet weten waarom dat anders zou moeten.'

'Je laat verdomme toch geen hele provincie besturen door een vróúw?'

'Ze krijgt mijn zegel.'

'Die vrouw is wel je moeder, Mahkas,' merkte Riika op, enigszins gekwetst door wat hij suggereerde. 'Je denkt toch zeker niet dat ze dat niet kan?'

'Natuurlijk niet,' antwoordde hij ongemakkelijk. 'Maar het hoort gewoon niet.. een vrouw aan het hoofd van een provincie.'

'Twee vrouwen eigenlijk.'

'Hoe bedoel je?' vroeg Darilyn aan Laran.

'Ik stuur Riika naar huis. Eigenlijk is het háár provincie. Ik pas alleen op Zonnegloor tot ze oud genoeg is om een geschikte gemaal te zoeken die met haar mee regeert. Dat kan nooit als ze geen enkele ervaring heeft met het bestuur van de provincie, wel?'

Mahkas staarde Laran geschokt aan. 'Je stuurt Riika naar huis om over Zonnegloor te regeren en laat mij hier met mijn duimen zitten draaien?'

'Dat hoeft nog maar een paar maanden te duren. Tot het einde van de zomer, misschien. Als Hablet in actie komt, dan doet hij dat voor die tijd. Hij zou nooit zo dom zijn om een winteroffensief te wagen. Ik wil niet dat hij vlak over de grens zit te wachten tot wij ons terugtrekken omdat we denken dat we niets meer van hem te duchten hebben, en dat hij dan in de zomer over de grens komt zetten.'

'Maar dat is waanzin!'

'Waarom is het waanzin?'

'Nou... ten eerste heb je veel te veel manschappen vastzitten op de grens van een ander. Onze mannen horen in Krakandar. Als je Winternest veilig wilt houden, mij best, dan hou je het hier maar veilig. Maar doe dat dan met Zonnegloorse troepen. Stuur Chaine maar hierheen met zijn mannen, en laat ons gewoon naar huis gaan.'

'Ik hou Chaine liever in Cabradell,' verklaarde Laran.

'Waarom?'

'Omdat hij hem niet vertrouwt,' raadde Riika, want in Larans plaats zou zij precies hetzelfde hebben gedaan. 'Laran wil Chaine Tollin waar hij hem in de gaten kan houden. Is het niet, Laran?'

'Niet precies...'

'Ik neem het je niet kwalijk, hoor. Ik vertrouw hem ook niet.'

Haar broer schudde zijn hoofd maar sprak haar niet tegen.

'En ik dan?' wilde Darilyn weten. 'Ik heb het hier helemaal gehad. Ik wil dolgraag terug naar de beschaving.'

'Jij mag naar huis.'

'Dus je denkt niet dat ik nog gevaar loop?'

'Ik heb helemaal nooit gedacht dat jij enig gevaar liep, Darilyn. Als je terug wilt naar Groenhaven, ga je maar. Ik zal een escorte met je meesturen, als je wilt.'

'Word ik niet uitgenodigd in Cabradell om kennis te maken met je nieuwe bruid?' vroeg Darilyn stijfjes.

'Ik dacht dat jij dolgraag naar huis wilde?'

'Hoe ziet ze eruit?' vroeg Riika voordat Darilyn nog iets kon zeggen. 'Is Marla knap?'

'Heel erg knap.'

'Is ze aardig?'

'Zo doet ze wel.'

'Vindt mama haar aardig?'

'Ik denk van wel.'

'Ik kan niet wachten om haar te leren kennen.'

'Nou, ze wacht in Cabradell,' bracht Laran haar met een glimlach in herinnering.

'En ze is net zo nieuwsgierig naar jou, lijkt me.'

'Heb je haar al zwanger gemaakt?' vroeg Darilyn.

'*Darilyn!*' Riika snakte naar adem.

'Kijk niet zo geschokt, Riika. Dat is toch zeker de enige reden waarom hij met haar is getrouwd. Daar gaat het nu allemaal om, hoor. Onze Laran gaat de volgende hoogprins verwekken.'

'Toch moet je er niet zo over praten,' zei Riika berispend. 'Het klinkt zo... smakeloos.'

'Het is ook smakeloos, Riika. Want het had niet eens uitgemaakt als Marla Wolfsblad eruitzag als het achtereind van een paard en het intellect had van een aardslak, als haar baarmoeder het maar doet. Is het niet, broertje?'

Mahkas probeerde een grijns te onderdrukken die Riika nogal tactloos vond, gezien de omstandigheden. Larans gezicht ging op onweer staan. Hij leek iets te willen zeggen waar ze straks allemaal spijt van zouden hebben.

'Nou, dat kan me niet schelen. Ik heb altijd een echte zus willen hebben,' zei Riika snel, zonder erbij na te denken, in een poging het tussen Darilyn en Laran naderende onheil af te wenden. Bij het horen van Darilyns afkerige gesnuif voegde ze er verontschuldigend aan toe: 'Van mijn éígen leeftijd.'

Darilyn liet zich niet beetnemen. 'Ja, nou, want dat zou zoveel leuker zijn dan de zus waarmee je nu zit opgescheept, hè?'

'Ik bedoelde het niet...'

'Ach, laat toch, Riika. Ga lekker naar Cabradell om vriendjes te worden met Marla Wolfsblad, kan mij het schelen. Ik ga terug naar Groenhaven, waar ik tenminste beschaafde vriendinnen heb. En wat jullie betreft,' vervolgde ze, kijkend naar haar broers, 'het kan me niet schelen of ik jullie in dit leven nog eens zie.' Darilyn stond op, trok haar sjaal strakker rond haar schouders, en met een koninklijk gebaar wierp ze het hoofd in de nek en liep van de haard naar de deuren aan de overkant van de zaal.

'Gaat jouw wens om niets meer met je broers te maken te hebben, zo ver dat je ook geen fondsen meer van hen accepteert?' riep Laran haar na.

Darilyn bleef staan en draaide zich naar hem om. 'Natuurlijk niet.'

Laran knikte minachtend. 'Dacht ik al.'

'Je bent een schoft, Laran Krakenschild.'

'Maar dan ben jij een kreng, Darilyn.'

Darilyn keerde hem de rug toe en liep verder naar de deur, Riika achterlatend met het akelige gevoel dat zij, alweer, degene zou zijn die vrede moest stichten tussen haar ruziënde broer en zus.

46

De hele tijd dat hij bij Laran, Darilyn en Riika stond, wist Mahkas zijn woede in te houden. Darilyns theatrale vertrek gaf hem gelukkig nog de kans even de tijd te nemen voor zijn gevoelens over Larans achteloze houding.

Hij stuurt Riika terug naar Cabradell!

Mahkas kon het niet geloven. Hij kon niet geloven dat hij alweer werd gepasseerd, deze keer nog wel ten gunste van zijn zestien jaar oude halfzusje. *Laran wil Riika laten leren hoe je een provincie bestuurt, hè? En zijn enige broer dan?* Wat dacht hij van de man die tussen de coulissen stond te wachten, klaar om in te springen? De man die maar één knikje in de goede richting nodig had voor de carrière die voor hem was bestemd?

Waar blijft het rendement van mijn investering? De uitbetaling voor de jaren van onwankelbare trouw aan jou, Laran? Aan Krakandar?

Het idee dat hij alweer werd overgeslagen kon hij niet verdragen, en met een smoes maakte Mahkas zich uit de voeten. Als bevelhebber over het garnizoen kon hij probleemloos uit de zaal ontsnappen terwijl Laran en Riika elkaar bijkletsten over alles wat er was gebeurd in de tijd dat ze elkaar niet meer hadden gezien.

Hij beriep zich op allerlei te verrichten taken en repte zich over de koude brug tussen de noordelijke en zuidelijke armen van het kasteel, de trap af naar de douanezaal en regelrecht naar de tapkast aan de andere kant van de ruimte.

'Kapitein!' riep de kastelein uit zodra hij Mahkas zag aankomen. 'Het oude recept?'

Mahkas knikte en nam de bierkroes in ontvangst. In één teug dronk hij hem leeg en zette hem met een klap terug op de tapkast.

'Nog een?' vroeg de kastelein met een iets opgetrokken wenkbrauw. 'Nog een.'

De man schonk Mahkas bij, en opnieuw werd de kroes geleegd met dezelfde wanhoop als de eerste.

'De dorst aan het lessen, kapitein? Of is het om iets te vergeten?'

Mahkas keek rond naar de man die had gesproken. Het was de slavenhandelaar die enkele weken geleden met Grigar Bolonar had zitten drinken. Hij zat op precies dezelfde plek aan de tafel bij de haard, alsof hij in die veertien dagen niet was weggeweest.

'Niet dat het jou iets aangaat... maar ik drink om iets te vieren.'

'Een viering?' vroeg de slavenhandelaar nieuwsgierig.

'Ik vier de verlenging van mijn verblijf in Winternest. Het gat van Hythria!'

Symon Kuron glimlachte. 'Slechts op doorreis dus, hè?'

Mahkas staarde de koopman even aan en lachte toen als een boer met kiespijn. 'Erg grappig. Maar ik zit hier vast. Jij bent degene die slechts op doorreis is.'

'Ik zou hebben gedacht dat het een eer voor u zou zijn, kapitein,' merkte de Fardohnyaan op. 'U hoeft zich toch niet te schamen voor het bewaken van de zus van uw hoogprins?'

Mahkas draaide zich om en leunde tegen de tapkast. 'Jij denkt echt dat Marla in de veste is, hè?'

'Ik ben niet gek, kapitein. De zuidelijke vleugel van dit kasteel wordt zwaarder bewaakt dan koning Hablets harem. En nog wel met troepen uit Krakandar, heb ik gezien, niet die van Zonnegloor. En nu komt Laran Krakenschild zelf hier op bezoek. U kunt me nog meer vertellen, kapitein, maar ik trek mijn eigen conclusies.'

Mahkas pakte zijn kroes op en liep naar de tafel. Eigenlijk moest hij de slavenhandelaar uit zijn lijden verlossen en hem gewoon vertellen wie Riika was, maar hij had niet zo'n vriendelijke bui vanavond.

Trouwens, Riika's aanwezigheid was dan niet echt een staatsgeheim, maar toch ook niet iets wat Mahkas wenste rond te bazuinen. Laran had goede redenen om haar hier naar Winternest te sturen, ook al had hij zich nu dan bedacht en mocht ze terug naar Cabradell.

'En als het inderdaad Marla Wolfsblad is?' vroeg hij nieuwsgierig, plaatsnemend tegenover de Fardohnyaan. 'Wat zou u dan doen?'

'Ik? Nou, niets, kapitein,' verzekerde Symon Kuron hem onschuldig. 'Maar als ik rijk wilde worden...'

'Ik heb nog nooit een Fardohnyaanse koopman ontmoet die niét rijk wilde worden,' merkte Mahkas sceptisch op. 'Waar zinspeelt u op?'

'Onze koning was diep beledigd toen uw hoogprins zijn zus uithuwelijkte aan een krijgsheer, kapitein,' verduidelijkte de koopman. 'Degene die onze grote, geliefde leider kan helpen zo'n ernstige belediging recht te zetten, zou aan het hof zeer welkom zijn.'

'U bedoelt?'

'Laten we zeggen dat er bepaalde... laten we zeggen... *belangstellende partijen* zijn, die er veel voor over zouden hebben om Marla Wolfsblad in handen te krijgen.'

'Ja, maar erg waarschijnlijk is dat niet, hè? Ze is niet eens hier.'

De slavenhandelaar knikte en tikte met een veelbetekenende glimlach tegen de zijkant van zijn neus. 'Natuurlijk, kapitein. Ik begrijp het.'

Hulpeloos schudde Mahkas zijn hoofd. Wat hij ook zei, de man weigerde te geloven dat er iemand anders dan Marla Wolfsblad logeerde in de zuidelijke arm van de veste.

'Even uit nieuwsgierigheid, koopman Kuron. Stel dat deze *belangstellende partijen* van u Marla in handen wisten te krijgen. Wat zouden ze dan precies met haar doen?'

'Losgeld voor haar eisen van haar man, natuurlijk,' antwoordde Symon Kuron. Hij leek stomverbaasd dat Mahkas ernaar moest vragen. 'Of van de hoogprins. Wie er het meeste geld heeft, eigenlijk, dus ik vermoed dat het eerder Laran Krakenschild dan Lernen Wolfsblad zou zijn. Voor iets anders hoeft onze koning haar echt niet te hebben. Niet nu ze is uitgehuwelijkt aan een ander. Maar met de financiële regelingen voor haar terugkeer zou het verdriet van onze koning over deze kwestie een heel eind worden gestild.'

'Uw koning komt er vast wel overheen,' zei Mahkas, overeind komend. 'Zonder dat hij er iemand voor moet ontvoeren.'

'Weet u, de man die zo'n regeling mogelijk maakte, zou zeer rijkelijk worden beloond, kapitein.'

Mahkas keek de man verrast aan. 'U wilt toch niet zeggen dat ík u zou kunnen helpen?'

'Natuurlijk niet, kapitein! Ik zou er niet over peinzen om u zo te beledigen! Ik speculeer slechts over de gelegenheid voor een jonge kerel met beperkte vooruitzichten op een bescheiden fortuin. Genoeg, wellicht, om zich los te maken van de... *liefdadigheid*... van zijn familie?'

'Zo iemand vindt u hier niet,' stelde Mahkas. De koopman zat te ijlen. *Wie in Hythria zou zoiets doen?*

'Natuurlijk niet,' antwoordde Symon Kuron, duidelijk sceptisch. 'Het was zomaar een idee.'

Geërgerd door de zelfingenomen veronderstelling van de koopman dat er zo eenvoudig een verrader te vinden zou zijn in de gelederen van zijn mannen, wierp Mahkas een blik door de zaal op de soldaten die de wacht hielden bij de douanetafel. Hij knipte naar hen met zijn vingers en wendde zich met een tevreden glimlach tot de slavenhandelaar.

'Nou, u krijgt nog tijd genoeg voor het verzinnen van ideeën achter de tralies. U staat onder arrest, meester Kuron, voor het beramen van de ontvoering van de zus van de hoogprins.'

'U kunt mij niet arresteren voor iets wat ik denk!' klaagde de slavenhandelaar luidkeels terwijl hij werd ingesloten door de wacht.

'Nee, maar wel omdat u het hardop uitspreekt,' antwoordde Mahkas. 'Voer hem af,' gelastte hij de soldaten, en terwijl de luidruchtig protesterende slavenhandelaar de zaal werd uitgesleept, wandelde hij terug naar de tapkast voor nog een bier.

Toen Mahkas veel later die avond terugging naar de zaal, waren Laran en Riika allebei al weg. Darilyn was er nog wel, om haar borduurmandje op te halen. Ze keek op toen ze de deuren open hoorde gaan.

'Ze zijn naar bed,' meldde Darilyn. Met de mand onder haar arm kwam ze overeind. 'En daar ga ik ook naartoe. Ik moet morgen gaan pakken. En ik moet nog regelen dat mijn harp meegaat. Ik maak niet nog eens de fout om dat toe te vertrouwen aan iemand die ik niet ken.'

'Dus je gaat terug naar Groenhaven?' vroeg hij.

'Het is al erg genoeg dat ik moet leven van Larans vrijgevigheid, Mahkas. Maar anders dan jij vind ik het niet nodig om te blijven zodat hij het me kan inwrijven.'

'Laran heeft het ons nooit ingewreven dat we leven van zijn vrijgevigheid,' maakte Mahkas duidelijk. Zelfs nu vond hij het nodig zijn oudere broer te verdedigen.

'Hoeft hij ook niet, Mahkas. Zijn aanwezigheid is al genoeg. Ik kan nog niet aan een penning van de erfenis van mijn zoons komen zonder dat hij het weet. Hij deelt stukje voor stukje een inkomen uit en laat me smeken om het kleinste beetje.'

'Hij laat je niet smeken, Darilyn.'

'Nou en of hij dat doet. Niet openlijk, misschien, maar hij laat me lekker dansen aan een touwtje, net zoals hij met jou doet.' Toen Mahkas niets terugzei, wist Darilyn dat ze raak had geschoten. Ze glimlachte veelbetekenend. 'Hij heeft je weer flink te pakken, hè? Jou hier in de wildernis achterlaten en Riika mee terugnemen naar Cabradell om haar te leren een provincie te besturen die van jou had kunnen zijn als je eraan had gedacht wat meer bij Glenadal te slijmen toen hij nog leefde. Goden, wat moet dát erg zijn.'

'Je hebt geen idee waar je het over hebt,' schimpte Mahkas, zich erover verbazend hoe dicht ze bij de waarheid zat.

'Riika is altijd al iedereens lievelingetje geweest, hoor,' vervolgde Darilyn meedogenloos. 'Moeder houdt het meeste van haar. Glenadal zag de zon in haar opkomen en ondergaan. En Laran was bereid om duizenden van zijn eigen manschappen de bergen in te sturen om haar te beschermen. Dat zou hij voor jou of mij niet hebben gedaan.'

'Ze denken allemaal dat het voor Marla is,' liet Mahkas zich ontvallen.

'Wie denken dat?'

'De Fardohnyaanse kooplieden die hierlangs komen,' verklaarde hij. 'De meesten weten niet eens dat Laran nog een zusje heeft. Ze denken allemaal dat het blonde meisje in de zuidelijke veste Marla Wolfsblad is. Ik heb net een slavenhandelaar gearresteerd die opperde dat ik een fortuin kon maken door haar uit te leveren aan de Fardohnyanen zodat Hablet een losprijs kan eisen van Laran.'

Darilyn staarde haar broer bedachtzaam aan. 'Hoeveel?'

'Hoeveel losgeld?' vroeg hij. 'Goden! Hoe moet ik dat nou weten?'

'Nee, ik bedoel: hoeveel is een fortuin? Hoeveel bood hij jou voor het meisje dat volgens hem Marla Wolfsblad is?'

Mahkas staarde haar geschokt aan. 'Dat meen je niet!'

'Denk er eens over na, Mahkas. Jij zit hier vast om de Weduwmakerspas te bewaken terwijl Laran geen enkele aandacht schenkt aan je jaren van trouwe steun omwille van een verwend zestien jaar oud meisje. Je staat al onvoorwaardelijk achter hem sinds we klein zijn, en hij betaalt je terug door je voor het hoofd te stoten. Ik weet niet hoe jij erover denkt, maar ik ben dat zat. Ik heb geen zin meer om op zijn genade te teren. Met genoeg geld kunnen we allebei vrij van hem leven.'

Haar woorden vormden een griezelige, verontrustende echo van het voorstel van de slavenhandelaar.

'De dood is niet bepaald het soort vrijheid dat ik in gedachten had,

Darilyn. En daar draait het op uit. Laran zou ons allebei vermoorden.'

'Alleen als hij weet dat wij ermee te maken hebben.'

'Het is toch niet te geloven dat je hier staat te opperen dat we ons eigen zusje moeten uitleveren aan de Fardohnyanen!'

'Het kan toch geen kwaad? Ze doen haar toch niets. Ze willen alleen maar goud. Ze slepen haar de grens over, houden haar een poosje opgesloten en wachten tot Laran het losgeld ophoest. En al komen ze erachter dat ze Marla niet is, wat is dan het ergste dat ze kunnen doen? Dan vragen ze vast gewoon om een kleiner bedrag.'

'Je bent gek, Darilyn.'

'Nee, ik had ook niet verwacht dat jij ooit iets zou doen om je lieve broertje Laran dwars te zitten,' zei ze vernietigend. 'En de goden mogen weten dat we nooit iets lelijks mogen doen met die arme kleine Riika.'

Hij schudde zijn hoofd, alsof hij de verleiding van zich afschudde. 'Het zou nooit goed gaan. Laran zou merken dat we ermee te maken hebben. Hij zou het weten.'

'Niet als we het voorzichtig aanpakken.'

'Maar wat als je het mis hebt? Wat als er iets met Riika gebeurt?'

'Dan zou mijn hart breken,' antwoordde Darilyn zonder enig medeleven.

'Ik doe het niet.'

'Prima.'

'Ik meen het, Darilyn. Ik weiger aan zoiets verraderlijks deel te nemen.'

'Dat heb je al gezegd.'

'Ze is ons eigen vlees en bloed, in godsnaam!'

'Nee, daar hebben jij of ik iets aan gehad toen Glenadal doodging.'

Dat kwam hard aan. Dat wist Darilyn heel goed.

'Ik doe het niet,' herhaalde Mahkas, evenzeer tegen zichzelf als tegen zijn zus.

'Zoals je wilt.'

'Het is veel te gevaarlijk.'

Darilyn glimlachte kil. Ze zag dat hij begon te zwichten en zichzelf probeerde te overtuigen, niet haar.

'Je hebt vast gelijk,' stemde ze in, haar borduurmandje verplaatsend naar de andere kant. 'Het is niet iets waar we serieus over na zouden denken.'

Mahkas slaakte een zucht van opluchting.

'Maar hypothetisch gesproken,' vervolgde Darilyn bedachtzaam, 'hoeveel denk je dat we zouden kunnen krijgen voor iemand van wie de Fardohnyanen denken dat het Marla Wolfsblad is?'

47

Het vertrek van Marla's echtgenoot naar het fort bij Winternest gaf Elezaar de gelegenheid zich te ontspannen. Hij mocht Laran Krakenschild niet, niet om iets wat hij met Elezaar had gedaan, want de krijgsheer was zeer beschaafd in zijn omgang met de court'esa van zijn vrouw. Het was de invloed die hij Laran over zijn meesteres zag krijgen die de dwerg zorgen baarde.

Laran was zo'n man tot wie anderen zich als vanzelf wendden. Men vroeg hem om zijn raad, zonder het zelf ooit te beseffen, en Marla was net zomin immuun voor zijn persoonlijkheid als iemand anders aan het hof. Met Laran Krakenschild als haar man, die Marla met raad en daad bijstond terwijl ze volwassen werd, voorzag Elezaar al dat hij overbodig zou gaan worden.

Na al die moeite om Marla's vertrouwen te winnen – de inspanningen die het hem had gekost om Corin kwijt te raken, al het werk dat ervoor nodig was geweest om Marla ervan te overtuigen dat ze níéts kon beslissen zonder eerst hem te raadplegen – was het laatste wat hij kon gebruiken, dat ze zich ging hechten aan haar echtgenoot. De sterkte van Elezaars relatie met Marla lag in haar geloof dat ze geen trouwere en oprechtere vriend in de wereld had dan haar court'esa.

Helaas voor Elezaar bleek Laran minder intimiderend dan hij had gehoopt. Hij mishandelde zijn jonge echtgenote niet en drong zich niet aan haar op. Marla was behandeld als de vorstin die ze was sinds ze in Cabradell was gearriveerd. Op al haar wenken werd ze bediend. Elk verzoek van haar werd behandeld als een koninklijk besluit. Eten wat ze graag lustte, werd speciaal gehaald van de kust, en wat ze niet lustte, verdween van de paleismenu's. Haar tovenaarspaard was uit Hoogkasteel gehaald en ondergebracht in zijn eigen privéstal. Haar kinderjuf had de positie van een hoofdslavin in het huishouden gekregen. Marla had meer kleren dan ze ooit had durven dromen, en er was een gestage stroom van bezoekers die voor haar neerknielden om hun trouw te zweren aan haar en haar echtgenoot. Zelfs haar schoonmoeder, Jeryma Ravenspeer – naar men zei een van de geduchtste en machtigste vrouwen in heel Hythria – had zich in allerlei bochten gewrongen om het Marla naar de zin te maken, en nu had Laran ook nog eens beloofd dat hij uit Winternest zou terugkeren met zijn zus Riika, een jongedame die net zo oud was als Marla (en, als je de roddels in het paleis mocht geloven, het liefste en aardigste wezentje waarin de goden ooit leven hadden geblazen), zodat Marla gezelschap zou krijgen van een vriendin van haar eigen leeftijd.

Elezaars taak zou stukken gemakkelijker zijn geweest, besloot hij knorrig, als ze gewoon naar Fardohnya waren gestuurd. Omringd door vijanden zou Marla daar tenminste behoefte hebben gehad aan een vriend.

Toch was niet alles rozengeur en maneschijn. Laran behandelde Marla met gepaste eerbied, maar behalve de wens om een erfgenaam voor Hythria te verzorgen, hadden ze niets gemeen. Laran nam er de tijd niet voor om uit te zoeken of Marla verder nog interesses had en liet haar dagelijks aan haar lot over, met alleen haar schoonmoeder en de vrouwen aan Jeryma's hof om haar te vermaken.

Algauw begon Marla zich te vervelen en raakte ze gefrustreerd door de veronderstelling dat ze alleen maar goed was om wat rond te hangen in het paleis. En het was duidelijk dat Larans geloof dat ze geen belangstelling of enige aanleg had voor een actieve rol in het bestuur van zijn rijk, niet was ingegeven door de vrouwenhaat die onder de regerende mannen van Hythria heerste.

Jeryma had een enorme stem in het bestuur van Zonnegloor, en Laran sprak vaak over de plannen die hij voor Riika had wanneer ze mee terugkwam uit Winternest, waardoor zijn vrouw geen andere keuze restte dan te concluderen dat Laran aannam dat ze uitsluitend een decoratief doel diende omdat hij haar onbekwaam achtte.

Ze vroeg Elezaar om advies, en hij zei haar niets te doen, omdat het vanzelf beter zou worden als ze haar eenmaal beter leerden kennen. In werkelijkheid was hij bang dat als Marla zich erover beklaagde bij Laran, hij meteen zijn fouten zou inzien en zijn jonge echtgenote nauw bij zijn zaken zou betrekken. Dat risico kon Elezaar niet nemen. Hij twijfelde er niet aan dat Marla meer dan bekwaam was om zo'n taak op zich te nemen, maar hij kon het zich gewoon niet permitteren dat ze zich zo snel thuis zou voelen. Zijn veiligheid lag in haar onzekerheid. Het laatste wat hij nodig had, was dat Marla ontdekte dat haar mening gewicht had. Of nog erger, zoveel tijd met haar man doorbracht dat respect omsloeg in bewondering, of genegenheid in liefde. Verliefde vrouwen hadden de slechte gewoonte om hun court'esa weg te sturen.

Jeryma mocht hem niet, wist Elezaar, maar om redenen die hem onduidelijk waren, liet ze hem met rust en deed ze geen pogingen om Marla bij hem vandaan te houden. Vaak werd hij opgeroepen om haar hofdames te vermaken met gedichten of kluchtige voordrachten, waar ze altijd vreselijk om moesten lachen zodat het idee werd versterkt dat hij een nar was.

Marla vond het niet prettig dat hij de nar speelde voor het vermaak van Jeryma's hof omdat ze het beneden zijn waardigheid achtte. Elezaar had bijna gehuild toen ze hem dat vertelde. Geen enkele meester had zich er ooit druk om gemaakt dat hij werd vernederd. Sommigen hadden hem zelfs juist voor dat doel in bezit gehad. Zijn genegenheid voor zijn jonge meesteres consolideerde zich die dag in een diepe, bestendige liefde, en hij zou zich nooit van haar laten scheiden, wat er ook voor nodig was.

'Elezaar!'

De dwerg klom van de vensterbank in de zitkamer en repte zich naar de binnenplaats om de roep van zijn jonge meesteres te beantwoorden. Evenals het verblijf van vrouwe Jeryma had dat van Marla een kleine privéhof met een hoge muur eromheen, net buiten haar suite. Die lag beschut tegen de wind en had een fonteintje in de hoek, en Marla ontbeet vaak in de openlucht, wat voor haar iets nieuws was na een leven in de bergen.

'Hoogheid?'

Marla keek op van haar ontbijt en schoof het bord met weinig enthousiasme van zich af. Ze droeg een licht gewaad tegen de kou, een onbetaalbare peignoir van purperen zijde, afgebiesd met iets wat verdacht veel leek op echt gouddraad. De rijkdom van deze mensen – en hun terloopse acceptatie daarvan – deed Elezaar soms naar adem snakken.

'Is het eten niet lekker, hoogheid?'

Marla fronste haar voorhoofd. 'Ik vraag me altijd af hoe vers de vis hier is. We zitten zo ver van de kust.'

'Misschien komt de vis uit een van de rivieren in de omgeving?'

'Het is een blauwvin-arlen,' zei ze hoofdschuddend. 'Dat is een zoutwatervis. Ik vraag me af hoe ze hem hier krijgen voordat hij bederft.'

'Sneeuw,' verklaarde Elezaar.

'Sneeuw?'

'Ze vangen de vis diep in het zuiden van de Dregiaanse Oceaan, varen er zo snel mogelijk mee naar Groenhaven en pakken de vangst in met sneeuw voor de rest van de tocht hierheen. De meeste sneeuw is al gesmolten tegen de tijd dat ze in Cabradell zijn, maar wat er over is, gaat in de reservoirs van het paleis om het water te koelen.'

'Hoe weet je dat toch allemaal, Elezaar?' vroeg ze, terwijl ze hem verwonderd aankeek. 'Jij hebt ook altijd overal een antwoord op.'

'Ik luister, hoogheid. En ik leer.'

'Overtreed jij je eigen regels niet?' vroeg ze met een glimlach.

'Hoe bedoelt u?'

'Regel nummer dertien? Die zegt toch dat je nooit te slim of te intelligent moet overkomen?'

'Nou, dit was eigenlijk de zevende regel.'

Ze dacht even na voordat ze weer wat zei, zich duidelijk afvragend hoe regel nummer zeven ook alweer luidde. 'Zorg ervoor dat anderen je om hulp vragen? Ik vroeg je niet om hulp.'

'Nee, maar als ik u laat geloven dat ik overal een antwoord op heb, bij wie zou u dan te rade gaan?' Elezaar kon Marla altijd aan het lachen maken, en het verontrustte hem een beetje toen ze alleen maar wat afwezig glimlachte. 'Is er iets, hoogheid?'

'Nee, hoor.'

'U bent toch niet onwel?'

'Nee.'

'Maar er is iets mis.'

Ze aarzelde even en flapte er toen uit: 'Hoe weet ik dat ik zwanger ben, Elezaar?'

Hij staarde haar nieuwsgierig aan. 'Denkt u dat dan?'

Ze haalde haar schouders op. 'Weet ik niet.'

'U deelt nu al bijna drie maanden het bed met heer Krakenschild,' hield hij haar voor. 'Dan mogen we ervan uitgaan dat hij ijverig het noodzakelijke onderneemt om onze volgende hoogprins te maken?'

Nu lachte ze wel. 'Daar mogen we van uitgaan, ja.'

'Dan is het goed mogelijk, hoogheid. Wanneer was uw laatste bloeding?'

'Zo'n drie weken geleden.'

'Dan is het nog te vroeg om er iets over te zeggen.'

'Maar zijn er geen andere verschijnselen? Moet ik niet misselijk worden?'

'Niet alle vrouwen worden misselijk tijdens hun zwangerschap. Sommige vrouwen krijgen gevoelige borsten, andere merken helemaal niets tot hun buik begint te zwellen.' Hij wierp een blik op haar weggeschoven bord en knikte begrijpend. 'Laat me raden. U moest vanochtend niet aan vis denken als ontbijt en vroeg zich af of dat inhield dat u zwanger was?'

'Zoiets.'

Hij klopte geruststellend op haar hand. 'U bent jong en gezond, hoogheid. U hoeft zich nog geen zorgen te maken.'

'Als ik niet in verwachting ben, dan hoop ik maar dat Laran niet te lang wegblijft,' zuchtte ze.

'Trekt u zich de taak van uw man nu zo aan dat u een gewillig deelnemer bent geworden?'

'Ik verveel me, Elezaar. Met een kind heb ik tenminste iets te doen.'

Elezaar slikte de verleiding in om op te merken dat er geen arme vrouw was die ooit zoiets dacht. In plaats daarvan glimlachte hij en zocht naar iets om haar af te leiden. 'We kunnen onze lessen hervatten tot uw man terug is, mijn vrouwe.'

'Met welk doel, Elezaar?' vroeg ze ellendig. 'Wat kan het iemand schelen of ik iets anders weet dan hoe ik mijn benen moet spreiden.'

'Een spel, dan,' opperde hij vrolijk.

'Wat voor een spel?'

'Wat dacht u van... "Als Ik Mijn Eigen Provincie Bestuurde"?'

'Dat is geen spel.'

'Dan maken we dat er toch van,' zei hij. 'We nemen de schaakstukken en geven ze andere namen. Laran is dan de koning. U bent dan de koningin. Kapitein Tollin is een paard. Kapitein Almodavar het andere.'

'Vrouwe Jeryma is hier de koningin,' merkte ze op met een frons.

'Goed. Dan bent u de toren.'

'En Larans dierbare kleine Riika wordt dan de andere toren,' voegde ze eraan toe.

'Dat is het idee, ja! Heer Kagan en vrouwe Tesha zijn dan de lopers...'

'En het volk van Zonnegloor de pionnen.'

'Nu snapt u het! Als u erover nadenkt wie ertegenover komen te staan, dan ga ik het bord halen.'

Elezaar haastte zich de binnenplaats af om het schaakspel te halen. Dit was een prachtmanier om haar bezig te houden, haar te onderwijzen en tegelijkertijd op haar angst in te spelen zolang Laran weg was. Hij voelde zich zelfs een beetje schuldig. Maar helaas lag Elezaars veiligheid nu eenmaal in Marla's onzekerheid. Als ze haar kind had, kon hij zich misschien zelfs opwerpen als leraar en vertrouweling van de volgende hoogprins van Hythria.

En misschien, besloot Elezaar, was hij dan eindelijk veilig.

48

Darilyns slechte humeur zakte een beetje na een paar dagen. De jongens liepen bij haar in de buurt op hun tenen, doodsbang om de toorn van hun moeder over zich af te roepen. Na enkele dagen waren ze, met het bovennatuurlijke begrip dat alle kinderen nu eenmaal hebben, erachter wie het in de familie echt voor het zeggen had. Binnen de kortste keren hadden ze ontdekt dat Laran de verboden van Darilyn kon (en zou) terugdraaien als ze het lief vroegen, dus gingen ze hém

voortaan toestemming vragen om buiten te spelen of naar de noordelijke veste te gaan om te spelen met de kinderen van kooplieden en
van de beambten die daar woonden. Maar hoe ze ook smeekten, uitstapjes buiten de kasteelmuren keurde Laran niet goed zonder de instemming van Darilyn, en daarom deden ze een beroep op Riika om
namens hen te gaan vragen of ze naar de beek mochten om te kijken
of het ijs al begon te dooien.

Tot Riika's grote verrassing ging Darilyn meteen akkoord met het
voorstel. Riika dacht dat ze de jongens beu werd en blij was om een
dagje van hen verlost te zijn. Raek Harlen zou met hen meegaan en
regelde een peloton om Riika en de jongens te begeleiden naar de beek.
Die was vroeg in de winter al helemaal dichtgevroren, en zowel Travin als Xanda maakten zich er zorgen over wat er was gebeurd met
de oude snoek die daar woonde en die ze onofficieel als huisdier hadden geadopteerd.

Alles was klaar voor vertrek toen, op het laatste moment, Mahkas
zijn luitenant en twee derde van het peloton terug naar de veste stuurde en aanbood om zelf met Riika en de jongens mee te gaan. Travin
en Xanda vonden het geweldig dat hun geliefde oom Mahkas meeging
op hun tochtje, maar Riika was een beetje teleurgesteld. Ze mocht
Raek Harlen graag, meer dan eigenlijk goed voor haar was, aangezien
zij de dochter van een krijgsheer was en hij maar een Stroper, zij het
de zoon van een lagere edelman. Ze had ernaar uitgekeken de dag met
hem door te brengen en zich door hem de helling op te laten helpen of
te laten opvangen als ze struikelde. Mahkas zou uiteraard hetzelfde
voor haar doen, en met evenveel graagte, maar het was toch anders
dan een knappe jonge Stroper die haar op haar wenken bediende.

'Vanwaar zo sip?' vroeg Mahkas terwijl ze achter de jongens aan
de westelijke berghelling op liepen, weg van de zuidelijke veste aan de
Fardohnyaanse kant van het kasteel. De grens zelf lag enkele mijlen
verder westwaarts, midden in de Weduwmakerspas. Travin en Xanda renden opgewonden schreeuwend vooruit, en hun stemmen galmden over de steile berghelling.

'Keek ik sip?'

'Alsof je beste vriendin net dood was.'

'Ik dacht gewoon ergens aan.'

'Nou, wat vrolijker dan,' gebood Mahkas. 'Dit hoort iets leuks te
zijn.'

Riika glimlachte. 'Ik hoop dat je dat nog niet vergeten bent als je
een ijskoude beek in moet om een van je neefjes eruit te vissen. En als
je daarna Darilyn moet uitleggen waarom haar jongens zo nat zijn en
doodvriezen.'

'Nu verpest je het voor míj.'

'Je hoefde niet mee, Mahkas.'

'Ik wilde er even tussenuit. Laran is hier. Laat hem maar eens een dagje de waanzin hier in Winternest in goede banen leiden, om te kijken hoe leuk hij het vindt.'

'Hij zegt dat je goed werk hebt verricht,' zei Riika in de hoop haar broer een beetje op te vrolijken. Voor iemand die met familie een uitje ging maken, was hij nogal somber.

'O ja? Heeft hij mij nooit gezegd.'

'Laran wil dat je hier het bevel over Winternest blijft voeren,' legde ze uit, wat puffend van de inspanning om de sneeuwhelling op te lopen. 'Dat zegt toch wel wat? Ik bedoel, als hij vond dat je het niet goed deed, had hij je nu allang terug naar Cabradell gestuurd. Misschien zelfs wel terug naar Krakandar.'

Mahkas keek haar vreemd aan. 'Denk je dat echt?'

'Je hoeft je geen zorgen te maken, Mahkas,' verzekerde ze hem. 'Als je het hem vroeg, zou Laran je hier vast permanent aanstellen. Hij zegt dat je echt heel goed kunt omgaan met de volkse kooplieden. Hij zegt dat jij dat in je hebt.'

'Vindt Laran dat ik *volks* ben?'

Riika schoot in de lach. 'O, Mahkas, je zou je gezicht eens moeten zien! Dat was een compliment! Hij bedoelde dat je heel goed bent in de omgang met volkse mensen.'

'Ja, nou, dat is me een compliment,' reageerde Mahkas, duidelijk niet overtuigd. 'Maar als Laran zo verrekte onder de indruk is van mijn omgang met *volkse* mensen, waarom zit ik dan nog steeds hier aan de grens? Ik was hem beter van nut met het bestrijden van Medalonische veedieven dan met het innen van belastingen van een stel vettige Fardohnyaanse karavaandrijvers.'

Riika bespeurde een noot van verbittering die niet afkomstig kon zijn van een jongeman die zich boos maakte over iets onbeduidends.

'Misschien moest je eens met Laran gaan praten als we terug zijn, Mahkas.'

'Misschien doe ik dat wel,' mompelde Mahkas ongelukkig. Hij beende verder voor haar uit, waarmee er een einde kwam aan hun gesprek.

De beek bleek nog steeds dichtgevroren, en er was geen spoor van Zek, zoals Xanda hun vermiste vis had genoemd, en daarom vroeg Mahkas na het middagmaal zijn neefjes wat ze ervan vonden om nog iets verder van het kasteel af te gaan kijken, in het bos. Onder de beschutting van de bomen dichter bij de pas stroomde de beek misschien nog wel. Mahkas meende dat de jongens meer kans zouden hebben om Zek verder stroomopwaarts te vinden, en ze gingen allemaal opgewekt akkoord. Riika wist niet zeker of het wel zo'n goed idee was om zich zo dicht bij de grens te wagen, maar als Mahkas dacht dat het kon, bedacht ze, dan was er niets om je druk over te maken. Nadat hij het had geopperd, was er trouwens toch geen houden meer aan. Travin en Xanda wilden per se hun vis vinden, en met een bondgenoot met zoveel invloed als hun ome Mahkas was er weinig kans meer dat tante Riika het niet goed vond.

Het werd kouder toen ze onder de bomen liepen. Zoals gewoonlijk stoven de jongens vooruit, naar Mahkas roepend om hen in te halen. Mahkas had de wachters achtergelaten bij hun picknickspullen met de mededeling (buiten gehoorsafstand van zijn neefjes) dat het geen zin had om met zijn allen door het bos te sjouwen op zoek naar een niet eens zo grote vis die er waarschijnlijk toch niet was.

Mahkas haastte zich verder om de jongens in te halen. Na een paar stappen bleef hij staan en keek om naar Riika. 'Loop eens door, stopkoets!'

'Jij hebt makkelijk praten,' riep ze hem na. 'Jij loopt niet in een rok!'

De sneeuw was hier dieper in de schaduw van de bomen, waar die niet smolt in het vale winterzonnetje. Koppig erdoorheen sjokkend had Riika er spijt van dat ze niet bij de wachters en hun picknick was gebleven.

In elk geval was ze zo verstandig geweest om oude kleren aan te trekken, ook al waren die wat rafelig en sleets, want ze had van tevoren geweten dat ze vies en nat zou worden van het door de sneeuw ploeteren met haar neefjes.

Lachend draaide Mahkas zich om en liep achter de jongens aan. Na een paar stappen ging hij verscholen achter de bomen en hielp alleen het lachen van Travin en Xanda in de verte Riika eraan herinneren dat ze niet moederziel alleen op de wereld was. Glimlachend om het plezier van de jongens en Mahkas' gulle hart om zijn neefjes een plezier te doen, ging Riika wat langzamer lopen. Zonder haar konden ze het immers ook wel af. Mahkas en de jongens vermaakten zich uitstekend. Het was vast typisch iets voor jongens – zowel kleine als grote – om voor je lol midden in de winter tot aan je knieën door de sneeuw te baggeren om in een bevroren beek te zoeken naar een vis die waarschijnlijk toch allang morsdood was.

Riika's volgende voetstap kwam terecht in een kleine geul, waar de sneeuw van het ene op het andere moment van kniehoog tot aan haar middel reikte. Vloekend maakte ze zich los uit de kuil, keek in de richting waarin Mahkas was verdwenen met de jongens en hief verslagen haar handen in de lucht. Ze had niet eens mee hoeven gaan, en nu was ze doorweekt tot op het bot. Terug bij de picknickplek hadden ze tenminste een vuurtje branden. Riika draaide zich om en liep terug naar de plek waar de soldaten wachtten met de restanten van hun middagmaal. Huiverend klopte ze ondertussen de poedersneeuw van haar rokken voordat die begon te smelten.

Terwijl ze terug naar het kamp sjokte, stierf het geluid van de kinderstemmetjes weg. De stilte onder het bladerdek van het woud begon te drukken.

Riika keek rond, verbaasd dat het haar niet was opgevallen hoe ver ze het bos in waren gegaan. Bang om te verdwalen was ze niet. Haar voetstappen en die van Mahkas en de kinderen liepen duidelijk zichtbaar terug naar het kleine plateau waar de soldaten wachtten. Er waren ook andere voetstappen, zag ze, die parallel liepen aan die van hen. Misschien hadden de wachters die Mahkas had achtergelaten, hen een stuk het bos in geschaduwd, om er zeker van te zijn dat ze in veiligheid waren. Geen Stroper in Winternest wilde degene zijn die vrouwe Darilyn het nieuws mocht gaan vertellen dat er iets was gebeurd met een van haar zoons.

Het scherpe, onverwachte kraken van een brekende tak maakte Riika aan het schrikken. Een grote vogel op een nest in de bomen sprong er ook van op. Met een rauw gesnerp vloog hij op van de takken boven haar hoofd, haar bedelvend onder sneeuw.

Deze keer slaakte ze onwillekeurig een gilletje, en met een nog bonzend hart lachte ze om haar eigen dwaasheid.

Nadat ze de sneeuw uit haar haren had geschud, volgde Riika de voetstappen in omgekeerde richting, zichzelf kwalijk nemend dat ze een te rijke fantasie had. Ondanks de dempende stilte was het klaarlichte dag, en in heel het woud was er niets om je zorgen over te maken. Verderop zaten de wachters van haar broer bij hun picknickmand, achter haar liep niets angstaanjagenders dan Mahkas en zijn neefjes die joegen op een oude snoek in een bevroren beek.

Riika zag de rand van het bos verderop en verhoogde haar tempo. Hopelijk zag ze er niet al te verfomfaaid uit. Nadat ze door de sneeuw had gezwoegd, in dat verrekte gat was gevallen en ook nog eens door een vogel met sneeuw was bekogeld, had ze in het afgelopen halve uurtje flink wat over zich heen gekregen. Plots was ze blij dat Raek Harlen was teruggezonden naar de veste. Die mocht haar niet zien als ze eruitzag als...

Uit het bos komend nam Riika het tafereel voor haar ogen verward in ogenschouw. Het vrolijke vuurtje was uitgetrapt in de sneeuw. De vier wachters die Mahkas had achtergelaten, lagen op de grond. De sneeuw onder hen was donker en rood gekleurd. Stuk voor stuk was hen de keel afgesneden in één haal, alsof ze van achteren waren aangevallen.

Er was niets te zien wat wees op verzet. Geen spoor van degene die zoiets afschuwelijks had gedaan. Geen reden hiervoor die Riika's verlamde geest kon bevatten.

Het duurde slechts enkele tellen voordat het helemaal tot haar doordrong, maar het leek wel een heel leven voordat ze kon gillen. Zelfs toen wist Riika niet zeker of het een waarschuwingskreet of een oerkreet van angst was die ze slaakte.

Nauwelijks had ze haar mond geopend, of ze werd van achteren vastgegrepen. Steeds angstiger werd haar gegil, dat galmde over de hellingen. Waarschijnlijk konden ze haar horen op het kasteel, maar daar had ze weinig aan. De man die haar vasthield, was veel sterker dan zij. Hij tilde haar zo van de grond, en een andere man greep haar bij haar voeten en bond ze stevig vast rond de enkels. Meteen daarna liet de man die haar vasthield, haar vallen op de sneeuw, waar een derde man boven op haar sprong en haar polsen op gelijke wijze vastbond aan haar enkels en vervolgens een mondprop tevoorschijn haalde. Hulpeloos kronkelend krijste ze zo hard als ze kon, haar hoofd van links naar rechts draaiend om de prop uit de weg te gaan, maar de man die haar enkels had vastgebonden, greep gewoon haar hoofd beet en hield het stil terwijl de andere man de prop aanbracht. Het waren Fardohnyanen, besefte ze toen de vieze doek haar gegil smoorde. De donkere man die haar als eerste had gegrepen, trok haar overeind.

'Riika!'

Mahkas' kreet galmde over de helling toen hij uit het bos kwam rennen, zijn zwaard getrokken. Achter hem was geen spoor van Travin of Xanda, en dat was misschien maar goed ook. Mahkas had zijn kleine neefjes vast snel achter zich gelaten toen hij zijn zus hoorde schreeuwen. Met een woordeloze kreet van razernij stormde hij op de mannen af. De man die haar enkels had vastgebonden, trok ook een zwaard en deed een stap naar voren om deze nieuwe tegenstander op te vangen. De man die Riika vasthield, had geen enkele aandacht voor het duellerende stel. Hij draaide Riika naar zich toe en hijgde met zijn hete, stinkende adem over haar heen voordat hij een donkere kap over haar hoofd trok.

Een paar tellen later hoorde ze Mahkas het uitschreeuwen en viel het geluid van staal op staal plotseling stil.

'Wegwezen,' gelastte de man die Riika vasthield.

Zonder plichtplegingen werd ze opgepakt en door een van de mannen op de schouder genomen. Tranen van angst en verdriet verzadigden het verstikkende zwart van de kap terwijl ze bonkend en stuiterend over de steile berghelling werd vervoerd.

Naar het westen.

Naar Fardohnya.

49

'Doet het pijn, oom Mahkas?'

Laran onderbrak zijn gesprek met Raek Harlen en wierp een blik op zijn broer die in de grote zaal van de zuidelijke veste bij het vuur zat. Het haardlicht glinsterde op het zweet op zijn voorhoofd, en onder de bezorgde blikken van Travin en Xanda hechtte Darilyn de lange wond in de arm van hun oom.

'Komt wel weer goed,' verzekerde Mahkas Travin, en hij vertrok zijn gezicht toen Darilyn een rukje aan de hechtingen gaf. 'Je mama maakt het wel weer.'

'Misschien moesten de jongens eens naar bed?' opperde Laran tegen Veruca, die de jongens in de gaten hield alsof ze elk moment konden verdwijnen. Evenals hun moeder leek de oude kinderjuf hen geen moment uit het oog te willen verliezen.

'Zijn ze wel veilig, mijnheer?' vroeg ze nerveus.

'Hier in de veste?' vroeg hij. 'Natuurlijk wel.'

'Je dacht ook dat ze veilig konden gaan picknicken,' merkte Darilyn op terwijl ze nog een hechting afknipte met haar borduurschaar. 'Ze blijven hier bij mij.'

Laran schudde zijn hoofd. Hij wilde een krijgsraad, geen kinderkamer.

'Duurt het nog lang?'

'Ik ben bijna klaar.'

'Mooi,' zei hij en wendde zich weer tot Raek. Op Larans bevel had de jonge luitenant zijn mannen langs de hellingen gestuurd, op zoek naar een spoor van Riika nadat ze haar kort na het middaguur hadden horen gillen, maar er was niets gevonden. Het was nu donker. Bovendien had het ook weer gesneeuwd, zodat er weinig kans was om vóór de ochtend iets te vinden. 'Laat iedere man die je kunt sparen zich opmaken om bij het ochtendkrieken te vertrekken,' droeg hij

Raek op. 'Riika kan nog ergens in de buurt zijn.'

'Natuurlijk zit ze niet meer ergens in de buurt,' schimpte Darilyn, en ze stak de naald weer in Mahkas' arm. 'Die is allang over de grens en in een snelkoets naar het Fardohnyaanse binnenland. Je kunt net zo goed blijven zitten wachten op de eis om losgeld, Laran. Je kunt er toch niets meer aan doen.'

Laran was furieus dat Darilyn zo onbekommerd was om Riika's lot. Vanaf het moment dat hij hoorde van de dood van vier van zijn Stropers en de ontvoering van zijn jongste zus, balanceerde hij op het randje van redeloze razernij. Darilyn kon hem daar zomaar overheen duwen als ze nog zo'n opmerking maakte.

'En als de wachters zijn gedood en Riika is meegenomen door slavenhandelaren?'

'Welke slavenhandelaar haalt het nou in zijn hoofd om iemand aan te vallen die zo goed wordt bewaakt?' schokschouderde Darilyn. 'Trouwens, al die tijd dat we hier in Winternest zijn, hebben we niets over slavenrooftochten gehoord. Mahkas zei dat de slavenhandelaren hun rooftochten doorgaans concentreren op de pas bij Hoogkasteel omdat dat dichter bij de kust is.'

'De pas bij Hoogkasteel zit dicht,' hielp Laran haar herinneren.

'Toch zit er wel iets in wat Darilyn zegt,' kwam Mahkas tussenbeide, zijn gezicht vertrekkend vanwege haar hardhandige gedokter. 'We hebben er hier al jaren geen problemen meer mee gehad.'

'Ja, maar we hebben nu dus wel een probleem,' bitste Laran.

'Gaan de boze mannen tante Riika pijn doen?' vroeg Travin bezorgd.

'Denk je dat ze Zek ook zullen vinden en hem pijn doen, oom Laran?' vroeg Xanda geschrokken. 'Als ze hem vangen, eten ze hem op!'

'Nee, ik denk niet dat de boze mannen jullie vis zullen opeten,' zei Laran bruusk tegen zijn neefje. 'Veruca, breng de jongens hier weg. Nu. Raek zal ervoor zorgen dat er vannacht een wachter voor hun deur staat, maar ze gaan nu weg.'

'Ik wil dat ze blijven,' hield Darilyn vol.

'Jammer dan,' zei Laran ontoeschietelijk. Ongerust keek Veruca van de krijgsheer naar de moeder van de kinderen en besloot blijkbaar dat Larans bevelen het zwaarst wogen. Ze riep de jongens bij zich en nam hen mee de zaal uit. Met een hoofdknik stuurde Laran Raek achter haar aan om ervoor te zorgen dat de jongens niets zou overkomen. De jonge luitenant salueerde en volgde de kinderjuf en Larans twee nogal gedweeë neefjes naar de deuren.

Darilyn keek hem vuil aan. 'Je hebt het recht niet om mijn slaven rond te commanderen.'

'Ze is jouw slavin niet, Darilyn. Ze was Riika's kinderjuf, niet die van jou, en ze is het eigendom van de familie Ravenspeer. Jij mag alleen gebruik van haar maken zolang je in Winternest bent. Dus als je er niet tegen kunt dat ik míjn slaven zeg wat ze moeten doen met je kinderen, zoek je er zelf maar een stel.'

Met een ruk trok Darilyn de laatste hechting in Mahkas' wond aan, daarmee een kreet aan haar broer onttrekkend, voordat ze zich omdraaide naar Laran. 'Je hoeft je frustratie niet op mij te botvieren, Laran Krakenschild. Ik ben niet degene die zijn familie niet kon beschermen met verdomme een half leger om erop te passen.'

'En dat is dus het probleem, Darilyn, ik hád ook verdomme een half leger paraat om op mijn familie te passen, en dat is door Mahkas teruggestuurd naar het kasteel.'

'Dat was heel dom,' gaf Mahkas toe terwijl Darilyn zijn arm begon te verbinden. 'Het spijt me, Laran. Maar ik had nooit gedacht dat er zo dicht bij het kasteel gevaar kon dreigen. Ik ga morgen met je mee uit rijden. We vinden Riika wel. Dat beloof ik.'

'Je kan nog geen zwaard vasthouden,' bracht Laran hem in herinnering, wijzend naar zijn gewonde rechterarm.

Mahkas keek naar de lange snee van zijn biceps tot aan zijn pols die door Darilyn zo keurig was gehecht. Hij mocht van geluk spreken dat er geen pezen waren geraakt waardoor hij zijn zwaardarm helemaal niet meer zou kunnen gebruiken. Ondanks ongetwijfeld aanzienlijk veel pijn en leed rechtte Mahkas manhaftig zijn schouders en keek zijn broer vastberaden aan. 'Ik laat me hier niet door tegenhouden.'

'Nee, maar het houdt mij wel op,' zei Laran hem onomwonden. 'Ik stuur het merendeel van de troepen morgen op pad om de heuvels uit te kammen, voor het geval dat dit gewoon Fardohnyaanse bandieten waren die hun kans schoon zagen. Ze mogen dan hebben genomen wat ze wilden...'

'Je bedoelt natuurlijk dat ze Riika gewoon hebben verkracht,' onderbrak Darilyn.

'Ja, dat bedoel ik, ja,' beaamde Laran met een gevaarlijke blik in zijn ogen. 'En als dat zo is, kunnen ze haar ergens in de bergen voor dood hebben achtergelaten.'

'En zo niet?' vroeg Mahkas.

'Dan ga ik met Raek en een kleine troepenmacht Fardohnya in om te zien of ik haar spoor kan vinden.'

'Je rijdt gewoon met een afdeling gewapende Stropers Fardohnya in?' vroeg Darilyn vol afgrijzen. 'Ben je gek, Laran? Zelfs al hebben ze haar inderdaad, de Fardohnyanen zullen het beschouwen als een oorlogshandeling.'

'Mijn zus ontvoeren was een oorlogshandeling, Darilyn. Dit is gewoon mijn reactie daarop.'

'Waarom wacht je nou niet gewoon af?' probeerde ze hem tot rede te brengen. 'Geef het een paar dagen. Kijk of er losgeld wordt geeist. Goden, je hebt toch zeker genoeg geld om haar terug te kopen? En het is ook veel logischer dan dat jij met Raek Harlen en een handjevol wraaklustige Stropers de oorlog verklaart aan Fardohnya.'

'Denk je soms dat dat alles is?'

'Nee, dat is niet wat ik denk,' antwoordde ze fel. 'Ik denk namelijk dat je hiermee gewoon weer laat zien dat je alles voor Riika over hebt, ook al breng je daarmee de rest van de familie in gevaar. Alleen breng je in dit geval de rest van Hythria in gevaar.'

'Welk gevaar heeft het nou voor Hythria als ik Riika ga redden?'

'Dat vraag je aan míj?' lachte ze honend. 'Goden, Laran. Je hebt verdomme net het hele land op zijn kop gezet door Marla Wolfsblad te trouwen zodat jullie ons een erfgenaam kunnen bezorgen waar we allemaal trots op kunnen zijn. Een Hythrische erfgenaam, weet je nog? Dus wat ga jíj nu doen? In plaats van verstandig thuis te blijven om ervoor te zorgen dat je kersverse bruid in verwachting raakt van onze dierbare Hythrische erfgenaam, spring jij op je paard voor een of andere volslagen zinloze reddingsactie, aangezien je Riika waarschijnlijk straks gewoon kunt terugkopen wanneer je maar wilt, ook al is ze ontvoerd door slavenhandelaren.'

Laran staarde Darilyn een tijdlang aan, te kwaad om zijn stem te vertrouwen. Dat ze zo bot kon zijn over Riika's lot kon hij onmogelijk begrijpen. Dat ze misschien zelfs gelijk had over een eis om losgeld, maakte het alleen maar erger.

'Ik ga tot het uiterste om onze zus terug te krijgen,' verkondigde hij. 'Hoe lang ik er ook over doe, en hoeveel man ik er ook voor nodig heb. Ik ga niet betalen voor iets wat rechtens van mij is.'

'Jouw koppigheid wordt nog eens mijn dood, Laran,' beschuldigde Darilyn.

'Dat mocht ik hopen,' mompelde Laran kwaad.

50

Bij het krieken van de volgende ochtend ging Laran met Raek Harlen en een peloton van twintig Stropers Winternest uit over de weg naar de Weduwmakerspas. Het was fris, en de adem van de in westelijke richting naar Fardohnya galopperende paarden wolkte in het vroege ochtendlicht.

Laran verwachtte geen problemen. Tenminste, niet voordat ze aankwamen bij de veste aan de andere kant van de tien mijl lange pas door de Zonnegloorbergen die Fardohnya en Hythria van elkaar scheidden. Eenmaal bij Westbeek meende Laran eerder problemen te krijgen met de Fardohnyaanse douanebeambten dan met gewapend verzet, en hij wist zeker dat hij die wel kon afkopen. Het was eigenlijk een gegeven in Fardohnya dat je geen openbaar ambt kon bekleden als je níét omkoopbaar was.

Dankzij de aan Fardohnya eigen corruptie verwachtte Laran alles te weten te kunnen komen voor de prijs van enkele steekpenningen. Het zou slechts een kwestie van uren zijn om erachter te komen wie Riika door de pas had vervoerd en of ze wel door de pas was gebracht. Hij zou weten wat de namen van de kooplieden waren, wie hun vrouwen en kinderen waren en vast ook nog wat ze vanochtend als ontbijt hadden gegeten.

En als hij tegen de avond Riika nog niet terug had, verwachtte hij ten minste te weten waar hij haar kon vinden en bezig te zijn met plannen voor haar bevrijding.

Op dit vroege uur was er amper verkeer in de pas, en daar was Laran dankbaar voor. De natuurlijke kloof was op sommige plaatsen nauwelijks breed genoeg voor een wagen, en opstoppingen kwamen veelvuldig voor, evenals gevechten tussen de karavaandrijvers over de vragen wie er het eerste was, wie voorrang had en wie er achteruit moest – ook een reden waarom het de Weduwmakerspas werd genoemd.

Lang geleden al had Glenadal de behoefte aan enkele verkeersregels in de pas bepleit, maar elke poging om een aantal uitvoerbare regels vast te stellen, was mislukt doordat de Fardohnyaanse beambten voor het juiste bedrag zomaar een oogje voor eventuele overtredingen konden dichtknijpen. Chaos bleef heer en meester, en om die te vermijden, kon Laran alleen maar proberen de grens over te steken voordat het een van de aan Fardohnyaanse of Hythrische zijde kamperende karavanen was gelukt te ver de pas in te komen.

De goden leken met hem te zijn. Ze kwamen geen verkeer tegen, maar de weg zat vol kuilen en sporen van vele wagens die hier voorbij waren gegaan. Bij een aantal gelegenheden had Glenadal er ook over gesproken om de weg door de pas te plaveien, maar daar had hij toch huiverig tegenover gestaan vanwege de ontwrichting van de handel zolang de weg werd aangelegd en de enorme kosten die daarmee gepaard gingen. Toch vroeg Laran zich af of het niet de moeite waard zou zijn. Ze konden tol heffen om de kosten te drukken, het zou de reis tussen de twee landen bekorten, en ze konden rustplaatsen aanleggen in de bredere stukken van de pas, zodat in tegengestelde richtingen trekkende karavanen elkaar konden passeren zonder dat het tot onenigheid kwam. Misschien kon hij zelfs Hablet zo ver krijgen om de helft van de bouwkosten te dragen, als hij hem de helft van de tol in het vooruitzicht stelde.

Vooropgesteld dat Hablet nog met hem sprak, natuurlijk.

Het onfortuinlijke feit dat Laran Hablets bruid had gestolen, kon namelijk ook nog een onneembare barrière vormen voor zinvolle onderhandelingen met Fardohnya.

'Daar is de veste.'

Op Raeks waarschuwing staakte Laran zijn gepeins over de haalbaarheid van tien bestrate mijlen door de hoge bergpas en keek in de verte. Als een beduidend minder indrukwekkende versie van Winternest was Westbeek op vergelijkbare schaal gebouwd, zij het zonder een brug over de weg die de twee armen van de veste met elkaar verbond. Maar het was toch een massief, vrijwel onneembaar fort, en Laran maakte zich geen moment wijs dat hij het met geweld kon veroveren. Zeker niet met de twintig Stropers die hij had meegebracht. Wat Darilyn ook dacht, de Fardohnyanen zouden het niet als een oorlogshandeling beschouwen dat Laran met zijn mannen naar Westbeek reed. Een krijgsheer die met twintig soldaten de veste kwam aanvallen, was eerder een mop.

Ze reden de binnenhof op van de noordelijke veste, vlak voordat er een lange karavaan naar buiten kwam, de wagens vol met vaten wijn, grote aardewerken kruiken met olie, rollen stof en twee ladingen gespierde slaven, vermoedelijk op weg naar de mijnen nabij Byamor in Elasapine. De slaven zaten in de wagens, onder dekens tegen de kou maar verder niet geboeid. De handelaar was duidelijk een schrander zakenman. De slaven zouden in uitstekende conditie in Byamor arriveren, zonder geïnfecteerde schaafplekken van ketenen en zonder verkrampte spieren of gebroken ledematen. Ze zouden zo aan het werk kunnen en vijfmaal zoveel waard zijn als een slaaf die eerst moest herstellen van het vervoer naar de mijnen. De kans dat de slaven zouden proberen te ontsnappen, was klein. Onder de dekens waren ze naakt en barrevoets. Ze mochten blij zijn als ze het langer dan twee dagen in de bergen wisten vol te houden, zonder onderdak.

Laran steeg af terwijl de karavaan de poort uit rolde, terwijl de karavaandrijver schreeuwde naar de achterliggende wagens om bij te blijven. Een poosje later kwam er iemand tevoorschijn uit de zaal van het hoofdgebouw. Hij was kaal en gedrongen en droeg een grote ketting met medaillon om zijn hals die aangaf dat hij de gevolmachtigde van Westbeek was, een archaïsche titel die terugging naar de vroege dagen van de nieuwe natie Hythria, toen de Fardohnyaanse grensgarnizoenscommandant bevoegd was te onderhandelen met de volledige macht van zijn koning, om tijd te besparen door voor beslissingen niet telkens terug te verwijzen naar Talabar. De eerste hoogprinses van Hythria was, per slot van rekening, de geliefde tweelingzus van de Fardohnyaanse koning geweest, en haar echtgenoot, Jaycon Wolfsblad, een van zijn trouwste vazallen. Koning Greneth de Oude had geen onredelijke eisen van het nieuwe land verwacht en de verantwoordelijkheid in het volste vertrouwen gedelegeerd aan een onderdaan. Dat was meer dan duizend jaar geleden. Sindsdien was het gezag van de gevolmachtigde van Westbeek aanzienlijk uitgehold door steeds wantrouwiger koningen. De man had inmiddels niet meer zeggenschap dan de gemiddelde kapitein in het Fardohnyaanse leger, maar het was nu eenmaal een prestigieuze titel, en hij mocht het indrukwekkende gouden medaillon houden als hij met pensioen ging.

'Er staat een bord, zo'n drie mijl terug langs de weg,' begon de man in vloeiend Hythrisch toen hij naderbij kwam. 'Daar staat "Fardohnya" op. Jullie begrijpen zeker niet dat je dan niet zomaar tot de tanden bewapend mijn veste in kunt komen rijden om de boel op stelten te zetten.'

'Ik ben Laran Krakenschild.'

'Ah,' reageerde de man. Met een beschouwende blik bekeek hij hem van top tot teen. Zijn ogen hielden halt bij Larans gedreven zilveren kuras, en hij haalde zijn schouders op. 'Nou, dan zijn de omstandigheden een beetje... verzachtend. Ik ben Symon Kuron. Wat kan ik voor u doen, heer Krakenschild?'

'Er is gisteren een familielid van me ontvoerd.'

'Zeer tragisch. Waarom vertelt u mij dit?'

'Ze is ontvoerd door Fardohnyanen.'

'Weet u dat zeker?'

'Ja.'

'O.'

'Ja, o,' waarschuwde Laran. 'Want als ze hierlangs is gekomen en u haar zomaar voorbij hebt gelaten, gevolmachtigde, dan word ik *erg* boos op u.'

Lichtjes meesmuilend wierp Kuron een blik op Larans twintigkoppig escorte. 'U maakt me bang, heer Krakenschild. Ik sta werkelijk te sidderen in mijn laarzen. Twintig Hythrische Stropers! Goeie genade, wat zult u doen?'

'Ik heb er thuis nog een paar duizend meer,' verduidelijkte Laran koeltjes.

'Dat weet ik,' beaamde Kuron met een zucht, 'maar ziet u, úw probleem is als volgt, heer Krakenschild. Ze zijn niet hier, hè?' Symon Kuron knipte met zijn vingers, en plotseling waren ze omsingeld. De Fardohnyaanse wachters op de omloop hielden hun kruisbogen gericht op Laran en zijn manschappen, en de soldaten op de binnenplaats hadden hun zwaarden getrokken.

Laran stak zijn arm omhoog om Raek en zijn mannen te beletten zelf ook de wapens te trekken en een bloedbad te veroorzaken.

'Een verstandige beslissing, heer Krakenschild,' merkte Symon Kuron op toen hij het gebaar zag.

'We werden verwacht.' Het was een mededeling, geen vraag. Riika's ontvoering ging duidelijk een stuk verder dan een paar slavenhandelaren die op een geschikt doelwit waren gestuit.

De gevolmachtigde van Westbeek knikte. 'Ja, mijnheer, u werd verwacht. Uw recente daden hebben mijn koning nogal ontriefd, en hij zou u erg graag even spreken.'

'En daarvoor ontvoeren jullie een onschuldig meisje?' vroeg Laran terwijl de Fardohnyanen de Hythrun kwamen ontwapenen. 'Waarom sturen jullie me dan geen bericht om te vragen om onderhandelingen?'

'Omdat we dáár niets mee opschieten,' antwoordde Kuron alsof Laran een beetje traag van begrip was. 'Mag ik u ondertussen een ontbijt aanbieden, heer Krakenschild? Het zal nog even duren voordat uw escorte hier is.'

'Escorte?'

'U verwacht toch niet dat de koning naar u komt, mijnheer?'

'Waar brengen jullie me naartoe?'

'Niet ver.'

'En waar is mijn vrouwe?' vroeg Raek, die zich niet meer kon inhouden. Laran keek hem aan en schudde zijn hoofd. Ook al waren ze in wezen gevangengenomen, de kans was nog aanwezig dat hij zich eruit kon onderhandelen. Als Hablet met hem wilde praten en Riika alleen maar had ontvoerd om zijn aandacht te krijgen, zou hij hen waarschijnlijk allebei vrijlaten als hij zijn pleziertje had gehad.

Hablet zou hem niet doden, dat wist Laran zeker. Hoe verdeeld de krijgsheren van Hythria gewoonlijk ook waren, niets zou hen sneller verenigen dan de dood van een van hen door toedoen van de Fardohnyaanse koning, en Hablet wilde geen oorlog met Hythria. Hij had hun prinses gewild als zijn vrouw.

'Hare hoogheid is veilig en wel,' beloofde Kuron. 'En blijft dat, zolang heer Krakenschild zijn medewerking verleent.'

'Het is al goed, Raek.' Hij wendde zich tot de gevolmachtigde. 'Ik wil wel dat ik ook word begeleid door míjn mannen.'
'Uiteraard.'
Laran knikte en keek toe terwijl zijn escorte werd weggeleid. De gevolmachtigde van Westbeek deed een stap achteruit en vroeg Laran met een beleefd gebaar hem te volgen naar binnen. Pas toen ze de zaal betraden en de geur van versgebakken spek hun tegemoetkwam vanaf de vuren aan de andere kant, begon Laran zich af te vragen waarom Symon Kuron naar Riika had verwezen als 'hare hoogheid'.

51

Mahkas' arm deed gruwelijk zeer. Hij was zich rot geschrokken toen hij besefte hoe weinig het had gescheeld dat de Fardohnyaanse slavenhandelaar hem permanent had beschadigd, maar hij kon er natuurlijk niet bij iemand over klagen. Afgesproken was dat hij op een overtuigende manier zou worden verwond bij de aanval, en dat was ook gebeurd. Laran móést ervan overtuigd zijn dat Mahkas zijn eigen leven in gevaar had gebracht om Riika te redden. De kleinste aanwijzing dat hij niet tot het uiterste was gegaan om haar te bevrijden, zou genoeg zijn geweest om twijfel over zijn verhaal te zaaien.

Mahkas had alleen niet beseft dat het zo'n pijn zou doen.

Hij had er ook niet op gerekend dat de Fardohnyanen de wachters zouden ombrengen, maar daar kon hij Symon Kuron nu niet voor onderhanden nemen. Hij had Raek en de overige wachters teruggestuurd naar het kasteel om domweg zo min mogelijk mannen te laten onderwerpen als Riika gevangen werd genomen. Onbedoeld had hij hun leven gered, niet wetende dat het Fardohnyaanse begrip van 'onderworpen' bij hem 'dood' betekende.

Mahkas had het gevoel dat hij een pact had gesloten met een boze god, die hem wilde wegvoeren van alles wat hij als goed en fatsoenlijk beschouwde. Hij wist niet zeker of de boze god vlees was geworden in de gedaante van de Fardohnyaan, Symon Kuron, of van zijn eigen zus, Darilyn.

Zij was de drijvende kracht achter dit gewetenloze verraad van zowel Larans vertrouwen als dat van Riika. Nog maar enkele weken geleden had hij zichzelf niet tot zoiets in staat geacht.

Maar enkele weken geleden had Laran hem ook nog niet gepasseerd voor een positie met grote verantwoordelijkheid die hij overduidelijk verdiende, alleen maar omdat hij hun zusje van zestien het vertrouwen waardiger achtte. Enkele weken geleden had Mahkas nog een toekomst met enige belofte gehad en niet een toekomst waarin hij altijd iemands onderbevelhebber zou zijn.

Dat was allemaal natuurlijk nog geen excuus voor wat hij had gedaan, maar hij was dit pad nu eenmaal ingeslagen en er was geen weg terug. Hij was verantwoordelijk voor de dood van de vier soldaten die bij de overval waren omgekomen, en dat probeerde hij ook niet op een ander af te schuiven, voor zichzelf tenminste. Maar schuld en geweten waren twee verschillende dingen. Dat het hem niet lekker zat, betekende nog niet dat Mahkas bereid was tot het uiterste te gaan. Mocht zijn betrokkenheid ooit aan het licht komen, dan zou dat zijn einde betekenen.

Laran zou hem waarschijnlijk doden, en dat zou dan het zachtste lot zijn dat hem kon toevallen als zijn verraad werd onthuld. Het idee dat anderen van zijn verraad wisten en hij moest leven met hun veroordeling was voor hem ondraaglijk.

Nu Laran weg was, al was het maar voor even, kon hij wat gemakkelijker ademhalen. Mahkas verwachtte niet dat zijn broer erg ver zou komen bij de Fardohnyanen. *Vanavond is hij terug zonder dat zijn uitstapje over de grens iets heeft opgeleverd.* De gevolmachtigde lachte hem vast gewoon uit als Laran hem kwam confronteren. Mahkas wist niet wie die positie momenteel bekleedde. Hij had er niet aan gedacht om het te vragen. Hoe minder hij over deze gevaarlijke onderneming wist, hoe beter. Maar Symon Kuron had hem ervan verzekerd dat de gevolmachtigde van Westbeek bereid was te onderhandelen en ervoor zou zorgen dat 'prinses Marla' niets overkwam terwijl ze wachtte op haar vrijlating.

Uiteraard had de slavenhandelaar er geen idee van dat Riika Marla Wolfsblad niet was. En dat was Mahkas' bescherming. Ook al zou iemand Laran ronduit vertellen dat zijn broer het had geregeld om Marla te laten ontvoeren, dan zou Laran hem nooit geloven.

Marla zat immers in Cabradell, dus wie dit plan ook had verzonnen, het was duidelijk iemand die niet wist dat Mahkas en Laran een jongere zus hadden. Het kon ook geen familielid zijn geweest. Darilyn was daar rotsvast van overtuigd geweest. Laran zou het gewoon nooit geloven, had ze haar broer verzekerd. Van geen van hen beiden.

Nu was het slechts een kwestie van wachten op hun aandeel van het losgeld. Hij had het goed gedaan bij de onderhandelingen. Darilyn en Mahkas konden rekenen op vijfentwintig procent van wat de Fardohnyanen voor Riika wisten te krijgen. Symon Kuron had gesproken over een som van in de miljoenen. Ook als ze erachter kwamen wie Riika eigenlijk was en de eis om losgeld redelijker werd, zou hun aandeel in de buit nog een getal van zes cijfers zijn. Met zoveel geld kon hij een fatsoenlijk bezit kopen in een andere provincie en een schatrijk bestaan leiden, niet langer onderworpen aan Larans grillen.

Wat Darilyn van plan was te doen met haar aandeel kon hem geen zier schelen, al zou haar alibi vermoedelijk nog overtuigender zijn dan Mahkas' smoes. Laran zou nooit geloven dat ze haar eigen kinderen moedwillig in gevaar had gebracht.

Het enige probleem was eigenlijk nog een plausibele reden voor zijn plotselinge en onverwachte rijkdom. Misschien kon hij een vergeten erfenis van zijn vader opvoeren? Vast geen goed idee. Jeryma was veel te goed op de hoogte van de zaken van wijlen zijn vader. Een cadeau van een overleden vriend? Zoveel goede – of liever gezegd rijke – vrienden had Mahkas niet. Dan kon hij beter beweren dat het geld afkomstig was van Bylinda's familie. De vader van zijn verloofde was een rijke koopman. Het was niet ondenkbaar dat hij zijn toekomstige schoonzoon voorzag van de weelde waaraan zijn dochter gewend was.

Maar dat kwam later wel aan de orde. Als een eenzame, tragische figuur ijsbeerde Mahkas over de brug boven de weg, met zijn arm in een zwarte mitella, wachtend op bericht over zijn vermiste zus. De patrouilles hadden niets opgeleverd, zoals hij al had geweten. Verontrust ondervroeg Mahkas elke compagnie die binnenkwam en stuurde die er zo snel mogelijk weer op uit, zwerend dat hij niet zou rusten tot Riika terecht was.

Als Laran terugkwam uit Westbeek, zou hij horen van Mahkas' toewijding, zijn zichtbare onrust en zijn wanhopige pogingen Riika te vinden. En hij zou niets vermoeden.

Maar het was koud hier op de brug, en zijn arm deed zeer. Het werd al snel donker. De laatste patrouilles waren al terug, maar er was nog geen spoor van Laran. Mogelijk had hij besloten in Westbeek te blijven overnachten en kwam hij morgenochtend terug. Met zijn voeten stampend tegen de kou draaide Mahkas zich om naar de ingang van de noordelijke veste.

Bewust bleef hij denken aan zijn verloofde, Bylinda; aan haar donkere haar, haar grote groene ogen, haar glimlach, zelfs de lichte sproetjes op haar neus. Hij hield het beeld van haar voor zijn ogen. Weigerde het door iets anders te laten vervangen. Zo hoefde hij niet te denken aan Riika en wat zij momenteel kon doormaken.

Het had geen zin meer om nog langer op de brug te blijven. Straks zouden ze hoe dan ook de poorten van de noordelijke veste sluiten. Mahkas zei de wachters op de brug gedag en liep naar beneden voor een kroes bier voordat hij naar huis ging.

In de douanezaal was het ongebruikelijk stil, en de taveernehouder begroette hem minder uitbundig dan normaal.

Terwijl Mahkas zijn bier dronk, merkte hij op dat alle ogen in de zaal hun best deden die van hem te ontwijken. Niemand wist iets tegen hem te zeggen. De algemene overtuiging in Winternest, wist hij, was dat Riika was meegenomen door slavenhandelaren en vermoedelijk al op weg was naar de markt in Talabar.

Ze voelden mee met Mahkas, ze hadden met hem te doen. Hij had geprobeerd zijn zus te redden van een overweldigende meerderheid (Mahkas had rondverteld dat ze minstens met zijn zessen waren), maar tevergeefs. En hij had de wonden om het te bewijzen.

Maar met hun medelijden kwam ook een gezonde dosis behoedzaamheid. Niemand wist zeker of Mahkas nou moest worden bejubeld als een held die zijn zus had willen redden, of beschimpt als een lafbek omdat het hem niet was gelukt, en totdat de bevolking van Winternest erachter was uit welke hoek de wind kwam, werd de jonge kapitein bij voorkeur gemeden.

In het besef dat er hier vanavond geen pret te beleven viel, dronk Mahkas zijn bier op, weigerde een tweede en ging terug naar de trap die hem via de brug naar de zuidelijke veste zou brengen. Morgen, als Laran terugkwam uit Westbeek, zou het misschien wat rustiger worden. Morgen zou de eis om losgeld misschien komen, en dan konden ze aan de slag om het geld bijeen te brengen.

Morgen zou hij zich misschien niet zo beroerd voelen.

Morgen zou hij misschien wakker worden en enig voordeel kunnen vinden in wat hij had gedaan.

'Er is een boodschapper uit Cabradell,' meldde Darilyn, opkijkend toen Mahkas de zaal binnenkwam. De haard brandde, en het was bijna gezellig in de gewoonlijk tochtige ruimte. Een hele prestatie in een zaal van deze omvang. De jongens waren er niet, moesten vast al naar bed, gezien het uur.

Mahkas was blij dat ze er niet waren. Hij was vanavond niet in de stemming voor Travin of Xanda.

'Een boodschapper?' vroeg hij en nam plaats in een stoel bij het vuur. Hij liet zich in de kussens zakken en wou dat er iets was wat de pijn in zijn arm kon wegnemen. Of misschien moest die gewoon warm worden. Het was ijskoud op de brug, en daar was hij bijna de hele dag geweest.

'De boodschapper had een brief voor Laran,' zei Darilyn tegen hem. 'Van moeder.'

'Wat staat erin?'

'Hij was geadresseerd aan Laran.'

'Dat houdt je toch niet tegen om hem te lezen?'

Darilyn keek kwaad. 'Wat we ook doen, staat erin, onze beste broer Laran weet er altijd weer bovenop te komen.'

'Hoe bedoel je?'

'Ze is zwanger.'

'Moeder is *zwanger?*'

'Nee, idioot!' snauwde ze. 'De toekomstige erfgenaam van Hythria is verwekt, geheel volgens Larans plannen. Eerst heeft hij in zijn eentje de krijgsheren van Hythria beteugeld, en nu heeft hij zijn mannelijkheid bewezen. Moeder vindt het fantastisch, zoals je je goed kunt voorstellen. Op een dag zullen we moeten buigen aan de voeten van ons eigen neefje, Mahkas. Wordt dat niet leuk?'

'Waar héb je het over, Darilyn?'

Ze hield de brief met het verbroken zegel omhoog en zwaaide ermee. 'Ze is zwanger, sukkel. Marla Wolfsblad is zwanger.'

52

Een beetje huiverend in het vale winterzonlicht zat Marla op de rand van de fontein in Jeryma's binnentuin, met haar vingers spelend in het koude water, wachtend tot Jeryma was uitgesproken met Delon Grym, de arts van de familie Ravenspeer. Oorspronkelijk was Delon een court'esa, maar zijn vaardigheden als geneesheer hadden hem veel langer in Jeryma's huishouden gehouden dan de tijd dat een court'esa gewoonlijk in dienst bleef.

Evenals Elezaar kon Delon zijn meesteres andere talenten bieden en had hij zich daarmee een permanente plek in haar huishouden veroverd. Hij was nu in de zestig en had een bos dik, wit haar, was snel van geest en trok met een been wegens artritis. Alle vier de kinderen van Jeryma had hij ter wereld gebracht, en vermoedelijk was hij de enige aan wie Jeryma het toevertrouwde om ook haar kleinzoon op de wereld te zetten.

Het verbaasde Marla niets dat het nieuws van haar zwangerschap al overal in Cabradell bekend was, bijna voordat ze er zelf zeker van kon zijn. Met grote ogen van enthousiaste nieuwsgierigheid was ze door iedereen in het paleis gevolgd vanaf de dag dat ze het bed met

Laran deelde, in het bijzonder door haar schoonmoeder.

Marla begreep in welke positie ze verkeerde en wist, diep vanbinnen, dat ze het eigenlijk niet beter had kunnen treffen. Dit plan om haar te redden van een huwelijk met Hablet was Jeryma's idee, besefte Marla. Of anders had wijlen haar echtgenoot, Glenadal Ravenspeer, het bedacht. Ze maakte zich geen moment wijs dat het in zekere zin was ingegeven door het idee dat Marla liever zou zijn gestorven dan uitgehuwelijkt aan Hablet in Fardohnya. Hun plannen draaiden uitsluitend rondom de wens een Hythrische erfgenaam op de troon van haar broer te zien. Dat Marla van Hablet was gered, was slechts een neveneffect van hun intrige.

Laran was geen vrijwilliger. Hij was voor deze dienst aangewezen, begreep Marla toen ze een paar weken met hem getrouwd was. Hij was niet iemand die zonder reden een staatsgreep pleegde. Laran zag het nut van het plan in, was bereid te doen wat hij doen moest om het te laten slagen, maar het was duidelijk dat hij zijn politieke doelen liever had willen bereiken zonder iemand tot zijn vrouw te nemen. Vooral als die vrouw amper half zo oud was als hij en niets met hem gemeen had.

In de eerste dagen had Marla ook niet echt meegewerkt. Nog steeds gekwetst door het wrange besef dat ze eigenlijk een wandelende baarmoeder was die werd verkocht aan de hoogste bieder, stond ze niet direct te springen om haar huwelijkse plichten te vervullen. Bovendien was ze verliefd op Nash Havikzwaard. Het leek verraad om er zelfs maar aan te denken met een ander naar bed te gaan.

Dronken als een zegevierend krijgsheer was ze op de avond van haar bruiloft in het huwelijksbed gestapt en onder zeil geraakt voordat er iets kon gebeuren. Ook de tweede avond was ze dronken geweest – Hythrische bruiloftsrecepties konden dágen duren – en deze keer was ze niet flauwgevallen maar had ze het hele bed ondergekotst, waarmee er voor de rest van die nacht ook meteen een einde aan de kans op enige romantiek was gekomen.

Op de derde avond begon ze zich een beetje schuldig te voelen omdat ze niet eerlijk was tegenover Laran. Ze maakte toen een nieuw voornemen voor zichzelf. *Stel het niet langer uit. Bijt door de zure appel heen. Doe wat Hythria van je verlangt...*

Dus, vol van wijn en goede bedoelingen, vastbesloten te doen wat ze doen moest om de koop te sluiten die haar broer namens haar had geregeld, liet Marla zich binnen in Larans kamer. Verleidelijk vleide ze zich neer op de chaise bij de haard, haar lange haren los, gekleed in een japonnetje dat een tantaliserende blik bood op de blote huid eronder, en wachtte op haar echtgenoot.

Laran arriveerde enkele ogenblikken na Marla. Hij keek haar verrast aan. 'Je bent bij,' merkte hij zakelijk op. 'En je hebt ook je eten binnengehouden.'

'Het spijt me van... gisteravond,' zei ze. 'En van de avond daarvoor.'

Haar verontschuldiging zou vast oprechter hebben geklonken als ze aan het einde niet hard had gehikt. Laran nam de stoel tegenover de chaise bij de haard en keek haar nieuwsgierig aan.

'Hoeveel heb je vanavond gedronken, Marla?'

Ze haalde haar schouders op. 'Een of twee...'

'Glazen?'

'Karaffen.'

Hij schudde zijn hoofd. 'En dat drankprobleem dat je in de afgelopen drie dagen hebt ontwikkeld, is dat iets wat je van plan bent vol te houden, of mogen we verwachten dat je binnenkort nuchter wordt?'

'Ik ben geen zatlap!' protesteerde ze.

'Nee?' vroeg hij met een opgetrokken wenkbrauw.

'Het is gewoon...'

'Je kunt er niet tegen om met mij naar bed te gaan?' concludeerde hij.

Marla wist niet of hij kwaad was of teleurgesteld of dat hij slechts een feit constateerde. Laran was er goed in om dergelijke dingen niet prijs te geven. 'Je hebt maandenlang twee court'esa tot je beschikking gehad, Marla,' verduidelijkte hij, een beetje verwonderd over haar tegenzin. 'Je weet dan toch zeker wel wat je te wachten staat?'

'Jawel... maar...'

'Wat?'

'Nou, Elezaar mag dan een court'esa zijn, maar je denkt toch niet dat ik...' Haar woorden stierven weg, en ze wist zich geen raad onder zijn blik. 'Maar goed. Corin was... behulpzaam, maar ik was zo kwaad op Lernen omdat hij me aan Hablet had beloofd, dat ik hem maar een beetje heb... gebruikt.'

'Maar wat is dan het probleem?'

'Ik ben bang dat je me... ik weet niet... dom vindt of zo...'

'Als je elke avond dronken in mijn bed stapt, Marla, denk ik veel eerder dat je dom bent dan wanneer je toegeeft bang of onervaren te zijn.'

Zo had ze er nog niet over nagedacht. 'Het spijt me, Laran, echt waar. Maar... ik wil gewoon niemand teleurstellen. Jou niet, mijn broer niet. Zelfs je moeder en de hoge arrion niet. Ik weet wat iedereen van me wil. Ik begrijp wat ervan afhangt. Ik kan er zelfs de logica van inzien...'

'Als je nuchter bent?' onderbrak hij, met een zweem van een glimlach.

Ze trok een gezicht naar hem. 'Goed dan... als ik *nuchter* ben. Ik ben alleen zo bang dat ik niet ben wat iedereen van me verwacht. Stel dat ik geen zoon krijg. Wat als ik onvruchtbaar blijk? Of stel...'

'Marla!' zei Laran scherp, halverwege haar zin.

'Ja?'

'Ga naar bed,' gebood hij. 'Je eigen bed. Morgen, als jij het bent die praat en niet de wijn, praten we verder. Dan komen we hier samen vast wel uit.'

'Ben je niet boos op me?'

'Deze keer niet,' stelde hij haar met een glimlach gerust. 'Maar als ik je nog vaker beneveld van de etenstafel weg zie waggelen, begint mijn geduld een beetje op te raken.'

Marla glimlachte toen ze terugdacht aan zijn woorden. Dat was het moment geweest waarop ze Laran áárdig begon te vinden. Ze hield niet van hem. Ze hield van Nash. Maar Laran was aardig, en als puntje bij paaltje kwam en je met iemand moest trouwen, dan scheelde het wel als het aangenaam gezelschap betrof.

'Nou,' verkondigde Jeryma, een abrupt einde aan Marla's overpeinzingen makend terwijl ze de binnenplaats weer op kwam nadat ze de arts had weggestuurd. 'Delon zegt dat je zo gezond bent als een vis.'

'Dan zal ik nu wel moeten worden weggestopt,' verzuchtte Marla. 'En vertroeteld als een invalide tot het is geboren.'

'Goede genade, kind, hoe kom je op het idee?' riep ze uit. 'Je bent zwanger, je hebt niet een of andere vreselijke ziekte. Trouwens, hoe moet je kind nou sterk en gezond worden als je de komende maanden maar wat rondhangt als een slak?'

'Ik dacht dat het zo ging met edelmansvrouwen die zwanger worden. Die worden opgesloten als gevangenen tot het kind is geboren, uit angst dat er iets gebeurt met de dierbare erfgenaam die ze dragen.'

'En dat is voor de helft de reden waarom veel van die dierbare erfgenamen niet gezond zijn.' Jeryma nam plaats naast Marla op de rand van de vijver. 'Als je de vrouw van een boer was, Marla, zou je op het land werken tot je vliezen braken en de volgende dag alweer staan te planten, met je baby op je rug gebonden.'

'Zal Laran er blij mee zijn?' vroeg Marla. 'Of alleen maar opgelucht?'

Jeryma glimlachte. 'Allebei, vermoed ik. Zodra hij mijn brief krijgt met ons blijde nieuws, komt hij vast meteen uit Winternest terug naar huis. En dan neemt hij Riika mee terug. Het zal goed voor je zijn om hier een vriendin van je eigen leeftijd te hebben.'

'Ik hoop dat ze me aardig vindt. Ik heb nog nooit een echte zus gehad. Het zou wel tragisch zijn als we erachter kwamen dat we elkaar niet kunnen uitstaan.'

Jeryma keek haar bezorgd aan. 'Ben je zo eenzaam hier, Marla? Ik kan vragen of je nicht Ninane komt, als je dat wilt.'

'Nee,' reageerde Marla haastig. 'Ik zou juist blij zijn als u níét vroeg of Ninane kwam.'

'Nou, als je verder nog iets nodig hebt...'

'Was het zwaar voor u, vrouwe Jeryma?'

'Was wat zwaar voor me, lieverd?'

'U bent viermaal getrouwd met een man die u niet eens kende. Hebt u zich nooit afgevraagd hoe het is om verliefd te zijn?'

'De hele tijd,' bekende Jeryma met een meewarig glimlachje. 'Ik denk niet dat ik het ooit ben geweest, al was er eens een jongeman...'

Marla was geschokt. 'Echt waar?'

'Ik was toen nog getrouwd met Mahkas' vader. Mijn man was veel ouder dan ik, veertig jaar ouder zelfs, dus we hadden niet zoveel gemeen. Thelen was een van de Stropers uit Krakandar die door het Collectief werden aangewezen om Laran te beschermen toen hij nog klein was.'

'Was u verliefd op hem?'

Jeryma grinnikte zachtjes. 'Nou, eigenlijk wilde ik alleen met hem naar bed.'

'En had u ook echt een *verhouding?*' Marla vond het idee dat de volmaakt fatsoenlijke vrouwe Jeryma ooit zoiets... gevaarlijks had gedaan... bijna onbegrijpelijk.

'Een tijdje. Mahkas was toen net geboren, en ik voelde me nogal... onaantrekkelijk, denk ik. Thelen gaf me het gevoel een godin te zijn. Het duurde niet lang; dat kon ook niet, eigenlijk. Dergelijke verhoudingen zijn gedoemd te mislukken. Phylrin kon wel een tijdje een oogje dichtknijpen, maar als het ooit bekend was geworden, zou het schandaal veel groter zijn geweest dan de paar momenten genot die eraan vooraf waren gegaan. Geloof me, Marla, als je aan dergelijke troost behoefte hebt, hou het dan bij een court'esa. Die zijn er nog beter in ook en dragen niet de risico's met zich mee die aan je eigen klasse verbonden zijn.'

'Zou Laran een oogje dichtknijpen als ik er iemand op nahield?'

Jeryma keek haar geschrokken aan. 'Ben je dat dan van plan?'

Marla glimlachte. 'Hypothetisch.'

'Laten we dat maar niet uitproberen, goed?' opperde Jeryma.

'Ik maak maar een grapje, vrouwe Jeryma.'

'Dat geloof ik graag, lieverd,' zei haar schoonmoeder. 'Maar we hebben nog maar net de bevestiging dat je in verwachting bent van de volgende hoogprins van Hythria. Laten we het water nou niet troebel maken door ons hardop af te vragen wat je man zou doen als je er een ander op nahield, ja?'

'Ja,' stemde Marla in met een glimlach.

Jeryma klopte op haar hand en keek nogal opgelucht. 'Goed zo, meisje.'

Goed zo, meisje, herhaalde Marla in stilte met een zucht. *Ik vraag me af of ze dat ook nog zegt als ik geen zoon baar.*

53

Tegen de tijd dat de kap van haar hoofd werd getrokken, wist Riika dat ze al een heel eind over de grens in Fardohnya zat. Ze was meegenomen naar een plek enkele mijlen van de picknickplaats waar Mahkas en de anderen dood lagen en daar achter op een kloek bergpaard gegooid. De rest van de dag waren de drie mannen door wie ze was ontvoerd, hard door de beboste hellingen gereden. Hun inspanningen om hun sporen te verbergen werden aanzienlijk geholpen door een korte maar hevige sneeuwstorm die elk bewijs van hun voorbijgaan vernietigde. Ze scholen in de luwte van een ondiepe grot tot de storm was uitgewoed, en reden toen verder tot ze eindelijk zo'n twee mijl van Westbeek de Weduwmakerspas in gingen. Eenmaal op de weg nam hun snelheid flink toe, en voor het vallen van de avond zaten ze veilig binnen de muren van Westbeek.

Vlak voor zonsondergang werd Riika overgeleverd aan de gevolmachtigde van Westbeek, waarmee haar vermoeden werd bevestigd dat dit niet zomaar een aanval van slavenhandelaren betrof. Deze mannen waren zo goed voorbereid, zo goed georganiseerd en zo nonchalant over hun lot dat ze niet anders dan met goedkeuring van overheidswege konden handelen.

'Hoogheid,' zei hij met een buiging toen haar handen waren losgemaakt en ze van de rug van het bergpaard was getild. 'Ik ben Symon Kuron, gevolmachtigde van Westbeek.'

'Ik eis dat jullie me onmiddellijk terugbrengen naar Hythria!'

'Dat doen we ook, hoogheid,' beloofde de gevolmachtigde. 'Zodra uw broer het losgeld heeft betaald.'

'Jullie zijn gek als je denkt dat je mijn broer kunt chanteren,' schimpte ze.

'We zullen zien,' schokschouderde Symon Kuron. 'Ondertussen heb ik hier onderdak voor u geregeld. Morgenochtend wordt u verder het land in gebracht. U kunt vast wel begrijpen hoe dom het zou zijn als we u zo dicht bij de grens hielden tot er een overeenkomst was getroffen voor uw vrijlating. Ik wil graag uw woord dat u niet zult proberen te ontsnappen.'

'En als ik dat weiger te geven?'

'Dan zie ik me gedwongen u de kamer die we voor u in gereedheid hebben gebracht, met een gezellig haardvuur en een warm bad, een veren bed en volledige vrijheid behalve dan een wacht buiten voor de deur, niet aan te bieden, hoogheid, maar u op te sluiten in de kerkers van de veste, tussen de dieven, moordenaars, verkrachters en weggelopen slaven die we daar bewaren. Helaas is het daar een beetje druk momenteel, zodat ik u geen eigen cel kan aanbieden.'

'Jullie zouden het niet durven om iemand zoals ik in een kerker vol moordenaars en verkrachters te smijten!' brieste ze, heel zeker dat iemand die losgeld voor een edelmansvrouw wilde vragen nooit zo dom kon zijn. Het was een ongeschreven maar uitstekend begrepen regel dat iemand van stand voor wie je losgeld eiste, in het bijzonder een vrouw, ongeschonden zou blijven.

'Dit is het grensgebied, hoogheid,' zei de gevolmachtigde. 'Talabar is heel ver weg, en we staan hier niet zo bekend om de finesses van de politiek aan het hof. Als u me niet op uw woord belooft dat u niet zult proberen te ontsnappen – en merkt u op dat ik "proberen" zei, want een kans van slagen is er niet – dan heb ik geen andere keuze dan u op te sluiten op de veiligste, zij het gevaarlijkste en onbehaaglijkste plek in mijn fort. Ik heb namelijk het bevel u over te dragen aan mijn meerderen. En die hebben er niet bij gezegd dat u niets mag overkomen.'

Riika keek de man in het verdwijnende licht aan en wou dat ze kon zien of hij blufte. Stiekem haar vingers kruisend tegen de leugen knikte ze. 'Goed dan. U hebt mijn woord. En u hoeft me geen "hoogheid" te noemen, hoor. Mijn vrouwe is goed genoeg.'

'Als u dat liever hebt, mijn vrouwe,' reageerde de gevolmachtigde. 'Deze kant op.'

Riika volgde Symon Kuron naar binnen, hoopvol rondkijkend, maar ze bevond zich niet in de noordelijke veste, waar net als in Winternest de meeste handel aan de grens plaatsvond. Ze werd naar de zuidelijke veste gebracht, over de binnenplaats en door de sjofele grote zaal, omhoog langs een smalle trap naar een kamer met – zoals Symon Kuron had beloofd – een haardvuur, een al gereedstaand bad en een comfortabel ogend veren bed. Ze liep de kamer in, keek rond en draaide zich om naar de Fardohnyaan.

'Krijg ik te eten, of hoort het bij uw plan om me ook nog uit te hongeren?'

'Uw avondmaal wordt zo dadelijk gebracht, hoogheid. Als u het op hebt, stel ik voor dat u gaat slapen. U hebt morgen een lange reis voor de boeg, en u vertrekt nog voor het ochtendkrieken.'

'Waar word ik heen gebracht?'

'Dat mag ik helaas niet zeggen.'

'U bedoelt dat u het niet weet,' raadde Riika.

De gevolmachtigde van Westbeek liet een flauw glimlachje zien.

'Welterusten, hoog... ik bedoel, mijn vrouwe.'

Riika draaide zich om en keek hem na. 'Mijn broer zal u hiervoor gewoon de oorlog verklaren,' waarschuwde ze terwijl hij de deur opende. 'Hij betaalt helemaal geen losgeld.'

Symon Kuron leek deze dreiging alleen maar amusant te vinden. 'Doet hij dat niet, of kán hij dat niet?' vroeg hij. 'Maar ach, dan kan hij het geld altijd nog lenen van uw man. De goden weten dat díé er rijk genoeg voor is. Goede nacht.'

De gevolmachtigde van Westbeek sloot de deur en grendelde hem af voordat Riika kon zeggen dat haar broer vermoedelijk de rijkste man van Hythria was en ze niet eens een man had van wie Laran iets kon lenen.

Drie dagen later was Riika uitgeput maar iets minder bang dan ze was geweest. Ze was niet langer aan handen en voeten gebonden en had een prachtige grijsbruine ruin te rijden gekregen, en met een escorte van dertig man – die er openlijk voor uitkwamen dat ze tot de Fardohnyaanse legertroepen behoorden – werd ze in hoog tempo westwaarts gevoerd, van 's ochtends voordat het licht werd tot 's avonds ver na het donker.

De officieren van haar escorte behandelden haar hoffelijk en met de eerbied die de dochter van een Hythrische krijgsheer toekwam. De Fardohnyanen waren duidelijk van plan haar te behandelen als een gevangene van stand. Riika slaakte een diepe zucht van opluchting. Laran zou over een dag of twee een eis om losgeld krijgen, veronderstelde ze. Hij zou furieus zijn over het feit dat zijn zus was ontvoerd, maar zou zonder aarzelen het goud naar Winternest laten brengen zodat er kort daarna kon worden uitgewisseld. Met enig geluk hoefde Riika niet langer dan een maand in Fardohnya te blijven voordat ze weer op weg was naar huis.

Uiteraard was het mogelijk dat Laran er geen genoegen mee nam gewoon het losgeld te betalen om haar terug te krijgen. Misschien was Mahkas ook dood, en daar zou Laran zich voor willen wreken. Riika klampte zich vast aan de hoop dat hij nog leefde. Misschien was hij alleen maar ernstig gewond en hadden de Fardohnyanen hem slechts voor dood achtergelaten. Dat bleef ze zichzelf voorhouden. Als ze zich niet afvroeg wat er met haar neefjes was gebeurd. Telkens wanneer Riika haar ogen sloot, zag ze die wachters liggen bij het uitgestampte vuur, bloedend in de sneeuw. En dan hoopte ze maar dat Travin en Xanda niet naast hen terecht waren gekomen.

Hun bestemming bleek een groot landgoed in het oosten van Fardohnya, Qorinipor genaamd. Het stond ook wel bekend als het Winterpaleis, terwijl koning Hablets Zomerpaleis de hoofdresidentie was in de hoofdstad, Talabar, gelegen aan de kust, zo'n twaalfhonderd mijl noordelijker dan dit landgoed. Ondanks haar zadelpijn en vermoeidheid van de lange rit was ze onder de indruk van het paleis zodra het in zicht kwam, genesteld in de spectaculaire uitlopers van de Zonnegloorbergen.

Op een klein eiland was het opgetrokken uit glanzend roze marmer, en het rees majestueus op uit een groot kristalblauw meer, met het vasteland verbonden door een brug die eruitzag alsof hij van taartglazuur was. Het krulwerk was zo broos dat het onmogelijk uit zoiets grofs als steen kon zijn gehouwen.

Terwijl ze over de brug reden, vroeg Riika zich ondanks zichzelf af wat het had gekost om zoiets te maken. Misschien hadden de Harshini wel de hand gehad in de bouw van Qorinipor. Het was gewoon te mooi om door mensenhanden te zijn gewrocht.

Ze reden de grote binnenplaats van het kasteel op en hielden halt aan de voet van een brede trap die omhoogliep naar een groot plein voor het paleis zelf. Het plaveisel was van afwisselend lichte en donkere tegels in een patroon dat om zichzelf heen draaide als slangen die in hun eigen staart beten.

Boven aan de trap werden ze opgewacht door een man. Hij droeg een lange, rijkelijk bewerkte mantel van rode en goudkleurige zijde, en zijn hoofd was kaalgeschoren zoals dat gewoon was onder eunuchen. Riika kon wel raden wie hij was. Ook in Cabradell hadden ze gehoord van koning Hablets kamerheer, de eunuch, Lecter Turon. Riika's laatste twijfels over haar lot verdwenen toen hij de trap af kwam om hen te begroeten. Als Lecter Turon haar hier opwachtte, had ze gelijk. Dit plan om haar te ontvoeren kwam uit de allerhoogste gelederen. Rechtstreeks van de koning van Fardohnya.

'Wie is dat?' vroeg de eunuch met een hoofdknik in Riika's richting toen de kapitein van haar escorte afsteeg.

Ze kende zijn naam niet. Hij had de moeite niet genomen zich aan haar voor te stellen.

'Dat is de gijzelaar, heer Turon. Prinses Marla.'

De kamerheer staarde de man een ogenblik aan en vloekte. Riika staarde hem ook aan, geschokt. Opeens snapte ze het allemaal: de gevolmachtigde van Westbeek die zei dat haar broer maar geld moest lenen van haar man. En haar de hele tijd 'hoogheid' noemde...

O, bij alle oergoden! Ze denken dat ik Marla Wolfsblad ben!

'Dat is Marla Wolfsblad niet, kapitein.'

'Heer?'

'Ik weet niet wie je daar hebt, kapitein, maar ik heb prinses Marla gezien toen ik in Groenhaven was, en ik kan je verzekeren, dit is haar niet.' De eunuch liep naar de ruïn waarop Riika zat te wachten. 'Hoe is je naam, meisje?'

'Riika,' antwoordde ze behoedzaam. Totdat ze precies begreep wat er aan de hand was, bleef de rest van haar naam een geheim dat ze liever voor zichzelf hield.

'En ben jij een prinses? De zus van Lernen Wolfsblad, misschien?'

'Nee.'

De kamerheer draaide zich om naar de kapitein en haalde zijn schouders op. 'Daar. Zie je, kapitein? Meer is er niet voor nodig om vast te stellen dat dit meisje Marla Wolfsblad niet is.' Vlak voor het gezicht van de kapitein schreeuwde hij: *'Je hoeft het alleen maar te vragen!'*

De kapitein kromp ineen van Lecters stem maar hield stand.

'Neemt u mij niet kwalijk, heer. Maar dit is het meisje dat de gevolmachtigde van Westbeek aan ons heeft overgedragen met de verzekering dat het Marla Wolfsblad was.'

'De goden *verhoeden* dat je een beetje initiatief toont en dat zelf vaststelt! Kijk haar dan!' schreeuwde hij zo woedend dat Riika ervan schrok. 'Ze is gekleed als een galeimadelief! Bracht dát je niet op het idee dat dit misschien toch geen prinses was?'

'Het spijt me, mijnheer.'

'En de gevolmachtigde van Westbeek krijgt hier nog veel meer spijt van,' beloofde Lecter woest.

'Wat zijn uw bevelen, kamerheer?'

'Mijn bevelen, *imbeciel*, zijn dat jullie die idioot van een Symon Kuron uit Westbeek hierheen halen, voordat de koning arriveert, zodat hij onze hooggeachte monarch kan uitleggen hoe hij een kamermeid verwarde met de zus van de hoogprins van Hythria!'

Riika deed haar mond open om te protesteren dat ze geen kamermeid was, maar de woorden stokten in haar keel toen haar iets te binnen schoot. Als de Fardohnyanen niet wisten wie ze was, lieten ze haar misschien wel gewoon gaan. Toegegeven, er school enige bescherming in het gijzelaarschap, maar ze was vastberadener dan ooit te ontsnappen. Dat was een veel beter idee dan blijven zitten wachten tot ze werd gered.

Lecter Turon draaide zich om en liep terug naar het paleis.

'Wat zal ik dan doen met het Hythrische meisje?' vroeg de kapitein aan zijn verdwijnende rug.

De eunuch bleef staan, wierp een ongeïnteresseerde blik over zijn schouder op Riika en keek de kapitein strak aan. 'Afmaken.'

Riika snakte naar adem terwijl de kapitein salueerde ter bevestiging van het bevel.

'Nee... wacht!'

Lecter Turon liep door naar het paleis.

De kapitein draaide zich naar haar om en trok ondertussen zijn dolk uit zijn gordel.

'Maar jullie weten niet wie ik ben,' begon ze terwijl hij op haar toe liep. Plotseling leek haar stilzwijgen dom, niet slim. Twee andere soldaten sloten haar van achteren in, en Riika werd uit het zadel gesleurd. Ze gilde, en haar hart bonsde zo hard dat ze niet kon spreken. Bloed gonsde zo hard door haar oren dat ze zichzelf niet kon horen denken.

Haar knieën knikten toen ze de grond raakte. De kapitein kwam dichterbij. Riika gilde opnieuw, verlamd van schrik. Ze gingen Lecter Turons onverschillige bevel voor haar executie ter plekke uitvoeren.

Zeg dan wie je bent! riep een klein stemmetje dringend in haar hoofd.

Met een uitbarsting van door doodsangst ingegeven kracht vond Riika de wil om zich te verzetten tegen de handen die haar neerdrukten, maar tegen twee sterke mannen kon ze onmogelijk iets uitrichten. De woorden die haar konden redden – *Ik ben de dochter van Glenadal Ravenspeer, de zus van Laran Krakenschild* – kwamen niet langs haar angstschreeuwen.

Heel even aarzelde de Fardohnyaanse kapitein, met een zweem van medelijden op haar neerkijkend, wat Riika een korte glimp van hoop gaf. Maar het duurde maar heel kort voordat het lemmet omlaagkwam en haar protestkreten onderbrak, een einde makend aan elke kans die ze nog had om uit te leggen dat ze niet zomaar een naamloze kamermeid was.

Na een scherpe, brute pijn was er plotseling een gevoel van warm, kleverig nat toen het mes over haar keel gleed. Meer pijn, schrik, – en een weigering te geloven dat dit echt was – alles gefilterd door het gaas van haar onbevattelijke doodsangst.

De wereld werd donker. Riika Ravenspeers bloed stroomde onge-
hinderd op de schitterende schaakbordtegels van Qorinipor.
En toen hield de pijn op en was er niets. Niet eens duisternis.

54

Hablet had het een geweldig idee gevonden om Marla Wolfsblad te
ontvoeren, totdat hij arriveerde op het Winterpaleis om Laran Krakenschild te treiteren met zijn overwinning en hij tot de ontdekking
kwam dat hij niets in handen had.

Hablet was in staat om iemand te vermoorden, te beginnen met die
idioot van een Symon Kuron en te eindigen met zijn kamerheer die
dit hele belachelijke plan had bedacht. Hij had gewoon Hythria moeten binnenvallen om een paar dorpen plat te branden, een paar honderd slaven te vangen en hier en daar een dorpsplein vol ongewapen-
de boeren af te slachten, dan was hij ervan af geweest.

Hij was bloedlink op Lernen Wolfsblad omdat die zich niet had gehouden aan hun afspraak. Zoiets kon je heel goed duidelijk maken
met een aantal bloedbaden.

In plaats daarvan had hij zich om laten praten tot dit stomme, ingewikkelde plan, dat sneller uiteenviel dan hij kon begrijpen. Toen hij
in Qorinipor aankwam, bleek zijn gijzelaar helemaal geen gijzelaar te
zijn. Lecter had haar vermoord zonder de moeite te nemen uit te zoeken wie ze dan wel was als het Marla Wolfsblad niet was, en nu kwam
Laran Krakenschild hier naartoe om te onderhandelen om... wel, Hablet wist niet eens precies wat de krijgsheer van Krakandar en Zonnegloor wilde.

Als ze zijn vrouw niet hadden ontvoerd (en je mocht ervan uitgaan
dat hij dat wist), wat kwam Laran hier dan doen? Waren de mannen
die bij de overval waren gedood, zijn vier beste vrienden? Of was het
dode meisje een bijzonder geliefde slavin? Voor het geval dat, had Hablet zijn kamerheer opgedragen haar lichaam fatsoenlijk op te baren
in de tempel, mocht Krakenschild het nog willen zien om er zeker van
te zijn dat het meisje echt dood was. Als hij zich er niet druk over kon
maken... ach, dan was daar niets mee verloren en zou het de goden
behagen als ze een fatsoenlijke begrafenis kreeg. Per slot van rekening
was Hablet een devoot man.

Lecter Turon vermoedde dat het meisje dat zo goed (en zo overduidelijk) in Winternest was bewaakt, in feite een dwaalspoor was, daar door Laran Krakenschild geplaatst om opzettelijk verwarring te stichten. Hablet wist wel dat er nog ergens een jonger zusje was, en heel even had hij gevreesd dat zij het dode meisje was, maar Lecter had er zijn neus over opgehaald. Hun contactpersoon in Winternest was iemand uit Larans eigen huishouding geweest, mogelijk zelfs een familielid, volgens de informatie die Symon Kuron nog voor de ontvoering had gezonden. (Zelf betwijfelde Hablet dat. Als er een verrader was, was dat eerder een misnoegde bediende of slaaf in dienst van de familie.) Het probleem van die theorie was dat slaven, zelfs vrije bedienden, die zo dicht bij de familie stonden, te goed werden verzorgd om iemand uit het eigen kamp te verraden met het risico weer te belanden op de slavenmarkt van Groenhaven. Marla was een nieuweling in het huishouden, dus was het gemakkelijker te geloven dat hun spion zich niet aan haar verbonden had gevoeld.

Het punt was alleen dat het nog gemakkelijker te geloven was dat de spion die het meisje had verraden dat zo verdacht veel leek op Marla Wolfsblad, dat had gedaan in opdracht van zijn of haar meester en dat Hablet het slachtoffer van deze schertsvertoning was in plaats van andersom.

De deur aan het einde van de zaal ging open, en Lecter kwam binnen, zijn zijden kleren zachtjes ruisend tijdens het lopen. Afgezien van de zes lijfwachten die Hablet per se hier wilde hebben voor de bijeenkomst met de Hythrische krijgsheer, was hij alleen in de luisterrijk vergulde troonkamer, waar hij heen en weer liep over het podium voor zijn troon terwijl hij wachtte tot Laran Krakenschild uit Westbeek was gearriveerd.

'Ze zijn er.'

'Hoe ziet hij eruit?'

'Wie? Laran Krakenschild? Nou, hij is nogal lang, vrij slank, en...'

'Ik bedoel: kijkt hij kwaad, idioot! Moordlustig? Zelfingenomen? Nou?'

'Dat zou ik eigenlijk niet weten,' schokschouderde Lecter.

'Misschien hadden we eerst met Symon Kuron moeten praten.'

'Dat zou de indruk wekken dat we iets te verbergen hebben, majesteit.'

'O? En dat hebben we niet?'

'Vertrouw maar op mij, majesteit,' drong Lecter aan. 'En als er iets misgaat, volgt u gewoon mijn voorbeeld.'

'We worden bespeeld, Lecter,' waarschuwde Hablet. 'Ik voel het.'

Voordat de kamerheer iets terug kon zeggen, gingen de deuren weer open en verscheen er een heraut in een los rood gewaad met een tulband.

'Zijne excellentie, de krijgsheer van Krakandar en Zonnegloor, heer Laran Krakenschild en de gevolmachtigde van Westbeek, Symon Kuron.'

Laran beende al door de zaal voordat de heraut hem volledig had kunnen aankondigen. Hablet vond dat geen goed teken. De Hythrun keek nogal... ontstemd.

'Heer Krakenschild.'

'Majesteit.'

Een lang, gespannen moment namen de krijgsheer en de koning elkaar taxerend op. Ze hadden elkaar al eens ontmoet, maar Hablet had maar weinig aandacht voor Laran Krakenschild gehad toen hij in Groenhaven was. De Hythrun was jong, nog maar net klaar om zijn provincie te erven, en naar Hablets visie zou hij de komende jaren nog betrekkelijk incapabel zijn terwijl hij groeide in zijn machtspositie en de bondgenootschappen smeedde die je nu eenmaal nodig had om enige macht te kunnen uitoefenen.

Hoe sterk kan iemand zich in een ander vergissen? dacht Hablet terwijl hij Laran in zich opnam. De Hythrun was ouder dan Hablet, lang en slank, met de bouw van een man die gewend was het zwaard te hanteren. De koning nam zich voor Laran niet uit te dagen tot een of ander persoonlijk duel.

Hablets omvang was grotendeels het resultaat van een goed leven. Als Laran hem uitdaagde, werd hij verpletterd.

'Wat leuk dat u mij een bezoekje komt brengen,' zei Hablet met een onoprechte glimlach.

'U liet me weinig keus,' merkte Laran op.

'Mag ik u wijn aanbieden?'

'Ik wil Riika zien,' antwoordde Laran. 'Pas als ik weet dat alles goed is met mijn zus, kunnen we ons druk maken over de gezelligheden.'

Hablet wierp een blik op Lecter Turon, in wiens ogen een geschrokken blik van dagend begrip verscheen, en keek toen Laran wezenloos aan. 'Pardon?'

'Mijn zus, Hablet. Breng Riika hier, zodat ik zelf kan vaststellen dat ze goed is behandeld, en dan kunnen we praten over de voorwaarden om haar vrij te laten.'

Hablet keek nu strak naar de gevolmachtigde van Westbeek, die plotseling lijkbleek was geworden.

In de onzekere stilte deed de kamerheer een stap naar voren. 'Zijne majesteit heeft u niet hierheen laten komen om te onderhandelen, heer Krakenschild, maar om zijn diepste leedwezen te betuigen en, hopelijk, een gewapend conflict te vermijden.'

'Wat?' zeiden Laran en Hablet allebei tegelijk. Hij wees naar Symon Kuron. 'Arresteer deze man!'

'*Hè?*' riep de gevolmachtigde van Westbeek uit. Hablet was al even verbaasd, maar hij vertrouwde de eunuch als geen ander in heel Fardohnya.

'Jullie hebben hem gehoord!' buldcrdc Hablet. De wachters stormden naar voren en grepen de garnizoenscommandant, die net zo verward keek als Hablet zich voelde.

'Zowel u als mijn koning is het slachtoffer van een kwalijke intrige, heer Krakenschild,' vervolgde Lecter terwijl de gevolmachtigde zich verzette tegen de wachters die hem vasthielden.

'Deze man hoopte zijn positie als gevolmachtigde van Westbeek te misbruiken om zichzelf te verrijken en verzon een gemeen plan om uw zus te ontvoeren uit Winternest. Net als u werd mijn nietsvermoedende koning hiervan de dupe. Met de bewering dat zijn kwalijke daad geen ontvoering betrof doch in feite een reddingsactie, zond Kuron enkele weken geleden een bericht naar zijne majesteit in Talabar waarin hij beweerde dat Marla Wolfsblad in Winternest gevangen werd gehouden en een bericht naar buiten had weten te smokkelen met een van onze kooplieden om koning Hablet te smeken haar te redden. In het bericht werd gesproken van haar oneindige liefde voor mijn koning en het leed dat ze had geleden toen haar broer zijn handen aftrok van het huwelijk dat hij had geregeld om haar te laten trouwen met u.'

'Dat is nict waar!' protesteerde Symon Kuron. 'De bevelen waren afkomstig...' Zijn woorden werden abrupt afgebroken door een in maliën gestoken vuist van een van de wachters. Bloed en tanden spuwend hield de gevolmachtigde wijselijk zijn mond.

'Zoals u beslist zult begrijpen had zijne majesteit, zonder enige reden te vermoeden dat het een leugen betrof, geen andere keus dan te reageren op de smeekbede van een dame die zo duidelijk in nood verkeerde.'

Hablet was gefascineerd door het leugenachtige talent van de eunuch. Hij geloofde het bijna zelf, terwijl hij wist dat elk woord van dit fantastische verhaal was gelogen. *De man is een genie.*

'Marla heeft Cabradell nooit verlaten,' merkte Laran op. 'Hebben jullie dat nooit gehoord van jullie mensen?'

De kamerheer keek Laran ontzet aan vanwege de implicaties van zijn vraag. 'U wilt toch zeker niet beweren dat wij spionnen aan uw hof hebben, heer Krakenschild?'

'Natuurlijk niet,' antwoordde Laran sceptisch.

Lecter sloeg geen acht op de toon van de krijgsheer en vervolgde

zijn verhaal. 'Zijne majesteit berichtte de gevolmachtigde van Westbeek te doen wat nodig was voor de redding van de vrouw die naar
zijn overtuiging Marla Wolfsblad was, hetgeen, zoals u zult weten, re-
sulteerde in de onbedoelde ontvoering van uw zus.' Lecter slaakte een
diepe zucht.

'Helaas wordt hier het waarlijk gruwelijke karakter van dit misdrijf
duidelijk. Zich er ten volle van bewust dat het uw zus was en niet Marla Wolfsblad die hij had ontvoerd, wilde Kuron losgeld van u eisen voor
haar terugkeer en met het geld over de grens in Hythria verdwijnen
voordat iemand in de gaten had wat er was gebeurd. Maar toen hij vernam dat koning Hablet onderweg was naar het Winterpaleis en eiste
dat Marla naar hem werd gebracht, besefte hij dat zijn snode plan in
duigen begon te vallen. De koning zou onmiddellijk weten dat de ontvoerde vrouw Marla Wolfsblad niet was, en dan zou hij zijn betrapt.'

Lecter zweeg en wierp een blik op Hablet zonder verder nog iets te
zeggen.

'En?' vroeg Laran in de lange stilte die volgde.

'U moet begrijpen, heer Krakenschild, dat mijn koning aan niets
anders schuldig is dan de nobele wens de vrouw te redden van wie hij
hield. Mogelijk kan hem ook het gebrek aan goed oordeel worden
aangerekend bij het aanstellen van een ongehoorzame in een machtspositie zoals die van de gevolmachtigde van Westbeek...'

'Waar is mijn zus?' vroeg Laran.

'Ze is dood, mijnheer,' sprak de kamerheer ernstig. 'Symon Kuron
liet haar ombrengen in een poging zijn misdrijf te verhullen. Hij zond
bericht naar de koning dat Marla onvermijdelijk was vertraagd maar
dat hij u hier zou brengen om over haar vrijlating te onderhandelen,
maar had zijn eigen wacht bevolen haar te doden zodra ze buiten het
zicht van Westbeek waren. Dat bevel is uitgevoerd, mijnheer, langs de
kant van de weg op tien mijl ten zuiden van het grensfort op de ochtend nadat ze was ontvoerd. Enkele soldaten uit Kurons moordbriga-
de bleken trouwe Fardohnyanen. In plaats van de bergen in te vluchten om zich bij de bandieten te voegen, brachten ze haar lichaam hier
naar hun koning en biechtten ze hun aandeel in de misdaad op, in de
hoop op clementie. Die kregen ze uiteraard niet. Ze zijn allemaal, met
uitzondering van deze man,' zei hij, wijzend op de geschokte gevolmachtigde van Westbeek, 'terechtgesteld.'

Hablet hield Laran Krakenschild nauwlettend in de gaten, zich
scherp bewust van het feit dat de man gewapend was en erg goed overweg kon met het zwaard dat hij droeg. Maar Laran maakte geen
wraaklustige indruk. Hij keek verbijsterd, alsof het niet tot hem doordrong wat de eunuch hem vertelde. Op het gezicht van de gevolmach-

tigde was de verontwaardiging vervangen door een zekere berusting in het onvermijdelijke. Hij begreep dat hem de schuld van Riika Ravenspeers dood in de schoenen werd geschoven. En hij begreep ook dat protesteren geen enkele zin had.

'Riika is *dood?*'

'Ik zou mijn halve koninkrijk geven om haar terug te halen,' zwoer Hablet, met een ontroerende klank in zijn stem. 'Welke wrevel er tussen ons ook mag zijn geweest over de kwestie Marla Wolfsblad, heer Krakenschild, als ik de goden kon verzoeken dit gruwelijke misdrijf ongedaan te maken, zou ik het doen.'

'Hoe kunnen wij u schadeloos stellen?' vroeg de kamerheer (wat Hablet wel een beetje ver vond gaan – de man kon zowaar overal om vragen). 'Fardohnya zal doen wat nodig is om het u en uw familie aangedane onrecht te herstellen.'

'Ik wil mijn zus zien,' zei Laran met verstikte stem.

'Natuurlijk!' Lecter knipte met zijn vingers, en twee van de wachters die de gevolmachtigde van Westbeek niet vasthielden, kwamen naar voren. 'Breng heer Krakenschild naar de tempel waar vrouwe Riika's lichaam ligt opgebaard.'

Zonder een verder woord draaide Laran zich bruusk om en volgde de wachters de troonzaal uit. Zodra de deuren achter hem dicht vielen, draaide Hablet zich om naar Lecter. 'Nou, dat leek hij vrij goed op te vatten.'

'Majesteit...' begon Symon Kuron. 'Alstublieft...'

'Laat hem zijn kop houden,' commandeerde Hablet ongeduldig. Hij wendde zich weer tot Lecter terwijl een van de wachters met zijn gepantserde vuist de gevolmachtigde van Westbeek eraan hielp herinneren waarom hij stil moest blijven. 'Wat gaat er nu gebeuren?'

'We kopen hem af.'

'Ik dacht dat het hele idee juist was dat hij mij moest betalen?'

'Dat was voordat deze idioot het verkeerde meisje ontvoerde en wij haar per ongeluk doodden. We hebben nu geen andere keus dan ons zo snel mogelijk hiervan te distantiëren. Met genoeg geld en Symon Kurons executie moet het wel lukken.'

'Majesteit, *nee!*' riep Symon, ondanks de klap die hij kreeg omdat hij zijn mond weer opendeed. Hablet negeerde hem.

'Haar dood was niet per ongeluk, Lecter. Die had jij bevolen.'

'Een beoordelingsfout die ik mezelf nooit zal vergeven, majesteit.'

Hablet schudde zijn hoofd. 'Toch staat het me niet aan. Laran Krakenschild moest hier op zijn knieën bij mij komen smeken om zijn vrouw. Nu zitten wij op onze knieën en bieden we hem alles wat hij maar wil voor de dood van zijn zus. Waarom maak ik hem niet ook gewoon af?'

'Omdat Hythria ons dan de oorlog verklaart.'

'Nou en? Mijn leger is net zo groot als dat van hen.'

'Uw leger is verspreid over heel Fardohnya, majesteit. Maar een flink deel van de Hythrische troepen zijn momenteel vlak over de grens gestationeerd. Ze zitten al in Lanipoor voordat we kunnen mobiliseren en voor het einde van het voorjaar al in Talabar.'

'Waar je allemaal niet aan hebt gedacht toen je me overhaalde tot dit stomme plan.'

'Mijn plan was niet stom, majesteit. Ik had alleen niet de juiste middelen om het uit te voeren.'

'O, dus nu is het míjn schuld dat Laran Krakenschild me bij de ballen heeft?'

'U bent, zoals u mij met regelmaat in herinnering brengt, sire, de koning.'

'Dit gaat me een fortuin kosten.'

'Er is nog een kans om wat van de kosten terug te krijgen.'

'Hoe dan?'

'De positie van gevolmachtigde van Westbeek staat op het punt vrij te komen. Er valt een leuk bedragje te verdienen met de verkoop van die eer aan de volgende ambtsdrager.'

Hablet keek naar de man die nog maar enkele minuten geleden zijn eerste verdedigingslinie aan de grens was geweest.

Symons gezicht stond radeloos, en er lag vocht op zijn wangen dat naar Hablets vermoeden afkomstig was van angsttranen.

Hablet glimlachte. Alles was nog niet verloren als hij nog steeds een man kon laten snikken van vrees.

'Zal ík hem doden of het Krakenschild laten doen?'

'Heer Krakenschild zal het genoegen om de moordenaar van zijn zus te doden vast zelf willen smaken, majesteit, maar het zou onverstandig kunnen zijn wanneer hij de gevangene eerst kon ondervragen, voor het geval er bepaalde... *inconsistenties*... in uw verhaal aan het licht komen.'

'Dan zal ik hem Symon Kurons hoofd cadeau doen,' besloot Hablet, zonder acht te slaan op het angstige gejammer van de voormalige gevolmachtigde van Westbeek. 'En zijn ballen ook. Dat moet hem ervan overtuigen dat ik niets met de dood van zijn zus te maken heb.'

'Een uitstekend idee,' beaamde Lecter Turon.

Hablet knikte en voelde zich al een beetje beter. Het hoofd van de gevolmachtigde van Westbeek op een schaal zou Laran Krakenschild vast deugd doen. Het zou Hablet zeker deugd doen.

En uiteindelijk was dat eigenlijk het enige wat ertoe deed.

55

Riika's lichaam was met zorg opgebaard. Het lag op een met hout-snijwerk versierde baar midden in de kleine tempel van Qorinipor on-der een lijkwade. Stofdeeltjes fonkelden in de koele winterzonneschijn door de reeks smalle vensters rondom de voet van het koepelplafond. Voorzichtig liep Laran naar de baar, hopend dat er sprake was van een misverstand maar akelig zeker wetend dat dat niet zo was. Riika was weg, en het meisje dat was ontvoerd, was dood. Het kon niemand anders zijn.

Het lichaam lag onder een dunne doek met gouden borduursel. La-ran aarzelde voordat hij die aanraakte, want zodra hij dat deed, kon hij zijn verdriet niet meer uitstellen. Zijn laatste kans om net te doen alsof het niet waar was, zou hem worden ontnomen als hij die lijk-wade optilde en bevestigd zag dat Riika dood was.

Zijn eigen lafheid vervloekend greep Laran de doek en trok hem van het lichaam.

Ze hadden haar gekleed in een eenvoudige, witte japon. De hoge hals bedekte net niet helemaal de wond in haar keel die duidelijk was schoongewassen toen het lichaam was afgelegd. Riika's gezicht stond levenloos. Er was geen sprake meer van rigor mortis. Haar gezicht stond niet versteend in een verschrikkelijke grimas van angst. Het zag er gewoon dood uit, de bloedeloze huid zo bleek dat die wel door-schijnend leek.

Hoe kan dit nou gebeurd zijn?

Een paar dagen geleden speelde Riika nog in de sneeuw met haar neefjes. Vandaag lag ze dood, haar jonge leventje uitgedoofd voordat het amper was begonnen. Laran was al vaak met de dood in aanra-king geweest, maar deze keer leek het zo onzinnig. Hij kon wel schreeuwen om de verloren gegane kansen. Het leven dat nooit echt op gang had kunnen komen.

En waarvoor? Omdat Riika de pech had er ongeveer uit te zien zo-als mijn vrouw?

Hij kon zich de geruchten goed voorstellen. *'Er zit een meisje in Winternest.'*

'Ze is nog maar een jaar of zestien. Knap. Blond.'

'En bewaakt door Stropers uit Krakandar.'

Zonder het te beseffen had hij Riika in een dodelijke val gestuurd, denkend dat eventueel gevaar voor haar afkomstig zou zijn uit Hythria. Hij had er nooit bij stilgestaan dat iemand in Fardohnya haar had kunnen houden voor Marla.

Tot zo ver geloofde Laran het, maar hij wist vrijwel zeker dat de rest van Lecter Turons verhaal een regelrechte leugen was. Maar hij kon het niet bewijzen, en al kon hij het wel, wat schoot Riika daarmee op? Hij kon haar niet weer tot leven brengen. Hij kon niet ongedaan maken wat was gedaan. Hablet was duidelijk bang voor zijn reactie. Lecter Turon had zo vaak hun onschuld benadrukt, dat het niet anders kon dan dat Hablet schuldig was én bereid zijn schuld af te kopen.

Een beter moment, besefte Laran, om Hablet aan de onderhandelingstafel te dwingen, zou er nooit meer komen. Met al die manschappen aan de Hythrische zijde van de grens en Fardohnya zo zichtbaar onvoorbereid op oorlog, kon hij Hablet dwingen een verdrag te ondertekenen. Misschien kon hij meteen eisen dat hij betaalde voor de aanleg van een verharde weg door de Weduwmakerspas, zo gretig als de Fardohnyaanse monarch was om zichzelf van alle schuld in deze kwestie vrij te pleiten.

Neerkijkend op Riika's levenloze gedaante werd Laran overvallen door een nieuwe golf van schuldgevoel omdat hij aan politiek dacht op een moment als dit.

'Het spijt me zo, Riika,' fluisterde hij met verstikte stem. 'Ik had beter op je moeten passen. Dat heb ik Glenadal ook beloofd, en...'

Laran kon niet verdergaan. Het was ondraaglijk dat Riika door zijn schuld in gevaar was gebracht. *Wat een geweldige samenzweerders zijn we toch geweest.* Laran, Glenadal en Jeryma; Kagan en Charel Havikzwaard, Nash, Mahkas, zelfs Chaine en uiteindelijk Lernen Wolfsblad. *Al onze nobele gevoelens over het helpen van Hythria; al onze grootse plannen en intriges lijken nu onbeduidend.* Het leek allemaal zo banaal nu de prijs zo hoog bleek.

Riika was een onschuldige voorbijgangster. Ze hoorde hier helemaal niets mee te maken te hebben.

De deur aan het einde van de zaal ging open, en op de tegelvloer klonken zware voetstappen die stopten op korte afstand van de baar. Laran keek op en zag Raek Harlen staan met een afgedekt dienblad. Het gezicht van de jonge luitenant stond strak en hard, en hij deed zijn best niet te kijken naar het lichaam van zijn vroegere meesteres.

'Wat is dat?' vroeg Laran, vrijwel zeker dat de jongeman hem niet iets te drinken kwam brengen.

'Een geschenk van de koning van Fardohnya, mijnheer.' Raek zakte neer op een knie om het dienblad voorzichtig op de vloer te zetten en stond weer op, het dekkleed optillend. 'Het hoofd en de ballen, geloof het of niet, van Symon Kuron.'

Het zojuist afgehakte hoofd van de gevolmachtigde van Westbeek staarde nietsziend omhoog naar Laran, die bijna kokhalsde. Over de bloederige voorwerpen aan weerszijden van het hoofd wilde hij niet eens nadenken.

'Met alle respect, mijnheer, maar Hablet is een gestoorde smeerlap,' liet de jongeman zich ontvallen.

'Hij is er ook best goed in om zich in te dekken,' merkte Laran op.

Voorzichtig trok Laran de lijkwade weer over Riika's lichaam en draaide zich om naar de luitenant. Hij keek naar Symons grimas van doodsangst en schudde zijn hoofd.

'Het Fardohnyaanse recht is snel, dat moet ik Hablet nageven.'

'Wat zal ik ermee doen?'

'Geef maar terug aan Hablet. Ik hoef niemands hoofd als souvenir.'

Raek knikte en pakte het dienblad, dat blank stond van het bloed dat uit de afgehakte schedel liep. Hij bleef nog even staan, verwonderd kijkend naar het hoofd.

'Toch ken ik hem ergens van. Dat dacht ik al meteen toen we hem zagen in Westbeek. Ik weet zeker dat ik hem een paar keer in de douanezaal heb gezien. Ik dacht dat het een slavenhandelaar was.'

'Weet je nog of hij met iemand heeft gesproken?' Laran kwam er nog wel achter wie Riika had verraden, al was het het enige van belang wat hij verder nog in dit leven deed.

'Weet ik niet meer. Maar dat schiet me nog wel te binnen. Later.'

'Dan wil ik het meteen weten, luitenant. Laat ondertussen je mannen aantreden voor vertrek. Bij het krieken van de ochtend gaan we op weg.'

De jongeman kwam overeind, met het dienblad in zijn handen, en keek naar de afgedekte baar. 'Nemen we vrouwe Riika mee naar huis, heer?' vroeg hij, zijn stem hees van emotie.

Laran knikte, met een loden gevoel in zijn hart. 'Ja, Raek. We brengen Riika naar huis.'

'Hebt u er bezwaar tegen als ik hier vannacht een wake plaats, heer?'

Laran keek hem verrast aan.

'We mogen haar niet alleen laten. Niet hier.'

'Dank je, Raek. Dat zou Riika graag hebben gewild.'

'We krijgen zeker geen toestemming om al die Fardohnyaanse schoften hier stuk voor stuk te vermoorden voordat we vertrekken, hè, mijnheer?'

Laran glimlachte humorloos. 'Ik stel het aanbod zeer op prijs, Raek, echt waar. En je hebt er geen idee van hoe graag ik het zou aanvaarden. Maar we hebben het hoofd van de man die Riika heeft ontvoerd, een geloofwaardige smoes over hoe het is gebeurd en de gezworen belofte van een koning die zegt dat hij er niets mee te maken had.'

'Ook al weet u dat hij liegt?'

'Ja.'

'Dat is geen gerechtigheid, mijnheer.'

'Weet ik,' beaamde Laran ernstig. 'Maar zonder een oorlog die – zonder een gegronde reden – het leven gaat kosten van duizenden andere onschuldigen – zowel Hythrische als Fardohnyaanse – zullen we het ermee moeten doen, vrees ik.'

Ze verlieten Qorinipor bij het krieken van de volgende ochtend.

Behalve Riika's lichaam, opgebaard in een prachtig verlakt rijtuig dat Hablet had geschonken voor de terugreis, had Laran de garantie van de Fardohnyaanse koning dat er verder geen vergelding zou volgen op Lernens verbroken belofte over Marla. Ook had hij de garantie afgedwongen dat de provincie Zonnegloor minstens de komende tien jaar niet zomaar zou worden binnengevallen. En de belofte van drie miljoen Fardohnyaanse gouden pegels voor de bestrating van de Weduwmakerspas.

Laran had er geen idee van wat het ging kosten, maar drie miljoen vond hij een mooi rond getal, en hij zou Hablet nooit meer in zo'n bereidwillige stemming treffen. Bovendien had hij een aparte betaling geregeld voor Jeryma, ter compensatie van het verlies van haar dochter, van nog eens vijfhonderdduizend gouden pegels. Naarmate de Fardohnyaanse koning met amper een zucht van protest bleef instemmen met zijn steeds absurder wordende eisen, raakte Laran steeds overtuigder van Hablets schuld aan Riika's dood.

En hij was nog iets aan de weet gekomen, iets wat hem verontrustte, iets waarvan hij nog steeds niet wist of hij het wel moest geloven. Tijdens de voorbereidingen om het Winterpaleis te verlaten, was Lecter Turon naar Laran toe gekomen met de vraag of hij hem apart kon spreken. Onder een boog tussen twee van de buitengebouwen, nabij de brug van het paleis naar het vasteland, waren ze blijven staan, buiten gehoorsafstand van zijn manschappen en de Fardohnyaanse erewacht die Hablet had laten aanrukken voor de terugreis naar de grens.

Zowel argwanend als nieuwsgierig naar hetgeen de eunuch van hem wilde, wachtte Laran tot Lecter Turon sprak.

'Er is nog één ding dat ik u wil meegeven, heer Krakenschild,' zei de kamerheer tegen hem, heimelijk rondkijkend.

'U geeft niets zomaar mee, kamerheer Turon.'

'Da's waar,' bekende hij met een zuinig glimlachje, zijn blik strak gericht op de krijgsheer. 'Beschouwt u het dan maar als een gunst, die u misschien nog eens kunt beantwoorden.'

Laran wist niet zeker of het wel zo'n goed idee was om Lecter Turon iets verschuldigd te zijn, maar nu was hij pas echt nieuwsgierig. 'Wat hebt u dan voor me?'

'Informatie, mijnheer.'

'Waarover?'

'De spion in uw huishouden die Kurons mannen heeft verteld waar en wanneer ze uw zus in de bergen konden vinden.'

Laran snoof ongelovig. 'En u ontmaskert uw eigen spion?'

'Die spion is nooit van mij geweest, heer Krakenschild. Hij of zij – en ik weet eerlijk niet welke van de twee – was een agent van de gevolmachtigde.'

'Als u het geslacht van deze spion niet eens weet, kamerheer, hoe weet u dan wie het is?'

'Ik weet alleen wat de gevolmachtigde van Westbeek heeft bekend voordat hij stierf, heer Krakenschild. De spion die uw zus heeft verraden, was – volgens Symon Kuron – iemand uit uw eigen familie.'

'Dat bestaat niet.'

'Wel, dat laat ik over aan uw oordeel, mijnheer. Maar ik dacht dat u wel zou willen weten wat hij heeft gezegd.' De kamerheer maakte een buiging en liep weg, Laran achterlatend om zijn woorden te overpeinzen.

En dat deed hij. Hij dacht aan weinig anders na het vertrek uit Qorinipor.

De kans was groot dat de eunuch loog en zoiets afschuwelijks alleen maar beweerde om Larans vertrouwen in de mensen om hem heen aan te tasten. Maar het kon ook echt waar zijn. En als het waar was, welk familielid van hem haatte Riika dan genoeg om haar iets akeligs toe te wensen?

Niet dichter bij een antwoord toen Westbeek in zicht kwam dan hij was geweest toen ze dagen geleden uit Qorinipor waren vertrokken, stuurde Laran Raek met twee andere Stropers vooruit met een brief aan Mahkas – de enige die Laran onvoorwaardelijk vertrouwde – om hem te laten weten dat ze eraan kwamen en te waarschuwen voor de verschrikkelijke last die ze meebrachten.

Laran beloofde zichzelf één ding. Eenmaal in Winternest zou hij erachter komen wie Riika had verraden, en als hij zover was, zou het lot van de gevolmachtigde van Westbeek nog genadig lijken.

56

'Nou,' verzuchtte Hablet toen hij op de omloop van het Winterpaleis te Qorinipor stond te kijken naar Laran Krakenschild die met zijn escorte de broos uitgevoerde stenen brug tussen het paleis en het vasteland overstak. Het meer glinsterde in de vroege ochtendzon, op sommige plaatsen bijna te fel om erin te kijken. Het was fris op deze hoogte, en de wind trok met gretige, inhalige vingers aan zijn mantel.

Het rijtuig met Riika Ravenspeers lichaam reed in het midden van de stoet, omringd door de twintigkoppige wacht die Laran had meegebracht en die, op zijn beurt, werd begeleid door nog eens honderd man die Hablet had aangewezen om de Hythrische krijgsheer terug naar de grens te brengen. Dat had niets te maken met beleefdheid. Hablet wilde zeker weten dat Laran Krakenschild naar huis ging. De honderdkoppige wacht was er om hem ervan te overtuigen dat het gevaarlijk zou zijn om andere dingen te overwegen.

Hablet zou die koets ook missen. Hij was voortreffelijk verlakt, met het koninklijke zegel ingelegd in echt goud op de deuren. De koets had een klein fortuin gekost, en hij had hem maar één keer gebruikt.

Hij wierp een vuile blik op zijn kamerheer. 'Dat prachtplan om Marla Wolfsblad te ontvoeren en een fortuin binnen te slepen is een totale verspilling van tijd en geld geworden, Lecter.'

'Het is iets anders gelopen dan ik me had voorgesteld,' gaf de kamerheer toe.

'Drieënhalf *miljoen* gouden pegels, Lecter! Waar moet ik dat geld vandaan halen?'

'Waar u uw geld meestal vindt, sire,' opperde de eunuch. 'In de zakken van uw onderdanen.'

'Ik zou een belasting kunnen heffen voor het bestraten van de Weduwmakerspas,' overpeinsde de koning. 'Nu ik erover nadenk, móet ik misschien ook wel een belasting heffen. Het zijn de kooplieden die de pas gebruiken, die er het meeste aan hebben. Die zouden ten minste een deel van de kosten moeten bijdragen.'

'Denk eens hoe populair het u zal maken,' hield Lecter hem voor. 'Er wordt al jaren gepraat over verbetering van de Weduwmakerspas. Nu Glenadal Ravenspeer dood is en u zijn opvolger aan de onderhandelingstafel hebt kunnen dwingen, kan de lang uitgestelde bouw eindelijk beginnen.'

'Maar mijn idee was het niet, Lecter. Daar heeft Krakenschild míj toe gedwongen.'

'Dat hoeft het gewone volk niet te weten, sire.'

Hablet glimlachte. 'En er gaat niets boven grootschalige projecten om de mensen te laten denken dat ik om hen geef.'

Lecter Turon knikte. 'Maar nu Marla Wolfsblad geen uitvoerbare mogelijkheid meer is als uw vrouw, zitten we nog wel met het probleem om een andere voor u te vinden, majesteit.'

'Wie had je in gedachten?' vroeg Hablet, er zeker van dat Lecter het onderwerp niet ter sprake zou brengen als hij niet voor minstens één kandidaat steekpenningen had ontvangen om die naar voren te schuiven.

'Prinses Shanita, sire.'

'Wie?'

'De enige dochter van prins Orly van Lanipoor,' bracht Lecter hem op de hoogte. 'De koninklijke familiestamboom loopt terug tot vóór Greneth de Oude. Het is een zeer oud en edel geslacht.'

'Is ze knap?'

'Erg knap, is mij verzekerd.'

'Ja, nou, Orly zou niet anders beweren, hè? Is ze goed opgeleid?'

'Niet overdadig.'

'Mooi. Niets is zo erg als een verveelde echtgenote met een ontwikkelde geest. Hoeveel heeft hij je betaald?'

'Genoeg om me verplicht te voelen de kwestie bij u ter sprake te brengen, majesteit.'

Hablet glimlachte. 'Zoveel, hè? Hoe zit het met haar bruidsschat?'

'Ik meen dat Orly een bedrag noemde in de buurt van de driehonderdduizend, sire.'

'Als bruidsschat?' vroeg Hablet verbaasd. 'Is ze vervloekt en verandert ze na zonsondergang in een monster, of zo? Niemand biedt zoveel geld als bruidsschat. Niet voor een prinses, tenminste.'

'Het bod stamt nog van enkele maanden geleden, toen u prinses Marla nog overwoog als bruid. Ik geloof dat Orly zijn best deed om een aantrekkelijker bod te doen dan Lernen.'

'Dat zou niet zo moeilijk zijn geweest. Lernen verwachtte van mij dat ik hém betaalde. Wat ik, dankzij jouw gestuntel, mag ik wel zeggen, uiteindelijk toch heb gedaan zonder dat ik er iets voor terug heb gekregen.'

'Wie gokt, verliest soms nu eenmaal, sire.'

'Interessant dat je nu pas zegt dat het een gok was,' merkte Hablet op. '*Nadat* ik drieënhalf miljoen pegels kwijt ben geraakt. Toen je met het idee kwam, was het nog een zekere zaak. En de enige reden waarom het niet is gelukt, let wel, was omdat jij het meisje had laten doden. Eigenlijk zou ik jou moeten laten bloeden voor de kosten van deze ramp, Lecter. Als je Riika Ravenspeer had laten leven, hadden we nog steeds losgeld voor haar kunnen krijgen. Misschien wel net zoveel als voor Marla. Want voor zijn zus had de krijgsheer van Krakandar tenminste gevoelens. Lernen Wolfsblads zus betekende voor Laran weinig meer dan een nogal dure court'esa, lijkt me.' Hablet begon plotseling te lachen toen hij zich een voorstelling maakte van het frivole jonge meisje dat hij in Groenhaven had ontmoet, en de ernstige zuurpruim van een krijgsheer van Krakandar die zijn best deed een zinvol gesprek te voeren.

'Wanhoop niet, sire. Er zijn nog meer manieren om ervoor te zorgen dat de troon van Fardohnya nooit kan worden geërfd door een zoon van de familie Wolfsblad.'

'En hoeveel gaan die me kosten?'

'U hoeft er alleen maar voor te zorgen dat een kind van Marla Wolfsblad nooit de volwassen leeftijd bereikt. Als er geen erfgenamen zijn, is er ook geen probleem.'

'Krakenschild dreigde Fardohnya te veranderen in een slagveld als ik er ook maar over dácht nog eens een van zijn familieleden iets aan te doen, Lecter. Wat zou hij doen, denk je, als hij erachter kwam dat ik een zoon van hem had gedood?'

'Bent u bang voor Laran Krakenschild, sire?'

'Natuurlijk ben ik dat!' verklaarde hij. 'De man heeft de twee gevaarlijkste eigenschappen die er maar zijn: het aangeboren geloof in de rechtschapenheid van zijn overtuigingen en onbeperkte macht om die te steunen. Ik zou wel gek zijn als ik hem niet vreesde.'

'Dan is mijn manier oneindig veel beter, sire. Er gaan namelijk zo vaak kinderen dood. Als dat het resultaat is van een kinderziekte of kan worden vermomd als een onfortuinlijk ongeluk, hoeft u nooit in verband te worden gebracht met het tragische verlies van zo'n belangrijk kind.'

'Kinderziekte?' schimpte Hablet. 'Doe niet zo belachelijk! Wie heeft er nou ooit gehoord van zoiets idioots als ziekten gebruiken om mensen opzettelijk te doden? Hoe wou je dat in de hand houden? Hoe wou je voorkomen dat je eigen mensen worden getroffen door een epidemie?' Hij legde zijn hand op de schouder van de eunuch. 'Laat je verbeelding geen loopje met je nemen, Lecter. Als je op zoek bent naar nieuwe technieken voor moordaanslagen en oorlogvoering, moet je maar eens met mijn genieën gaan praten als we terug zijn in Talabar. Die hebben me verteld dat er een manier is om het poeder dat wordt gebruikt in vuurwerk, te veranderen in iets... gevaarlijkers.'

'Maar sire, de laatste keer dat Fardohnya met succes Hythria binnenviel, in de tijd van uw overgrootvader, lukte het pas nadat hij met de pest besmette lichaamsdelen Kasteel Winternest in had geslingerd, zodat ze daar de poorten moesten openen.'

'Ja,' beaamde de koning. 'En wat leverde het hem op?'

'Controle over de grens?' waagde Lecter voorzichtig.

'Een bezoekje van een zeer toornige Brakandaran de Halfbloed, Lecter. Dat was in de tijd voordat de Harshini volledig waren verdwenen. Ik ken dat verhaal nog van mijn vader.'

'Maar u gelooft toch zeker niet in zulke sprookjes, majesteit? Verhaaltjes over gevaarlijke halfbloeden en het demonenkind van de Harshini vertellen we aan kinderen om hen bang te maken, opdat ze zich netjes gedragen.'

'Dat hele gedoe over dat demonenkind is vast en zeker gezwets,' gaf Hablet toe. 'Maar dat weet ik zo net nog niet over Brakandaran. Zelfs in de leuke verhalen over hem was de Halfbloed een gevaarlijke smeerlap. En naar ieders mening was Brakandaran niet blij met wat er zich afspeelde in Winternest. Verrekte Harshini.'

'Ze beweerden niet tot geweld in staat te zijn,' merkte Lecter op.

Hablet snoof. 'Dat weerhield hen er niet van om zo nu en dan de Halfbloed los te laten als ze ergens de pest over in kregen.'

'Wat heeft hij gedaan?'

'De Halfbloed? Ik heb geen idee. Zelfs mijn vader is er nooit precies achter gekomen waarmee Brakandaran mijn overgrootvader dreigde om hem in het gareel te houden, maar uiteindelijk moesten we ons wel terugtrekken uit Winternest én herstelbetalingen afdragen aan Hythria.'

'Desondanks, de Harshini zijn er allang niet meer, majesteit,' stelde de eunuch hem gerust. 'En als hij ooit echt heeft bestaan, is Brakandaran de Halfbloed ook allang dood. Ik denk niet dat u zich daarover zorgen hoeft te maken.'

Hablet haalde zijn schouders op. 'Misschien niet. Maar ik denk dat ik me – voorlopig, tenminste – toch maar inhou. Er komt nog wel een kans om af te rekenen met eventuele erfgenamen van Wolfsblad. Eerst moeten ze nog worden geboren. En het wordt ook pas een probleem als ik geen zoon krijg, hè?'

'Precies, majesteit.'

'Heeft ze goede heupen, die dochter van Orly?'

'Breed en recht, majesteit.'

'En is ze opgeleid door een court'esa?'

'Uiteraard.'

'Ga dan met Orly praten. Ik moet een paar vrouwen gaan nemen en zelf een zoon krijgen. Dan maakt het niet meer uit hoeveel krengen Marla Wolfsblad uitpoept. Zeg Orly maar dat ik het wicht van hem overneem.'

Lecter glimlachte. 'Dat zal ik doen, majesteit. Zij het wellicht niet in exact die bewoordingen.'

De eunuch maakte een buiging en draaide zich om naar de tuinen.

'Nog één ding, Lecter,' zei Hablet terwijl hij wegliep.

'Sire?'

'Ik wil mijn koets terug.'

'Pardon?'

'Geef het een paar dagen – we willen niet respectloos overkomen – maar stuur het bericht naar heer Krakenschild dat ik mijn koets terug wil als hij er klaar mee is.'

'Is dat echt nodig, majesteit? Het is maar een koets.'

'Het gaat om het principe, Lecter.'

Lecter maakte een eerbiedige buiging. 'Zoals u wenst, majesteit.'

Hablet keek weer naar de stoet, die over de weg in de richting van de bergen en de grens kronkelde, en dacht dat hij er goed aan deed om zich aan zijn principes te houden.

De koning van Fardohnya was immers – naar zijn eigen idee, tenminste – een man met hoogstaande principes.

57

Een van de voordelen om nimmer aflatend heen en weer te lopen over de brug boven de weg tussen de noordelijke en zuidelijke forten van Winternest – behalve dan de tragische figuur die hij voorstelde – was dat Mahkas zo een uitstekend uitzicht had op de weg door de Weduwmakerspas.

Als Laran in de pas verscheen, zou Mahkas het dus als eerste weten. Als zijn broer terugkwam, kon hij naar Laran gaan voordat iemand anders het kon, zodat hij zou horen wat Laran in Fardohnya over Riika te horen had gekregen. Hij zou eventuele vermoedens die Laran koesterde, kunnen stillen, gepast verontwaardigd kunnen reageren op de hoogte van het bedrag dat ze eisten voor haar terugkeer en zijn hulp kunnen bieden waar Laran die maar nodig had. Daarmee, wist hij, zou hij zijn positie in de ogen van zijn oudere broer alleen maar versterken.

Daarom was Mahkas dan ook furieus toen hij ontdekte dat tijdens een van zijn zeldzame plaspauzes Raek Harlen met een kleine voorhoede uit Fardohnya was teruggekeerd met berichten van Laran. Tegen de tijd dat hij weer op de koude loopbrug verscheen, was Raek de binnenplaats al over en de zuidelijke veste in gegaan om de boodschappen af te leveren.

Mahkas rende over de brug naar de zuidelijke veste om de brief van Laran te onderscheppen voordat Darilyn hem in handen kon krijgen. Haar zou het niet kunnen schelen aan wie hij was geadresseerd. Darilyn kon haast niet wachten op haar aandeel van het losgeld, en in een brief van Laran stonden vast de bijzonderheden over betalingen die hij voor Riika's vrijlating had bedongen.

Toen hij de deur van de grote zaal opensmeet, trof hij tot zijn verbazing alleen Veruca bij de haard, met ritmisch tikkende breinaalden in haar handen en haar tenen warmend aan het vuur.

'Waar is vrouwe Darilyn?'

'In haar kamer,' antwoordde de oude slavin. 'Die snaren voor haar harp waar ze op wachtte, zijn vanmorgen gekomen. Ze zit er al de hele dag vloekend en tierend als een koopman op te zwoegen. Het kan nooit goed zijn voor die jongens om dergelijke taal te horen...'

'Een van Larans Stropers is net terug uit Fardohnya met een brief van heer Krakenschild,' onderbrak Mahkas. 'Waar is hij?'

'Ik heb hem naar vrouwe Darilyn gestuurd.'

Mahkas vloekte en ging bijna op een draf de zaal door.

'Het kan nooit goed zijn voor die jongens om dergelijke taal te horen...' riep Veruca hem knorrig na.

Mahkas klopte op de deur van Darilyns kamer en ging naar binnen zonder te wachten op toestemming daarvoor. Zijn neefjes keken op van hun spel.

'Hallo, oom Mahkas,' zei Travin opgewekt. Ze zaten op de vloer bij hun moeder te spelen met de porseleinen ridders te paard die Jeryma hun had gestuurd. 'Kom je meespelen?'

'Dat kan nu even niet, Travin, ik heb het druk.'

Darilyn zat op het krukje bij haar harp, als versteend, met Larans ongeopende brief op haar schoot.

'Darilyn? Ik geloof dat die aan mij is gericht.'

Zijn zus keek hem even wezenloos aan. Toen pakte ze de brief op en smeet het opgevouwen perkament naar hem toe. Het kwam terecht aan zijn voeten. Behoedzaam deed Mahkas een stap naar voren om het op te rapen.

'Travin, Xanda,' zei Mahkas, opzettelijk op normale toon, 'gaan jullie even naar Veruca? Ze zit in de grote zaal. Zeg maar dat ik heb gezegd dat jullie iets lekkers mogen.'

'Wat voor lekkers, oom Mahkas?' wilde Xanda weten.

'Wat je maar wilt.'

'Is er iets met mama?' vroeg Travin.

'Ga nou maar, Travin.'

Dat lieten de jongens zich niet nogmaals zeggen. Ze lieten hun porseleinen paardjes achter op de tafel bij de spullen en de draden, hendeltjes en pennetjes die hun moeder van de harp had afgehaald, en renden de kamer uit, al ruziënd over de vraag wat wel en niet iets lekkers was. Mahkas deed de deur achter hen op slot en draaide zich om naar zijn zus.

'Dit is het, Mahkas,' zei ze, met amper verholen opwinding in haar stem. 'Wie risico's durft te nemen, wint, zeggen ze.'

'Hou je kop!' commandeerde hij ongeduldig terwijl hij de brief openvouwde. Hij las hem voor, hoofdzakelijk om Darilyn de mond te snoeren. 'Mijn beste Mahkas, het is met bezwaard gemoed dat ik je dit moet melden, maar onze geliefde zus Riika is dood...' Hij keek Darilyn geschokt aan. 'Dood? Hoe kan ze nu dood zijn?'

Darilyn schudde woordloos haar hoofd, duidelijk niet gelovend wat ze hoorde.

'Naar blijkt is ze ontvoerd,' las Mahkas, 'in de verkeerde veronderstelling dat ze Marla Wolfsblad was, een tragische vergissing die Riika het leven heeft gekost. Toen werd vastgesteld dat ze de zus van de hoogprins niet was, hebben de Fardohnyanen haar ter plekke geexecuteerd, zonder de tijd te nemen haar ware identiteit te achterhalen.' Mahkas hield op met lezen en voelde zich misselijk worden. 'Bij Zegarnald, Darilyn, wat hebben we gedaan?'

'Grote goden!' hijgde zijn zus, met haar handen van afschuw voor haar mond geslagen.

Mahkas richtte zijn aandacht weer op Larans brief. 'Ik ben ervan overtuigd dat Hablet er zelf bij was betrokken, maar dat kan ik niet bewijzen. Hij en die bloedzuiger, Lecter Turon, hadden een zeer plausibel verhaal uitgewerkt, waarmee ze de schuld geheel konden afschuiven op de gevolmachtigde van Westbeek, ene Symon Kuron.' Mahkas liet de brief bijna vallen, zo hevig beefde zijn hand. 'Symon Kuron? Maar dat was de slavenhandelaar...'

Mahkas hield de brief met beide handen vast om het perkament stil te houden voordat hij verderging. 'Hablet heeft me Kurons hoofd en ballen als geschenk gegeven om zich te verontschuldigen voor het misverstand en is akkoord gegaan met enkele miljoenen gouden pegels als schadevergoeding, maar niets daarvan zal Riika terugbrengen of iets afdoen aan het leed dat we nu delen om het verlies van onze geliefde zus. Ik breng haar lichaam mee naar huis en verwacht aanstaande vierdag terug te zijn. Zorg jij ervoor dat alles in gereedheid wordt gebracht? Ik ben van plan de volgende dag meteen door te gaan naar Cabradell. Jeryma zal haar dochter willen bijzetten in de familietombe, naast Glenadal.'

Mahkas kon zich er niet toe brengen Darilyn aan te kijken en nam plaats aan de tafel voordat hij verder las. Zijn knieën hadden de kracht niet meer om hem te dragen. 'Ik wil je om nog een gunst vragen, broer,' las Mahkas verder, terwijl zijn stem bijna net zo hevig trilde als zijn knieën. 'Voordat ik uit Qorinipor vertrok, liet Lecter Turon me nog weten dat dit monsterlijke plan mogelijk was vanwege een verrader in ons midden. Zijn exacte woorden waren "iemand uit uw eigen familie". Het kan zijn dat hij slechts probeert de familie te ontwrichten, en trouwens, ik kan me er niet toe brengen lang stil te staan bij het idee dat Darilyn zo diep zou zinken dat ze haar eigen zus zou verraden. Ik zou het op prijs stellen als je onderzocht wie in het huishouden reden had om zich tegen ons te keren, en al vind ik het nog zo erg om iemand uit onze eigen familie te verdenken, een paar subtiele vragen naar Darilyns betrokkenheid (of gebrek daaraan) in deze verschrikkelijke zaak zouden eveneens verstandig zijn.

Ik vertrouw erop dat deze brief niet in verkeerde handen valt en dat we de verrader in ons midden kunnen ontmaskeren zonder de familie nog meer verdriet te doen. Ik zie je gauw. Met smartelijke groeten, Laran.'

Mahkas liet zijn hoofd een ogenblik geschokt hangen voordat hij opkeek en Darilyn aanstaarde. 'Hij denkt dat jij ermee te maken hebt.'

'En jij niet,' merkte ze kwaad op. 'Komt dat even goed uit.'

'Ik hield van Riika,' bracht Mahkas haar in herinnering. 'Jij hebt haar nooit gemogen. En daar ook geen geheim van gemaakt.'

Darilyn zette haar voet aan de andere kant van de grote vergulde harp en draaide zich op de kruk naar hem toe. Ze had zulke grote, lelijke voeten, dacht hij afwezig. Een beetje zoals haar karakter. 'Jij huichelaar!' siste ze. 'Dit was jóuw idee, Mahkas Damaran! Jij hebt het geregeld! En nu krijg ík er de schuld van? Ik dacht het niet!'

'We moeten hier heel voorzichtig mee zijn,' adviseerde hij.

'Voorzichtig? Zodanig dat jij onschuldig blijft, bedoel je?'

'Laran denkt niet echt dat jij ermee te maken hebt,' probeerde hij haar te sussen. 'In de brief staat...'

'In de brief staat: "een paar subtiele vragen naar Darilyns betrokkenheid"!'

'Ja, maar hij bedoelt vast...'

'Ik ga hier niet voor opdraaien, Mahkas,' waarschuwde ze. 'Niet in mijn eentje.'

'Je verwacht toch zeker niet dat ik míjn aandeel hierin ga opbiechten, hè?'

'Goden, nee!' snoof ze vernietigend en sprong overeind. 'Mahkas Damaran opdraaien voor iets wat hij heeft gedaan? Ik moet er niet aan denken!'

Met een toenemend gevoel van paniek bleef Mahkas naar haar kijken terwijl ze heen en weer liep. Om haar eigen hachje te redden kon – en zou – Darilyn zijn deelname aan het plan om Riika te ontvoeren, onthullen zodra hun oudste broer een voet in Winternest zette. Ook al bespotte ze hem bij elke gelegenheid en gaf ze hem de schuld van de dood van haar man, Darilyn was niet zomaar een beetje bang voor Laran en de macht die hij over haar had. Zonder Laran had ze geen rooie cent. Zonder Laran had ze geen enkele bescherming, geen enkele status behalve die als weduwe van een lage edelman wier zoons hun vaders nalatenschap erfden, waartoe zij geen toegang had. Vrijwel alles wat ze deed, was ingegeven door de angst om Laran van haar te vervreemden, wist Mahkas, en wat ze van nu af aan ging doen, had er allemaal mee te maken om zo veel mogelijk schuld af te schuiven op Mahkas, om zich het vege lijf te redden.

Maar Laran vertrouwde Mahkas nog steeds. Dat bleek duidelijk uit deze brief aan hem, waarin Darilyns motieven in twijfel werden getrokken. Behoud van dat vertrouwen was voor Mahkas het belangrijkste. Een tijdlang bleef hij onderzoekend kijken naar zijn zus, zich ervan bewust dat haar wens om de schuld in deze kwestie af te schuiven, vast net zo sterk was als haar wens er niet door te worden bezoedeld.

'Ik zal Laran vertellen dat jij er niets mee te maken had,' beloofde hij, in de hoop dat ze haar mond zou houden. 'Ik laat gewoon iemand terechtstellen voordat Laran morgen terug is, en dan ben jij niet meer verdacht.'

'En als hij bewijs wil dat jouw lijk ook echt de dader van dit misdrijf is?'

'Dan... dan zeg ik dat hij heeft bekend.'

Darilyn knikte gretig. 'Ja, dat gelooft hij wel. Wie?'

'*Wie?*'

'Wie ga je doden? Het zal een stuk gemakkelijker zijn als het een slaaf is. Maar welke slaaf? Het zal een huisslaaf moeten zijn. Niemand anders zou hebben geweten waar Riika zou zijn.'

'Veruca?' opperde hij, overrompeld door haar vraag. Mahkas was helemaal niet van plan om een van de slaven te doden. Hij verafschuwde onnodig bloedvergieten, en in werkelijkheid vormden alleen diegenen die wisten van zijn rol in deze rampzalige kwestie een gevaar voor hem. Een van hen was de gevolmachtigde van Westbeek, Symon Kuron, en die was al dood.

'Nee! Niet de kinderjuf,' protesteerde zijn zus, zenuwachtig handenwringend. 'Zoek maar iemand anders. Zij moet voor de jongens zorgen.'

Hij knikte. De enige die hem verder nog kon ontmaskeren, was Darilyn. Als Mahkas íémand het zwijgen moest opleggen, dan was zij het wel.

'Ik bedenk nog wel iemand,' beloofde hij. 'Zal ik de maaltijd naar je kamer laten sturen?'

'Hè?' vroeg ze, in verwarring door de plotselinge verandering van onderwerp.

'Het lijkt me beter als je hier in je kamer bleef,' legde hij uit. 'Zodra het bekend wordt over Riika, zal niemand het raar vinden dat jij je hebt teruggetrokken om in afzondering je verdriet te verwerken. Ik zal de jongens vanavond naar Veruca sturen. En ik zal er ook voor zorgen dat jij niets van doen hebt met mijn onderzoek. Als ik onze schuldige vind, ben jij niet eens in de buurt, zodat niemand je er later van kan beschuldigen dat je misschien een onschuldige tot een bekentenis hebt gedwongen om jezelf te beschermen.'

'Denk erom dat het er overtuigend uitziet, Mahkas,' waarschuwde ze. 'Als Laran ook maar een moment twijfelt aan de schuld van de dode slaaf die je hem laat zien, denkt hij meteen weer dat ík het heb gedaan. En geloof me, als hij dat denkt, ben ik niet de enige die de schuld krijgt.'

Mahkas stond op en ging voor Darilyn staan om haar te laten ophouden met ijsberen. Hij legde zijn handen op haar schouders en glimlachte bemoedigend. 'Dat komt wel goed, Darilyn. Daar zorg ik wel voor. Maak jij je maar geen zorgen.' Hij sloeg zijn arm om haar heen en bracht haar naar de stoel aan de tafel die hij zojuist had verlaten. 'Hou nu maar op met ijsberen en ga zitten. Ik word al moe als ik naar je kijk.'

Darilyn liet zich op de stoel parkeren, nog steeds handenwringend.

'Misschien is het beter als we hem gewoon vertellen wat we hebben gedaan. Natuurlijk wordt hij dan kwaad, maar als we...'

'We mogen het hem niet vertellen, Darilyn!' riep Mahkas uit, geschokt door het idee. 'Dit vergeeft hij ons nooit, er is geen gemakkelijke uitweg.'

'Laran zou nooit een wees van zijn neefjes maken,' redeneerde ze. 'Hij wordt wel boos, maar hij zou me niet doden. Hij voelt zich al schuldig genoeg omdat Jaris is gedood. Hij zou de jongens nooit behalve hun vader ook nog hun moeder afnemen. En zoveel heb ik er niet eens aan gedaan. Ik bedoel, jij was degene die alles heeft geregeld...'

Darilyns redenering beangstigde Mahkas. Terwijl hij het ijsberen van haar overnam, besefte hij dat ze zich in haar egoïsme al van hem aan het distantiëren was om hem de schuld in de schoenen te schuiven. Tegen de tijd dat Laran terugkwam uit Fardohnya, zou ze zichzelf allang hebben wijsgemaakt dat ze er helemaal niets mee te maken had gehad.

Naar haar kijkend achtte hij haar nu een grotere dreiging dan een ieder die ooit in de strijd tegenover hem had gestaan. Hij stond nu achter haar, met de kleine ronde tafel tussen hen in.

'Laran zal niet denken aan jouw jongens, Darilyn,' probeerde hij haar te waarschuwen. 'Op dit moment denkt hij alleen maar aan Riika.'

Darilyn sloeg de handen voor haar gezicht en begon weer te huilen. Mahkas wist zeker dat ze huilde om zichzelf en niet om de zus die met haar hulp was omgebracht.

'Ik kan dit niet, Mahkas,' snikte ze. 'Een beetje geld verdienen is tot daaraan toe. Maar dit is moord. Ik kan er niet mee leven.'

Fijn van je om dat nu te beslissen! dacht hij woedend. Toen drong het tot hem door dat hij Darilyn het zwijgen moest opleggen, goedschiks of kwaadschiks. Het gevaar dat ze voor hem vormde, was extreem. Eén aanwijzing dat Laran vermoedde dat een van hen was betrokken bij Riika's dood, en ze flapte er alles uit.

Op de tafel tussen hen lagen de onderdelen van haar gedeeltelijk ontmantelde harp, het draad waar ze zo lang op had gewacht om de kapotte snaren te repareren, en de twee paardjes met hun trotse ruiters die Laran de jongens had gegeven.

'Je zult ermee móéten leven, Darilyn,' zei hij haar meedogenloos. Nog steeds achter haar staand keek hij omhoog naar de balk die het plafond droeg. *Zou die haar gewicht houden?*

Darilyn bleef snikken maar gaf geen antwoord. Ze huilde niet om Riika, wist hij. In Darilyns egocentrische geest was geen plaats voor verdriet. Riika's verscheiden betekende voor haar alleen maar het gevaar om als medeplichtige aan haar dood te worden ontmaskerd.

Darilyn is een slecht mens, dacht hij, zich afvragend hoe lang de rol harpdraad was en of hij die kon pakken zonder Darilyn te wijzen op zijn bedoelingen. Als kind al hadden Mahkas en Laran allebei aangevoeld hoe oppervlakkig en egoïstisch ze kon zijn. Ze gaf alleen maar om zichzelf. Zelfs haar kinderen kwamen op een armzalige tweede plaats, na haar eigen wensen.

'Ik zweer het, Mahkas, als je...'

Halverwege haar zin bracht hij haar tot zwijgen met een lus van het harpdraad. Die slingerde hij om Darilyns hals en trok eraan met alle kracht die hij wist op te brengen. Het dunne draad sneed als een scheermes door haar strottenhoofd voordat ze een gil kon geven, en er sproeide bloed door de zaal toen hij eraan trok.

Het draad nog strakker trekkend klauterde hij op zijn knieën op de tafel achter haar om meer kracht te kunnen zetten, terwijl een schreeuwende pijn door zijn gewonde arm schoot door de spanning op de hechtingen.

Uit haar doorgesneden slagaderen gutste een fontein van bloed over het tapijt, zo ver reikend dat Mahkas het hoorde sissen waar het in het vuur terechtkwam. Ze beukte als een bezetene op de stoel maar kon haar handen niet onder het draad krijgen terwijl hij het leven uit haar perste. Met haar laatste krachten tastte Darilyn achter zich, blindelings maaiend met haar armen. Haar rechterhand sloeg de spullen van de tafel en sloot zich uiteindelijk om een van de porseleinen paardjes van de jongens. Ze sloeg ermee en raakte zijn gewonde arm meer door stom geluk dan iets anders. Mahkas negeerde de scherpe pijn en trok het draad strakker. *Grote goden, hoe lang ging het duren voordat ze dood was?*

Niet veel langer, zo bleek. Na een paar tellen van onbeheersbaar maaien met haar armen zakte Darilyn neer in de stoel en bungelde haar bijna afgesneden hoofd achterover op de tafel. Snakkend naar adem sprong Mahkas uit het blikveld van haar opengesperde, beschuldigende ogen, waarbij hij de tafel omversmeet. Met bonzend hart van angst en het bloed gierend van de spanning van de dood keek hij omlaag naar zijn kleren. Op wonderbaarlijke wijze was hij, door achter haar te blijven, aan de stortvloed van bloed ontsnapt, maar het had zich door de hele kamer verspreid en het bloed op de haard, dat begon te verdampen, verspreidde een walgelijke stank.

Hij had niet veel tijd. Zijn best doend er niet aan te denken wat hij had gedaan – wat ze hem had *gedwongen* te doen, verbeterde hij zichzelf, zichzelf rechtvaardigend – greep Mahkas een uiteinde van het draad dat nog steeds vastzat in Darilyns keel en smeet het over de balk. Hij ving het andere eind op en trok eraan tot Darilyn uit de stoel omhoogkwam. Toen stuitte hij op een ander probleem. Het draad sneed door mensenvlees alsof het boter was, en door het dode gewicht van haar lijk trok de harpsnaar zich zo diep in haar hals dat hij het gevaar liep haar te onthoofden. Vloekend liet hij haar weer zakken. Als dat gebeurde, zou het moeilijk worden om iemand ervan te overtuigen dat ze zelfmoord had gepleegd.

Mahkas trok haar opnieuw omhoog, langzamer deze keer, en de

draad zaagde met bijna hetzelfde gemak door de balk als door Darilyns keel. Maar na geruime tijd voorzichtig tillen, hingen haar voeten eindelijk los van de vloer en de plas van het bloed dat uit haar gapende halswond omlaagsijpelde. Haastig bond Mahkas het draad vast aan een van de hoedenhangers bij de deur, en uiterst voorzichtig liep hij op zijn tenen langs het bloed op de vloer om ervoor te zorgen dat hij geen voetafdrukken maakte die zijn aanwezigheid tijdens Darilyns doodsstuipen zouden verraden. Hij weigerde goed naar haar te kijken. Door de kracht van het draad was haar onderkaak ontwricht, en haar gezicht was misvormd en grotesk onder de sluier van bloed die ze droeg.

Na een paar keer diep ademhalen controleerde Mahkas nog één keer zijn kleren voordat hij de deur opende. Het enige wat kon bewijzen dat hij een gevecht had geleverd, was een scheurtje in de mitella en een klein druppeltje bloed op de mouw van zijn hemd, eenvoudig te verklaren als het door te veel inspanning bloeden van zijn arm.

Nadat hij de mitella weer op zijn plaats had gehangen en een onbekommerde uitdrukking op zijn gezicht had gezet, verliet hij Darilyns kamer en liep door de met kaarsen verlichte gang naar de grote zaal waar zijn neefjes vast nog bezig waren om Veruca ervan te overtuigen dat oom Mahkas hun echt iets lekkers had beloofd.

Over een poosje zou hij de jongens naar hun moeder sturen om haar welterusten te zeggen, en zou haar tragische zelfmoord worden ontdekt. Dat zou zijn verhaal verder ondersteunen als hij Laran morgen sprak. Niemand zou zo gek zijn om twee jochies eropuit te sturen om hen te laten ontdekken wat hun wachtte in Darilyns kamer.

Maar dat maakte niet uit, overpeinsde Mahkas, want hij was zich toch al gaan afvragen of hij soms gek was geworden.

58

Laat op de middag van driedag kwam Winternest in zicht. Laran had zich nog nooit zo blij en toch zo ellendig gevoeld bij het idee om thuis te komen. Niet dat Winternest thuis voor hem was. In heel de provincie Zonnegloor was er geen plek waar hij zich echt thuis voelde. Vertrouwd, dat zeker, en geruststellend om er weer te zijn, maar het waren de roodgranieten muren van Krakandar waaraan Laran het gevoel van thuis kon koppelen.

Toen hij het kasteel in het oog kreeg, zag hij dat de vlaggen al half-stok hingen, een wis teken dat het nieuws over Riika de grenspost al had bereikt. Laran vond het wel een beetje laf van zichzelf om het nieuws over de dood van hun zus aan Mahkas en Darilyn te brengen in een brief in plaats van persoonlijk. *Maar wat moest je op zo'n moment nou zeggen?* Mahkas gaf zichzelf vast de schuld. Darilyn – vooropgesteld dat ze niet schuldig was aan enige betrokkenheid in de affaire – zou wel net zo verscheurd zijn van verdriet. Als ze de verrader in hun huishouden eenmaal hadden gevonden, zou het een stuk gemakkelijker te verwerken zijn, meende hij. Dan konden ze hun woede tenminste ergens op richten. Dan kreeg hun behoefte aan wraak iets concreets.

Daaraan klampte Laran zich vast terwijl hij de rouwstoet Winternest binnenleidde. Hablets escorte had hij ontheven door de Fardohnyaanse erewacht achter te laten bij Westbeek. Alleen de Stropers van Krakandar kregen de eer om Riika thuis te brengen.

Mahkas stond hem op te wachten op de binnenplaats van de zuidelijke veste, met zijn arm nog in een mitella en zijn gezicht ernstig. De jongens stonden bij hem, aan weerszijden van hun oom, maar in het welkomstcomité ontbrak elk spoor van Darilyn.

Laran steeg af, gaf zijn teugels aan een van de stalknechten en wachtte tot het rijtuig met Riika's lichaam volledig tot stilstand was gekomen voordat hij zich omdraaide en zijn broer begroette.

'Dit is een treurige dag voor onze familie, Mahkas.'

'Treuriger dan je denkt,' beaamde zijn broer. Hoofdschuddend wierp hij een blik op de koets. 'Ik heb plaats voor haar gemaakt in de grote zaal. Dat leek me... aangenamer dan wat er hier doorgaat voor een tempel.'

Laran knikte en beduidde de Stropers Riika's lichaam naar binnen te brengen. De jongens keken plechtig toe terwijl hun tante uit de koets werd getild en naar de veste werd gedragen.

'Nu is mama niet meer zo alleen,' verkondigde Travin. 'Met tante Riika als gezelschap.'

Laran keek zijn neefje verwonderd aan. 'Wat?'

'Veruca!' blafte Mahkas scherp. 'Breng de kinderen naar binnen, alsjeblieft.' Terwijl de kinderjuf kwam aangesneld, legde Mahkas zijn hand op Larans arm. 'Ik moet je iets laten zien.'

Verbaasd liep Laran met Mahkas mee naar de zaal, in het kielzog van de wachters die Riika droegen. De kamer was fel verlicht met kaarsen, en bij de haard stond een schraag voor de draagbaar van Riika. Naast die tafel lag een ander lichaam opgebaard, onder een lijkwade van goud die sterk leek op die waaronder Riika lag.

Laran staarde een ogenblik naar het tweede lichaam, beende er toen op af en sloeg ongeduldig de doek terug. De schok om Darilyn op de tweede schraag aan te treffen sloeg hem met stomheid. Mahkas stuurde de wachters weg en wendde zich tot Laran zodra ze alleen waren.

'Ze had je brief onderschept,' legde hij uit terwijl hij door de zaal heen liep om te blijven staan aan het hoofd van Riika's schraag. 'Ik zweer het, ik had er geen idee van dat zij erbij betrokken was, Laran. Totdat ik hoorde dat Raek Harlen eerder terug was en ik op zoek ging naar het bericht dat je hem had meegegeven. Ze was radeloos toen ik haar aantrof, huilend om Riika's dood, dacht ik eerst. Maar toen begon ze te snateren dat ze jou zo haatte en geen enkele zeggenschap had over haar leven en dat het allemaal stukken beter zou zijn geworden als ze zelf eenmaal geld had...'

'Hoe is ze gestorven?' Larans stem klonk vlak en levenloos.

'Ze heeft zichzelf opgehangen,' bracht Mahkas hem op de hoogte. 'Nadat ik haar had gesproken en besefte hoe schandalig ver ze was gegaan... nou ja, ze wist goed dat ik woest was. En ik móést toen bij haar vandaan, Laran, want ik zweer het, ik was in staat haar zelf te vermoorden om wat ze had gedaan. Maar goed, ik had haar verboden haar kamer te verlaten terwijl ik erover nadacht wat ik nu moest doen, toen ik Veruca hoorde gillen. Ze was met de jongens naar binnen gedaan om hun moeder welterusten te zeggen, en ze vonden haar hangend aan een balk... Het was afschuwelijk, Laran. Ze had het draad van haar harp gebruikt. Ik heb nog nooit zoveel bloed gezien.'

'Hebben de jongens haar gezien?'

'Travin wel, maar ik weet niet of hij wel besefte wat hij zag. Gelukkig werd Xanda weggetrokken door Veruca voordat hij haar goed en wel in het oog kreeg.'

Laran trok de doek een stukje verder weg. Darilyns armen lagen gekruist over haar borst. Hij trok de hoge kraag van haar japon omlaag en zag dat Mahkas de waarheid sprak. Haar nek was zo ver doorgesneden dat ze bijna was onthoofd.

'Worden we gestraft, Mahkas?' vroeg hij, terwijl hij de doek voorzichtig teruglegde. 'Is dit de prijs die de goden hebben bepaald voor onze arrogantie?'

'Mogelijk,' beaamde Mahkas. 'Maar dan vind ik hem nogal hoog.'

Laran schudde zijn hoofd, niet in staat de tragedie te bevatten die zijn beide zussen zo'n vroegtijdige dood had gebracht. Hij merkte dat hij niet kwaad was op Darilyn. Hij was nog te zeer aangeslagen om tot razernij in staat te zijn. Hij voelde zich alleen maar moe. En oud.

'Wat moet ik Jeryma zeggen?'

'De waarheid,' opperde Mahkas. 'Het is altijd beter om de waarheid te zeggen. Minder leed op de lange termijn.'

Droevig schudde Laran zijn hoofd. 'Het is toch niet te geloven dat ze zoiets zou doen... haar eigen zús? Het is... het is bijna niet te bevatten.'

'Oordeel niet te hard over haar, Laran.'

Hij voelde zich nogal laaghartig door Mahkas' woorden, maar Laran kon het niet opbrengen om dit te vergeven. Nog niet. Het was nog te vers, te pijnlijk om te vergeven. 'Je bent een stuk ruimdenkender dan ik, broertje. Ik vraag me af of ik het haar ooit zal kunnen vergeven.'

'Niemand van ons kan ooit echt weten wat haar hiertoe heeft gedreven,' zei Mahkas. 'Maar je weet dat ze altijd een hekel aan Riika heeft gehad. En aan het feit dat jij haar rijkdom bepaalde.'

'Ik heb haar nooit iets ontzegd, Mahkas. Niet één keer.'

'Maar dat had je wel gekúnd,' hield Mahkas hem voor. 'En van die mogelijkheid is ze gek geworden, denk ik, niet van de feiten.'

Laran wierp nog één blik op Darilyn en trok toen de gouden lijkwade weer over haar hoofd. 'Ergens klopt het niet, om Riika hier achter te laten in dezelfde ruimte als haar moordenares.'

'Denk niet over hen als slachtoffer en dader. Ze waren in de eerste plaats familie.'

'Familie laat elkaar niet ontvoeren en vermoorden, Mahkas.'

'Heeft Darilyn ook niet gedaan, vermoed ik. Ze zal alleen hebben gedacht aan het profijt dat ze kon trekken uit het forse losgeld dat je vast zou betalen, en niet aan andere gevolgen.'

Laran keek naar Mahkas, wiens gezicht in het flakkerende kaarslicht in de zaal leek te zijn getekend door verdriet. 'Je bent veel barmhartiger voor haar dan ik me nu voel, broer.'

'Over de doden geen kwaad,' zei Mahkas.

Laran knikte. 'Begrijpen de jongens...?'

Mahkas haalde zijn schouders op. 'Weet ik niet zeker. Travin is oud genoeg om te beseffen wat er aan de hand is, maar Xanda? Wie weet? Maar dat brengt me op een andere kwestie. Ik zat te denken...'

'Ja?'

'Nou, er moet nu toch iemand voor hen zorgen. Moeder heeft de tijd van kinderen nu wel gehad, en Marla krijgt het straks ook druk met de kleine. Misschien kunnen ze, als Bylinda en ik zijn getrouwd, bij ons komen wonen?'

'Het is mijn verantwoordelijkheid om de zorg voor mijn neefjes te regelen,' antwoordde Laran. Mahkas maakte dit veel te gemakkelijk voor hem. 'Niet de jouwe.'

'En in hoeverre kwijt jij je dan niet van je taak door hen onder te brengen in een liefdevol gezin bij hun eigen oom, Laran? Ik geef net zoveel om die jongens als jij.'

Laran knikte en zag de wijsheid van Mahkas' voorstel in. 'Misschien moesten ze dan maar bij jou blijven. Als je tenminste zeker weet dat Bylinda het niet erg vindt.'

'Zij is net zo dol op de jongens als ik.'

Hij schudde verwonderd het hoofd. 'Wel weer typisch iets voor Darilyn om zich alleen maar druk te maken over haar eigen lot en niet om de toekomst van haar verweesde zonen.'

'Onbaatzuchtigheid is nooit een deugd van haar geweest,' beaamde Mahkas.

Laran slaakte een diepe zucht. 'Dat wordt een trieste reis voor ons, terug naar Cabradell.'

'Ik heb geregeld dat we morgen bij het ochtendkrieken weg kunnen,' bracht Mahkas hem op de hoogte. 'Nu de onmiddellijke dreiging van represailles vanuit Fardohnya niet meer aan de orde is, ben ik hier niet meer nodig.'

Laran knikte bevestigend. 'We brengen de meisjes morgen naar huis.'

'Dan laat ik je nu even aan je lot over, is dat goed? Ik heb nog wat dingen te regelen voordat we weggaan, en ik heb de jongens beloofd hun een verhaaltje te vertellen voordat ze gingen slapen.'

'Je verwent hen.'

'Dat kunnen ze nu ook wel gebruiken.'

'Geen wonder dat jij hun lievelingsoom bent.'

Mahkas liet een flauw glimlachje zien. 'Ze zijn ook dol op jou.'

'Niet zoals op hun ome Mahkas. Jij hebt veel meer geduld met hen dan ik. Je zult een fantastische vader zijn als je je eigen zoons krijgt.'

'Jij ook, Laran,' verzekerde Mahkas hem. 'Zie ik je bij het eten?'

'Ja.'

Mahkas draaide zich om en liep naar de ingang van de zaal, Laran achterlatend bij zijn twee zussen. Hij was bijna bij de deur toen een van de dingen die Mahkas had gezegd, doordrong tot Larans bewustzijn.

'Zei je nou dat Marla het straks druk krijgt met de kleine?' riep Laran zijn broer na. 'Wat bedoelde je daarmee?'

Mahkas bleef staan en draaide zich naar hem om. 'Neem me niet kwalijk, Laran. Met alles wat er in de afgelopen dagen is gebeurd, is het me helemaal ontschoten. De dag nadat je naar Westbeek vertrok, kwam er een brief uit Cabradell. Marla is in verwachting.'

'Nu al?'

'Je bent duidelijk een snelle werker,' merkte zijn broer op met een zweem van een glimlach.

'Wel raar om te denken aan een nieuw leven tussen al die sterfgevallen.'

'De goden laten het evenwicht nooit lang wankel,' merkte Mahkas op.

Laran knikte. Voor het eerst in de afgelopen dagen hoorde hij iemand iets logisch zeggen. De rest leek allemaal niet echt te zijn. Riika en Darilyn waren dood, en Marla was zwanger. Het was alsof hij in een wervelwind was gestapt die geleidelijk aan snelheid maakte, en dat hij nu elk moment kon worden weggeslingerd in een willekeurige richting die alleen door de goden kon worden voorzien.

'Dus alles is nog niet verloren,' voegde Mahkas eraan toe. 'We hebben onze erfgenaam voor Hythria.'

'En het kostte ons alleen maar het leven van onze twee zussen,' reageerde Laran.

59

Voor de tweede keer in bijna net zoveel maanden leidde Kagan een uitvaart op de drukke hellingen van de Cabradellvallei om zijn jongste nichtje te ruste te leggen naast haar vader. Iets hartverscheurenders had hij nog nooit gedaan.

In contrast met de sombere bijeenkomst was het stralend weer – een prachtige lentedag die nauwelijks rekening hield met de trieste taak die ze verrichtten onder een wolkeloze, kobaltblauwe hemel.

Hij stapte terug, wachtte tot de familieleden hun afscheidsgeschenken op de baar hadden gelegd en liep weer naar voren om de Dood te smeken om mededogen met dit zuivere, onbezoedelde zieltje als hij haar verwelkomde in zijn rijk. Nadat Kagan het laatste gebed had uitgesproken, stapte hij weer terug, en terwijl de baardragers Riika op de schouders namen, wierp hij een blik op zijn zus. Gesluierd in rouwwit stond Jeryma naast Marla Wolfsblad, die Darilyns twee jongens aan de hand hield. Ze zag er ontredderd uit.

Er waren maar vier baardragers. Meer waren er niet nodig voor Riika's tengere lichaam. Laran en Mahkas liepen vooraan, Chaine Tollin en Raek Harlen achteraan. Onderweg vanuit Winternest had de jonge luitenant bij Laran gesmeekt om deze gunst.

Terwijl ze haar de tombe in droegen, voerden ze de hoop van een hele provincie weg. Kagan wist niet precies welke uitwerking de dood van Glenadal Ravenspeers enige kind op het volk van de provincie Zonnegloor zou hebben, maar hij betwijfelde of het wel een goede zou zijn. Laran zou de komende maanden zeer voorzichtig moeten zijn. Het viel hem niet mee om zich niet deels verantwoordelijk te voelen voor Riika's dood. En die van Darilyn. Net als zijn neef leed Kagan aan een onbehaaglijk schuldgevoel. Bovendien voelde hij het verlies van Wrayan nog altijd als een constante druk op zijn borst die hem het ademen bemoeilijkte.

Al die tijd zonder bericht van zijn leerling kon maar één ding betekenen. De jongen was vermoedelijk dood, en dat had hij geaccepteerd. Of Alija hem had gedood of dat hij tijdens zijn confrontatie met haar gewond was geraakt en later was overleden, bleef een mysterie. Tesha had beweerd dat Alija ronduit geschokt was geweest om Wrayan niet aan te treffen toen ze de oudere tovenares had meegesleept naar de tempel om te getuigen van zijn zogenaamde misdaden, maar dat zou een toneelstukje omwille van Tesha kunnen zijn geweest.

Het enige wat Kagan zeker wist, was dat Wrayan onmogelijk ergens gezond en wel kon uithangen en domweg nog niet had besloten om weer naar zijn meester te gaan.

Na maanden van onderzoek was Kagan helaas nog niets wijzer dan toen hij pas terug was in Groenhaven.

Ook dat leven was gesneuveld door Glenadals plan.

Grappig dat we het nu zo noemen – Glenadals plan – alsof dat de nog levende samenzweerders vrijspreekt, omdat het niet ons idee was.

Maar hij was net zo schuldig als Glenadal Ravenspeer. Kagan had een Fardohnyaanse erfgenaam op de troon van de hoogprins net zo graag willen voorkomen als alle andere Hythrun. Denkend aan hun dierbare erfgenaam liet hij zijn ogen even rusten op Marla. Aan haar fysieke verschijning was nog niets te zien, behalve dan die ondefinieerbare houding van zelfingenomen superioriteit die alle zwangere vrouwen leken te krijgen. *Dat moet iets te maken hebben met het vermogen om leven te scheppen en te koesteren,* dacht Kagan. Alsof Jelanna, de vruchtbaarheidsgodin, iedere zwangere vrouw begiftigde met een sereen en totaal vertrouwen in haar vermogen een kind ter wereld te brengen. Dat verschijnsel had hij voor het eerst opgemerkt toen Jeryma zwanger was van Laran, en sindsdien had hij het teruggezien bij iedere zwangere vrouw die hij ontmoette.

De baardragers kwamen terug uit de tombe, waarmee het einde van de plechtigheid was ingeluid. Het verraste Kagan niet dat geen van de jongemannen de tranen had weten te bedwingen tijdens de hartverscheurende taak om Riika Ravenspeer te ruste te leggen.

Maar wat gaat er nu gebeuren? vroeg hij zich af. Over een paar dagen moesten ze Cabradell verlaten om dezelfde plechtigheid te houden voor Darilyn in de provincie Krakandar, waar zowel haar vader als haar man begraven lag. Ze zou naast haar man Jaris worden bijgezet in de tombe van de familie Taranger in Walsark, het noordelijkste district in Krakandar, aan de grens tussen Medalon en Hythria. *Alweer een begrafenisstoet. Alweer een vroegtijdig gesneefd leven.* Kagan voelde zich slecht op zijn gemak over de wijze van Darilyns dood. Zelfmoord had hij nooit achter haar gezocht. Egoïstisch, dat was ze zeker. Oppervlakkig zelfs. Maar niet suïcidaal. Haar wond verontrustte hem ook. Haar keel was doorgesneden tot op het bot. Hij kon zich niet voorstellen hoe ze dat zonder hulp bij zichzelf voor elkaar had gekregen.

'Mijnheer?'

'Ja?' antwoordde hij, zijn verontrustende gedachtegang van zich afzettend, en hij wendde zich tot Marla, die beter dan iedereen met deze tragedie wist om te gaan. Maar zij stond er wel verder van af dan zij. Voor Marla waren Riika Ravenspeer en Darilyn Taranger niet meer dan namen geweest, de zussen van de echtgenoot die ze amper kende. Ze had hen nooit ontmoet, en al begreep ze het verdriet van de mensen om zich heen, zelf bleef ze er onaangedaan door.

'Brengt u vrouwe Jeryma terug naar het paleis?' vroeg Marla.

'Natuurlijk,' antwoordde hij, zichzelf kwalijk nemend dat het hem moest worden gevraagd. Het verlies van haar dochters was voor Jeryma zo kort na de dood van haar man erg hard aangekomen. 'Houdt u de jongens in het oog, hoogheid?'

'Ik pas wel op hen,' verzekerde ze hem. Ze hield Darilyns beide zonen nog steeds bij de hand, en die leken tevreden met haar gezelschap. Xanda klemde het porseleinen paardje tegen zich aan dat Jeryma hem had gestuurd. Het was nu kapot, zag hij, gevallen toen Darilyn de tafel omver had geschopt toen ze zichzelf had opgehangen. Mahkas had kennelijk alle stukken gevonden, op één na, en ze voor het kind aan elkaar gelijmd voordat ze uit Winternest vertrokken, een opmerkelijk genereus gebaar, gezien de omstandigheden. Het paard en de ridderlijke ruiter waren compleet, alleen de punt van zijn lans ontbrak. Dat kleine stukje bleek onmogelijk terug te vinden in de chaos die Darilyn had achtergelaten. Jeryma had Xanda het paardje willen afpakken voor de uitvaart, maar hij had het niet los willen laten en was ontzettend kwaad geworden. Marla had uiteindelijk de vrede hersteld door hem te beloven dat hij het mocht houden – misschien wel de eerste keer in haar leven dat Jeryma in haar eigen huis was tegengesproken door een andere vrouw. Maar Marla was mogelijk de enige in de familie die niet zo opging in haar eigen verdriet dat ze de tijd niet had om begrip op te brengen voor het leed van twee kleine kinderen die net hun moeder waren kwijtgeraakt.

'Bedankt,' zei Kagan, blij met de manier waarop Marla hier allemaal mee omging. Het was heel goed mogelijk geweest dat ze een verwend, losbandig misbaksel zou zijn geworden, vooral met het oog op de familie waar ze uit kwam.

Misschien was de geïsoleerde jeugd op Hoogkasteel, weg van het verderf aan het hof van haar broer, goed voor haar geweest. Ze ging tenminste met de huidige situatie om met een waardigheid waartoe de hoogprins niet in staat leek.

Dankbaar dat tenminste één onderdeel van dit steeds duurder betaalde plan bleek te zijn geslaagd, legde Kagan zijn hand op haar schouder in een stil gebaar van waardering. Met een hoofdknik nam Marla zijn dank in ontvangst en liep toen met Travin en Xanda de helling af naar het paleis.

Pas enkele dagen later begon Kagan het potentieel van Marla Wolfsblad pas echt te waarderen. Net als ieder ander in deze intrige had hij Marla beschouwd als weinig meer dan het instrument van hun hoop. Zij was het vat dat hun Hythrische erfgenaam zou dragen, en verder had hij eigenlijk niet bij haar stilgestaan.

Kagan en Laran zaten in Glenadals oude kantoor de regelingen door te nemen voor het bestuur van Zonnegloor na Larans terugkeer naar Krakandar, toen Marla op de deur klopte en binnenkwam zonder te wachten op toestemming. Ze keken allebei op, Laran met een zweem van ongeduld.

'Is er iets mis?'

'Nee,' stelde ze hem gerust. 'Ik wilde jullie alleen ergens over spreken.'

'Kan dat niet wachten, Marla?' vroeg Laran. 'Ik heb het erg druk. Er is nog een hoop te doen voordat we morgen weggaan.'

'Ja, maar daar gaat het juist over.'

'Waarover?'

'Mag ik een voorstel doen, Laran? Over de provincie Zonnegloor?'

'Als het niet te lang duurt.'

'Ik weet best dat het me eigenlijk niets aangaat... maar volgens mij moet je Chaine Tollin benoemen tot gouverneur van Zonnegloor en hem de provincie voor je laten besturen.'

Kagan wist niet zeker waar hij het meeste van schrok: het voorstel om Zonnegloor aan Chaine te geven of het feit dat Marla dat voorstelde. In niets leek de jongedame die hier voor hen stond op het theatrale en emotionele meisje dat nog geen jaar geleden op het bal in

Groenhaven zo armzalig had gejammerd over haar wrede levenslot.

Laran leek lang niet zo verrast door die verandering in haar. Hij leunde slechts achterover in zijn stoel en keek haar nieuwsgierig aan. 'Waarom?'

'Omdat hij hier thuis is, Laran. Hij kent de mensen in Cabradell, het volk van Zonnegloor, en zij kennen hem. En bovendien hebben ze respect voor hem. En toen Glenadal stierf, heeft hij je ook zonder meer gesteund in een tijd dat hij je net zo goed had kunnen uitdagen, met een uitstekende kans dat het hem – met het leger achter zich – nog was gelukt ook. Hij is bekwaam, hij is trouw en hij heeft je juist behandeld. Het is nu tijd om hém juist te behandelen.'

Kagan zat perplex. 'Wie heeft je dit ingefluisterd, Marla?'

'Hoe bedoelt u?'

'Heeft Chaine je gevraagd een goed woordje voor hem te doen bij Laran?'

Marla keek een beetje gekwetst door de suggestie dat ze, zonder iemand achter zich, geen aandacht zou hebben voor of verstand zou hebben van de verwikkelingen in de regionen van de macht. 'Denkt u dat ik zoiets niet zelf kan bedenken?'

'Ik weet niet zo goed wat jij allemaal kunt, Marla,' zei hij in alle oprechtheid. 'En Laran heeft al geregeld dat Mahkas hier in Cabradell op de boel past.'

Marla schudde haar hoofd en keek Laran aan. 'Dat moet je niet doen. En niet omdat ik eraan twijfel dat Mahkas Zonnegloor net zo goed kan besturen als iemand anders. Ik mag Mahkas graag. Maar het is jóúw broer, niet Glenadal Ravenspeers zoon.'

'Dat is Chaine Tollin ook niet,' merkte Laran op.

'Dat is gewoon een smoes, Laran. Iedereen weet dat hij Glenadals zoon is, ook al is dat nooit officieel erkend. Dat heer Ravenspeer dat nooit heeft gedaan, wil nog niet zeggen dat de hele wereld niet weet hoe het in elkaar steekt. Goden! Ik wist het ook, en voordat ik met jou trouwde, was ik nog nooit in Cabradell geweest.'

'Maar denk je niet dat we het gevaar juist opzoeken door Glenadals onerkende bastaard al die macht te geven?' vroeg Kagan.

'Ik denk dat jullie allemaal het gevaar al opzoeken vanaf de dag dat jullie het regelden dat Laran de provincie Zonnegloor zou erven,' kaatste ze terug, Kagan verrassend met haar bereidheid over die kwestie in discussie te gaan. Hij was er vrij zeker van dat Elezaar Marla onderrichtte in de politiek, maar ze sprak met heuse overtuiging. Marla was niet zomaar iets aan het herhalen dat ze uit haar hoofd had geleerd. Ze had hier goed over nagedacht.

'Zo, denk je dat?' zei Laran, een stuk toleranter over Marla's tussenkomst dan Kagan. Het enige wat de hoge arrion op dat moment dacht, was: *Waarom heeft Lernen niet een klein stukje van het verstand dat zijn zus blijkbaar wel heeft?*

'Ik denk dat er maar drie dingen zijn die voorkomen dat de bevolking van deze provincie tegen jouw bewind in opstand komt,' vervolgde ze. 'En dat zijn, ten eerste: dat jij de reputatie hebt een redelijk mens te zijn; ten tweede: dat Chaine jou steunde na Glenadals dood; en ten derde: dat jij Riika's voogd was. In die situatie was er altijd nog de kans dat jij Chaine zou erkennen of Zonnegloor zou teruggeven aan Riika wanneer ze trouwde. In beide gevallen was er de hoop dat Zonnegloor bij de regerende familie zou blijven. Dat is nu allemaal veranderd. Er is geen stabiliteit. Het geslacht Ravenspeer is uitgestorven. Het enige wettige kind van de krijgsheer is dood. Jij bent Glenadals *stiefzoon*, Laran, en Mahkas ook. En om het nog erger te maken, ben jij de krijgsheer van een provincie die aan de andere kant van Hythria ligt. Jij zult het volk van Zonnegloor er nooit van kunnen overtuigen dat jij hun welzijn boven dat van Krakandar zult plaatsen. Door Mahkas de leiding te geven, maak je dat gevoel alleen maar erger en wek je de indruk van vriendjespolitiek, hoe bekwaam hij als bestuurder ook mag blijken. Chaine Tollin is de enige die je als gouverneur kunt aanstellen als je niet over een halfjaar terug wilt uit Krakandar om een einde te komen maken aan een opstand.'

'Denk je niet dat Mahkas nogal uit zijn hum zal zijn als ik hem de provincie Zonnegloor afneem terwijl ik die nog maar een paar uur geleden aan hem heb toegekend?'

'Jij bent krijgsheer, Laran,' hield ze hem botweg voor. 'Het is jouw taak om te zorgen voor iedereen in de provincie, niet alleen voor je broer.'

Kagan staarde haar verrast aan toen het tot hem doordrong dat Marla vermoedelijk de enige Wolfsblad in verscheidene generaties was die er zowaar enig besef van had wat het inhield om prins te zijn.

Bedachtzaam keek Laran naar Kagan. 'Daar zit wel wat in, Kagan.'

'Dat is zo,' beaamde Kagan behoedzaam.

'Dus je doet het?' vroeg Marla.

'Ik zal erover nadenken,' gaf Laran toe.

'Je zult zien dat ik gelijk heb.'

'Ja,' zei Laran met een zweem van een glimlach, 'maar het helpt je niet echt als je je erover loopt te verkneukelen.'

Plots lachte Marla, waarmee de plechtige waardigheid van zo-even verdween en ze weer veranderde in een meisje van zestien dat wilde worden geprezen door iemand van wie ze graag wilde dat die goed over haar dacht.

'Dan kan ik nu maar beter gaan, hè?'

'Ja,' bevestigde Laran, 'dat zou ik maar doen.'

'Maar je denkt er wel over na?'

'Dat heb ik beloofd.'

'Tot straks, dan.' Ze maakte een kniebuiging in Kagans richting. 'Heer Palenovar.'

'Hoogheid.'

Toen ze de deur achter zich had gesloten, wendde Kagan zich hoofdschuddend tot Laran. 'Komt je vrouw wel vaker even langswippen om je te vertellen hoe je je provincies moet besturen?'

'We zijn nog maar vier maanden getrouwd, dus ze heeft er nog niet echt de tijd voor gehad.' Laran leek enigszins in verwarring over zijn jonge echtgenote, maar niet boos over haar brutaliteit.

Hij glimlachte humorloos en voegde eraan toe: 'Maar ik bespeur wel een verontrustende trend in die richting. Het zal mijn moeders invloed wel zijn. Met Jeryma en die verrekte dwerg... Ik zweer het, Kagan, Marla heeft vast de enige court'esa in heel Hythria die haar eerder wegwijs maakt in de politiek dan in seks.'

'Dat zal tot interessante gesprekken in bed leiden,' merkte Kagan droog op.

'Dat klopt,' beaamde Laran zonder nadere verklaring. 'Denk je dat ze gelijk heeft over Chaine?'

'Ik vrees van wel.'

'Dat zal Mahkas niet leuk vinden.'

'Die begrijpt het wel,' reageerde Kagan. 'En al is hij een beetje van zijn stuk, je kunt er altijd op rekenen dat Mahkas bereid is het juiste voor je te doen. Hij zal het manhaftig incasseren. Trouwens, hij staat te springen om terug te gaan naar Krakandar en met Bylinda te trouwen. Als hij eenmaal over de teleurstelling heen is, zal hij het vast niet eens erg vinden.'

Laran knikte. 'Ik mag blij zijn met een broer die ik zo goed kan vertrouwen. Ik wou alleen...'

'Dat Riika nog leefde, zodat het hele probleem niet bestond?' maakte Kagan zijn zin voor hem af.

'Ze was te jong om zo te sterven, Kagan. Ik sta nog steeds half in de verleiding om een leger op de been te brengen en Fardohnya te verwoesten.'

'Je hebt gedaan wat nodig was, Laran.'

'Weet ik,' verzuchtte hij ernstig. 'Maar ik zou me stukken beter hebben gevoeld als er bloed was gevloeid.'

'Je hebt Hablet veel geld gekost, Laran. Daar lijdt hij waarschijnlijk veel meer onder dan onder het vergieten van bloed. Trouwens, deze rampzalige jacht op een Hythrische erfgenaam heeft al genoeg levens gekost. Laten we nou niet je ongeboren zoon verdrinken in een bloedig oog-om-oogconflict waar geen einde aan komt.'

'Ik weet het,' stemde Laran in, terugkerend naar de lijst met afspraken die ze aan het doornemen waren voordat Marla hen onderbrak. 'Ik zeg alleen maar dat Riika dood is en dat de wraak voor die onvergeeflijke misdaad stukken zoeter zou zijn geweest als het meer bloed had gekost dan goud.'

Deel IV

Legenden, leugens en legaten

60

Lange tijd voelde Wrayan Lichtvinger niets anders dan verblindende pijn, alsof zijn hoofd was ontploft en zijn hersenen over de binnenkant van zijn schedel waren uitgesmeerd. Hij kon zich niet bewegen; zou zich misschien nooit meer kunnen bewegen. Hij kon niet zien. Hij had geen gevoel in zijn benen. Of in zijn vingers.

Hij wist dat hij was verwond, mogelijk fataal.

Tijd verloor elke betekenis. Wrayan zweefde zo vaak binnen en buiten bewustzijn dat het zijn hele bestaan werd. Soms was er een tijdlang gezegende vrede, maar de verlichting was tijdelijk. Andere keren werd hij wakker van ondraaglijke pijn. Soms had hij het gevoel alsof hij buiten zijn lichaam zweefde en van bovenaf naar de wereld keek. Af en toe had hij flitsen van herinneringen. En droomde hij. Zo echt dat het geen verbeelding kon zijn. En er waren gezichten. Mooie gezichten. Mooie, stille vreemdelingen met ogen zo zwart als onyx, onmenselijk in hun fluisterstille sereniteit.

Ik ga dood, concludeerde Wrayan.

Wat er ook met hem was gebeurd, de pijn brandde door zijn schedel en beschadigde hem zowel lichamelijk als geestelijk. Door de pijn heen voelde hij de hand van de Dood op zijn schouder, wachtend om hem het hiernamaals in te leiden. Alleen de mooie vreemdelingen hielden hem op afstand.

Als kind had Wrayan eens een verhaal gehoord, een verhaal over de Harshini. Als die stierven, zo ging het verhaal, kwam de Dood, anders dan bij stervelingen, hun lichaam én ziel halen. *Vindt de Dood dat ik genoeg van de Harshini in me heb om zowel mijn lichaam als mijn ziel te komen halen?* vroeg Wrayan zich in een zeldzame vlaag van helderheid af. Hij keek om zich heen, maar niets kwam hem vertrouwd voor. Alles was wit.

Wazig. Alsof hij door een vette lens naar de wereld keek. Waar hij zich ook bevond, in de sterfelijke wereld was hij er nooit geweest. Hij zweefde weg, en de droom kwam weer terug. De droom die net buiten bereik bleef hangen, met de antwoorden op al zijn vragen. De droom die hem alleen maar verder in verwarring bracht...

'*Wrayan.*'

Hij wilde altijd zijn ogen opendoen om te zien wie zijn naam riep, maar zelfs in zijn droom bleef slechts een deel van hem verankerd aan zijn stoffelijke lichaam. De rest van hem verkeerde elders, schuilend voor iets engs. Hij kon niet praten, kon niet eens aangeven dat hij had gehoord dat iemand hem riep.

'*Hij is te ver heen,*' merkte de onbekende stem uit zijn droom op. '*En ik ben geen genezer.*'

Zo begon de droom altijd. Lichaamloze stemmen die over hem praatten alsof ze niet wisten dat hij hen kon horen.

'*Maar hij heeft hulp nodig,*' reageerde een jongere stem altijd.

'*Roep Cheltaran dan. Die jongen kan de god van genezing goed gebruiken.*'

'*Dan zegt hij dat ik me bemoei met de natuurlijke loop van de dingen.*'

'*Dat is ook zo.*' De oudere stem klonk ongeduldig, geërgerd.

'*Hij heeft magische hulp nodig om te genezen. Trouwens, je kunt hem niet zomaar laten doodgaan,*' hield de jongere stem vol. '*Hij is nog niet klaar met mij eren.*'

Dat was Dacendaran, besefte Wrayan altijd op dit punt.

Ik had mijn ziel verkocht aan de god van de dieven. Hoe hij dat wist, wist hij niet, maar hij wist het. *Of misschien lig ik te ijlen en is dit mijn laatste krankzinnige nachtmerrie.* Wrayan had wel eens gehoord dat je leven voor je ogen voorbij flitste vlak voordat je doodging. Maar hij had nooit gehoord dat iemand bizarre dromen had over goden en naamloze vreemdelingen. Maar zo vaak had hij nou ook weer niet gesproken met iemand die net dood was, dus had hij er ook nooit naar kunnen vragen.

'*Ik zou die knul een plezier doen door hem dood te laten gaan,*' reageerde de andere stem ernstig. '*Heb je er enig idee van wat je vraagt, Daas? Ik weet niet eens of ik wel met een mens door de Poort kan.*'

'*Hij is een Harshini.*'

'*Niet genoeg in de ogen van de Poortwachter.*'

'*Ja, hoor eens, als je me niet wilt helpen, Brakandaran,*' pruilde Daas, '*zeg het dan gewoon.*'

'*Ik wil je niet helpen.*'

Op dit punt raakte Wrayan er altijd van overtuigd dat dit een rommelige collage was van alles wat hij in een ver verleden allemaal had gezien en gehoord, dat zijn kapotte geest nog één laatste poging deed om enige hoop op verlossing bij elkaar te schrapen alvorens toe te geven aan de vergetelheid.

'*Maar dat moet!*' drong de god van de dieven aan. '*Hij gaat dood!*'

'*Die knul is al zo goed als dood, Daas,*' verduidelijkte de Halfbloed met praktische ongevoeligheid. '*Zijn geest is verzengd. Al kon je dat herstellen, zonder Cheltarans rechtstreekse ingrijpen zou het maanden, zo niet jaren duren.*'

'*De Harshini kunnen hem wel herstellen.*'

'*Waarom zouden ze?*'

'*Lorandranek houdt van mensen.*'

'*En net zei je nog dat die knul een Harshini was.*'

Lorandranek, de koning van de Harshini? Wrayan wou dat hij de mensen in zijn droom duidelijker kon zien. Hij wou dat hij een gezicht kon plaatsen bij de man die hij alleen kende uit de legenden. Er bestonden vele namen voor Brakandaran. De Halfbloed. De Doodmaker. In Medalon noemden ze hem de Zusterslachter, vanwege de dood en het verderf dat hij had gezaaid tijdens de eerste Zuivering, maar dat was nu meer dan honderdvijftig jaar geleden. De Zusters van de Kling dachten vast dat Brakandaran dood was. Ook vrijwel iedereen in Hythria en Fardohnya dacht dat Brakandaran dood was.

Wrayan wist niet goed waarom hij zich dergelijke details uit de geschiedenis wel kon herinneren maar van zijn eigen verleden vrijwel niets anders meer wist dan zijn naam.

'*Ja, maar hij is ook een Harshini. Een beetje.*'

In zijn droom viel Brakandaran op dit punt even stil, en al had hij dit al duizend keer gedroomd, Wrayan was altijd bang dat de Halfbloed zou weigeren om hem te helpen.

'*Nou, goed dan,*' zei Brak na een ondraaglijk lange stilte.

'*Dus je doet het? En je belooft dat je hem beter maakt? Zodat hij me verder kan eren?*'

Een tijdlang bleef het stil. Wrayan vroeg zich af of de droom was afgelopen en of deze keer de stemmen ophielden omdat hij doodging.

Maar het was nog niet afgelopen. '*Er komt iemand aan,*' waarschuwde Brakandaran.

'*Dat is de Innatief die dit heeft gedaan,*' zei Daas. '*En een andere mens. Een vrouw.*'

'*Is dit gedaan door een Innatief?*' vroeg Brak op bezorgde toon.

'*Misschien hebben we de bibliotheek dan niet zo grondig opgeruimd als we dachten.*'

'*Ik kan straks wel even teruggaan om nog wat tekstrollen te stelen,*' bood Daas opgewekt aan.

'*Dat is helemaal geen gek idee,*' stemde de Halfbloed in. '*Maar eerst*

337

moet die jongen van jou hiervandaan.'

In zijn droom werd hij door iemand opgetild van de vloer en weggedragen van de sokkel van de Zichtsteen.

Wrayan hoorde meer stemmen in de verte. Vrouwenstemmen. Maar hij kon nooit verstaan wat ze zeiden, want op dat punt werd hij altijd opgeslokt door het zwart, om de droom andermaal te dromen en zich te verwonderen over de onmenselijk mooie gezichten van de stille hoeders met de zwarte ogen, die over hem waakten.

Mettertijd kwam de droom echter steeds minder vaak voor, tot hij uiteindelijk helemaal niet meer terugkwam en de details begonnen te vervagen in Wrayans geheugen. De pijn werd minder en verdween uiteindelijk geheel. De beelden van de stille hoeders met de zwarte ogen werden minder kortstondig en echter, tot ze versmolten in Boborderen en Janarerek, de twee Harshinigenezers die hem hadden verzorgd tot hij weer gezond was. Het wazige wit nam vorm aan en werd het wit van paleismuren.

En de stemmen die hij zich amper herinnerde uit zijn droom kregen gezichten en gestalten, en Wrayan kwam bij in Sanctuarion, het legendarische, magisch verborgen schuiloord van de laatsten der Harshini.

Wrayan kon zich maar weinig van zijn leven vóór Sanctuarion herinneren.

Er zat een gat in zijn geheugen, vol wazige, halfgevormde beelden van zijn vroegere leven, die nooit stolden tot samenhangende herinneringen. Wrayan wist dat hij een mens was. Hij wist dat hij – ernstig – door magie was verwond, maar hij wist niet wie dat had gedaan of zelfs hoe hij nou eigenlijk in een gevecht met een andere tovenaar verzeild was geraakt.

De Harshini verzekerden hem ervan dat zijn geheugen mettertijd terug zou keren. *Die dingen genezen nu eenmaal vanzelf*, hadden Boborderen en Janarerek beloofd. *Je hoeft alleen maar geduld te hebben.*

Geduld bleek een gave die veel vaker voorkwam onder de Harshini dan onder mensen. Wrayan wilde niets liever dan die gaten in zijn verleden opvullen voor een compleet beeld van wie hij was en hoe hij bij de Harshini terecht was gekomen.

Er waren veel dingen die hij zich niet kon herinneren van zijn tijd vóór Sanctuarion, maar één ding wist hij zeker. De Harshini werden verondersteld dood te zijn, uitgeroeid door de Zusters van de Kling in Medalon tijdens hun regelmatige zuiveringen om de wereld te verlossen van alles wat rook naar magie of religie. Zoals de meeste mensen die in Hythria en Fardohnya woonden, geloofde Wrayan graag dat de Harshini zich alleen maar verborgen hielden tot ze zegevierend konden terugkeren, maar na bijna twee eeuwen zonder enig teken van hen te hebben vernomen, was het gemakkelijker te geloven dat ze waren uitgestorven.

Maar dat waren ze dus niet. Tot dit besef kwam Wrayan enkele maanden nadat hij het bewustzijn had verloren in de Tempel van de Goden van het Tovenaarscollectief in Groenhaven, na een strijd met een tegenstander die hij zich niet kon herinneren om een reden die hij zich niet kon herinneren.

Maar vandaag kwam hij een stap dichter bij het ontrafelen van zijn verleden. Het was de eerste lentedag, en voor de tweede keer sinds Wrayan hier in Sanctuarion was, zou Lorandranek, de koning van de Harshini, de verborgen nederzetting terugplaatsen in de tijd om de Harshini en hun nederzetting te laten inhalen. Misschien zou Wrayan ook wel worden ingehaald door enkele herinneringen die hij was kwijtgeraakt.

Het grootste deel van het jaar bleef Sanctuarion uit het zicht en uit de tijd verborgen, zodat de Zusters van de Kling – of liever gezegd, hun angstwekkend goed opgeleide militaire tak, de Verdedigers – zouden denken dat de Harshini dood en verdwenen waren, maar de laatste tijd ook om zich te verstoppen voor het toenemende aantal priesters van Xaphista uit Kariën in het noorden, die met de Zusterschap de wens deelde om de wereld te bevrijden van het magische ras. Elk voorjaar hief Lorandranek de bezwering op die Sanctuarion verborgen hield om de nederzetting te laten terugkeren naar het heden. Anders zou Sanctuarion namelijk stagneren en uiteindelijk sterven. Buiten de tijd geplaatst wilde er namelijk niets groeien of worden aangevuld.

Kinderen konden niet groeien, niet eens worden verwekt. Het was een valse veiligheid om buiten de tijd verborgen te zijn. Elke dag werd herhaald met hetzelfde breekbare optimisme – de hoop dat de volgende keer dat Lorandranek hen terugbracht, het zou zijn in een wereld waar de Harshini weer welkom waren.

Terugkomen in de tijd hield ook in dat Brak thuiskwam. De Halfbloed bracht niet veel tijd hier in Sanctuarion door, was Wrayan te weten gekomen nadat hij in dit magische oord was bijgekomen en had beseft door wie hij was gered (*waar hij ook van gered had moeten worden*, voegde hij er in stilte voor zichzelf aan toe). Als Sanctuarion buiten de tijd was verborgen, dwaalde Brakandaran liever door de steden en dorpen van de mensenwereld. Niet dat hij niet door de barrière kon als Sanctuarion verborgen was; Brak had Wrayan ervan verzekerd dat Sanctuarion aan hem trok, hoe ver van huis hij ook was, en als je wist waar je moest zoeken, kon je naar de andere kant, als dat mocht van de Poortwachter. Maar hij vond gewoon dat hij zijn volk beter van nut was als hij door de mensenwereld dwaalde.

Lorandranek noemde Brak voor de grap ook wel het 'door zichzelf aangestelde hoofd van de inlichtingendienst van de Harshini', iets wat hij had onthouden toen de Halfbloed had geprobeerd de militaire hiërarchie van de Verdedigers uit te leggen aan een koning die er nog niet eens over peinsde om een vlieg dood te slaan.

Het zou een interessant gesprek zijn geweest om bij te wonen, dacht Wrayan vaak.

Braks uitstapjes naar buiten waren meer dan slechts de wisselvallige reizen van een rusteloze zwerver. Brak hield voor de Harshini bij wat er in de mensenwereld allemaal gebeurde.

Hij hield de Zusters van de Kling en hun leger van Verdedigers in het oog. Hij hield zich op de hoogte van de groeiende macht van de incidentele god, Xaphista de Opperheer, in het noorden. En hij hield vaderlijk de wacht over de volkeren van Hythria en Fardohnya, en ging daarbij één keer zo ver dat hij zich enkele jaren geleden openbaarde aan de koning van Fardohnya, toen Lorandranek vond dat die, zelfs voor een mens, over de schreef was gegaan door een oorlog te willen ontketenen met door de pest besmette lichaamsdelen.

Brak had wat de Harshini eufemistisch een 'gekwelde ziel' noemden. Uiteindelijk was Wrayan erachter gekomen dat dat betekende dat Brak nogal opvliegend kon zijn. De Halfbloed – als magiër even sterk als een volbloed – miste het enige wat een echte Harshini kenmerkte: hij was in staat tot geweld.

En hij kon toveren als hij kwaad was.

Er was maar één ding waar de Harshini banger voor waren, had Wrayan ontdekt, en dat was niet de Zusterschap of Xaphista of een andere externe dreiging voor hun hachelijke bestaan. Dat was het idee dat iemand uit de familie té Ortyn – de familie van koning Lorandranek – een halfmenselijk kind kon krijgen zoals Brak. Een demonenkind.

Braks 'gekwelde ziel' baarde de Harshini dan wel zorgen, maar hij was een telg van de familie té Carn. Hij kon beschikken over de macht van de goden als alle andere Harshini, maar dat hield wel in dat hij daarin beperkt was zonder actief de medewerking van de goden te vragen. De koning kon namelijk, net als zijn neef en nicht, Korandellen en Shananara, uit de kracht van alle goden tegelijk putten als hij wilde, een vermogen dat niet echt een probleem was als je niet eens in staat was tot een gewelddadige gedachte. Maar het werd wel een heel ander verhaal als je menselijk bloed door het geheel mengde. Mensenbloed neutraliseerde het Harshiniverbod tegen geweld.

Braks opvliegendheid kwam eigenlijk nogal slecht uit. Een demonenkind dat er de pest in kreeg, zou namelijk, in theorie, de wereld kunnen vernietigen.

Lorandranek, de Harshinikoning, was een opgewekte kerel, maar aan de andere kant waren alle Harshini opgewekt. Een andere emotie kenden ze niet. Mensen fascineerden hem bovendien op een wijze die Wrayan verontrustend veel deed denken aan een insectenverzamelaar die een bijzonder interessante mierenkolonie bestudeerde. Wrayans komst in Sanctuarion, nu meer dan twee jaar geleden, was naar het scheen het hoogtepunt van de eeuw geweest voor de negenhonderd jaar oude koning. Vrijwel dagelijks liet hij de jongeman opdraven om hem urenlang te ondervragen over het alledaagse leven van de mensheid. In de loop van de tijd waren ze vrienden van elkaar geworden. Ondanks het gevaar dat mensen vertegenwoordigden voor de koning en zijn familie – of misschien juist vanwege het gevaar – brachten Lorandranek en vooral zijn nichtje uren door met hun mensengast om hem te ondervragen, hem te onderwijzen en de geneugten van Sanctuarion met hem te delen.

Aanvankelijk was Wrayan overweldigd geweest door de schoonheid van Sanctuarion. En dat gold niet alleen het indrukwekkende fort met de witte torens en de tientallen schitterende balkons en terrassen. Binnen besloeg de nederzetting een totale vallei met een regenboogkleurige waterval die de nederzetting voorzag van drinkwater en zo perfect muzikaal door het dal tinkelde dat het gewoon geen speling van de natuur kon zijn. Alles hier was een toppunt van geluk, wat zo ver ging dat Wrayan soms zin kreeg om zo hard mogelijk krijsend door de gangen te rennen om te zien of hij hun onmenselijke kalmte kon verstoren.

Uiteraard deed hij dat niet. In plaats daarvan wachtte hij ongeduldig af tot Brak terugkwam. Brak zou hem een tijdje meenemen, de nederzetting uit, waar hij de berglucht kon inademen en kon schelden en vloeken en ruzie kon zoeken als hij daar zin in had. Niet dat Wrayan daar nou zo'n zin in had. Maar het was gewoon het idee dat het kón wat hem zo aansprak, al was het maar voor eventjes.

'Heb je het gemerkt?'

Wrayan draaide zich om van het balkon. Bij de deur van zijn kamer stond prinses Shananara in het elegante, losse witte gewaad dat haar volk graag droeg. In de afgelopen twee jaar had hij in zijn vrije tijd flink wat over Shananara té Ortyn gefantaseerd. Ze was het prachtigste wezentje dat Wrayan ooit had gezien. Ze was erg lang en had een statig lichaam en lang donkerrood haar. Haar ogen waren nog het meest opvallend en bezaten de allerduidelijkste eigenschap die haar onmenselijke afkomst verried. Ze waren helemaal zwart, zonder wit rondom de pupil om ze iets minder doordringend en intens te maken. Hij had er geen idee van hoe oud Shananara was.

Ze zag eruit als twintig, hooguit vijfentwintig, maar het was goed mogelijk dat ze vier- of vijfhonderd jaar oud was. Wrayan durfde het niet te vragen. Hij wist wel beter dan een dame te vragen naar haar leeftijd.

'Zijn we al terug in de tijd?'

Ze knikte en stak de ruime kamer over om bij hem op het balkon te komen kijken naar de schilderachtige vallei.

'Misschien zijn jouw zintuigen niet zo gevoelig als de mijne,' opperde ze diplomatiek. 'Mijn oom heeft de bezwering ongeveer een uur geleden opgeheven.'

'Niets van gemerkt,' gaf hij toe en bedacht dat 'gevoelig' een heel beleefde manier was om 'bij lange na niet zo krachtig' te zeggen. In Wrayans troebele herinneringen hoorde hij soms een stem vertellen hoe machtig hij als magiër was. Daar had de lichaamloze stem zich in vergist, wist hij nu. Vergeleken bij een gemiddelde Harshini was Wrayan net een pasgeboren poesje – blind, doof en volslagen hulpeloos. En vergeleken bij Shananara, haar broer en haar oom was de gemiddelde Harshini niet veel beter af.

'Is Brak al terug?'

Shananara schudde haar hoofd. 'We zijn nog maar een uur terug in de tijd, Wrayan. Het kan wel dagen duren voordat hij er is. Misschien is hij nog niet eens in de bergen.'

'O.' Hij deed zijn best zijn teleurstelling te verbergen. 'Kunnen de demonen zeggen hoe ver weg hij is?'

'Als ze daar zin in hebben,' grinnikte ze. 'Trouwens, Brak heeft liever niet dat de demonen hem door de mensenwereld volgen. Die halen namelijk nogal eens wat kattenkwaad uit.'

'Kan ik me voorstellen,' zei Wrayan, zich afvragend hoe Brak voorkwam dat de van vorm veranderende wezentjes achter hem aan kwamen. Hier in Sanctuarion waren ze overal, de tegenvoeters van de pacifistische aard van de Harshini. De kleine grijze demonen waren alles wat de Harshini niet waren, maar hun ondeugende karakters werden getemperd door hun bloedband met de Harshini. Eerst had Wrayan gedacht dat de Harshini en hun demonen zich met elkaar onderhielden als meester en slaaf. Uiteindelijk had hij begrepen dat het eerder de verschillende kanten van dezelfde munt waren.

'Ik hoop dat hij er gauw is.'

De prinses pakte zijn hand, en haar glimlach werd nog breder. 'Ben ik zulk slecht gezelschap, Wrayan?'

'Natuurlijk niet!' stelde hij haar haastig gerust, zich scherp bewust van haar zijdezachte, verleidelijke aanraking. 'Alleen...'

'Brak is deels mens, net als jij?' vroeg ze met een opgetrokken wenkbrauw. Ze liet zijn hand los, waardoor Wrayan wat gemakkelijker kon ademen. 'Je zult wel staan te springen om naar buiten te gaan en rare mensendingen te gaan doen met een gelijkgestemd rasgenoot. Of is het typisch iets voor mannen?'

'Een beetje van allebei,' bekende hij. 'Brak had beloofd dat we deze keer op...' Hij wilde zeggen: 'jacht zouden gaan', maar bedacht dat hij de zin maar beter niet kon afmaken. Wrayans Harshinibloed was zodanig verdund dat het strikt vegetarische dieet hem sterk deed verlangen naar vlees, een verlangen dat hij niet kon uiten zonder zijn gastheren van streek te maken. De Harshini verafschuwden geweld. Door uitdrukking te geven aan een behoefte, of nog erger, een wens om een dier te doden (ook al waren de vleesetende deels-mensen van plan om het daarna op te eten) zou hij Shananara enorm grieven.

'Nou, hij komt vast gauw. Als je ondertussen zo graag Sanctuarion uit wilt: mijn oom vertrekt straks voor een uitje de bergen in. Hij vindt het vast niet erg als je meegaat.'

Wrayan glimlachte. Het voorstel om met Lorandranek mee de bergen in te gaan had meer te maken met een verzoek om de koning in het oog te houden dan met Shananara's wens Wrayan een kans te geven om zijn benen te strekken. Lorandranek had de neiging af te dwalen. Vorig jaar lente had hij aangekondigd dat hij ging wandelen in de bergen en was verscheidene weken weggebleven, en pas teruggekomen doordat Korandellen Brak achter hem aan had gestuurd om hem thuis te brengen.

De koning van de Harshini was een getormenteerd man, verscheurd tussen de behoefte de laatsten van zijn eigen volk te beschermen door hen buiten de tijd te verbergen, en het rouwen om de mensenlevens die verloren gingen terwijl de wereld langzaam maar onvermijdelijk overhelde naar anarchie omdat de Harshini er niet meer waren om hen langs het pad van de vrede te leiden. Aan de buitenkant bleef hij joviaal, maar iedereen in Sanctuarion – van de nieuwste demon tot de oudste Harshini – wist dat Lorandranek door het onoplosbare conflict aan stukken werd gescheurd.

'Misschien ga ik wel mee, ja,' stemde Wrayan in, zich losmakend van het balkon. 'Als je zeker weet dat hij het niet erg vindt.'

'Natuurlijk vindt hij het niet erg,' verzekerde Shananara hem. 'Hij zal blij zijn met je gezelschap.'

'Dan ga ik maar. Anders ben ik nog te laat.'

'Laat hem niet te ver afdwalen.'

'Zorg ik voor.'

Ze glimlachte en raakte heel even zijn gezicht aan met haar hand. Het intieme gebaar zond een huivering langs zijn ruggengraat en deed Wrayan hevig schrikken. Plots vreesde hij dat ze zijn gedachten had gelezen. Maar ook al wist ze wat hij voor haar voelde, tot dat moment was Wrayan ervan overtuigd geweest dat de prinses hem onmogelijk kon beschouwen als iets meer dan een nieuwigheidje, omdat hij veel te veel mensenbloed in zich droeg dan goed voor haar was.

'Ik zal je missen,' zei ze zacht.

Ademen, verdomme! Gewoon doorgaan met ademhalen!

'Ik... moet... écht... weg, hoogheid.'

Met een zweem van spijt liet ze haar hand zakken en deed een stap bij hem vandaan. Ook van die afstand voelde Wrayan haar begeerte van haar af stralen als hitte van een kleine zon. Er bestonden legenden over de Harshini en de uitwerking die ze op mensen hadden. Als je de geruchten mocht geloven, was de cultus van de Zusters van de Kling opgericht omdat enkele Medalonische vrouwen bang waren geweest voor de uitwerking die Harshiniminnaressen hadden op hun manvolk. Sommige mensen meenden dat de zuiveringen die de Zusterschap regelmatig hield om de Harshini uit te vagen, niet alleen voortkwamen uit machtswellust maar ook uit jaloezie. Vechtend tegen de vrijwel onweerstaanbare drang om Shananara in zijn armen te nemen, dacht Wrayan te begrijpen waar de Zusters van de Kling bang voor waren.

De prinses haalde diep adem en deed nog een stap bij hem vandaan. 'Ja, Wrayan,' zei ze met een meewarig glimlachje. 'Ik denk dat je maar moest gaan.'

Zonder nog een woord te zeggen maakte Wrayan haastig een buiging en vluchtte de kamer uit met het idee dat hij nu niet zozeer behoefte had aan een bergwandeling als wel aan een ijskoude douche.

61

Het was fris in de Sanctuarionbergen. De winter mocht dan officieel voorbij zijn, maar het seizoen klampte zich hardnekkig vast aan de hellingen en weigerde los te laten. De hogere toppen hadden nog altijd een sneeuwkap, en zelfs op de lagere hellingen waagden slechts enkele dappere bomen hun voorjaarsgebladerte al te laten zien.

De dennen waren ook nog steeds verzwaard door hun winterbekleding van ijs, maar op een of andere manier die Brak niet kon verklaren, rook het toch naar voorjaar.

De Halfbloed bleef even staan en glimlachte toen hij Sanctuarion voelde terugkeren. De trekkracht die van thuis uitging, was er altijd, maar als Sanctuarion uit de tijd was, voelde die gedempt en dof aan. Maar zodra Lorandranek de bezwering ophief die de nederzetting verborgen hield, lichtte Sanctuarion in Braks geest op als een baken dat hem met een onweerstaanbare drang naar huis riep. *Lorandranek moet zich wel erg rusteloos voelen, dit jaar,* dacht Brak terwijl hij over het besneeuwde pad omhoogsjokte. *De eerste lentedag is nauwelijks aangebroken, en Sanctuarion is al terug. De koning zal staan te trappelen om aan zijn zelfverkozen gevangenschap te ontsnappen en weer door zijn geliefde bergen te dwalen.*

Misschien zou hij deze keer niet te ver gaan, al was dat vast ijdele hoop. Lorandranek vond het verschrikkelijk om het grootste deel van het jaar vast te zitten in Sanctuarion, ook al wist hij dat het de enige manier was om zijn volk te beschermen tot er een einde kwam aan het bewind van de Zusterschap. Wat dat betrof, was geen van de Harshini echt blij met het idee, mogelijk met uitzondering van het neefje en de erfgenaam van de koning, Korandellen, die geen enkele moeite met zijn gedwongen opsluiting leek te hebben. Brak had het geluk dat hij kon kiezen, maar voor zijn volbloedneven viel het niet mee. In de afgelopen tweehonderd jaar waren er tijdens de zuiveringen zo velen gedood, en aangezien ze het vermogen misten om zich te verdedigen, konden ze niet anders dan zich verstoppen.

Alleen, dacht Brak terwijl hij verder liep, in de afgelopen honderd jaar, terwijl de mens steeds meer grond vrijmaakte voor de landbouw, waren de houthakkersdorpen in de bergen steeds hoger gekomen en lagen er nu zelfs verscheidene mensennederzettingen op maar een paar dagen van Sanctuarion. Dat was een alarmerende trend, en vaak vroeg Brak zich af of hij die niet moest keren. Bij de mensen in Medalon krioelde het van de geruchten over spoken in de Sanctuarionbergen. Met een beetje magie zou het niet veel moeite kosten om de kolonisten te verjagen. Aan de andere kant, als ze in de Citadel het nieuws vernamen dat de dorpelingen iets hadden gezien of gehoord wat erop kon wijzen dat er Harshini in de omgeving zaten, zou de Zusterschap de Verdedigers op onderzoek uitsturen.

Misschien was het toch veiliger om het maar zo te laten.

'Brak is terug!' gilde plotseling een hoog stemmetje opgetogen. Voordat hij kon reageren, schoot er vanuit de beschutting van de bomen een klein projectiel op hem af, gevolgd door een ander wezen dat zich met zoveel kracht op hem wierp, dat ze hem samen van de sokken sloegen.

'Je bent er weer! Je bent er weer! Je bent er weer!' krijste een van de kleine demonen, op en neer springend op zijn borst.

'Eyan! Elebran! Ga onmiddellijk van hem af!' commandeerde een strenge vrouwenstem.

Meteen sprongen de demonen van Brak, gelukkig voordat ze zijn ribben konden breken, zodat hij rechtop kon gaan zitten. Op het pad voor hem stond een elegante havik. Die staarde hem een tijdlang aan en begon toen te veranderen tot hij was vervangen door een kleine grijze demon.

'Vrouwe Elarnymire,' zei Brak met een glimlach.

'Heer Brakandaran.'

'U hoefde me toch niet tegemoet te komen?'

'Doe ik ook niet,' liet de kleine demon hem kortaf weten. 'Ik zat achter deze twee idioten aan. Eyan en Elebran zijn degenen die vonden dat u een welkomstcomité verdiende.'

De kleine demonen staarden hem behoedzaam aan terwijl hij overeind krabbelde en de sneeuw van zich af klopte voordat die kon smelten en zijn kleren zou doorweken. 'Geef me voortaan eerst even een seintje,' gebood hij humeurig.

Elebran liet zijn oren hangen, en Eyans onderlip begon te trillen.

Brak kreeg medelijden met hen en glimlachte. De kleine demonen krijsten van de pret toen ze merkten dat hij niet echt kwaad op hen was, en wierpen zich in zijn armen, hem bijna verstikkend met de kracht van hun omhelzing.

'Ja! Zo is het wel goed!' riep hij en duwde hen van zich af. 'Hier, draag mijn rugzak maar. Dan halen jullie voorlopig tenminste niets meer uit.' Hij liet zijn zware rugzak van zijn schouders glijden en gooide hem op de grond. Hij was groter dan de beide demonen bij elkaar, en meteen begonnen ze te kibbelen over de beste manier om hem op te tillen. Brak sloeg geen acht op hen en wendde zich weer tot vrouwe Elarnymire, de matriarch van de demonenbroeders van zijn familie.

'Sanctuarion is vroeg terug dit jaar,' merkte hij op.

'Het is lente.'

'Nog maar net.'

'Ik ben niet verantwoordelijk voor de daden van de Harshinikoning, Brakandaran.'

'Anders was hij ook vast niet zo chaotisch,' reageerde Brak met een glimlach.

De demon grijnsde en richtte zich tot het kibbelende tweetal dat er nog steeds niet achter was hoe ze Braks rugzak van de grond konden krijgen. 'O, in godensnaam, jullie twee!' bitste ze ongeduldig. 'Een van jullie moet zich veranderen in een slee, dan kan de ander hem slepen!' Ze schudde haar gerimpelde grijze hoofd van frustratie. 'Zo gaat het nu elk jaar. De jonge demonen zitten veel te lang opgesloten in Sanctuarion, en áls ze dan een kans krijgen om te ontsnappen, zijn ze te dom om iets te doen. We smelten niet meer vaak genoeg samen,' klaagde ze. 'In de echt grote samensmeltingen, tenminste. Kleine dingen kunnen we nog wel terwijl Sanctuarion uit de tijd is, maar sommige demonen zijn nog maar honderd jaar oud. Die hebben zelfs nog nooit een draak zien samensmelten, laat staan daaraan deelgenomen. Zo kunnen ze ook nooit leren wat ze moeten weten.'

'Misschien kunnen we straks een draak samensmelten, als ik toch hier ben?' opperde hij.

De kleine demon slaakte een weemoedige zucht en begon terug het pad op te lopen. Brak liep naast haar mee. Achter hen had Elebran zich weten te veranderen in een nogal scheef ogende slee waarop Eyan Braks rugzak voortduwde, met een hoop gegrom en gekreun en nogal wat protesten van de slee.

'Weet je nog hoe het vroeger was, Brakandaran? Toen we samensmolten in draken en over de lengte en breedte van het continent vlogen? Wij beheersten toen het luchtruim. Weet je nog hoe het was om een drakenruiter te zijn?'

'Dat weet ik nog.'

'Denk je dat die tijd ooit nog terugkeert?'

'Zolang de Zusterschap regeert over Medalon niet,' waarschuwde hij. 'En Xaphista is de laatste tijd nogal vol van zichzelf aan het worden. Ik vermoed dat we op een dag uit die hoek meer last krijgen dan van de Zusters van de Kling.'

'Bah! Xaphista!' schimpte Elarnymire. 'Wat weet die opgeblazen, overgewaardeerde demon nou helemaal?'

'Genoeg om zich van een demon te veranderen in een incidentele god,' bracht Brak haar in herinnering.

'Dat kan ik ook, Brakandaran. Meer dan een paar duizend volgelingen die geloven dat je een god bent, heb je daar niet voor nodig.'

'Nee, maar Xaphista's volgelingen lopen tegenwoordig in de miljoenen, mijn vrouwe, niet in de duizenden. Dat maakt hem erg gevaarlijk.'

'Misschien,' gaf de demon met tegenzin toe. Bij de oudere demonen, die Xaphista nog hadden gekend toen hij nog maar een welpje was, stak het nog steeds dat hij zich had afgekeerd van de demonenbroeders. Vijftienhonderd jaar sinds de afvallige demon met enkele halfbloedverwanten de Harshini had verlaten om hun eigen cultus te vestigen in Kariën, had weinig gedaan om Elarnymires woede over die kwestie te koelen. 'Maar dat is een kwestie voor de oergoden, niet voor ons. Heb je nog nieuws?'

'Meer dan genoeg,' beloofde hij. 'Maar daar wacht ik nog even mee tot we terug zijn. Anders moet ik het allemaal nog een keer vertellen.'

Zijn woorden bleken profetisch. Na een bocht in het pad troffen ze Lorandranek en Wrayan Lichtvinger, de jonge mens die hij van Daas had moeten redden uit de Tempel van de Goden in Groenhaven, die over het pad in hun richting liepen.

'Brak!'

Zodra de Harshini en de mens Brak en de demon in het oog kregen, versnelden ze hun pas. Lorandranek was er als eerste, met zijn donkerrode haar in de war, zijn zwarte ogen fonkelend en zijn gouden huid blozend van de inspanning. Wrayan volgde hem op de hielen. Beiden gingen gekleed in doodgewone mensenkleren. Hoewel Lorandranek met bijna duizend jaar de oudste was, zag Wrayan er vreemd genoeg ouder uit dan hij.

'Brak! Je bent er al!' riep Lorandranek. 'Dat is schitterend!'

'Majesteit,' zei hij en maakte een diepe buiging voor zijn koning.

'Ja, ja, hou maar op met die formaliteiten. Je kent Wrayan toch nog wel?'

'Hoe zou ik hem kunnen vergeten?' merkte Brak op en stak zijn hand naar de mens uit. 'Hallo, Wrayan.'

Wrayan drukte hem hartelijk. 'Mijnheer.'

'Je hebt de koning gehoord,' zei Brak met een grijns. 'Hou maar op met die formaliteiten. Jullie hebben ook geen tijd laten verslofen om te ontsnappen, hè? Ik heb Sanctuarion net pas voelen verschijnen. Wie was het, die er niet snel genoeg uit kon? Jij, Wrayan, of onze grote, glorieuze koning?'

'Prinses Shananara heeft me gestuurd om hem in de gaten te houden,' bekende Wrayan.

'De brutaliteit van haar!' riep Lorandranek uit, maar hij keek eerder geamuseerd dan beledigd. Als je lichamelijk niet in staat was om boosheid te voelen, had je maar weinig andere emoties over. 'Heb je nog nieuws, Brak? Of heb je de afgelopen maanden ergens in een grot naar je navel zitten staren?'

'Ik heb nieuws,' verzekerde hij de koning.

'Vertel me dan alles wat je weet!'

'Zullen we niet eerst teruggaan naar Sanctuarion?'

'Goden, nee!' verklaarde de koning. 'Daar zijn we nog maar net weg! Hier is goed genoeg.' Hij zwaaide met zijn arm, en er verschenen drie rijkelijk gestoffeerde, mensgrote leunstoelen op de open plek, samen met een bekleed krukje voor vrouwe Elarnymire.

'Zo, dan kunnen we er gemakkelijk bij gaan zitten.' De koning aarzelde en keek met een verwonderde frons langs Brak heen. 'Waar zijn die demonen mee bezig?'

Brak wierp een blik over zijn schouder en begon te lachen. Eyan sleepte Elebran de helling op, maar de rugzak gleed er steeds af, en daarom had Elebrans slee twee paar armen gekregen die om de rugzak waren geslagen in een poging hem op zijn plaats te houden.

'Let maar niet op hen, majesteit,' raadde vrouwe Elarnymire hem.

'Zoals u wenst,' reageerde Lorandranek schouderophalend terwijl de demonen kreunend en grommend van inspanning hun weg vervolgden. 'Wat heb je te melden, Brak?'

'Hablet van Fardohnya heeft een andere vrouw genomen,' verkondigde hij, plaatsnemend in de stoel die Lorandranek voor hem had geregeld. Het was ook warmer geworden, alsof de koning dit kleine gebiedje voor hun gemak had verwarmd.

'Was hij vorig jaar niet getrouwd?' vroeg de koning.

'Dat was met vrouwe Sharel Hellene. Het jaar daarvoor was het prinses Shanita van Lanipoor. Zijn nieuwe echtgenote is vrouwe Sybil van Tarkent.'

'Wat is er dan met zijn andere vrouwen gebeurd?' vroeg Wrayan.

'Die zitten nog in de harem, lijkt me,' antwoordde Brak. 'Maar niemand heeft hem al een zoon geschonken, en Hablet is geen geduldig man. Let wel, volgens de roddels op de markt in Talabar kunnen zijn wettige echtgenoten er weinig aan doen dat ze niet zwanger raken en heeft het er meer mee te maken dat hij vaker bij zijn court'esa ligt dan bij hen.'

'En Hythria?'

'Nou, daar is de opvolging in elk geval glashelder.'

'Heeft de hoogprins een zoon?' sputterde Wrayan stomverbaasd. Van zijn verleden mocht hij zich dan niet veel herinneren, maar hij wist wel dat hij een Hythrun was, en de reputatie van zijn hoogprins als pederast was iets wat zelfs zijn gedeeltelijke geheugenverlies had overleefd.

'Een neefje,' verbeterde Brak. 'Lernens zus Marla is getrouwd met Laran Krakenschild, de krijgsheer van de provincies Krakandar en Zonnegloor. Dik een jaar geleden hebben ze een zoon gekregen. Op zijn eerste verjaardag heeft Lernen de jongen geadopteerd als zijn erfgenaam. Hij heet Damin, geloof ik.'

'Laten we dan hopen dat het kind lijkt op zijn naamgenoot,' zei Lorandranek. 'De eerste Damin Wolfsblad werd ook wel Damin de Wijze genoemd.'

'Ik zou er maar niet te veel op hopen,' waarschuwde Brak. 'Niet als hij opgroeit aan Lernens hof.'

'Daar herinner ik me iets van,' zei Wrayan toen de namen iets leken te wekken in zijn geest.

'Van Damin de Wijze?' vroeg de koning.

'Nee. Dat prinses Marla ging trouwen met Laran Krakenschild.'

'Verbaast me niets,' schokschouderde Brak. 'Rond de tijd dat prinses Marla ging trouwen, vroeg Daas me om jou naar Sanctuarion te brengen.'

Wrayan schudde zijn hoofd. 'Er was meer aan de hand. Dit is niet zomaar iets wat ik toevallig weet. Volgens mij had ik er iets mee te maken.'

'Dan krijgen we vast binnenkort antwoord op het mysterie hoe jij gewond bent geraakt,' opperde Lorandranek hoopvol.

'Nou, mogelijk heb ik daar eindelijk een antwoord op. Gedeeltelijk, tenminste.' Brak vroeg zich af hoe de jongeman het nieuws dat hij in Groenhaven had vernomen, zou opnemen. Hij had Wrayan beloofd te kijken wat hij onderweg te weten kon komen maar had niet echt verwacht met iets substantieels te kunnen komen. 'Zegt de naam Kagan Palenovar je iets?'

De knul knikte. 'Komt me vaag bekend voor.'

'En terecht,' beaamde Brak. 'Dat is de hoge arrion van het Tovenaarscollectief.'

'Daar had je me toch gevonden? In de Tempel van de Goden bij het Tovenaarscollectief?'

Brak knikte. 'Naar verluidt had de hoge arrion een leerling die twee jaar geleden is verdwenen. Iedereen denkt dat hij dood is.'

'Was ík de leerling van de hoge arrion?' hijgde Wrayan geschokt.

'Als er niet meer Wrayan Lichtvingers met magische vermogens zijn wel, ja,' zei Brak met een glimlach.

'Nou, dat klopt dan precies!' verklaarde Lorandranek, zijn handen in elkaar slaand. 'Jij hebt een beperkt vermogen om magie te gebruiken, waarmee je vast een opmerkelijke verschijning zult zijn geweest voor je mensenvrienden. En zoals je al zei, heeft Brak je gevonden in de tempel van het Tovenaarscollectief. Wie kan je anders zijn?'

'En iedereen denkt dat ik dood ben?'

'Geen onredelijke veronderstelling, gezien de staat waarin je verkeerde toen ik je aantrof.'

'Heb ik familie?'

'Het spijt me, Wrayan. Maar meer dan de naam van de verdwenen leerling van de hoge arrion heb ik niet voor je,' verontschuldigde Brak zich.

'Maar het is een begin,' zei de jongen, zich opgewonden naar voren buigend. 'Ik moet terug!'

'Dat mag niet.'

Ze keken allemaal op toen de god van de dieven plotseling in hun midden verscheen, gekleed in zijn gebruikelijke vodden van bij elkaar geraapte kleren. Dacendarans voorkeurswijze van kleden was Brak altijd een doorn in het oog geweest, tot hij eindelijk tot de conclusie kwam dat goddelijkheid niet gepaard ging met enige aanleg voor goede smaak.

'Hemelse goedheid!' riep Lorandranek uit en hij sprong overeind. 'Wat leuk dat u erbij komt!'

Brak was meteen argwanend. Het was nooit een goed teken wanneer er zomaar opeens een god verscheen. Hij keek Dacendaran vuil aan. 'Waarom mag hij niet terug, Daas?'

'Weet je, eigenlijk hoor je hemelse goedheid tegen me te zeggen, Brak. Dat doet verder iedereen.'

'Die kennen je niet zo goed als ik. Waarom mag Wrayan niet terug naar Hythria?'

'Omdat hij van mij is,' bracht de god hen op de hoogte.

'Hoe bedoel je, van jou?' vroeg hij.

Dacendaran sloeg zijn armen over elkaar en keek Brak kwaad aan, nogal uit zijn hum over de vraag zichzelf te verklaren. 'Het Tovenaarscollectief krijgt hem niet, Brak. Hij heeft gezworen mij te eren.'

'Dat weet ik nog. Daarom moest ik hem ook voor je redden.'

'Ja, maar hij heeft zich niet aan zijn eed gehouden. Hij heeft me zeven pruldingetjes van de zeven krijgsheren van Hythria beloofd, en hij had een heel jaar om het te doen. Dus hij is me nog wat verschuldigd.'

'De knul was bijkans de helft van dat jaar bewusteloos,' verduidelijkte Lorandranek. 'Dan is hij niet echt in de gelegenheid om zich aan een eed te houden, hemelse goedheid.'

'Kan me niet schelen,' verkondigde de god van de dieven nukkig. 'Het kan me niet schelen wie hij is, waar hij vandaan komt of waar hij naartoe wil. Hij heeft een eed gezworen. Wrayan Lichtvinger is van mij. Hij is nu helemaal beter, en ik wil hem terug.'

'Waarvoor?' vroeg Brak, enigszins verontrust over hetgeen een eed waarvan Wrayan zich niets kon herinneren, van hem kon verlangen. *Zeven pruldingetjes van de zeven krijgsheren van Hythria? Hoe kwam die jongen erbij?*

'Waarvoor denk je, Brak?' reageerde de god van de dieven met een geërgerde blik van ongeduld. 'Ik wil dat hij gaat stelen. Ik wil dat hij de beste dief van heel Hythria wordt. Dat heeft hij me beloofd.'

62

In de banketzaal van Paleis Krakandar konden driehonderd mensen aan tafel – zo beweerde tenminste de hofmeester van het paleis. Terwijl de slaven rondliepen met de tafels, stond Marla achter Larans stoel aan de hoge tafel bedachtzaam op haar onderlip te bijten, zich afvragend waar ze die allemaal moest laten. De vorige keer dat ze in Krakandar driehonderd gasten te eten hadden, waren het misschien allemaal lilliputters geweest. Of misschien had de oude man een verjaardagsfeestje in gedachten toen Laran nog klein was en de gasten allemaal kleine kinderen waren.

Ze had er geen flauw idee van hoe ze driehonderd volwassenen moest onderbrengen.

'Weet je wel zeker dat je ze er allemaal in krijgt, Orleon?' vroeg ze twijfelend terwijl de slaven binnenkwamen met alweer een schragentafel en die aanschoven bij de andere.

'Het wordt heel knus, mijn vrouwe,' beaamde de oude hofmeester. 'Maar niet onnodig ongemakkelijk. We hebben wel vaker driehonderd gasten verzorgd.'

'Wanneer?'

'De laatste keer was geloof ik voor kapitein Damarans bruiloft, eervorig jaar,' hielp hij haar herinneren. 'Toen was u hier voor de gelegenheid, kan ik me nog herinneren.'

'En waren er hier toen echt driehonderd mensen binnen?'

'Min of meer,' gaf Orleon toe.

'Zoveel leken het er niet.'

'Vrouwe Jeryma verstaat de kunst om die zaken moeiteloos te laten verlopen,' reageerde Orleon, Marla opzadelend met het ongemakkelijke gevoel dat de oude man haar inspanningen als gastvrouw afkeurde.

'Ja, maar vrouwe Jeryma is voor het voorjaar terug naar Cabradell,' wierp Marla tegen, met een gefronst voorhoofd. 'Je zult het met mij moeten doen.'

De hofmeester voelde aan dat hij de prinses had beledigd en boog verontschuldigend zijn witte hoofd. 'Daarmee wilde ik niet zeggen dat u niet zo'n bekwaam gastvrouw bent als vrouwe Jeryma, hoogheid. Alleen dat zij meer ervaring heeft met dit soort dingen.'

'Toen Jeryma pas in Krakandar was, hielp je haar toen ook?'

'Zeer beslist.'

'Verdien ik niet eenzelfde soort hulp?'

'U hoeft het maar te vragen, hoogheid.'

Daar zou ik helemaal niet om hoeven vragen, dacht ze geërgerd, maar ze wist wel beter dan haar mening hardop te ventileren. Larans bedienden konden zeer onverzettelijk zijn als ze daar zin in hadden – wat vrijwel elke keer zo scheen te zijn wanneer ze de leiding over iets in het paleis probeerde te nemen. Elezaar zei dat ze hen strenger moest aanpakken, maar in het bijzonder Orleon kon zo op haar neerkijken dat ze zich wilde gaan verstoppen in de kelder.

Marla voelde zich niet *ondraaglijk* ellendig als meesteres van Krakandar. Maar ze zou ook niet beweren dat ze gelukkig was, als iemand de moeite nam ernaar te vragen. Iedereen behandelde haar met het respect en de hoffelijkheid die ze een prinses van den bloede en de echtgenote van hun krijgsheer verschuldigd waren, maar niemand in Krakandar had echt vriendelijk tegen haar gedaan. Mahkas' vrouw Bylinda was misschien nog de enige die de moeite nam.

Het was best een aardig meisje, bijna drie jaar ouder dan Marla, maar als de dochter van een koopman was ze zo onder de indruk van Marla's verheven status dat ze zich vast nooit zo bij haar schoonzuster op haar gemak zou voelen om haar echt een vriendin te noemen. Er waren nog meer dames aan het hof met wie ze vriendschap had kunnen sluiten, maar de meesten leden aan dezelfde kwaal als Bylinda. Niet een van hen kon eraan voorbijgaan dat Larans echtgenote de zus van de hoogprins en de moeder van zijn erfgenaam was.

Na een tijdje had Marla het opgegeven om vriendschap te sluiten. Ze had Elezaar en Lirena als gezelschap. Haar oude kinderjuf stond erop voor Damin te zorgen, en Veruca was ook hier in het paleis, terug van haar pensioen in Winternest om voor Darilyns weeszonen te zorgen. Travin en Xanda woonden hier ook, ogenschijnlijk onder de voogdij van Mahkas en Bylinda, maar in werkelijkheid leek iedereen zich met hun opvoeding te bemoeien.

Marla was eerder eenzaam dan ongelukkig. Laran was vaak weg, om veedieven te verjagen aan de grens met Medalon of om zelf vee terug te stelen. Als hij thuis was, had hij het meestal zo druk dat Marla hem niet veel zag. Het viel niet mee. Iedereen verwachtte van haar dat ze nog een zoon zou baren. Dat ze Hythria had voorzien van een erfgenaam wilde nog niet zeggen dat haar taak erop zat. Nu moest Krakandar nog een erfgenaam hebben voor de provincie.

Marla vroeg zich af of Bylinda soms hoopte dat ze een jongen zou krijgen en dat Laran van Mahkas' zoon zijn erfgenaam zou maken. De vrouw van haar zwager liep nu op alledag en was er vast van overtuigd dat het een zoon zou worden. Daar hadden alle vrouwen in het paleis trouwens een eigen mening over. De een beweerde dat ze het kind hoog droeg en dat het dus een jongen werd. De ander meende iets te kunnen zien aan de kleur van haar wangen, de vorm van de halvemanen in haar vingernagels en – Marla's absolute favoriet – de hoeveelheid vlees die ze tijdens haar zwangerschap had verorberd.

Het was geen geheim dat Mahkas smachtte naar een zoon. Voor ieders bestwil hoopte ze dat Bylinda hem kon geven wat hij wilde. Dan kon hij Laran verzoeken zijn zoon te benoemen tot de erfgenaam van Krakandar en was Marla ontslagen van de noodzaak zelf een erfgenaam te verzorgen.

In feite was Marla's kind het enige wat alles draaglijk maakte. De beschermde jonge prinses was totaal onvoorbereid geweest op de liefde en de beschermende gevoelens waardoor ze was overvallen toen ze haar zoon voor het eerst vasthield. Ze had verwacht dat ze zich alleen maar opgelucht zou voelen als de vroedvrouw verkondigde dat ze een gezonde jongen had gebaard. Maar het moment dat ze hem in haar armen legden, zou ze nooit vergeten. En ze zou hem ook nooit iets laten overkomen. Dat had ze hem beloofd toen ze hem vasthield, nog kleverig en onder het bloed van de baarmoeder.

'Niemand zal jou ooit kwaad doen, mijn lieverd,' had ze zachtjes gefluisterd. 'Ik zweer het.'

Niet dat haar zoon nou zo nodig moest worden beschermd.

Omringd door wachters die hun eigen leven zouden geven om hem te beschermen, groeide hij op als een flinke jongen die niets te lijden had gehad van de gevaarlijke kinderkoortsen die zoveel kleine kinderen van hun moeders borst roofden voordat ze hun eerste jaar hadden gehaald.

Damin was gegroeid als kool. Het was een stevige peuter, met een lach die iedereen in het paleis opvrolijkte en een oog voor ondeugd waar Marla vast haar handen nog vol aan zou krijgen wanneer hij ouder werd. Maar dat kon haar niet schelen. Er was niets aan haar zoon waar Marla iets op aan te merken had. Hij had blond haar en blauwe ogen en was, volgens haar, door de goden gezegend, en het kon haar niets schelen dat iedereen haar maar een dom en zielig wicht vond dat blind was voor de tekortkomingen van haar zoon. Wat Marla betrof hád Damin helemaal geen tekortkomingen.

Zoals beloofd had Lernen Damin tot zijn erfgenaam benoemd toen de jongen een jaar werd. Haar zoon heette nu officieel Damin Wolfsblad, nadat hij de familienaam van zijn oom had gekregen om de stamboom voort te zetten. Maar hij was alleen in naam geadopteerd. Na de plechtigheid was Marla met Laran en hun zoon teruggegaan naar Krakandar. Damin zou niet opgroeien in Groenhaven, in elk geval niet tot hij een stuk ouder was. Deze regeling kwam iedereen goed uit. Marla wilde haar kind niet achterlaten; Laran wilde zijn zoon veilig in de buurt houden; en Lernen had helemaal geen zin in een peuter in Paleis Groenhaven, die daar alleen maar in de weg zou lopen bij zijn verzetjes.

Marla wierp een blik uit de langwerpige vensters naar het balkon dat uitkeek over de tuinen van het binnenterrein van de stad en besefte dat Damin al bijna wakker werd uit zijn middagslaapje. Ze wilde er graag bij zijn als hij zijn oogjes opensloeg. Laat Orleon maar verzinnen hoe je de tafels het beste kunt schikken voor driehonderd gasten op het Feest van Kalianah. Hij dacht vast toch al dat zij het niet voor elkaar kon krijgen.

Ze wilde de hofmeester net melden dat ze alles aan hem overliet toen haar aandacht werd getrokken door enige opschudding aan de andere kant van de banketzaal.

Ondanks de protesten van de slaven drongen verscheidene gewapende mannen de zaal binnen. Haar aanvankelijke steek van angst verdween toen ze het wapenschild van de stotende havik op de borstplaten van de soldaten zag. Marla's frons veranderde in een kreet van verrukking toen ze begreep wie het was.

'Nash!'

De jonge heer keek naar de hoofdtafel en kwam meteen op haar af, met zijn escorte vlak achter hem aan. Met nogal onbetamelijke haast liet Marla de door de hofmeester zorgvuldig opgestelde tafelschikking op de vloer vallen en ging hem op een holletje tegemoet. Ze botste bijna tegen Nash op toen haar muiltjes geen grip kregen op de glad geboende vloer.

'Echt, hoogheid, u bent nog mooier dan de vorige keer dat ik u zag,' verklaarde Nash, haar behendig opvangend toen ze bijna tegen hem op vloog. Lachend hield hij haar in evenwicht, pakte haar hand en drukte galant een kus op de palm en gebaarde vervolgens naar de mannen die achter hem stonden. 'Mag ik u voorstellen: kapitein Sawen, hoogheid, en de kapitein van de paleisgarde van Elasapine, kapitein Darenne. Heren, dit is hare hoogheid, prinses Marla van Huis Wolfsblad, de Vrouwe van Krakandar, moeder van de ware erfgenaam van Hythria en de mooiste vrouw in heel Hythria.'

'Uw vrouwelijke kennissenkring moet ernstig beperkt zijn, heer Havikzwaard, als u mij als het fraaiste voorbeeld van Hythrische vrouwelijkheid beschouwt,' lachte ze, blozend om zijn introductie. In de afgelopen jaren had ze veel van Elezaar geleerd, en niet in de laatste plaats hoe ze moest omgaan met schaamteloos flirtzieke compliment-jes. Marla was niet meer het meisje dat zwijmelend om Nash op het balkon boven de balzaal van Paleis Groenhaven had gestaan. Wel klopte haar hart nog altijd sneller wanneer ze Nashan Havikzwaard onder ogen kreeg en kreeg ze het heet wanneer hij haar aanraakte, hoe onschuldig ook, maar nu wist ze tenminste genoeg om dat niet aan jan en alleman bekend te maken. Ze glimlachte beminnelijk naar de kapiteins. 'Meldt u zich gerust bij Almodavar in de kazerne,' zei ze tegen hen. 'Zeg maar dat ik u heb gestuurd. Hij zal ervoor zorgen dat het u en uw mannen nergens aan ontbreekt.'

'Is Almodavar dan niet bij Laran en Mahkas?' vroeg Nash verbaasd terwijl de kapiteins salueerden en zich verontschuldigden bij de prinses.

Marla schudde haar hoofd. 'Almodavar is nu kapitein van de pa-leiswacht. Laran is nog steeds vrij gevoelig over het gebeuren met Riika op Winternest. Hij neemt zijn trouwste kapitein niet meer mee naar de grens. Tegenwoordig laat hij hem thuis om op zijn zoon te passen.'

'En op zijn vrouw?'

Marla glimlachte. 'Als hij moest kiezen, zou Almodavar eerst Da-min redden voordat hij een vinger verroerde om mij te redden.'

'En de rest van de gasten? Zijn die er al, of heb ik u een paar da-gen voor mezelf?'

'De hoge arrion heeft bericht gestuurd dat hij onderweg was,' in-formeerde ze hem. 'We verwachten hem rond dezelfde tijd als Laran en Mahkas terug zijn van de grens. Maar Jeryma is voor het voorjaar terug naar Cabradell. Ze is een beetje bang dat Chaine te populair wordt. Ze brengt hem graag in herinnering dat hij de gouverneur van Zonnegloor onder Larans bevel is, denk ik.'

'Gaat Larans bevel binnenkort nog veranderen?'

'Ik zou niet weten waarom. Chaine heeft het de afgelopen jaren uit-stekend gedaan.'

'Dus de hoge arrion komt ook? Het is wel een heel eind reizen voor Kagan,' merkte Nash op. 'Alleen maar voor het Feest van Kalianah.'

'Laran had het over dringende zaken,' schokschouderde ze. 'Maar wie weet wat de hoge arrion in werkelijkheid wil.'

Nash bekeek haar van top tot teen en zuchtte. 'Het moederschap siert je, Marla. Je ziet er betoverend uit.'

Het was geen misplaatst compliment. Het moederschap had Mar-la een veel gewelfder figuur gegeven. Ze vóélde zich nu ook een vrouw, ook al was ze nog maar achttien. 'Dat zeg je vast tegen iedereen,' lach-te ze.

'Alleen tegen vrouwen met kinderen,' bekende hij met een grijns. 'De andere raken om een of andere reden nogal van streek als ik ze complimenteer met hun moederlijke kwaliteiten wanneer ze nog ongetrouwd zijn.'

Marla haakte haar arm door die van Nash en nam hem mee naar de ingang van de banketzaal. 'Nou, ik zal je zielige pogingen om mij te vleien nog maar even verdragen omdat je een vriend van Laran bent. Maar zodra mijn man thuis is, moet je er echt mee ophouden, want anders moet ik je door hem laten neersteken.'

'Voor jou is dat de moeite waard.'

Marla lachte. 'Nash, je bent echt onverbeterlijk.'

'Onverbeterlijk, hè? Dat klinkt als iets besmettelijks. Waar is Laran, trouwens? Aan de grens, zei je?'

'Hij is met Mahkas vee gaan bevrijden voor de viering.'

'Wanneer verwacht je hen thuis?'

'Elk moment nu,' liet ze hem weten terwijl ze de centrale hal van het paleis betraden. 'Als ze niet gauw terug zijn met ons "bevrijde" vee, hebben we geen tijd meer om het vlees fatsoenlijk te slachten en te laten uitdruipen.'

'Bevrijd?' vroeg hij grinnikend.

'De Medaloniërs blijken nogal boos te worden als je het stelen noemt.'

'Dat kan ik me voorstellen.'

'Trouwens, volgens Mahkas is het niet echt stelen,' legde ze uit terwijl ze door de hal verder liepen naar de grote indrukwekkende trap die naar de bovenverdiepingen draaide. 'Ze zeggen dat al dit geplunder een jaar of twintig geleden is begonnen toen een of andere brutale Medalonische boer een van de beste stieren van Krakandar pikte en hem mee terug over de grens nam om zijn kudde te laten dekken. Als Krakandarse stier was hij natuurlijk bovengemiddeld sterk en viriel...'

'Uiteraard,' beaamde Nash plechtig.

'... en daarom liet de boer hem tijdens zijn uitstapje over de grens vrijwel alle koeien in de regio dekken. Als je mijn zwager mag geloven, is het stelen van Medalonisch vee daarom helemaal geen stelen omdat al hun vee afstamt van onze stier, dus dan is het in wezen hoe dan ook al van ons.'

'Klinkt niet meer dan redelijk,' lachte hij.

'Ik weet niet of de Medaloniërs het wel met je eens zullen zijn,' waarschuwde ze. 'Ze hebben een nieuwe Heer Verdediger in Medalon. Laran zegt dat de Zusterschap steeds meer Verdedigers stuurt om de grens te bewaken sinds heer Korgan aan de macht is.'

'Zie je,' verzuchtte Nash, hoofdschuddend. 'Dat komt er nou van als je een land laat regeren door vrouwen. Medalon heeft het beste leger van het continent, en daar gaan ze verdomme veedieven mee verjagen.'

'Wat wou je dan dat ze deden, Nash? Ons gebied binnenvallen?'

'Natuurlijk niet. Maar ze zouden zo nu en dan toch wel íemand de oorlog kunnen verklaren. Al was het alleen maar om in vorm te blijven.'

Marla glimlachte. 'In vorm? Nee maar, Nash, hoe kom je erbij om zo te staan trappelen om ten strijde te trekken?'

'Ik ben een volgeling van Zegarnald,' schokschouderde hij. 'Wat moet je dan om de oorlogsgod te eren?'

'Daar zit wat in,' beaamde Marla met een lach. Aan de voet van de imposante trap bleven ze staan. 'Ik heb de Groene Kamer voor je gereed laten maken.' Als regelmatige bezoeker aan Paleis Krakandar had hij geen gids nodig om zijn kamer te vinden.

Hij draaide zich naar haar toe, bracht de arm die ze door de zijne had gestoken, omhoog om haar handpalm te kussen en kuste toen ook haar pols, terwijl hij naar haar glimlachte en haar de hele tijd aankeek. 'Weet je zeker dat je me de weg niet wilt wijzen?'

Zijn woorden streelden de huid op haar pols, en ze kreeg er kippenvel van over haar hele arm.

'U weet de weg, mijnheer,' antwoordde ze, met prijzenswaardige kalmte.

'Ja, maar het zou zoveel...' Hij aarzelde en keek haar even onderzoekend aan. 'Ben je gelukkig, Marla?'

'Waarom zou ik dat niet zijn?'

'Je kijkt een beetje... verloren.'

'Dit is de eerste keer dat ik iets zo grootschaligs organiseer zonder dat vrouwe Jeryma let op alles wat ik doe,' zei ze, niet erg goed op haar gemak bij het idee dat Nash haar ware gevoelens kon vermoeden. 'Ik ben zenuwachtig, niet verloren.'

'Je hoeft niet alleen te zijn, Marla,' zei hij, alsof hij haar gedachten kon lezen.

Marla glimlachte flauwtjes en vroeg zich af of Nash er enig idee van had hoe verleidelijk zijn aanbod was. Hij flirtte openlijk met haar nu ze veilig was getrouwd met Laran, wat hij nooit zou hebben gewaagd toen ze nog vrij was. 'Misschien is het een goed idee dat ik mijn zoon ga opzoeken in de kinderkamer, en dat jij naar je kamer gaat, Nash.'

'Er is niets mis mee om de godin van de liefde te eren,' zei hij op zachte, verleidelijke toon.

'Zal ik dan een van de court'esa naar je kamer sturen?' opperde ze, zogenaamd onbewust van zijn werkelijke voorstel.

Nash bracht haar hand weer naar zijn lippen en glimlachte. 'U bent een wrede vrouw.'

'De wreedste,' beaamde ze en maakte haar hand voorzichtig los uit Nash' greep voordat ze iets deed waar ze zich allebei voor zouden schamen. 'En nu wegwezen. Ik zie je aan tafel.'

Nash glimlachte spijtig en maakte een buiging voordat hij met twee treden tegelijk de trap naar boven nam. Marla keek hem na. Een deel van haar wou dat ze dapper genoeg was om haar hart te volgen in plaats van haar hoofd. Nash maakte er altijd grappen over dat hij haar wilde beminnen. Zelfs in het bijzijn van Laran. Marla wist nooit goed of hij haar alleen maar plaagde, Laran op de kast wilde jagen of haar op een of andere manier op de proef stelde. Mogelijk zelfs in opdracht van Laran...

Ik heb te veel geluisterd naar die verrekte dwerg, hield ze zichzelf voor terwijl ze door de hal terugliep naar de zuidelijke vleugel waar het kinderdagverblijf zich bevond. *Ik zie tegenwoordig overal intriges in.*

Nash flirtte met Marla omdat hij flirtte met iedere vrouw die hij zag. Marla had hem ook zien flirten met Jeryma.

En bij Damins adoptieplechtigheid in Groenhaven had ze hem tegen de oude vrouwe Vosklauw, de overgrootmoeder van de zittende krijgsheer van Pentamor, horen zeggen dat ze de mooiste vrouw in de zaal was. Dat deed Nash nu eenmaal. Zo was hij. Marla was nu verstandig genoeg om te beseffen dat het alleen maar tot een gebroken hart kon leiden om iets anders te geloven.

Helaas kon al het gerijpte gezonde verstand van de wereld haar er niet van weerhouden te verlangen naar wat had kunnen zijn.

63

Mahkas zat onrustig met Laran te wachten tot de verkenners terugkwamen van over de Medalonische grens. Hun kleine kamp lag verscholen tussen de bomen op een paar honderd passen van de Grensstroom die de lijn tussen Medalon en Hythria aangaf. De vuurtjes brandden laag en waren zorgvuldig afgeschermd, ook al hadden de broers geen spoor gezien van patrouillerende Verdedigers aan de Medalonische zijde van de grens. Dat wilde nog niet zeggen dat ze er niet waren. Het kon ook betekenen dat de patrouille zich heel goed verborgen kon houden.

De avond viel, en er stond een kille wind, ook al was het enkele weken geleden al officieel lente geworden. Mahkas huiverde en hoopte dat het van de kou was en niet door een of ander akelig voorgevoel dat hij zich zo kriegelig voelde. Ze hadden de verkenners al meer dan een uur geleden terug verwacht. Laran leek zich geen zorgen te maken en had meer belangstelling voor de bereiding van zijn avondmaal. Eergisteren hadden de verkenners aan de overkant van de rivier een jong dier gevonden dat te ver van de kudde was gedwaald. Het stierkalf was amper een jaar oud, dus het vlees was mals en zoet. Ze hadden het dier geslacht en twee dagen gegeten als een koning.

'Hou op met ijsberen, Mahkas,' commandeerde Laran terwijl hij de bout rundvlees boven het vuur in een betere positie draaide. 'Ze komen zo.'

'Ze zijn te laat,' hield Mahkas zijn broer voor. 'Maak jij je geen zorgen?'

'Niet echt,' schokschouderde Laran. Toen glimlachte hij. 'Maar misschien zijn het geen te late verkenners waar je zo onrustig van bent.'

'Ik ben niet onrustig.'

'Over een paar dagen gaan we naar huis,' stelde Laran hem gerust. 'Dan zie je Bylinda weer.'

Mahkas fronste zijn wenkbrauwen en vroeg zich af of iedereen in het peloton soms wist dat hij het niet prettig vond om zo ver van huis te zijn. 'Stel dat ze bevalt terwijl ik weg ben?'

'Je vrouw zou het niet durven je zoon te baren als jij er niet bij bent,' grinnikte Laran. 'Ze houdt haar benen vast stevig over elkaar geslagen.'

'We gáán toch naar huis na deze tocht, hè?' vroeg Mahkas aan zijn broer. 'Geen verkenningen meer? Geen omwegen meer? En ook niet meer "gewoon even kijken hoe sterk de Verdedigers ervoor staan"?'

'Ja, Mahkas,' beloofde Laran. 'Na deze tocht gaan we naar huis. Ik moet hoe dan ook terug zijn voor Kagan.'

Mahkas hield op met ijsberen en kwam tegenover Laran bij het vuur zitten. 'Komt de hoge arrion dit jaar voor het Feest van Kalianah naar Krakandar?'

'Vlak voordat we vertrokken, kwam er een brief van hem,' bevestigde Laran en hij legde nog wat takken op het vuur. 'Hij zei dat hij dringend iets met me moest bespreken.'

'Dan wil hij vast geld,' opperde Mahkas met een humorloos lachje. 'Misschien wil hij een monument voor zichzelf oprichten voordat hij doodgaat en vindt hij dat zijn neefjes dat best kunnen betalen.'

Laran schudde zijn hoofd. 'Hij zei dat het iets te maken had met Darilyns dood.'

Aan de andere kant van het vuur verstrakte Mahkas, heel alert. In de afgelopen twee jaar was hij tien jaar ouder geworden van angst voor de dag waarop iemand erachter kwam dat hij zijn zus had vermoord. Hij vond het erg dat hij het had gedaan. Heel erg. En Mahkas had zijn best gedaan om het goed te maken. Hij behandelde Darilyns zonen alsof ze van hemzelf waren. Hield van hen als een vader. Hij stond erop dat Bylinda hen ook beschouwde als haar eigen kinderen, opdat de jongens niet leden aan het gemis van een moeder. Maar geen dag ging voorbij zonder dat hij eraan dacht. Geen dag ging voorbij zonder de verwachting dat hij verstrikt raakte in de leugens. Geen dag ging voorbij zonder dat hij wreef over de zere plek op zijn arm die om een of andere reden maar niet overging. Hij kon die plek ook niet met rust laten en krabde hem schraal als hij moe was of zich ergens bezorgd om maakte.

Opmerkelijk genoeg had niemand ooit de waarheid ontdekt. Laran had hem geloofd. Jeryma had hem geloofd. Zelfs Kagan was, na uitdrukking te hebben gegeven aan enkele twijfels, zijn versie van de gebeurtenissen gaan geloven. Tot nu toe.

Komt Kagan daarom naar Krakandar? Heeft hij de waarheid ontdekt?

Zichzelf dwingend kalm te blijven informeerde Mahkas als terloops: 'O? Zei hij ook waar het over ging?'

'Nee. Alleen dat er iets aan het licht was gekomen wat dringend moest worden afgehandeld. Ik kan me niet voorstellen wat hij na al die tijd nou zo belangrijk zou vinden, maar het moet toch vrij ernstig zijn om helemaal hierheen te komen. Sinds Wrayan verdween, is hij nauwelijks uit Groenhaven weg geweest.'

Mahkas greep de gelegenheid aan om van onderwerp te veranderen. 'Heeft niemand ooit ontdekt wat er van zijn leerling is geworden?'

'Niet dat ik weet. Wel denkt Kagan dat Alija Arendspiek achter Wrayans verdwijning zit, maar dat kan hij niet bewijzen. Wat dat betreft kan hij, zonder een lijk, niet eens zeker weten of Wrayan op een dag niet gewoon heeft besloten bij het Tovenaarscollectief weg te gaan en zijn oude leventje als dief weer op te pikken.'

'Niet erg waarschijnlijk, hè? Na tien jaar?'

'Dat vindt Kagan ook. Maar ik ben benieuwd wat hij te zeggen heeft over Darilyn.'

'Maak je er maar niet druk om,' adviseerde Mahkas met een opmerkelijk vaste stem. 'Over een paar dagen krijgen we het nieuws al te horen.' *Over een paar dagen.* De woorden ratelden door Mahkas' hoofd als een dreigement. Langer had hij misschien niet voordat Laran achter de waarheid kwam. *Wist Kagan echt wat er was gebeurd? Was hij er eindelijk achter? Hij had Darilyns wonden al verdacht gevonden nadat hij haar lichaam in Cabradell had onderzocht na Riika's uitvaart. Wat moet ik doen? Wat zou Laran doen?*

Mahkas aarzelde. Er bestond eigenlijk geen twijfel over wat Laran met Mahkas zou doen als hij ontdekte wie er verantwoordelijk was voor Darilyns dood. En nog erger, als zijn oudere broer ontdekte waarom Darilyn was gestorven, zou Laran ook meteen weten dat Mahkas verantwoordelijk was voor de ontvoering en dood van Riika door toedoen van de Fardohnyanen, en dan was hij dubbel ten dode opgeschreven.

En wat als we te laat thuis zijn? Wat als Kagan al eerder dan wij in Krakandar is en de tijd heeft om iemand anders te vertellen wat hij denkt over de dood van zijn twee nichtjes?

'*Mahkas!*' De scherpe toon van Larans stem trok hem uit zijn angstaanjagende gedachtegang. Zijn oudere broer zat nog steeds op zijn hurken aan de andere kant van het vuur de bout te draaien. Met het flakkerende licht op zijn hoekige gelaatstrekken leek hij net het gezicht van het Oordeel.

'Ja?'

'Wat heb je toch? Het leek wel alsof je opeens doof was.' Laran veegde zijn handen af aan zijn broek, stond op en wees naar het noorden, in de richting van de grens. 'Geen tijd om te dagdromen, broertje. De verkenners zijn terug.'

Aan de rand van het kamp stonden verscheidene Stropers bijeen, de bogen gespannen en de pijlen gericht op het duister voor het geval dat de verkenners werden achtervolgd. De twee mannen die eropuit waren gestuurd om te bepalen welke kuddes ze morgen het beste konden overvallen, slopen het kamp in en bleven staan bij het eerste vuurtje om hun wapens af te leggen en hun informatie door te geven. Mahkas wist niet hoe lang hij daar zo had gezeten, starend in het vuur, zich afvragend wat er zou gaan gebeuren als Kagan met Laran sprak. Hij hoopte maar dat er geen teken van schuld of angst op zijn gezicht te zien was geweest. Met een grijns op zijn gezicht kwam hij overeind.

'Laten we dan maar eens gaan kijken hoe we wat eersteklas Medalonische bief kunnen terugkrijgen voor het Feest van Kalianah, vind je niet?' verkondigde hij met een gespannen lachje.

'En laten we dan meteen Dacendaran eren, als we toch bezig zijn,' lachte Laran, en hij ging terug naar het andere vuur.

Mahkas liep vlak achter hem aan – gewoon een van de jongens, de trouwe jongere broer van de krijgsheer – maar zijn belangstelling ging momenteel helemaal niet uit naar het stelen van Medalonisch vee of het eren van een god.

Het enige wat Mahkas wilde, was iets om te voorkomen dat Kagan Palenovar en Laran Krakenschild iets bespraken wat te maken had met de dood van zijn zussen.

64

Na het eten ging Nash met Marla en Bylinda een eindje wandelen in de tuinen. Aan drie kanten omgeven door de paleismuren en met de hoge granieten verdedigingsmuur aan de vierde zijde vormden de zorgvuldig aangelegde paleistuinen het enige stukje groen in de binnenste stadsring.

Opgegroeid op Hoogkasteel, met de majestueuze Zonnegloorbergen om zich heen, vond Marla in de tuinen de enige plek om er even tussenuit te zijn, en ze koesterde elke gelegenheid die ze kreeg om zich te verliezen tussen de verspreid staande tuingrotten. Ook Jeryma had van de tuinen genoten toen ze hier de scepter zwaaide en had heel wat van wijlen haar mans geld gespendeerd aan herinrichting en onderhoud. Voordat ze naar Cabradell was vertrokken, had ze Marla laten beloven ervoor te zorgen dat de tuinen in haar afwezigheid niet zouden worden verwaarloosd. Jeryma had zoveel nadruk op haar dierbare tuinen gelegd, dat Marla de indruk kreeg dat haar schoonmoeder haar vrijwel elke ramp die ze Krakandar liet overkomen, wel kon vergeven, als de tuinen maar ongeschonden bleven.

Met een medelevende glimlach bood Nash Bylinda zijn arm terwijl ze van het solarium overstapten op de gazons. 'Staat u mij toe,' zei hij voordat hij haar van het trapje af hielp.

Bylinda bloosde. Ondanks zichzelf moest Marla glimlachen. Negen maanden zwanger en zo onbeholpen als een gestrande waterdraak, maar Nash wist Bylinda toch het idee te geven dat ze de aandacht van een man waard was.

'Dank u, heer Havikzwaard,' mompelde haar schoonzus verlegen.

'Het is me een genoegen,' verzekerde Nash haar. 'En u juist bedankt, mijn vrouwe. Hoe vaak kan een man in het licht van de sterren door de paleistuinen van Krakandar wandelen met aan beide armen een prachtige vrouw?' Hij glimlachte naar Marla en bood haar zijn linkerarm. 'Zullen we?'

Omdat ze er geen kwaad in zag, nam Marla zijn arm aan en liep in de pas mee met Nash en Bylinda. Wandelend over het grindpad tussen de bloembedden genoten ze van de frisse lenteavond. Het briesje dat inmiddels was gaan liggen, had voor een tintelfrisse lucht gezorgd.

'Hoe lang nog voor de bevalling, vrouwe Bylinda?' informeerde Nash na een moment van aangenaam stilzwijgen.

'De vroedvrouwen zeggen dat het nu elk moment kan gebeuren.'

'Nou, als mijn mening ergens voor telt, denk ik dat u een geweldige moeder zult zijn,' zei hij haar. 'U straalt er gewoon van.'

'Waarvan?' vroeg ze, zichtbaar gevleid.

'U weet wel, zoals... zoals vrouwen stralen als ze moeder worden. Dat is heel aantrekkelijk, zal ik u vertellen.'

Marla stootte Nash waarschuwend aan.

'Wat?' vroeg Nash met een onschuldige blik.

'Luister maar niet naar hem, Bylinda,' adviseerde ze. Bylinda was hoogzwanger en zeer kwetsbaar. Ze kon het nu niet gebruiken om te worden geplaagd door een man, ook al bedoelde hij er niets kwaads mee. 'Heer Havikzwaard is een schaamteloze charmeur, en hij wil u alleen maar in verlegenheid brengen.'

'U kwetst me, hoogheid,' verklaarde Nash.

Bylinda lachte. 'Maar volgens mij heeft ze wel gelijk. U bent een verschrikkelijke charmeur, heer Havikzwaard.'

'En nu heeft ze u ook al tegen me opgezet!' klaagde hij, alsof hij zojuist had gehoord dat zijn beste vriend was overleden. 'Wat moet ik nu?'

'Om te beginnen je mond houden,' lachte Marla. 'Want anders komen de wachters nog kijken wat er hier aan de hand is.'

Nash deed zijn mond open om te protesteren, maar voordat hij iets kon zeggen, sloeg Bylinda dubbel met een scherpe kreet.

'Bylinda?' riep Marla en ze rende naar haar toe. 'Begint het?'

De jongedame schudde haar hoofd en duwde Nash en Marla opzij. Ze rende de struiken in, en even later kondigde het onmiskenbare geluid van iemand die overgaf, aan wat er met haar aan de hand was.

Verwonderd schudde Nash zijn hoofd. 'En doen vrouwen dit? Zwanger worden, bedoel ik? Expres?'

'Zo worden we, door jullie geslacht,' hield Marla hem voor terwijl de geluiden van een brakende Bylinda in de bosjes aanhield.

'Gaat het wel met haar?'

Marla knikte. 'Dit heeft ze al een maand of zo. Bylinda draagt het kind erg hoog, en dat drukt tegen haar maag. Als ze flink heeft gegeten...'

'Arme meid. Wat moeten we doen?'

'Haar met rust laten tot ze klaar is en er niets over zeggen,' adviseerde Marla. 'Ze schaamt zich al genoeg van zichzelf.'

Even later verscheen Bylinda uit de struiken, haar mond afvegend. Met een blik van diepe vernedering keek ze naar de spetters op haar rok. Marla haastte zich naar haar toe, maar de jongedame duwde haar weg. 'Nee. Het gaat alweer, Marla, heus. Loop jij maar verder met heer Havikzwaard. Ik ga terug naar het paleis om me te kleden.'

'Weet je het zeker, Bylinda?'

Ze knikte, tilde haar rokken op en vluchtte zo snel als ze kon uit de tuin. Hoofdschuddend keek Marla haar na en draaide zich om naar Nash. 'Arm kind. Ze kan er niet echt van genieten.'

'Als ik het me goed herinner, was jij juist het tegenovergestelde toen je Damin kreeg. Ik weet nog dat je er zeer... robuust uitzag.'

Marla glimlachte en liet haar arm door die van Nash glijden. Ze liepen verder. 'Je zegt tegen Bylinda dat ze straalt, en ik ben *robuust*? Fraaie vleier ben je.'

Nash keek over zijn schouder voordat hij reageerde, mogelijk om te kijken of Bylinda echt buiten gehoorsafstand was. Toen pakte hij Marla's hand en trok haar van het pad mee in de schaduw van de hoge struiken. Hij nam haar beide handen in de zijne en bracht ze naar zijn lippen.

'Zal ik je dan eens vertellen wat ik echt van je denk, Marla?' vroeg hij met een stem waar de belofte van afdroop. Zich er scherp van bewust dat ze zich op zeer openbaar terrein bevonden, zij het tijdelijk aan het zicht onttrokken, probeerde ze haar handen uit de zijne te trekken. 'Ik denk, Nash, dat het voor ons allebei maar beter is dat je me dat níét vertelt.'

'Waar ben je bang voor?'

'Nergens voor.'

'Waarom bibber je dan zo?'

'Ik heb het koud. Laat me los, Nash, alsjeblieft.'

'Hou je van me, Marla?'

Zijn vraag deed haar voldoende schrikken om de kracht te vinden zich los te trekken. '*Wat?*'

'Alija denkt te weten dat je van me houdt.'

'Zoiets mag ze helemaal niet zeggen!' piepte Marla, woest dat haar nicht zulke gemene roddels verspreidde. 'En sinds wanneer praat jij trouwens met Alija Arendspiek? Ik dacht dat je haar niet vertrouwde.'

'Naar het schijnt sta ik tegenwoordig op de gastenlijst voor het zomerjachtseizoen in de provincie Dregian,' schokschouderde hij. 'Maar daar gaat het niet om. Is het zo?'

'Doe niet zo absurd!' bitste ze. Ze sloeg haar armen over elkaar en keerde hem haar rug toe.

Nash stapte op haar toe en sloeg zijn armen om haar heen. 'Het is het Feest van Kalianah, Marla,' fluisterde hij in haar oor. 'Er is niets mis mee om de godin van de liefde te eren.'

Terwijl ze heel erg haar best deed geen acht te slaan op de huivering die zijn woorden over haar ruggengraat zonden, draaide ze zich naar hem om, duwde hem weg en deed een stap naar achteren. 'Als ik met jou naar bed ging, zou ik de godin van de liefde niet eren, Nash. Dan zou ik de oorlogsgod eren. Want daar zou het op uitdraaien als Laran dacht dat ik een verhouding had met zijn beste vriend.'

'Het kan Laran helemaal niet schelen of jij een verhouding hebt,' schimpte Nash. 'Volgens mij verwacht hij dat juist. Jullie weten allebei waarom jullie zijn getrouwd, en dat had niets met liefde te maken. Je mocht toch zeker ook je eigen court'esa van hem houden?'

'Elezaar vormt nauwelijks een bedreiging voor hem. Om te beginnen is het een gelorongde court'esa. Bovendien ben ik nooit...' Ze aarzelde. Het ging Nash eigenlijk helemaal niets aan met wie ze het bed deelde. Zolang het maar niet met Nash was, ook al zou ze dat nog zo graag willen. Het was niet uit morele kracht dat ze voet bij stuk hield. Dat was te danken aan Elezaars stem in haar hoofd die haar herinnerde aan de Regels om Macht te Krijgen en Gebruiken. Regel nummer tien om precies te zijn. *Je reputatie is als een maagd – eenmaal bezoedeld, wordt die nooit meer hersteld.*

Marla kon het niet wagen haar reputatie te schaden. Niet nu ze nog zo onzeker was van haar plaats hier in Krakandar.

Maar Nash liet zich niet zo eenvoudig ontmoedigen. 'Zelfs Laran verwacht niet dat jij je van de liefde onthoudt omwille van de troon van Hythria, Marla. Waarom zou je jezelf zo'n last opleggen? Je bent nog maar achttien, in godsnaam! Wou je de rest van je leven doorbrengen in een liefdeloze, vergulde kooi?'

'Ik heb alle liefde die ik nodig heb,' kaatste ze terug. 'Ik heb mijn zoon.'

'Daar heb je nu genoeg aan,' beaamde hij. 'Maar op een dag verlaat jouw zoon het nest. Dan heeft hij iemand anders gevonden om van te houden. En waar ben jij dan?'

'Tevreden dat ik mijn man niet heb bedrogen.'

'Maar ik heb je toch niet gevraagd om Laran te bedriegen? Ik vraag je niet bij hem weg te gaan. Of hem publiekelijk in verlegenheid te brengen. Ik vraag alleen maar: hou je van me, Marla. En als dat zo is, waarom zou het ongemak van het feit dat je bent getrouwd met een van mijn oudste vrienden dan jouw geluk in de weg staan?'

Opeens glimlachte Marla. 'Meen je dit, Nash? Goden! Wat gaat er om in dat hoofd van jou dat je alles zo... gunstig beschouwt?'

Hij deed een stap naar haar toe en pakte haar handen weer.

'Kus me.'

'Nee.'

'Eén keer maar,' drong hij aan. 'Kus me één keer, en dan ga ik weg en heb ik het er nooit meer over.'

'Ik geloof jou niet.'

'Ik beloof het,' zei hij verleidelijk, haar naar zich toe trekkend. 'Eén kus, en ik zweer bij Kalianah zelf, dan zal ik nooit meer iets zeggen over liefde voor jou.'

'Echt waar?' vroeg ze ongelovig.

'Behalve wanneer jij er zelf over begint,' beloofde hij zacht, zijn stem als vloeibaar fluweel.

'Zie je wel, je stelt nu al voorwaarden aan je woord.'

'Eén kus,' fluisterde Nash, met zijn lippen op een haarbreedte van de hare. 'Eén kusje maar dat niets betekent als je niet echt van me houdt.'

Het redelijke deel van Marla's geest schreeuwde dat dit niet alleen zinloos maar ook gevaarlijk was, maar dat ging verloren in het bulderende geruis van bloed in haar oren. Alle logica, alle redelijkheid in de wereld, verbleekte bij het idee dat Nash haar begeerde. Hij wilde een kus van haar.

Eén kusje maar dat niets betekent, hield ze zichzelf voor. En dan hoefde ze het zich niet meer af te vragen. Dan hoefde ze zich niet meer voor te stellen dat Laran Nash was als ze met hem lag. Hou op met leven in de kwelling om met de ene man getrouwd te zijn terwijl je van een ander houdt...

Hierna laat hij me met rust, zei hij, overtuigde ze zichzelf vlug. Eén kus, en dan keek Nash misschien niet meer zo naar haar zoals hij nu deed. Dan glimlachte hij misschien niet meer zo intiem naar haar. Dan kwam hij niet meer naar het paleis als hij wist dat Laran weg was...

Doe niet zo stom! berispte ze zichzelf. *Hij flirt met iedere vrouw die hij ziet, weet je nog?*

'Eén kus?' vroeg ze, verschrikt van het trillen van haar eigen stem. 'En laat je me dan met rust?'

'Als je dat wilt,' beloofde hij.

Marla knikte, omdat ze niet kon spreken zonder haar innerlijke beroering te verraden, en toen sloot ze haar ogen, denkend dat het zo beter was.

Nash liet haar kwellend lang wachten voordat ze hem zachtjes op haar lippen voelde. Toen hij eindelijk zijn gezicht naar het hare bracht, was het geen kus. Het was niet meer dan een zweem van een belofte. Ze jammerde protesterend. Toen raakte hij haar lippen opnieuw, nadat hij haar gezicht had omsloten met zijn handen. Toen kuste hij haar zachtjes. En nogmaals. Telkens een ietsje wanhopiger. Een ietsje dringender. Telkens wanneer ze zijn lippen op de hare voelde, boog Marla zich dichter naar hem toe totdat ze dacht dat ze gek zou worden van de kwelling. Hij was haar aan het uitdagen. En ze wist heel goed wat hij deed. Ze was opgeleid door een court'esa. En Laran ook. Net als de meeste edellieden in Hythria was haar man dus een deskundig minnaar. En Nash ook, naar het scheen.

Maar dit was anders dan zoenen met Laran. Dit was niet de zorgzame streling van een attente man die zijn plicht wilde doen. Dit was gevaarlijk. Dit hoorde niet. Dit was wulps. Het was alles waar Marla ooit van had gedroomd en tegelijkertijd totaal anders dan ze zich ooit had voorgesteld. Het was kwellend. Het was extase...

En toen liet hij haar los.

Zo plotseling dat Marla wankelde, oppervlakkig en onregelmatig ademend. Nash staarde haar aan, wachtend, wellicht zelfs hopend. Maar er fonkelde ook iets anders in zijn ogen. Was het triomf? Was zijn glimlach niet iets te zelfingenomen?

Hij wist welke uitwerking hij op haar had gehad. En, besefte ze in wanhoop, hij verkneukelde zich erom, heel stilletjes. Nash hield niet van haar. Hij deed dit alleen maar omdat Alija hem had verteld dat Marla verliefd op hem was en hij wilde zien of dat echt waar was.

'Jij smeerlap,' zei ze, zijn kus afvegend. Ze betreurde het dat ze zich ooit door hem had laten aanraken.

'Marla...' begon hij en hij stak zijn hand naar haar uit.

'Blijf van me af!' siste ze, en ze vluchtte weg van de struiken en die lelijke, zelfvoldane grijns, terug naar het paleis, alsof ze haar lotsbestemming daarmee voor kon blijven.

65

Het kinderdagverblijf op Paleis Krakandar besloeg een groot deel van de begane grond van de zuidelijke vleugel en keek uit op de tuinen. Met kleurige muurschilderingen van roemrijke Harshini en een tegel-

vloer die op zichzelf een legpuzzel vormde, was het een prachtige speel-
plaats en een schitterend klaslokaal voor de kinderen in het paleis.
Toen Marla er arriveerde, was het net na het ontbijt. Travin en Xanda hadden nu les moeten krijgen van Elezaar, en Damin had rustig
met zijn speelgoed moeten spelen.

In plaats daarvan bleken Travin en de dwerg op hun handen en
knieën te worden bereden door Damin en Xanda, die zwaaiend met
houten speelgoedzwaarden waren gewikkeld in een veldslag waarbij
vooral veel moest worden gegild, geschreeuwd, gebuiteld en gelachen.
Nergens was een spoor van Lirena of Veruca, de twee kinderjuffen die
verantwoordelijk waren voor de jongens.

Zodra Elezaar haar in het oog kreeg, krabbelde hij schuldig kijkend
overeind. Travin wierp een blik over zijn schouder, trok zijn neefje van
zijn rug en stond vlug op toen hij het gezicht van zijn tante zag. Ze
vormden een vreemd koppel, zij aan zij, de dwerg en de jongen. Op
zijn negende stak Travin, een knappe, tengere knul, met de gebronsde huid van zijn moeder, een kop boven Elezaar uit. Xanda en Damin
maakten zich er veel minder zorgen over dat ze konden zijn betrapt
op iets wat niet mocht. Xanda lachte nog steeds toen hij overeind
krabbelde.

Nog niet eens twee jaar oud maakte Damin zich daar het minst
druk om. Toen hij zijn moeder zag, rende hij blij op haar af. 'Mama!
Mama! Tabin paardje! Tabin paardje!'

Heel hard haar best doend om niet te lachen om zijn kinderpraat,
pakte ze hem op en keek kwaad naar de court'esa. 'Is dit jouw idee
van lesgeven?'

'Zou u het geloven als ik zei dat we... *veldslagtactieken* aan het leren waren?' waagde Elezaar met een voorzichtig glimlachje.

'Jij geeft de jongens les in geschiedenis en politiek, Elezaar. Ik be-
taal je niet om hun te leren over de krijgskunst.'

'Ik ben een slaaf, hoogheid,' bracht de dwerg haar met een brutale grijns in herinnering. 'U betaalt mij helemaal niets.'

Marla fronste haar voorhoofd. 'Jij bent nog een groter kind dan zij,
nar.'

'Maar ik groei tenminste niet meer,' wierp hij tegen.

Daar viel natuurlijk niets tegen in te brengen. Ze gaf Damin een
kus op zijn blonde krullen en zette hem neer. 'Ga maar een poosje buiten spelen met je neven. Ik moet met Elezaar praten.'

'Tabin paardje?' informeerde hij.

'Ja, als je het hem lief vraagt, wil Travin vast wel paardje spelen.'

Ze wierp een blik op haar oudste neefje, die het meteen begreep.
Hij knikte en stak zijn hand uit naar Damin.

'Kom, Damin,' zei hij. 'Jij ook, Xanda. We gaan even buiten spelen.'

Damin draafde opgewekt mee met Travin en Xanda, die hem allebei bij een hand hielden. Goedkeurend knikkend keek Elezaar haar aan. 'Dat wordt nog eens een geweldige jongeman, die Travin.'

'Zou best eens kunnen,' beaamde ze. Toen voegde ze er streng aan toe: 'Wel een analfabeet natuurlijk, want zijn mentoren hebben hem dan alleen geleerd paardje te spelen, maar dat zal hem vast niet in de weg staan.'

Elezaar glimlachte. 'Nee maar, we zijn wel een beetje uit ons hum vanochtend, hè?'

'Ik zou je kunnen laten geselen voor die toon.'

In het besef dat hij mogelijk te ver was gegaan, maakte de dwerg een verontschuldigende buiging. 'Neemt u mij niet kwalijk, hoogheid. Waarmee kan ik u van dienst zijn?'

Marla aarzelde, plotseling onzeker of ze de court'esa wel in vertrouwen moest nemen. Maar naar wie moest ze anders? Dit was niet bepaald iets om te bespreken met Bylinda. En het was zeker geen onderwerp dat ze kon aansnijden bij Laran als hij thuiskwam. Met haar armen om zichzelf heen geslagen liep ze naar het venster. Damin zat Travin en Xanda achterna over het gazon. Zijn oudere neefjes lieten zich bijna pakken en schoten dan op het laatste moment weg. Damin gilde van het lachen, van plezier en van frustratie.

'Ik heb me gisteravond laten zoenen door Nash Havikzwaard.'

Elezaar zei niet meteen iets terug. Marla stond nog steeds met haar rug naar hem toe, zodat ze zijn gezicht niet kon zien. Ze wist ook niet of ze dat wel wilde zien.

'Hebt u ervan genoten?'

'Daar gaat het niet echt om.'

'Ja, dus. Wat deed u daarna?'

Ze draaide zich naar hem om. 'Hij stond zich te verkneukelen. Ik heb toen gezegd dat het een smeerlap was. En toen ben ik weggerend.'

'U zei dat u zich hebt láten zoenen? En daarna hebt u hem beledigd en bent u gevlucht?'

'Ja.'

'Er is een term voor meisjes zoals u.'

'Ik ben niet in de stemming voor je grappen, Elezaar.'

'Dit was ook eigenlijk geen grap. Wat wilt u van mij?'

'Dat je me vertelt wat ik moet doen.'

'Waarom, hoogheid, als het al duidelijk is dat u hebt besloten?'

'Hoe bedoel je?' Marla wist heel zeker dat ze nog helemaal niets had besloten. Ze had alleen maar de hele nacht wakker gelegen, verscheurd door een kwelling van schuldgevoel, begeerte en besluiteloosheid.

'Als de weg duidelijk was, hoefde u mij niet te vragen wat u moest doen,' zei hij. 'U wilt mijn advies omdat u al hebt gekozen voor het gevaarlijke pad, en als ik u zeg dat het een goed idee is, dan is het straks mijn schuld als het allemaal in elkaar stort, niet de uwe.'

Ze was geschokt door zijn impliciete bewering. 'Denk jij dat ik van plan ben mijn man te bedriegen?'

'Ik weet nog goed dat we uit Hoogkasteel vertrokken, hoogheid. Ik weet nog dat u van Corin eiste dat hij u alles leerde wat hij wist, omdat u dacht dat Nash Havikzwaard op u wachtte. Daarom zou ik me maar niet al te druk maken over het bedriegen van uw man, als ik u was. Want u bedriegt hem al in gedachten vanaf de dag dat u met hem trouwde,' verduidelijkte de dwerg. 'Zo'n grote stap om het ook in daden te doen, is het dus misschien niet eens.'

Marla leunde met haar hoofd tegen het koele glas en keek uit over het gazon. Travin zat op zijn handen en knieën en liet Damin weer paardje spelen. Ze zaten nu achter Xanda aan, die om de paar passen bleef staan om hen in te laten halen.

'Nash zei dat het Laran niet zou kunnen schelen als ik een verhouding had. Hij zei dat hij dat vermoedelijk zelfs verwacht. Hij zei dat Laran niet van me verwacht dat ik een kans op liefde zou laten gaan omwille van de troon van Hythria.'

'Het is in het belang van iedere man die een vrouw probeert te verleiden om haar te laten geloven dat het onvermijdelijk is. Daarmee is het nog niet echt waar, hoogheid. Of onwaar, trouwens.'

'Denk jij dat Laran het verwacht?'

'Het is niet aan mij om te denken wat een krijgsheer denkt,' antwoordde hij ontwijkend.

'Nash noemde mijn huwelijk een liefdeloze, vergulde kooi.'

'Wat geen onredelijke beoordeling is.'

'Dus je denkt dat ik...'

Voordat Marla kon uitspreken, ging de deur van het kinderverblijf open en stapte Almodavar binnen. Dat was op zichzelf niets ongewoons. Hij was per slot van rekening verantwoordelijk voor de veiligheid op het paleis. Wel opmerkelijk was echter dat hij in zijn armen een vies, mager kind hield van een jaar of drie, met ogen zo groot als schoteltjes. In plaats van het strenge gezicht dat de Stroperskapitein doorgaans had, keek hij nogal onzeker.

'Eh... hoogheid?'

'Ja?'

'Dit is het kind waarover we spraken.'

'Het wat?' vroeg ze in verwarring.

'Waar ik het laatst nog over had, hoogheid,' hielp hij haar herinneren. 'Toen u de stad in ging? Ik zei toen dat ik misschien wel een kind wist dat geschikt was om te worden verpleegd in het kinderverblijf?'

Marla wist het weer en wou dat Almodavar een beter moment had gekozen om het kind bij haar te brengen. Bij edelmanshuizen was het namelijk gewoon om een aantal kinderen van dezelfde leeftijd en hetzelfde geslacht als de erfgenaam in het kinderverblijf groot te brengen, in de hoop bij een eventuele moordaanslag de dader op een dwaalspoor te brengen. Laran zeurde al maanden aan haar hoofd om een paar geschikte kinderen te zoeken om Damin mee te omringen, maar aangezien ze het nogal een wreed gebruik vond – als het namelijk geen kinderen waren van paleisbeambten of -personeel, zouden de arme drommels hun eigen familie nog maar zelden zien – had ze er weinig zin in gehad om er iets aan te doen. Een paar dagen geleden had Almodavar gezegd dat hij een geschikt kind wist. Ze had hem gezegd het kind naar het paleis te halen, zodat ze hem kon bekijken. *Maar waarom nu?*

'Is dit het kind?' vroeg ze met een zucht.

'Ja, hoogheid,' antwoordde hij, en hij bracht de jongen dichterbij. Het was een ondervoed, schriel mannetje, met blond haar en helderblauwe ogen. Hij lachte naar Marla en verborg toen zijn gezicht in de gepantserde schouder van de Stroper.

Hij zag er uitgehongerd uit. 'Hoe heet hij?'

'Starros.'

'Wat een rare naam. Heeft hij een achternaam?'

'Nee, mijn vrouwe. Zijn moeder was een straat-court'esa.'

Straat-court'esa was het beleefde eufemisme voor hoer, wist Marla. Ze vroeg zich af wat Laran ervan zou vinden als het eerste geschikte 'kameraadje' dat ze voor haar zoon koos de bastaard van een of andere hoer was, door Almodavar in de bedelaarswijk van de straat geplukt.

'En wat is uw belang bij dit kind, kapitein?' vroeg Elezaar met een lepe blik.

'Pardon?' Almodavar keek verrast op toen hij werd ondervraagd door de slaaf.

'Er lopen duizenden dakloze wezen rond, kapitein. Waarom vindt u dat deze het verdient om in het paleis op te groeien?'

'Zijn moeder is onlangs overleden. Vermoord, eigenlijk, op nogal brute wijze. Door een van haar klanten. De knul kan nergens anders heen.'

'Een triest verhaal, maar niet echt uitzonderlijk. Waarom kan het u iets schelen wat er met het kind gebeurt?'

Almodavar keek de slaaf vuil aan en wendde zich met een smekende blik tot Marla, maar die was al net zo geïnteresseerd in het antwoord van de kapitein als Elezaar. In het besef dat hij vanuit die hoek geen hulp hoefde te verwachten, trok hij ongemakkelijk zijn schouders op. 'Er bestaat enige kans... een *goede* kans, dat het kind... familie van me is, hoogheid.'

Marla glimlachte. *Dus Almodavar heeft een bastaard.* Kennelijk had iedereen een geheime minnaar of minnares, zelfs de strenge en trouwe Almodavar.

'Natuurlijk mag hij blijven,' zei ze tegen hem, want Laran liet zich veel gemakkelijker van Starros' geschiktheid overtuigen als hij wist dat het kind van Almodavar was. 'Maar hij moet wel in bad en fatsoenlijke kleren. Hoe oud is hij?'

'Bijna vijf, hoogheid.'

'Maar hij is zo klein!' riep ze uit. 'Nauwelijks groter dan Damin.'

'En daarin ligt het verschil tussen het dieet van een prins en dat van een pauper,' liet Elezaar zich ontvallen. Hij waggelde naar Almodavar en stak zijn armen uit naar het kind. 'Kom, kleine Starros. Ik denk dat ik buiten wat vriendjes heb die je heel graag wilt leren kennen. Al weet ik niet zeker wat de Heksen van Krakandar hierover te zeggen zullen hebben.'

Almodavar zette hem naast het mannetje neer, en opmerkelijk genoeg ging het kind zonder aarzelen naar de dwerg.

Samen gingen ze op weg naar de tuin.

'De Heksen van Krakandar?' vroeg Almodavar.

'Zo noemt Elezaar Lirena en Veruca.'

De kapitein glimlachte. 'Ik ben u dankbaar, mijn vrouwe.'

Ze glimlachte terug en voelde zich best trots op zichzelf. Het gebeurde niet vaak dat Marla een beslissing kon nemen die van grote invloed kon zijn op iemands leven. 'Nou ja, we kunnen toch moeilijk een *familielid* van de kapitein van de Krakandarse Stropers op straat laten bedelen?'

'De jongen weet niet... hij denkt dat ik gewoon een vriend van zijn moeder was,' legde de kapitein ongemakkelijk uit. 'Ik heb liever dat hij dat blijft denken.'

'Zoals u wilt.'

De kapitein maakte een buiging. 'U hebt vandaag iets goeds gedaan, hoogheid. Ik zal uw vriendelijkheid niet vergeten.'

Almodavar verliet het kinderverblijf, en bedachtzaam keek Marla hem na. De tuindeur ging open, en Elezaar kwam weer naar binnen gewaggeld. Ze keek om toen ze besefte dat hij alleen was.

'Waar is Starros?'

'Paardje spelen met zijn nieuwe beste vrienden,' verklaarde Elezaar. 'Dat was erg goed gedaan, trouwens. Een van de invloedrijkste mannen in het leger van Krakandar staat nu diep bij u in het krijt. Een klassieke toepassing van de vijfentwintigste Regel om Macht te Krijgen en Gebruiken.'

'De vijfentwintigste?'

'Wees genadig als het niet uitmaakt; genadeloos als het wel uitmaakt.'

'Volgens mij verzin je die verrekte regels waar ik bij sta, Elezaar.'

Hij trok een wenkbrauw op en deed zijn best geheimzinnig te kijken. 'Dat zou u wel leuk vinden, hè?'

Ze glimlachte lusteloos en keek naar de jongens die buiten in de tuinen aan het spelen waren. Starros had de aantallen gelijk gemaakt, en inmiddels zat Xanda al op handen en knieën met de nieuweling op zijn rug. Damin lachte zo hard dat hij bijna van zijn neef kukelde terwijl hij met zijn trouwe 'paardje' Travin het andere stel over het gazon joeg.

'Wat moet ik nou met Nash, Elezaar?' zuchtte ze, terwijl ze op de vensterbank ging zitten.

'Daarin kan ik u niet adviseren, hoogheid,' antwoordde de dwerg terwijl hij bij haar kwam staan om de kinderen in het oog te houden.

'Waarom niet?'

'Omdat u de juiste vragen niet stelt.'

'Dat zeg je nou altijd.'

'Vraag me of ik vind dat u er recht op hebt om gelukkig te zijn, en dan antwoord ik: natuurlijk. Vraag me of ik vind dat Nashan Havikzwaard de man is bij wie u dat geluk moet zoeken, en ik zeg u dat ik dat niet weet. Vraag me of ik vind dat u moet overwegen of hij soms een ander motief heeft om naar uw genegenheid te dingen, en ik antwoord: zeer beslist. Maar als u me vraagt welk pad u moet nemen, zou ik het echt niet kunnen zeggen. Ik weet dat u niet gelukkig bent. Maar evenmin bent u getrouwd met een man die u slaat, of zich aan u opdringt, of zelfs maar veel aandacht voor u heeft.'

'Dus je zegt dat ik een middelmatig leven niet op het spel moet zetten voor een paar momenten van gelukzaligheid?'

'Nee,' antwoordde hij hoofdschuddend. 'Ik zeg dat u erover moet nadenken of die paar momenten van gelukzaligheid het wel wáárd zijn om er het middelmatige leven voor op het spel te zetten.'

'Een moment in de zon of een leven in de schaduw. Dat is mijn keuze, hè?'

'Eigenlijk wel.'

De deur ging open voordat ze kon reageren. Het was Almodavar weer, en Marla had er spijt van dat ze geen betere plek dan het kinderdagverblijf had gezocht om zoiets vertrouwelijks en delicaats te bespreken met haar court'esa.

'U hebt zich toch niet al bedacht over Starros, hè, kapitein?'

'Nee, hoogheid,' antwoordde hij. 'Ik breng nieuws waarop u wacht.'

'Is mijn man terug?' vroeg ze hoopvol, want dat zou meteen abrupt een einde aan haar dilemma maken. Als Laran thuis was, hoefde ze geen beslissing te nemen. Dan wist ze precies wat ze zou doen...

En op dat moment besefte ze dat Elezaar gelijk had. Ze had al een besluit genomen.

'Helaas niet,' zei Almodavar met een zweem van een glimlach, ongetwijfeld de gretigheid van haar vraag aanziend voor genegenheid voor haar heer en echtgenoot. 'Maar het is bijna net zulk belangrijk nieuws. Ik krijg net bericht van de Kapitein van de Buitenring, hoogheid. De hoge arrion, heer Palenovar, is gearriveerd.'

66

Tegen de tijd dat Laran op strooptocht ging over de grens naar Medalon om het vee te 'bevrijden' dat ze nodig hadden voor het Feest van Kalianah, was Mahkas compleet over zijn toeren. Hoe langer hij erover nadacht, hoe zekerder hij wist dat Kagan Palenovar had ontdekt hoe Darilyn was gestorven en naar Krakandar kwam om hem te ontmaskeren.

Mahkas lag de hele nacht wakker, smoezen verwerpend waarmee hij alle eventuele beschuldigingen van de hoge arrion kon weerleggen. Hij zou beweren dat iemand anders haar had vermoord en dat hij onschuldig was – misleid, zoals iedereen, met het idee dat het zelfmoord betrof.

Of misschien was er een getuige. Dat was vermoedelijk gemakkelijker af te handelen dan een ander probleem. *Ik ben de trouwe broer van de krijgsheer van de provincies Zonnegloor en Krakandar. Mijn woord weegt tienmaal zo zwaar als dat van een slaaf of een kasteellakei die mogelijk iets te veel had gezien.*

Maar er wás geen getuige, dat wist Mahkas heel zeker. Hij had heel goed opgelet. Het bestond gewoon niet dat iemand hem had zien sjorren aan die harpsnaar.

Uiteraard had hij mogelijk wel een fout gemaakt door het harpdraad te gebruiken. Kagan had al gezegd dat hij Darilyns wonden zorgwekkend diep vond, toen hij haar lichaam had onderzocht voordat ze werd begraven.

Hij had er ook op gelet dat hij geen bloed op zich kreeg, alsof hij op een of andere manier zonder schuld bleef als het hem niet raakte.

Maar zonder schuld zou Mahkas niet blijven als Kagan meteen na hun terugkeer in de stad Krakandar aan Laran en Mahkas zou verkondigen dat hij kon bewijzen dat hun zus was vermoord.

Mahkas moest iets verzinnen om te voorkomen dat Kagan en Laran elkaar spraken, al zou hij niet weten hoe hij zoiets moest regelen, hier midden in de wildernis. Thuis zou hij een bericht hebben kunnen regelen om de hoge arrion terug te roepen naar Groenhaven. Of kunnen regelen dat Laran dringend naar Cabradell moest. Er waren allerlei afleidingsacties die hij thuis had kunnen regelen. Maar hier was hij machteloos. Hij kon helemaal niets doen...

Alleen had hij wel een uitstekende smoes om naar huis te gaan.

Alle Stropers in het peloton hadden hem gepest omdat hij op deze tocht zo zenuwachtig was. In de afgelopen week had Mahkas elke mop over aanstaande vaders minstens drie keer gehoord. Laran had nog voor hun vertrek zelfs voorgesteld dat Mahkas deze keer op het paleis zou blijven om te wachten tot zijn vrouw ging bevallen, in plaats van mee uit stropen te gaan. Maar het idee om Bylinda elke maaltijd te horen uitkotsen tot ze het joch had gebaard, legde het toch af tegen de mogelijkheid om wat vee te gaan stelen. Even ertussenuit had hem zeer aangestaan. Even rustig ademhalen. Tot hij het nieuws over Kagan had gehoord...

Had Laran dat voor me verzwegen? Opzettelijk?

'Wat denk jij, Mahkas?'

Hij veerde op toen hij zijn naam hoorde en besefte dat hij zo was verdiept in zijn eigen smarten dat hij geen woord had gehoord van wat Laran zei. Vlug wierp Mahkas een blik op het schema dat Laran in het zand had getekend en liet zijn blik langs de kring gaan van twintig groezelige, ongeschoren gezichten die hem aanstaarden, in afwachting van zijn mening. De zon kwam net op, en Mahkas keek ertegenin zodat hij het gezicht van zijn broer niet kon zien, maar hij kon wel raden dat Laran geërgerd was als hij dacht dat uitgerekend Mahkas niet had opgelet.

'Weten we zeker dat er geen Verdedigers in de buurt op patrouille zijn?' vroeg hij, om zich niet op glad ijs te wagen. De Hythrische Stropers zorgden er goed voor om nooit aan te vallen als er zich Medalonische Verdedigers in de omgeving bevonden. Niemand die bij zijn volle verstand was, viel namelijk Verdedigers aan als er een kans was hun uit de weg te gaan. Met een goed getraind staand leger en een officierskorps waar de opleiding al begon op de leeftijd van dertien, vormden ze een niet te onderschatten troepenmacht.

Enerzijds kun je de krijgsgod Zegarnald eren, had Glenadal altijd gezegd, *en anderzijds kun je gewoon oliedom doen.*

'Die zijn weer terug naar Grensoord,' verzekerde een van de verkenners hem, en hij zette de kraag van zijn mantel op tegen de vroege voorjaarskou. 'Een paar dagen geleden zijn ze vertrokken.'

'Dat is de patrouille waarvan we wéten,' waarschuwde Mahkas. 'Als Jenga daar ergens is, kon dat wel eens de patrouille zijn die hij ons wilde laten zien. Maar hoe zit het met de patrouille die lang niet zoveel lawaai maakte?'

Palin Jenga was misschien wel de meest gevreesde Verdedigerskapitein aan de grens. Hij was niet alleen een onverschrokken militair maar ook een slimme, en dwong zelfs het onwillige respect af van zijn Hythrische vijanden. Laran beweerde vaak dat Jenga na Korgan de volgende Heer Verdediger van Medalon zou worden, een stand van zaken waar Mahkas zowaar naar uitkeek. Als die smeerlap namelijk werd teruggeroepen naar de Citadel en het grensgebied verliet, zou het daar voor iedereen veiliger worden.

'Heb je wel geluisterd, Mahkas?' vroeg Laran. Hij klonk een beetje geërgerd omdat hij moest herhalen wat hij al had gezegd. Hij wees naar het schema op de grond. 'Die zit hier. Op te letten bij de Grensstroom.'

'Maar hoe krijgen we dan het vee weg? Die voorde is de enige plek tussen Grensoord en hier waar we kunnen oversteken.'

'Heb je dan helemáál niet gehoord wat ik zei, Mahkas?'

'Zat vast te dromen over moeder de vrouw,' grinnikte een van de Stropers.

'Nou, dagdromen deed hij in elk geval,' beaamde Laran. 'Zullen we het dan nog maar een keer doornemen? Voor degenen die de eerste keer zaten te pitten? We gaan verderop naar het noorden, hier, over de grens, over de Bardarlenkloof en dan langs de andere kant terug als we ons vee hebben gevonden. Meer dan tien stuks hoeven we niet te hebben. Anders wordt het te moeilijk om ze bij elkaar te houden als we ze door het water drijven.'

De Bardarlenkloof was een smalle doorgang op zo'n tien mijl ten noordoosten van hun huidige positie. De kloof was diep en verraderlijk, maar op het smalste punt kon je er (theoretisch) te paard overheen springen. Een Hythrische ruiter, tenminste. Met hun tovenaarspaarden en hun veruit superieure paardrijkunsten konden de

Hythrische Stropers de door de Medaloniërs als levensgevaarlijk, zo niet onmogelijk beschouwde sprong over de kloof van Hythria naar Medalon wel maken. Zo overtuigd waren ze ervan dat je de Bardarlenkloof niet kon oversteken, dat de Verdedigers er nog steeds niet achter waren hoe de Stropers toch over de grens kwamen als ze de passen zo scherp in de gaten hielden.

Uiteraard konden ze via die route niet terug. Geen stier zou de sprong over de kloof wagen, maar via deze snelle, gemakkelijke weg konden de Krakandarse Stropers wel snel genoeg Medalon in om de patrouillerende Verdedigers te ontlopen en het benodigde vee bijeen te drijven, zodat ze nog fris en uitgerust waren om vechtend terug naar Hythria te gaan via de Grensstroom, waar de Verdedigers hen ongetwijfeld opwachtten.

'De Bardarlenkloof, dan,' knikte Mahkas met een blik op Laran.

'En geen slachtoffers,' voegde Laran eraan toe. Het bevel werd niet ingegeven door een nobele overweging van Laran. Het was een puur praktisch besluit. De Verdedigers zouden dan wel hun best doen om te voorkomen dat de Hythrun hun vee stalen, maar zolang er geen doden vielen, was het niet meer dan een ongemak. Eenmaal over de grens lieten de Verdedigers hen meestal gaan en achtervolgden ze de Stropers niet veel verder dan een paar mijl Hythrisch grondgebied in.

Maar als ze slachtoffers onder de Medalonische burgers maakten, werden de Verdedigers nijdig. Dan wilden ze zich wreken met Hythrische levens. Dan werden Hythrische boerderijen het doelwit van represailles, en aangezien Laran een aanval op zijn burgers niet ongewroken kon laten, zou het zomaar kunnen uitdraaien op een complete oorlog.

En Laran wilde geen oorlog. Hij wilde alleen maar wat vee voor het Feest van Kalianah, en het was toch een beetje traditie geworden dat Krakandar op het banket Medalonische biefstuk serveerde.

'Opstijgen,' commandeerde Laran nadat hij had rondgekeken of iedereen wist wat hem te doen stond.

Terwijl de Stropers zich naar hun paarden haastten, veegde Laran met zijn voet de tekening in het zand uit. Toen keek hij Mahkas aan, lichtelijk bezorgd. 'Gaat het wel, broer?'

'Ja, tuurlijk. Hoezo?'

'Je lijkt een beetje... Ik weet het niet... afwezig?'

'Ik moet de hele tijd aan Bylinda denken,' schokschouderde hij. 'Ik denk steeds dat ik toch bij haar had moeten blijven.'

'Vrouwen willen het manvolk op zulke momenten helemaal niet in de buurt hebben.'

'Maar toch, Laran, ik dacht... misschien moest ik maar terug...'

Zijn oudere broer sloeg hem geruststellend op de schouder en nam hem mee naar zijn gereedstaande rijdier. 'Ze is in goede handen, Mahkas. De vroedvrouwen weten heel goed wat ze doen, en Lirena en Veruca hebben met z'n tweeën misschien wel de helft van alle edelmanskinderen van Hythria ter wereld gebracht. Maak je nou maar geen zorgen.'

'Maar Laran...'

'Hou op met piekeren,' zei Laran met een lach. 'Dat is een bevel. Je vrouw redt zich wel. Ze is zo gezond als een paard en zo sterk als een os. Dus zet Bylinda nou even uit je hoofd, dan gaan we Dacendaran eren met wat eersteklas Medalonische bief.'

Mahkas knikte ongelukkig en sprong in het zadel.

Terwijl hij de teugels pakte en zijn paard achter de anderen aan in de richting van de Bardarlenkloof keerde, bedacht hij dat het zojuist van kwaad tot erger was geworden.

Het enige waar hij nu nog op kon hopen, dacht Mahkas ellendig, was dat Laran de sprong over de Bardarlenkloof verkeerd inschatte, om Mahkas te redden van de toorn van zijn broer wanneer die de waarheid over Darilyn en Riika ontdekte.

En dat bracht Mahkas op een ander, nog verschrikkelijker idee...

67

De hoge arrion zag er uitgeput uit toen hij op het paleis arriveerde. Na Marla, Bylinda en Nash plichtmatig te hebben begroet, trok hij zich vrijwel meteen terug in zijn kamers. Die avond verscheen hij niet aan het diner, en de volgende ochtend ook niet aan het ontbijt. Marla maakte zich nogal bezorgd over hem. Het was per slot van rekening een oude man, en het was een heel eind vanuit Groenhaven. Misschien had de reis meer van hem gevergd dan hij had verwacht.

Kagan had bericht gestuurd met de vraag niet te worden gestoord, dus gaf ze Orleon de opdracht ervoor te zorgen dat het hem nergens aan ontbrak en ging ze bij Bylinda kijken.

Haar schoonzus voelde zich deze ochtend niet goed en was in bed gebleven. Ze kon nu duidelijk elk moment bevallen, maar het kind leek de warmte en veiligheid van de baarmoeder niet te willen verlaten. Marla hoopte maar dat het daardoor geen zware bevalling zou worden.

Ook voor een zo goed verzorgde vrouw als Bylinda was het kraambed een gevaarlijke tijd. Maar de vroedvrouwen maakten een onbekommerde indruk en verzekerden hun meesteres ervan dat het kindje heus wel zou komen als het eraan toe was. Daarom liet Marla Bylinda bij de vroedvrouwen achter om Nash te zoeken.

'Heer Havikzwaard is meteen na het ontbijt met meester Travin en meester Xanda de stad in gegaan,' informeerde Orleon haar toen ze hem niet in het paleis kon vinden.

'Waarom?'

'Verwacht u van mij dat ik vraag naar het komen en gaan van alle bezoekers in het paleis, hoogheid?'

'Ik verwacht dat je weet waarom mijn neefjes zijn toevertrouwd aan de zorg van een vreemde.'

'Heer Havikzwaard is toch bepaald geen vreemde, mijn vrouwe, en hij heeft een volledige garde meegenomen. Er kan de jongeheren niets overkomen.'

Marla zei niets, want ze had gemerkt dat een boze blik soms de enige manier was om de hofmeester aan te pakken.

'Ik geloof dat ze iets zeiden over jonge hondjes, hoogheid,' voegde hij er even later aan toe.

'En kon je me niet gewoon *vertellen* dat heer Havikzwaard met de jongens in de stad een hondje is gaan kopen?'

Nash had de jongens beloofd dat ze hun eigen vechthond kregen wanneer hij weer kwam, ook al vond Marla hen nog veel te jong voor een dier dat mogelijk gemeen kon zijn.

Orleon was zo verstandig om een beetje beschaamd te kijken. 'Mijn verontschuldigingen, hoogheid.'

Marla had het gevoel dat Orleon helemaal nergens spijt van had, maar daar kon ze niet veel aan doen. 'Ik wil het graag meteen horen als ze terugkomen. Ik heb iets te bespreken met heer Havikzwaard.'

'Zoals u wenst, hoogheid.'

'Ik ben in het kinderverblijf.'

'Uitstekend, hoogheid.'

'*Uitstekend, hoogheid,*' mompelde ze sarcastisch terwijl ze wegliep, haar muiltjes geluidloos op de onberispelijk geboende vloer. Als het 'uitstekend, hoogheid' was, hoefde ze daar helemaal niet om te vragen.

Het bleek dat Marla niet eens hoefde te wachten tot Orleon haar kwam vertellen dat Nash terug was. Nash bracht Travin en Xanda namelijk zelf vlak voor het middagmaal terug naar het kinderverblijf – gelukkig zonder een hondje. Ze hadden niets kunnen vinden wat er volgens Nash goed uitzag, en daarom waren de jongens met lege handen teruggekomen. Voor Marla was het een hele opluchting. Het kiezen van een kameraadje – wel of geen viervoeter – voor Larans neefjes hoorde te worden overgelaten aan Laran of Mahkas, vond ze.

'Orleon zei dat u me wilde spreken, hoogheid,' merkte Nash langs zijn neus weg op nadat de jongens opgewonden hadden verteld over de terriërs die ze hadden gezien.

Ze knikte en gaf Damin over aan Lirena. Vlak bij de oude kinderjuf stond Starros, verscholen achter haar rokken. Hij was nog steeds huiverig voor al die nieuwe gezichten maar had de verandering van zijn omstandigheden met opmerkelijke gelatenheid opgenomen. Marla vermoedde dat het kind door zijn harde leventje al veel te bijdehand was geworden om veel vraagtekens bij deze plotselinge wending te plaatsen. Hij zat deze onverwachte golf van voorspoed gewoon uit zolang die duurde, vermoedelijk in de verwachting dat er elk moment een einde aan kon komen. Na wat afkeurende geluiden over het idee dat er zomaar een bastaard van een straat-court'esa in het kinderdagverblijf was toegelaten, hadden Lirena en Veruca het kind onder hun gezamenlijke vleugels genomen en waren ze in de weer gegaan om geschikter ogend gezelschap voor een prins van hem te maken. Starros was vanochtend schoongeboend. Zijn haar was netjes geknipt en gekamd, en hij was gekleed in een hemd, broek en een paar laarzen die van Xanda waren geweest. Nu hij schoon was, zag hij er zowaar fatsoenlijk uit.

Marla gunde het kind een snelle, geruststellende glimlach, kuste haar zoon en haalde toen diep adem alvorens zich te richten tot Nash.

'Ja, ik wilde u gráág even spreken, mijnheer,' bevestigde ze, zo formeel en afstandelijk mogelijk klinkend. 'Loopt u een rondje met me mee door de tuinen?'

'Met genoegen.'

De kinderen achterlatend bij Lirena wachtte Marla tot Nash de deur voor haar opendeed en stapte ze naar buiten, het terras op dat omlaag liep naar het gazon. Nash kwam in de pas naast haar lopen.

Geen van beiden sprak een woord tot ze uit het zicht van het terras waren, op welk punt Nash haar arm pakte en haar meenam naar een van de verspreid door de tuinen staande overdekte tuingrotten. Omringd door een hoge heg die was begroeid met jasmijnranken van de vlakbij staande muur, stond er een kleine tête-à-tête naast een fontein in de vorm van Kalianah, de jeugdige godin van de liefde, die vanuit een aardewerken kruik water in het vijvertje schonk.

Met een frons keek Marla rond. Van alle plaatsen waar ze dit gesprek níét wilde voeren, stond Kalianahs tuingrot waarschijnlijk boven aan de lijst.

Nadat Marla de afgelopen dag de kans had gekregen er eens goed over na te denken, zag ze de dwaasheid van haar overwegingen in. Het maakte niet uit wat ze voor Nash voelde. Ze had alle hoop voor iets moois tussen hen beiden opgegeven op de dag dat ze met Laran trouwde. Wat had Jeryma destijds ook alweer gezegd in Cabradell, toen ze haar eigen avontuurtje had opgebiecht? *Dergelijke verhoudingen zijn gedoemd te mislukken.*

Het zou Marla's hart breken om afstand te doen van de enige man van wie ze ooit had gehouden, maar ze moest aan haar zoon denken. En het gevaar was zeer reëel. Een bedrogen echtgenoot had het volste recht om een overspelige vrouw aan de kant te zetten. En hij kon ook hun kind bij haar vandaan houden. Haar schoonmoeder had gelijk. *Als je aan dergelijke troost behoefte hebt, hou het dan bij een court'esa,* had Jeryma geadviseerd. *Die zijn er nog beter in ook en dragen niet de risico's met zich mee die aan je eigen klasse verbonden zijn.* Voor je genot een slaaf erop na houden werd niet beschouwd als overspel. Slaven waren tenslotte bezittingen, geen mensen. Een vrouw kon alleen van overspel worden beticht als ze een verhouding aanging met een vrij man.

Overtuigd van haar gelijk haalde Marla diep adem voordat ze sprak.

'Ik wilde je spreken over laatst,' begon ze, Nash op enige afstand houdend door aan de andere kant van de fontein te gaan staan.

Nash zei niets terug. Hij wachtte gewoon tot ze verderging. Zijn gezicht was ondoorgrondelijk, maar één les had hij goed geleerd. Hij keek allerminst zelfvoldaan.

'Er kan tussen ons niets zijn, Nash. Dat weet je.'

'Aha,' zei hij met een stem die geen enkele emotie verried.

'Ik meen het,' voegde ze er streng aan toe. 'Ik wil ook niet dat je het er ooit nog over hebt. Wat er is gebeurd, moet worden vergeten.'

'Zoals je wilt.'

Ze keek hem argwanend aan. 'Dus je legt je erbij neer?'

'Als je dat van me wilt...'

'Ja.'

Hij knikte. 'Goed dan.'

Dit ging veel te gemakkelijk. Ze voelde een steek van teleurstelling. Nash gaf zich zomaar gewonnen. Misschien had hij wel nooit echt van haar gehouden. Misschien was dat de reden dat hij helemaal niet protesteerde tegen haar wens haar met rust te laten. Het kon hem niet schelen...

Marla slikte moeizaam in een poging haar droge mond te bevochtigen. Plots was ze zich bewust van allerlei kleine details – de kobaltblauwe hemel, de warme lentelucht met een zweem van jasmijn erin van de heg. De vogels, tsjirpend in de takken van de oleanders bij de buitenmuur. Ze voelde de zijde van haar japon op elke porie in haar huid, zelfs het leer van de zolen van haar muiltjes.

'Nou,' zei ze ongemakkelijk. 'Dat is dan geregeld.'

Ze rechtte haar schouders en liep terug langs de fontein naar de kleine boog in de heg met daarachter het pad.

'Marla...'

Ongeduldig draaide ze zich naar hem om. '*Wat?*'

'Ik zal altijd van je blijven houden.'

Ze was drie stappen van Nash verwijderd. En drie kleine stappen verwijderd van het pad buiten de tuingrot en de juiste keuze. Heel even aarzelde Marla voordat ze zich afkeerde van alle goede redenen die ze in de afgelopen twee dagen had verzonnen om haar hart niet te volgen.

Met dat ene zinnetje maakte Nash al haar goede bedoelingen ongedaan.

Bij het horen van die ene, simpele bekentenis ontdekte Marla dat de rest haar niet kon schelen.

Voordat ze de tijd had om de onbezonnenheid van haar besluit te overpeinzen, lag Marla al in Nash' armen. Hij tilde haar van de grond en kuste haar wild en gretig. Woest kuste ze hem terug, haar benen om hem heen slaand, met de wens dit moment, dit gevoel, eeuwig te kunnen koesteren.

Voor het eerst sinds ze meer dan twee jaar geleden uit Hoogkasteel was vertrokken, had Marla het gevoel dat ze iets voor zichzelf deed – niet voor haar broer, niet voor Laran, niet voor Hythria, maar voor *zichzelf.*

Ontvlamd door een ogenblik van waanzin kende haar vurigheid geen grenzen. Er was geen behoefte aan woorden. Nash struikelde achteruit, en Marla kwam schrijlings op hem terecht op het lapje gazon. Geen van beiden had de adem of het verstand om iets te zeggen.

Misschien kwam dat door de plek. Hier, in deze tuingrot van de godin van de liefde, gingen rede en plicht verloren in nevelen. Alleen genot telde. Alleen liefde overwon.

Marla besefte pas dat haar japon was verdwenen toen ze Nash' lippen voelde op haar borsten, zijn handen tussen haar dijen. Zo verteerd was ze door de hitte van haar begeerte, dat ze niet eens had gemerkt dat hij zijn riem had losgegespt. Nash nam niet eens de moeite zich helemaal uit te kleden, waar Marla uiterst dankbaar voor was.

Dit was dringend, en voor de ongemakken van hoge laarzen en een strakke broek had ze helemaal geen tijd. Ze trok nog aan zijn hemd toen ze hem bij haar binnen voelde komen. Haar rug krommend slaakte ze een kreet – een kreun van pure extase. Nash trok haar omlaag en legde haar het zwijgen op met een kus, zich mogelijk nog net genoeg bewust van zijn omgeving om te begrijpen dat iemand die door de tuin langs de tuingrot kwam wandelen, hen kon horen. Marla kon het niet schelen.

Ze wilde alleen Nash. Ze wilde dat dit eeuwig zo doorging, wilde dit moment van zaligheid een heel leven laten duren.

Hoe lang het had geduurd voordat ze waren uitgeblust, wist Marla niet. Ze wist alleen dat niets in haar leven, inclusief alle lessen van Elezaar, de demonstraties van Corin en zelfs de attente verrichtingen van haar man, haar hierop had voorbereid.

Het was, besloot ze, alles waard wat het haar uiteindelijk zou kunnen kosten.

'Waarom waarschuwen ze je er niet voor dat het zo is als je verliefd bent?' mompelde ze dromerig nadat ze zich hijgend naast Nash op het gras had laten zakken.

'Dan zou het, denk ik, lang zo leuk niet meer zijn,' antwoordde hij en nam haar in zijn armen. Marla nestelde zich in zijn omhelzing en keek naar de hemel. De zon had zich nauwelijks verplaatst, maar de wereld was aanzienlijk veranderd sinds ze er net nog naar had gekeken.

'Ik hou van je, Nash,' zuchtte ze. Het voelde zo goed om het hardop te zeggen. En ze moest het ook zeggen. Hij moest weten dat ze van hem hield, dat dit niet zomaar iets banaals was om de tijd mee door te komen omdat ze zich verveelde en eenzaam was als Larans vrouw en de meesteres van Krakandar.

'En ik van jou.' Teder kuste hij haar voorhoofd.

'Ik wou alleen...'

'Wat?'

'Ik weet niet... dat het altijd zo zou zijn, denk ik. Of dat we het konden doen in een echt bed.' Ze glimlachte plotseling. 'Dit gras kriebelt als een gek.'

Nash lachte zachtjes, kwam overeind en trok ook Marla naar een zittende positie.

'Kleed je aan,' adviseerde hij.

Plots voelde ze zich goedkoop door zijn praktische gedrag. Ze wilde hier eeuwig in zijn armen blijven liggen.

'Ik kan vannacht naar je kamer komen,' bood hij aan terwijl hij zijn hemd instopte.

'Nee, dat risico kun je niet nemen!'

'Waarom niet?' vroeg hij, reikend naar haar japon. Die lag op eni-ge afstand, achteloos weggeworpen op het gras, en hij gooide hem Marla toe.

'Ben je soms niet goed bij je hoofd?' hijgde ze terwijl ze de verfom-faaide japon over haar hoofd liet glijden. 'Hoe lang kunnen we dit ge-heimhouden als iedere slaaf in het paleis weet dat jij 's nachts stiekem naar mijn kamer komt?'

'Ik neem de slavengangen wel.'

'De wat?'

'De slavengangen,' legde hij uit. 'De tunnels tussen alle suites. Die heeft een verre voorouder van Laran laten bouwen. Die vond het ze-ker niet zo'n prettig idee dat zijn slaven door dezelfde gangen liepen als hun meesters. Ze verbinden alle grote suites met de keukens en de andere dienstvertrekken van het paleis.'

'Bedoel je dat er door heel het paleis Krakandar geheime tunnels lopen?' vroeg ze stomverbaasd.

'Nou, geheim zou ik ze niet noemen,' lachte hij, zijn broek dicht-knopend. 'Daar speelden we altijd in toen ik hier vroeger woonde. Sommige zijn nog steeds in gebruik, voor zover ik weet. Het is de kort-ste weg van de keukens naar de grote banketzaal, in elk geval. En de enige manier om het eten naar de gasten te brengen voordat het af-koelt. Ik dacht dat Laran je er allang over zou hebben verteld.'

'Hij heeft er nooit iets over gezegd.'

'Nou, hij zal het wel niet de moeite waard hebben gevonden,' schok-schouderde Nash. 'Maar goed, het betekent dus dat onze kamers met elkaar in verbinding staan. Ik kan zo vaak komen en gaan als je wilt.'

Ze glimlachte naar hem en bedacht dat haar antwoord daarop al-leen maar zou bewijzen hoe lichtzinnig ze was geworden. 'Kom je dan vannacht?'

'Alleen de dood weerhoudt me daar nog van,' beloofde hij en kwam overeind. Hij stak zijn hand uit om haar omhoog te trekken. In de verte hoorden ze stemmen. Vrouwenstemmen. Vast een paar paleisda-mes die voor het middagmaal een rondje door de tuinen maakten.

Nash gaf haar vlug een steelse kus, glimlachte en haalde een takje uit haar haren. 'Je ziet er niet uit. Je kunt maar beter naar het paleis teruggaan om je op te knappen. En hopen dat je onderweg niemand tegenkomt.'

'Wat moet ik zeggen als ik wel iemand tegenkom?'

'De waarheid,' opperde hij met een lachje. 'Die gelooft toch nie-mand.'

Ze kuste hem opnieuw begerig terwijl de stemmen dichterbij kwamen. 'Vannacht?' fluisterde ze. 'Beloofd?'

'Beloofd,' zei hij, zich losmakend uit haar omhelzing. 'En nu *wegwezen!*'

Nadat ze het pad buiten de tuingrot had verkend, sloop Marla vlug weg. Nog even blies ze Nash een handkusje toe, terwijl ze zich afvroeg waarom er, tussen al die emoties die nu door haar heen gingen, geen schuldgevoel zat.

68

Vanaf de heuvel bood het paleis Krakandar uitzicht over de gehele stad, die met meetkundige precisie lag verspreid over de omringende hellingen. De stad was opgetrokken uit het plaatselijke donkerrode graniet, afkomstig uit een groeve in de buurt en een van de voornaamste exportartikelen van de provincie.

Krakandar telde naar schatting bijna twaalfduizend inwoners en groeide nu al een aantal jaren zo consistent dat Mahkas zijn broer al verscheidene malen had aangeraden een volkstelling te houden om erachter te komen hoe groot het bevolkingsaantal nu precies was. De stad had zich ontwikkeld in concentrische ringen en zag er – zelfs voor het onervaren oog – vrijwel onneembaar uit, maar dat zou niets meer betekenen als er buiten de muren een sloppenwijk ontstond, zoals in veel andere steden was gebeurd wanneer de regerende heren weinig aandacht hadden voor toekomstplannen.

De stad telde twee ringen, beide beschermd door steeds complexer wordende verdedigingsstructuren. De binnenste ring herbergde het paleis en de meeste regeringsgebouwen. Er stond ook een enorm graanpakhuis dat elk jaar tijdens de oogst werd gevuld als indekking tegen een beleg. Zo vlak bij de noordgrens moesten ze overal rekening mee houden. Voorafgaande aan de jaarlijkse oogst verdeelden de hofmeesters van Krakandar het graan van vorig jaar onder de armen, waarna de pakhuizen opnieuw werden gevuld voor het volgende jaar. In de buitenste ring bevonden zich de markten en alle nijverheid van de stad en de onderkomens voor het grootste deel van de bevolking. Naarmate je dichter bij de binnenring kwam, werden de woningen steeds opulenter.

De mannen reden door de enorme, met ijzer beslagen poorten de buitenring van de stad in nadat de poortwachters Mahkas meteen hadden herkend. Hun terugkeer ging gepaard met weinig drukte, al werden de voorbijrijdende manschappen wel gevolgd door enkele speculatieve blikken.

Er bestond een goed argument om een nieuwe buitenring te bouwen en het bedrijfsleven daarnaar toe te verhuizen, bedacht Mahkas terwijl ze door de stad reden. Dan kwam zeker de helft van de be staande buitenring vrij voor bewoning. Een extra ring zou ook de stadsverdediging ten goede komen, maar het zou wel een hoop kosten. Maar toch, ze konden het tenminste betalen. De krijgsheer van Krakandar was rijker dan een god, nu hij ook de beschikking had gekregen over de inkomsten van Zonnegloor.

Daar zal ik iets mee moeten doen, besloot hij. De mensen hadden de ruimte nodig, en ook al zou het zware werk grotendeels worden verricht door slaven, de stad kon de werkgelegenheid die zo'n onderneming met zich meebracht, goed gebruiken. *Ik zal Krakandar een voorspoed brengen zoals er nog nooit is geweest...*

Maar terwijl ze verder reden naar de binnenmuur, konden Mahkas' overpeinzingen van enorme kapitale werken om Krakandar te verbeteren, hem niet langer afleiden.

Hij begon misselijk te worden. Hij bracht namelijk meer mee naar huis dan alleen vee voor het Feest van Kalianah, en zijn last drukte op hem als het gewicht van de hele wereld.

Eerder op de avond hadden ze het buitgemaakte vee afgeleverd bij het slachthuis in de buitenring van de stad. In zekere zin was het een zeer geslaagde strooptocht geweest. Ze hadden bijna dertig stuks vee weten te bemachtigen – driemaal zoveel als Laran had gemeend nodig te hebben. Maar de kosten waren onbetaalbaar hoog geweest. De patrouille Verdedigers die ze op de terugtocht tegen het lijf waren gelopen, stonden onder bevel van kapitein Jenga, zoals Mahkas al had gevreesd. Ze hadden niets gemerkt van de hinderlaag bij de Grensstroom, al hadden ze wel iets kunnen vermoeden. Maar er was zo weinig van de Verdedigers te zien geweest – tijdens én na de strooptocht – dat zelfs Laran er dit keer van overtuigd was geweest dat ze er zonder kleerscheuren van af zouden komen.

Mahkas troostte zich met de gedachte dat het Larans fout was geweest die hun zo duur was komen te staan. Laran was degene die het veilig achtte de grens over te steken. Het was Mahkas niet eens aan te rekenen. Hij had gewoon gebruikgemaakt van de situatie.

Daar kon je iemand niet voor ophangen...

De patrouille die door Mahkas naar het paleis werd geleid, bestond uit de rest van het peloton die meer dan tien dagen geleden was vertrokken naar de grens. Ze waren met maar weinigen – amper twaalf man van de twintig die de stad uit waren gereden – zodat ze aan de meeste mensen ongemerkt voorbijgingen. Een paar nieuwsgierige zielen wierpen wel een blik op het paard dat hij aan de teugels meevoerde, maar niemand begreep wat de aan het zadel gebonden bundel precies inhield.

Het was bijna donker toen ze de binnenring bereikten. De wachters wuifden hen verder zonder hen aan te houden. Binnen kwam de weg uit op een enorme hof, aan drie zijden omgeven door gebouwen. Links en rechts van het plein stonden de regeringsgebouwen, drie verdiepingen hoog, sierlijk symmetrisch en uniform van bouw. Recht vooruit lag de brede trap van het paleis zelf, dat zich majestueus verhief en uitkeek over de hele stad. Mahkas zag het paleis zoals hij het nog nooit had gezien, met een bezitterig gevoel dat hij tot dusver nooit voor mogelijk had gehouden.

Want nu stond hem niets meer in de weg dan een kind van nog geen twee jaar oud, zijn moeder, een tenger meisje van nog geen twintig, en de hoge arrion van het Tovenaarscollectief, zijn oom, Kagan Palenovar.

Orleon kwam hem al tegemoet vanuit het paleis, een fakkel hoog gehouden tegen de schemering. Vroeger, herinnerde Mahkas zich plots, dacht hij dat de hofmeester beschikte over een of andere magische kracht. Welk uur van de dag of nacht het ook was, Orleon wist altijd wanneer er iemand op het paleis arriveerde en was er om de bezoeker welkom te heten. Hij liep de trap een eindje af, herkende Mahkas en keek verschrikt rond in de invallende duisternis toen hij Laran niet kon vinden tussen de gezichten van de manschappen.

Orleons ogen streken neer op het paard dat door Mahkas werd meegevoerd, en hij schudde ongelovig met zijn hoofd toen het besef langzaam tot hem doordrong. 'Toch zeker niet...'

Met een grimmig gezicht steeg Mahkas af terwijl Orleon zich naar beneden repte.

'Bij de goden,' mompelde de oude man. 'Dat kan toch niet...'

Mahkas maakte plaats om de hofmeester te laten kijken naar de op het pakpaard bevestigde bundel en wierp een blik over zijn schouder naar Raek Harlen, die nog in het zadel zat. 'Ga Almodavar zoeken,' gelastte hij zacht. 'Zeg hem wat er is gebeurd.'

Raek knikte, keerde zijn paard en vertrok naar de kazerne. Mahkas draaide zich weer om naar Orleon, die de mantel had losgemaakt waarmee het lichaam op het pakpaard was afgedekt.

Larans lijk zag er niet goed uit. Zijn gezicht en ledematen waren zwart en gezwollen waar het bloed zich na de dood had verzameld. Orleon stond daar maar, schuddend met zijn hoofd.

'Dat kan toch niet...' herhaalde hij, te verbijsterd om iets anders te zeggen.

'Ik ben net zo geschokt en verdrietig als jij, Orleon,' zei Mahkas met een troostende hand op de schouder van de oude man. Zijn woorden leken de hofmeester tot actie aan te sporen. Orleon rechtte zijn schouders en keek Mahkas aan. In zijn ogen glinsterden ingehouden tranen. 'Ik zal mijnheer op gepaste wijze laten opbaren en beginnen met de regelingen voor de uitvaart. Wilt u hare hoogheid inlichten?'

'Laat ik dat maar doen. Is mijn oom er al?'

Orleon knikte. 'De hoge arrion is twee dagen geleden uit Groenhaven gearriveerd. Heer Havikzwaard is er ook.'

Dus Nash was hier. Dat kwam goed uit. Die kon het goed vinden met Marla. Met een andere schouder om op uit te huilen, hoefde Mahkas zijn schoonzusje niet te troosten. Hij had nog net genoeg eergevoel om zichzelf de allerergste huichelaar te vinden als hij zijn medeleven ging betonen aan een jongedame die juist door zijn toedoen (of het gebrek daaraan) weduwe was geworden. Mahkas zette de gedachte van zich af. Dit was niet het moment om de akelige details van Larans dood opnieuw te beleven. Daar had hij de rest van zijn leven nog voor.

Als Kagan tenminste zijn nieuws nog aan niemand had verteld. Mahkas had nog steeds goede hoop. Orleon was hem alleen tegemoetgekomen. Als Kagan iemand had verteld wat hij wist over Darilyn, zou er een peloton hebben gestaan om hem te arresteren.

Orleon stuurde een Stroper het paleis in om hulp te halen terwijl hij de overige mannen Larans lichaam van het paard liet halen. Dat viel niet mee. Laran was een forse man geweest, en telkens wanneer Orleon vond dat ze te ruw omgingen met zijn dode heer, slaakte hij een kreet van afschuw, zodat het nog een hele prestatie was om hem op respectabele wijze van het paard te halen en neer te leggen.

Met een bezwaard hart sloeg Mahkas het tafereel gade. Het had nooit zo ver mogen komen. Maar de teerling was geworpen, en hij zou doorzetten. En het was ook echt zijn schuld niet. Laran had hen in die hinderlaag geleid, door het vee voor hen uit te jagen. De pijl die hem van zijn paard had geslagen, was niet eens dodelijk geweest. Die had hem getroffen in de rechterschouder, zodat hij zijn zwaardarm niet kon gebruiken maar nog heel goed in staat was om te vechten. Met schrikbarende snelheid hadden de Verdedigers in hun rode jassen Laran omsingeld. Nadat hij met moeite zijn zwaard had getrokken met zijn linkerhand, had hij zich omgedraaid naar zijn belagers. De eerste man viel ten prooi aan een wilde, ongerichte slag. Laran wankelde. Hij verloor bloed maar bleef een ontzagwekkend tegenstander. Een van de andere Verdedigers viel aan. Laran weerde zich dapper maar kon niet weten dat er achter hem nog eentje aankwam. Mahkas schreeuwde om hem te waarschuwen. Met zijn handen reikend naar zijn pijl en korte boog gebruikte Mahkas zijn knieën om zijn rijdier te sturen. Aanstormend over het kleine slagveld probeerde hij wanhopig bij zijn broer te komen voordat die Medalonische schoften hem konden neermaaien...

En toen leek de wereld rondom Mahkas te vertragen. De geluiden van de strijd stierven weg tot niets. Hij proefde het stof niet meer, kon het bloed niet meer ruiken. Het loeien van het op hol geslagen vee, het gillen van doodsbange paarden, het kreunen en schreeuwen van de soldaten, het geluid van metaal op metaal – alles verflauwde tot een vaag achtergrondgeluid dat weinig indruk op hem maakte.

Bijna onbewust hield Mahkas zijn paard in, liet zijn korte boog zakken met daarop al de pijl met zwarte veren. Met het instrument van zijn broers redding werkeloos op zijn schoot keek hij toe terwijl Laran zich verdedigde tegen de Medaloniër. In een staat van verdoofde onthechting zag hij dat zijn broer een mes in zijn rug kreeg van de andere Verdediger die hem van achteren aanviel.

Al die tijd deed Mahkas niets. Hij hief zijn boog niet, ondernam niets tegen de Verdedigers die zijn broer aanvielen. En dat had hij wel kunnen doen. Zoals de meeste Hythrische Stropers was Mahkas een uitstekend schutter. Hij had de rang van kapitein verdiend en niet gekregen omdat hij Larans halfbroer was. Diep vanbinnen *wist* hij dat hij de man op drie passen afstand van Laran had kunnen stoppen. Maar het leek zoveel gemakkelijker. Veel eenvoudiger...

En toen was de veldslag rondom hem weer tot leven gekomen. Uit volle borst schreeuwend stormde er een Verdediger op hem af. Kalm bracht Mahkas de boog omhoog, spande de pees en schoot de man dwars door zijn linkeroog. Toen vocht hij zich een weg door het strijdgewoel naar Laran, vastbesloten het lichaam te bergen.

Per slot van rekening was het belangrijk dat hij de krijgsheer van Krakandar thuisbracht.

69

Zodra het bekend werd, kwamen ze bijeen in Larans werkkamer: Kagan, Bylinda, Mahkas, Nash en Marla. *Ze kijken allemaal zo geschokt,* dacht Marla. *Zo wezenloos en niet begrijpend.*

Niet dat niemand hier ooit met de dood in aanraking was gekomen. Alleen had niemand dit verwacht. Niet zo. Laran was al honderd keer over de grens vee gaan stelen. Dat was een sport onder de Krakandarse Stropers. Daar vielen zelden slachtoffers bij. Drie of vier per jaar misschien. Het was gewoon te bizar om waar te zijn om Laran door zoiets doodgewoons te verliezen.

Het was domweg ongelooflijk.

Het was nog niet helemaal tot Marla doorgedrongen dat ze weduwe was. De schok was te groot om ook maar een traan te laten. In plaats daarvan had ze haar toevlucht genomen tot praktische zaken. Ze had de vlaggen halfstok laten hangen. Ze had het feest afgezegd en de banketzaal laten ontruimen zodat Larans lichaam kon worden opgebaard. Ze had de Stropers opgedragen een erewacht te vormen om tot de uitvaart de wacht te houden bij zijn lichaam. Ze had ook geregeld dat er door de hele stad aankondigingen werden opgehangen om de burgers van Krakandar in te lichten dat hun krijgsheer was overleden en te vragen een kaars buiten voor de deur te zetten om zijn ziel bij te lichten op zijn weg naar de onderwereld, voor het geval die bij hen door de straat zou dwalen.

Als een kleine generaal had Marla bevelen uitgevaardigd vanaf het moment dat Orleon de maaltijd had onderbroken om het nieuws te vertellen.

Het was het enige wat ze kon bedenken.

Mahkas zag er verschrikkelijk uit. Hij moest wel verscheurd worden van schuld en verdriet, besefte ze. Dat hij erbij was geweest aan de grens en zijn broer niet had kunnen redden, was een vrijwel ondraaglijke kwelling. Toen hij hun vertelde van de strijd, bleef hij zich maar verontschuldigen, alsof hij iets wilde goedmaken wat duidelijk niet zijn schuld was. Bylinda probeerde hem te troosten, maar er viel weinig opbeurends tegen haar man te zeggen. Mahkas had allebei zijn zussen verloren, en net nu alles weer een beetje rustiger werd, raakte hij zijn enige broer kwijt.

Kagan was er al net zo kapot van. De hoge arrion zag er oud uit, alsof het verlies van zoveel dierbaren hem stukje bij beetje had uitgehold totdat hij er bijna krom van liep. Marla had hem gevraagd de brief aan Jeryma op te stellen om haar van Larans dood op de hoogte te brengen en te verzoeken terstond terug te keren naar Krakandar. Marla zou het op zich nemen de hoogprins in te lichten.

Nash' reactie was moeilijker te peilen, en ze durfde niet naar hem te kijken. Laran was zijn beste vriend geweest, maar dat had hem er niet van weerhouden diens vrouw te begeren. Als Nash zich ook maar half zo schuldig voelde als Marla, zou hij in staat zijn zich op zijn zwaard te storten.

Een moment in de zon of een leven in de schaduw.

Dat was haar keuze geweest.

Nou, je moment in de zon heb je gehad, zei ze wrang bij zichzelf. *En kijk eens welke prijs je hebt moeten betalen voor je lichtzinnigheid.*

Larans dood, vermoedde ze, was het begin van haar lange afdaling naar de schaduw.

'Heeft iemand er al aan gedacht Jeryma in te lichten?' vroeg Nash in de ongemakkelijke stilte die volgde op Mahkas' verslag van Larans laatste ogenblikken.

'Ik heb heer Palenovar gevraagd dat te verzorgen,' antwoordde Marla toonloos.

'De hoogprins moet het ook weten,' merkte Bylinda onnodig op.

'Daar zorg ik voor.'

Mahkas keek de kamer rond en veegde de tranen weg die hij had getracht in te houden terwijl hij zijn versie van de gebeurtenissen had verteld. 'Ik weet dat het wrang klinkt op een moment als dit, maar houden we wel rekening met Chaine Tollin?'

'Wat is er dan met Chaine?' vroeg Marla, want Glenadals bastaard was zo'n beetje de laatste van wie ze dacht dat hij in deze verschrikkelijke tijd een probleem kon vormen.

'We zitten met twee provincies zonder een krijgsheer,' verduidelijkte Mahkas. 'Chaine kan nu beslissen te nemen wat volgens hem van hem is.'

'Hij is er altijd tevreden mee geweest om op te treden als gouverneur van de provincie Zonnegloor,' merkte Nash op.

'Dat komt omdat hij anders tegenover een krijgsheer was komen te staan. Maar denk je dat hij terug zou schrikken van een leger onder het bevel van een peuter?'

'Het Collectief zal de leiding over Krakandar overnemen,' zei Kagan ernstig. 'Net zoals toen Larans vader stierf.'

'Nee!' zei Marla zonder erbij na te denken.

Iedereen keek haar verbaasd aan, vooral Mahkas, die verbijsterd keek.

'Waarom niet?' vroeg Kagan.

'Het Tovenaarscollectief neemt alleen de verantwoordelijkheid voor een provincie op zich als daar niemand anders voor is omdat de erfgenaam nog te jong is of als er helemaal geen erfgenaam is. Damin is de erfgenaam van Krakandar, en hij heeft een oom die meer dan bekwaam genoeg is om als zijn regent te regeren. Mahkas zorgt overal voor tot Damin oud genoeg is.'

'Damin is de erfgenaam van de hoogprins, Marla,' merkte Nash op, alsof ze niet snapte hoe het in elkaar zat. 'Hij kan niet ook nog eens Krakandar erven.'

'Hij is Larans enige zoon.'

'Ja,' beaamde Kagan, partij kiezend voor Nash. 'Maar het is nooit de bedoeling geweest dat hij krijgsheer van Krakandar zou worden, Marla. De provincie zou rechtens zijn overgegaan op Larans tweede zoon.'

'Laran heeft geen tweede zoon.'

'In feite heeft hij niet eens een eerste zoon,' voegde Kagan eraan toe. 'Lernen heeft de jongen geadopteerd. Uw zoon is Damin Wolfsblad, hoogheid. Officieel behoort hij niet eens meer tot de familie Krakenschild.'

'Dat maakt niet uit,' hield Marla vol. 'Hij is nog steeds Larans enige zoon.'

'Daar gaat de hoogprins nooit mee akkoord,' waarschuwde Nash.

'De hoogprins is mijn broer,' bracht ze hen in herinnering. 'Die doet wat ik van hem wil.' Ze wist niet echt zeker of dat wel helemaal waar was, maar dat hoefden de anderen niet te weten.

'De Convocatie zal het niet toestaan,' verklaarde Kagan.

'Mijn broer heeft de Convocatie van Krijgsheren al een keer gepasseerd, heer Palenovar. Op uw verzoek, als ik me goed herinner. Dat kan hij nog een keer doen.'

Ze zocht steun bij haar zwager. Als Mahkas niet achter haar stond, stond ze voor gek. Maar ze moest dit doen, wist ze met een haast onlogische zekerheid. Het was haar taak de erfenis van haar zoon veilig te stellen. En ze was niet van plan om iemand buiten de familie te laten beslissen over Damins lot. Toegegeven, Kagan was Damins oudoom, maar hij zou niet eeuwig hoge arrion blijven, en het duurde nog dik achtentwintig jaar voordat Damin zijn geboorterecht kon opeisen. En ze zou ervoor zorgen dat dat goed voor hem werd bewaard. Maar het viel niet te zeggen wat Mahkas dacht. Hij keek haar aan met iets wat leek op ontzag.

'Wat zeg jij, Mahkas? Wil jij Regent van Krakandar worden tot Damin meerderjarig is?'

'Het zou me een eer zijn,' antwoordde Mahkas zonder aarzelen.

'Mahkas,' deed Nash een beroep op zijn redelijkheid, 'weet wel waar je aan begint.'

Vastberaden schudde Larans jongere broer zijn hoofd en liet zich niet op andere gedachten brengen. 'Marla heeft gelijk. Damin is Larans erfgenaam, en desnoods vecht ik jullie allemaal aan om die erfenis voor hem veilig te stellen.'

Ze glimlachte naar hem, opgelucht dat er tenminste nog iemand was op wie ze zich volledig kon verlaten. Laran had Mahkas altijd vertrouwd, en Marla begon te begrijpen waarom. Hij was een rots in een zee van onzekerheid, een solide, betrouwbaar bastion in een wereld die plotseling rondom haar instortte. Trouwens, ze had Mahkas' steun harder nodig dan hij besefte. Als weduwe had Marla maar weinig macht en nog minder te zeggen over haar eigen toekomst. Zonder Mahkas aan haar kant kon het leven er nog knap akelig uit komen te zien.

'Maar Mahkas,' zei Kagan, zijn bezwaren bij die van Nash voegend, 'als je er nou even over nadenkt...'

'Schámen jullie je niet?' riep Bylinda woedend uit, overeind springend. 'Larans lichaam is nog niet eens koud! Kunnen we misschien ruzie maken over de verdeling van zijn erfenis nadát we hem hebben begraven?'

Iedereen staarde haar beschaamd aan. Zo zelden verhief Bylinda haar stem dat haar felle uitbarsting des te opmerkelijker was.

'En mocht het iemand interesseren,' vervolgde ze met een trilling in haar stem, definitief een einde aan de discussie makend, 'ik geloof dat ik nu de baby ga krijgen.'

Pas na middernacht zocht Marla haar bed op, en zelfs toen kon ze onmogelijk slapen, en daarom liep ze in het donker heen en weer door de kamer, haar armen om zich heen geslagen tegen de lichte kou.

Ondanks Marla's vrees voor een zware bevalling had Bylinda ongeveer een uur geleden een gezond meisje gebaard. Moeder en kind maakten het goed, al was Mahkas teleurgesteld, kon Marla zien, maar dat hield hij goed verborgen in het bijzijn van zijn vrouw, waar hij keurig liet horen hoe mooi ze was en hoe geweldig knap het van Bylinda was om het kind zo gemakkelijk te krijgen.

Maar amper buiten de verloskamer had hij toch iets van zijn teleurstelling laten blijken, zij het alleen aan Marla.

'Misschien de volgende keer dan een jongen, hè?'

'Misschien,' beaamde ze, opzettelijk vaag.

'Ik had hem Laran willen noemen,' zei Mahkas tegen haar met een hapering in zijn stem.

Ze gaf een troostend kneepje in zijn arm terwijl ze samen door de gang liepen. 'Het geeft niet, Mahkas. Je moet jezelf er niet de schuld van geven.'

'Weet ik wel... maar...' Na een korte aarzeling vervolgde Mahkas: 'Ik wou maar dat Kagan een beter moment had gekozen om langs te komen.'

'Achteraf gezien had hij geen beter moment kunnen kiezen,' reageerde Marla triest.

'Heeft hij gezegd waarvoor hij helemaal hierheen kwam?' vroeg Mahkas langs zijn neus weg.

'Het had iets te maken met Darilyns testament,' vertelde ze. 'Ze had een paar zeer specifieke verzoeken gedaan voor de jongens, voor het geval er iets met haar zou gebeuren. Kennelijk heeft ze expliciet vermeld dat ze hen niet wilde laten opgroeien in Krakandar. Daar wilde de hoge arrion met Laran over praten als hij terug was. Als Laran namelijk een beroep deed op de hoogprins, dacht hij, zou mijn broer het testament nietig verklaren en de jongens hier laten, waar ze duidelijk het gelukkigst zijn. Ik denk dat we dat ook nog steeds moeten regelen, ondanks alles wat er verder is gebeurd.'

Mahkas was lijkbleek geworden. Misschien was de schok van de afgelopen dagen eindelijk tot hem doorgedrongen.

'Was dat alles wat hij wilde?' vroeg Mahkas met verstikte stem.

'Eigenlijk maar iets onbeduidends,' beaamde Marla. 'Hoewel jij nu misschien ook zulke voorzieningen moet gaan treffen voor jouw dochter.'

'Bylinda wil haar Leila noemen,' zei hij op gesmoorde toon, alsof hij de grootste moeite had zijn verdriet in te houden. 'Naar haar moeder.'

Marla leefde met hem mee. 'Dat is een mooie naam.'

Hij wierp een blik op Marla en glimlachte afwezig.

'Misschien kan Leila op een dag trouwen met Damin, wat?'

'Laten we nog maar even wachten tot ze een beetje ouder is voordat we de uitnodigingen voor de bruiloft versturen, Mahkas.'

'Natuurlijk... Ik wou ook niet ongevoelig zijn, Marla. Met alles wat er is gebeurd... nu Laran dood is... Je moet radeloos zijn.'

Ze wás ook radeloos, maar niet om de redenen die Mahkas zich voorstelde. 'Ik red me wel. Wij Wolfsbladen zijn sterker dan we cruitzien.'

Marla zag hem vechten om zijn emoties in bedwang te houden.

'Dank je.'

'Waarvoor?'

'Dat je me hebt gevraagd als regent voor je zoon.'

'Jij bent de enige die voor mij in aanmerking komt, Mahkas.'

'Weet ik. Maar soms... nou ja, ik denk niet dat Laran ooit iets anders in mij heeft gezien dan zijn kleine broertje.'

'Ik koos jou omdat jij de enige bent op wie ik echt kan rekenen.'

Hij knikte en bracht haar hand naar zijn lippen. 'En dat kun je, Marla. Dat beloof ik.'

Terugdenkend aan het gesprek vroeg Marla zich af of Mahkas zo vastbesloten het ambt van regent op zich had genomen omdat hij zich schuldig voelde aan Larans dood. Want het was duidelijk dat hij geloofde dat hij Laran dood had laten gaan.

Toen hij hun erover vertelde, zei hij telkens: *Was ik maar sneller geweest; had ik maar iets eerder omgekeken, had ik Laran maar geadviseerd iets langer te wachten...*

Arme Mahkas. De last van zo'n schuldgevoel moet ontstellend zijn. Bijna net zo erg als het schuldgevoel waarmee Marla kampte.

'In gedachten verzonken?'

Marla sprong verschrikt op van de onverwachte stem en keek om. Achter haar stond Nash. Hij stak zijn armen naar haar uit, maar ze duwde hem weg, ontzet.

'Hoe kom jij hier binnen?'

'Heb ik je vanmorgen toch verteld. Via de slavengangen. In deze kamer komen ze uit achter het spiegelpaneel in je kleedkamer.'

'Dan kun je via dezelfde weg vertrekken,' zei ze kil, hem haar rug toedraaiend.

Nash probeerde haar weer in zijn armen te nemen en negeerde haar pogingen zich te verzetten. Hij trok haar tegen zich aan en hield haar vast tot ze ophield met haar verzet en zich eindelijk tegen hem aan liet leunen.

'Toe maar, mijn lief,' troostte hij toen ze begon te huilen. Al de tranen die ze eerder niet had kunnen schreien, leken haar plotseling in te halen. 'Huil maar.'

'Dit is allemaal onze schuld,' snikte ze tegen zijn borst.

'Het was een ongeluk, Marla,' zei Nash vriendelijk, haar haren strelend. 'Dat moet je geloven, want anders word je gek.'

'Nee, het is onze schuld,' hield ze vol. 'Dit is de straf van de goden.'

'Kalianah belóónt geliefden,' hield hij haar voor. 'Alleen de Kariënen in het noorden geloven die onzin over zonde en boetedoening voor het eren van de ene god boven de andere. Laran was een volgeling van Zegarnald, Marla, en de krijgsgod neemt alleen zijn favorieten in de strijd tot zich.'

Ze snikte luidruchtig en keek hem aan. 'En zo moet ik het zeker ook zien? Ik moet zeker blij zijn dat mijn man de oorlogsgod eerde met zijn leven terwijl ik de godin van de liefde eerde met zijn beste vriend?'

'Er zijn wel vreemdere dingen gebeurd, mijn lief.'

'Noem me niet zo.'

Nash liet een flauw glimlachje zien. 'Vanochtend had je daar niets op tegen toen je dacht dat je man nog leefde. Vind je het echt geen probleem om hem te bedriegen terwijl hij leeft, maar wel verkeerd om hem na zijn dood ontrouw te zijn?'

'Je draait de boel om,' beschuldigde ze.

Hij kuste haar op het voorhoofd en trok haar weer tegen zich aan. 'Neem me niet kwalijk. Wil je dat ik vannacht bij je blijf?'

Ja. Ik wil dat je blijft. Ik wil dat je me weer bemint zoals in Kalianahs tuingrot zodat ik kan vergeten dat dit is gebeurd. Ik wil...

'Nee,' zei ze en ze duwde hem weg. 'Ik wil dat je weggaat. Niet nu. Niet vanavond.'

'Weet je het zeker?'

'Absoluut.'

Hij knikte, accepteerde de wijsheid van haar besluit, zij het niet de reden daarvoor. 'Dan zie ik je morgen?'

'Misschien.'

Nash kuste haar nogmaals, deze keer op de mond, om haar gretig te maken, en toen draaide hij zich om en liep zonder een woord terug naar de kleedkamer. Toen Marla even later het paneel dicht hoorde schuiven, begon ze weer te ijsberen, want de kans dat ze vannacht nog een oog dicht deed, was zojuist van onwaarschijnlijk veranderd in onmogelijk.

Als ze zich er niet toe kon brengen om met Nash te slapen, had ze geen enkele kans om te slapen met haar schuldgevoel.

70

Het Feest van Kalianah werd in Sanctuarion gevierd zoals nergens anders ter wereld. Per slot van rekening waren de Harshini het enige ras voor wie geweld een gruwel was, en daarom hadden ze niet veel te kiezen wat betreft het feestvieren met de goden. Met hun aangeboren afkeer van geweld konden ze niet bepaald het Feest van Zegarnald, de oorlogsgod, herdenken zoals hij zou hebben gewild, hoewel ze hem wel loofden en eerden als iedere andere gast wanneer hij op bezoek kwam.

Kalianah was echter een bijzondere favoriet. De godin behandelde de Harshini alsof ze haar eigen volk vormden, ook al hadden de Harshini (in theorie) geen favorieten en behandelden ze alle goden met evenveel respect. Maar de Harshini aanbeden de goden niet. Ze spraken hen dagelijks, ze vroegen hun om gunsten wanneer ze iets wilden en ze waren het soms zelfs met hen oneens.

De Harshini bedienden zich van dezelfde magiebron als de oergoden. Om die reden waren ze ook door de goden geschapen – een ras dat specifiek was bedoeld als veiligheidsklep om te voorkomen dat de stervelingen elkaar verscheurden als hun machtsevenwicht onstabiel werd. Maar de goden werden alleen aanbeden door mensen.

En de goden putten hun kracht ook alleen maar uit mensen.

Dacendaran verscheen op het pad naast Brak toen hij op weg was naar het concert. De god keek een beetje nijdig.

'Wel, als dat niet de Koning van Diefstal is. Wat brengt jou hier, Daas?'

'Hallo, Brak,' antwoordde de knul ellendig. Zijn vodden hingen langs zijn schouders omlaag alsof hij ze er lukraak overheen had gegooid in de hoop dat het raak zou zijn.

'Wat is er loos?' vroeg Brak met een zucht, want als Dacendaran op die toon sprak, was hij uit op medeleven.

'Ik voel me vanavond een beetje... onwelkom.'

'Dit is het Feest van Kalianah, Daas. Dit is voor Kali, niet voor jou.'

'Waarom hebben ze geen festival voor mij?'

'Dat hebben ze wel,' bracht hij de god in herinnering.

'Maar niet zoals dit.'

'Dat komt omdat stelen ook lang zo leuk niet is als een beetje ongebreidelde lust,' hield Brak hem met een grijns voor.

Dacendaran zag er de humor niet van in. 'Ik vind van wel.'

'Ja, maar dat was te verwachten, toch?'

'Doet Wrayan ook mee?'

'Ik denk het.'

'Maar hij is van mij.'

'Niet zolang hij nog in Sanctuarion is,' hielp Brak de god herinneren. 'Je blijft mooi met je grijpgrage vingertjes van hem af tot hij teruggaat naar de mensenwereld, hemelse *goedheid*. Dus hou op met zeuren. Ga maar naar het Grimveld, of zoiets. Dat is een gevangenisstad, dus er zullen wel flink wat dieven zijn. Die zullen je vast wel willen aanbidden.'

'Maar het Grimveld ligt midden in Medalon. Dat zijn nu allemaal atheïsten.'

'Wat kan jou dat nou schelen, Daas, als het dieven zijn?'

'O,' zei Dacendaran, plots opklarend bij het vooruitzicht om nieuwe aanbidders te vinden. 'Dan zie ik je later nog wel.'

De god verdween abrupt, en Brak schudde zijn hoofd. Het was Dacendarans eigen schuld, dacht Brak, dat Wrayan niet zo toegewijd was als de god wel zou willen. Het was immers Daas die Wrayan had voorgesteld aan Kalianah.

De god van de dieven en de godin van de liefde vormden regelmatig een vreemd koppel. Dat had weinig te maken met hun goddelijke terreinen. Brak vermoedde dat het te maken had met macht. Afhankelijk van wat er op een gegeven moment in de mensenwereld gebeurde, had Zegarnald meestal een voorsprong op Kalianah en Dacendaran. Hij werd sterker met elk nieuw conflict waarin de mensen zich wisten te verwikkelen. Maar hij was niet de sterkste. Bij lange na niet. Even afgezien van Xaphista de Opperheer, die eigenlijk geen oergod was (al begon zijn macht de laatste tijd de gezamenlijke kracht van de andere goden wel naar de kroon te steken), dan was die eer vermoedelijk voorbehouden aan Voden, de god van het groene leven. En anders kwamen Brehn, de stormgod, of Kaelarn, de god van de oceanen, wel voor die titel in aanmerking.

Kalianah en Dacendaran, en zelfs Zegarnald, moesten er harder aan trekken.

Aangezien mensen veel beter waren in het voeren van oorlog dan in het bedrijven van liefde, neigde de krijgsgod Kalianah een stap voor te blijven, ook al beschouwde Kalianah zichzelf als Zegarnalds ondergang. Daas hing bij die andere twee rond, wist Brak zeker, omdat hij het wel kon vergeten ooit zo sterk te worden als zij en hun glorie graag op zichzelf liet afstralen.

De godin van de liefde gaf de voorkeur aan de gedaante van een kind, al kon ze elk uiterlijk aannemen dat ze wilde. Maar omdat Kali geloofde dat iedereen van kinderen hield, koos ze meestal voor die gedaante. Het eerste wat ze vroeg, was onveranderlijk: 'Hou je van me?' en ze kon dagen blijven mokken als iemand zo dom was om ontkennend te antwoorden.

Maar op haar feestdag werd 'Hou je van me?' in de nederzetting van de Harshini de begroeting van de dag. Om haar goddelijkheid verder op te luisteren, werd er vanavond een concert gegeven, gevolgd door een banket en vervolgens de Verering.

'Wrayan.'

De jongeman bleef staan en draaide zich om naar Brak, terwijl de Halfbloed het pad af liep, naar hem toe. Met zijn lange gestalte en donkere haren, en gekleed in het traditionele witte gewaad van zijn volk, leek de knaap sprekend een echte Harshini, afgezien van zijn blauwe ogen.

Wrayan wachtte tot Brak hem had ingehaald en deed een stap opzij om twee Harshini langs te laten. De man en de vrouw liepen glimlachend – de Harshini glimlachten *altijd* – hand in hand de jonge mens voorbij.

Heel even bleven ze staan, en de vrouw keek hem aan met haar volkomen zwarte ogen.

'Hou je van me?' vroeg ze.

'Ja, hoor,' bevestigde Wrayan. 'Hou je van mij?'

'Natuurlijk,' lachte de vrouw. Ze liet de hand van haar metgezel los, nam Wrayans gezicht in haar beide slanke, langwerpige handen en kuste hem, teder en langdurig.

'Laat hem eens los, Sam,' gebood Brak toen hij bij hen kwam. 'Je weet niet waar die jongen allemaal in heeft gezeten.'

De vrouw liet Wrayan lucht happen en lachte. 'Hou jij van me, Brak?'

'Dat weet je best.'

'Zien we je nog bij het concert?'

'Zou ik nog niet willen missen voor alle fanatiekelingen in Kariën,' verzekerde Brak haar.

Kennelijk tevreden daarmee glimlachte ze naar hen beiden, pakte de hand van haar metgezel weer en liep verder over het pad. Met een blik van volslagen verbijstering keek Wrayan haar na en wendde zich tot Brak.

'Hoe komt het dat ze jóú niet zo heeft gekust?' vroeg hij.

'Wie? Samaranan? Dat is mijn zus.'

'Die vrouw is jouw *zus?*' vroeg Wrayan geschokt.

'Ik weet het,' schokschouderde Brak. 'Moeilijk te geloven, hè? Maar toch, erg boos is ze er nooit over geweest dat ik de knapste van de familie ben.'

Ongemakkelijk schikte Wrayan zijn gewaad en liep met Brak mee over het pad. 'Nou, als ik nog een paar keer zo word begroet als door haar, doe ik – voordat de avond om is – nog iets waar ik me later diep voor ga schamen. Zijn ze altijd zo op feestdagen?'

Brak knikte. 'Op het Feest van Kalianah wel. De vorige keer moest je vast nog herstellen van je vlaag van Bijna Dood Zijn. Maar ja, dit is niets ongewoons. Kali is hier nogal populair.'

'Dat komt omdat de Harshini van me houden,' klonk een zelfingenomen stem. De mannen bleven staan en keken om. Achter hen bleek de godin zich te hebben gemanifesteerd. Ze was gekleed in een luchtig niemendalletje en leek niet ouder te zijn dan een jaar of zes, met blond haar en een engelachtig gezichtje. Je kon Kalianahs macht al van drie meter afstand voelen. De drang om haar lief te hebben was van zo dichtbij vrijwel onweerstaanbaar.

'Draag me, Brak,' eiste ze, haar armen naar hem uitstekend. 'Ik heb geen zin om te lopen.'

'Je bent een godin, Kali,' merkte Brak op. 'Je kunt vliegen, als je wilt.'

'Dat weet ik, maar dat is niet hetzelfde. O, hallo, Wrayan.'

'Hemelse goedheid.'

'Hou je van me?'

'Natuurlijk.'

Ze richtte zich weer tot Brak en stak haar armen opnieuw uit. 'Draag me.'

'Wrayan houdt zoveel van je, waarom vraag je het hem niet?'

'Hij is van Daas.'

'Maar het is jouw feestdag, Kali,' bracht Brak haar in herinnering en hij voegde er met een glimlach aan toe: 'Daas vindt het vast niet erg.'

'Als jij het zegt.' Kali stak haar armen uit naar Wrayan. 'Draag me.'

In tegenstelling tot Brak was Wrayan lang niet zo zeker van zichzelf dat hij een rechtstreeks gebod van een god kon negeren. Hij tilde haar op, en met een tevreden zucht legde ze haar hoofd op zijn schouder. Brak wist dat ze bijna niets woog, maar Wrayan had toch de grootste moeite om aan iets anders te denken dan de behoefte om dit schattige kind op al haar wenken te bedienen.

'En geef die arme sukkel wat lucht,' gebood hij.

Kali slaakte geërgerd een zucht, maar de overweldigende behoefte die Wrayan voelde om te doen wat ze maar wilde, verflauwde tot iets draaglijkers.

'Gaan jullie naar het concert?' vroeg ze terwijl ze verder liepen over het pad in de richting van het amfitheater.

'Nee, we gaan deze kant op omdat we een altaar voor Zegarnald willen oprichten en we dachten dat we dat maar het beste konden doen op jouw feestdag.'

Kali sputterde even verontwaardigd voordat ze haar tirade staakte en Brak argwanend aankeek. 'O, ik snap het. Je probeerde lollig te zijn, toch?'

Brak keek over Kali's hoofd heen naar Wrayan. 'Met al die macht om te doen wat je maar wilt, zou je toch denken dat iemand er inmiddels aan zou hebben gedacht om onsterfelijken te begenadigen met enig gevoel voor humor.'

'Het is niet netjes om de spot te drijven met de goden, Brak,' zei de godin streng.

'Maar zo ontzettend leuk,' reageerde Brak, zonder enig berouw.

Nu Brak haar aandacht duidelijk niet meer waardig was, keerde Kalianah hem doelbewust de rug toe en vestigde haar aandacht op Wrayan. 'Heb jij al besloten met wie je me vanavond gaat eren, Wrayan?'

'Ik weet nog niet eens hóé ik u vanavond moet eren, hemelse goedheid.'

Ongeduldig wierp Kali een blik ten hemel. 'Ik ben de godin van de *liefde*, Wrayan. Hoe dénk je dat de Harshini me eren?'

Brak schoot in de lach toen hij de wezenloze blik in Wrayans ogen zag.

'Nee, maar! Hadden ze je daar nog niet voor gewaarschuwd?'

'Waarvoor?' De jongeman dacht even na en toen kreeg zijn gezicht een interessant vuurrode tint.

'Bedoel je dat de Harshini... dat ze allemaal...'

'Stuk voor stuk. Je denkt toch zeker niet dat ik elk voorjaar terugkom voor het eten?'

Wrayan bleef staan en liet het godinnetje op de grond zakken. 'En ik dan?'

'Hoezo?' schokschouderde Brak. 'Dit is een kans die niet veel mensen tegenwoordig nog krijgen, Wrayan. Ik zou hem maar aangrijpen.'

'Maar...'

'Volgens mij is hij verlegen!' lachte Kali hartelijk.

'Kali, ga even een tijdje ergens anders heen, wil je?'

De godin wierp een blik omhoog. 'Mij best! Ik ga wel iemand zoeken die wél met me wil praten.'

Ze verdween al bijna voordat ze was uitgesproken, Brak en Wrayan alleen achterlatend op het pad. Onder hen kon Brak het Harshiniorkest de instrumenten al horen stemmen.

Wrayan keek Brak wanhopig aan. 'Ik weet niet wat ik moet dóén.'

'Hoe oud ben jij?' vroeg Brak met een opgetrokken wenkbrauw.

'Nee! Dat is het niet! Ik bedoel, ik weet wel hóé het moet... maar het... Goden, Brak, hoe gaat dit in zijn werk? Moet ik op iemand afstappen? Wacht ik tot iemand naar mij komt? *Overleef* ik dit wel?'

'Je bent hier te gast,' adviseerde Brak. 'Wacht af tot je wordt gevraagd. En ja, je overleeft het wel, alleen, als je in Groenhaven al iemand had, zul je met heel andere ogen naar haar kijken als je eenmaal met een Harshini bent geweest. Die staan er nogal om bekend om mensen te verpesten voor een andere minnaar.'

'Nou, als ik al iemand had, dan kan ik me die niet herinneren,' schokschouderde Wrayan. 'Maar stel dat niemand me vraagt?'

'Op het Feest van Kalianah? Vergeet het maar.'

'Is het echt zoals ze zeggen?' vroeg hij nieuwsgierig.

'Nog veel beter,' bevestigde Brak met een glimlach. 'En je hebt net genoeg magie in je om tegelijkertijd in de geest te koppelen. Geloof me, Wrayan. Het zal wel enkele dagen duren voordat je weer normaal kunt praten.' Hij lachte om het gezicht van de jongeman en gaf hem een klap op de schouder. 'Kom, laten we maar even doorlopen, want anders vinden we straks geen plaats meer bij het concert en moeten we bij de demonen zitten.'

71

De muziek van de Harshini klonk etherisch, onaards. Al maanden hoorde Wrayan hun meeslepende muziek nu al vrijwel elke avond, maar toch werd hij erdoor overrompeld en welden de tranen op in zijn ogen van de onmenselijke harmonieën die de vallei vulden en een resonerend akkoord troffen in de ziel van ieder levend wezen dat de muziek ervoer. Op een bepaald moment tijdens het optreden verschenen er naast Wrayan twee demonen die bij Brak op schoot kropen en daar in vervoering bleven zitten luisteren. Brak leek niets van zijn ongenode metgezellen te merken en maakte geen aanstalten hen weg te sturen. Verderop in de rijen van het publiek was Kalianah weer verschenen aan Lorandraneks zijde om naar de muziek te luisteren, maar ze zat geen moment stil, alsof ze zich verveelde. Muziek was natuurlijk wel het terrein van Gimlorie. Kali had weinig belangstelling voor muziek, tenzij het iets deed ter bevordering van de romantiek waarnaar ze verlangde.

Na afloop van het concert werd het podium ontruimd en werden er tafels neergezet, afgeladen met eten. Iedereen liep door elkaar heen, lachend en pratend, zichzelf bedienend van de overvloed aan perfect gekweekte vruchten en groenten, met kruiden waarvan Wrayan nog nooit had gedroomd voordat hij naar Sanctuarion kwam (wat zijn vermoeden bevestigde dat hij in zijn vorige leven geen kok was geweest). De wijn was zoet en koppig, en had een uiterst flauw vleugje peper, en hij werd er zo snel lichthoofdig van dat hij zich afvroeg of er soms ook nog iets anders in zat om de stemming voor vanavond te bevorderen. Hij raakte Brak een tijdlang uit het oog en vond de Halfbloed terug met aan zijn arm een oogverblindend mooie Harshinivrouw – waren er eigenlijk wel andere vrouwen?

'Wrayan, dit is Andreanan, de bibliothecaresse van Sanctuarion.'

Andreanan had volkomen zwarte ogen, zoals alle Harshini, een smetteloze gouden huid en een lijf dat naar Wrayans ervaring geen bibliothecaresse ooit had gehad en waarvan haar dunne witte gewaad maar weinig verhulde. Net als de meeste vrouwen hier leek ze hooguit dertig, maar was ze vermoedelijk al tien- of twintigmaal zo oud. Ze glimlachte hartelijk naar hem. 'Ik heb gehoord van onze jonge mensengast. Je moet gauw eens naar onze bibliotheek komen. We kunnen je daar veel leren.'

'Dat zou ik graag doen.'

'Hou jij van me, Wrayan?'

'Blijkbaar hou ik vanavond van iedereen, mijn vrouwe.'

Ze lachte klaterend. 'Dan hoop ik dat je nog veel geluk vindt.' Ze glimlachte naar de Halfbloed en pakte zijn hand.

'Kom, Brak. Lorandranek heeft ons terug in de tijd gebracht, dus we hebben niet eeuwig de tijd.'

'Ik kom zo,' beloofde Brak. Andreanan knikte en liep onbekommerd weg naar de tafels. Brak keek Wrayan aan met een frons op zijn voorhoofd. Waarschijnlijk was het vanavond de enige frons in heel Sanctuarion.

'Nog één ding,' zei Brak. 'Als je vanavond "veel geluk" vindt, maak dan niet de fout om te denken dat je verliefd bent.'

'Hoe bedoel je?'

'Dit zijn de Harshini, Wrayan, en al zien ze er grotendeels uit als mensen, het is juist dat "grotendeels" waarmee ze zich onderscheiden. Ze hebben niet lief zoals mensen. Ze zijn niet monogaam. Ze kennen geen jaloezie, en het begrip overspel zegt hun niets. Ze hebben geen idee van trouw en vinden de menselijke wens om voor het leven bij één partner te blijven ronduit belachelijk. De vrouw die je in het komende uur bemint, kan een uur nadat ze daarmee klaar is, mij beminnen, en nog een uur later een andere vrouw. Zie er niet meer in dan er werkelijk is. Jij bent dan namelijk de enige die wordt gekwetst, want de Harshini zullen gewoon denken dat je gek bent.'

Na deze ijselijke waarschuwing vertrok Brak in de richting waarin Andreanan was verdwenen. Nog meer in verwarring dan hij al was voordat Brak hem zijn advies had gegeven, dwaalde Wrayan tussen de rijkelijk opgetaste tafels door, teruglachend naar de Harshini die lachend met elkaar in hun eigen taal spraken. Pas nu viel het Wrayan op dat de Harshini onderling helemaal geen Hythrun spraken. Zijn taal spraken ze alleen tegen hem, en ze waren nooit zo onbeleefd om hem buiten te sluiten door te vervallen in een andere taal als hij het kon horen, en uiteraard kwam er aan het spreken van geest tot geest geen taal als zodanig te pas, alleen gevoelens en beelden. Maar nu hij hun muzikale stemmen om zich heen hoorde, zonder te weten wat ze zeiden, voelde Wrayan zich heel alleen.

Voor het eerst sinds hij in dit magische oord was bijgekomen, voelde hij zich een vreemdeling.

In één teug dronk Wrayan zijn wijn op, en nog voordat hij op zoek kon naar een fles, werd zijn glas op magische wijze bijgevuld. Hij haalde zijn schouders op over deze onverwachte meevaller en dwaalde doelloos door het feestgedruis, glimlachend en teruggroetend wanneer hij werd begroet. Hij werd half bewusteloos gekust door een reeks ongelooflijk mooie vrouwen die hem vervolgens links lieten liggen voor hun eigen manvolk, maar naarmate de avond verstreek en zijn glas zich bleef vullen, diende er zich geen oogverblindende Harshini aan voor iets meer dan dat. Geen droombeeld van lieflijkheid kruiste zijn pad voor iets anders dan hem te zoenen en glimlachend verder te lopen. Teleurgesteld en meer dan een beetje dronken liet Wrayan de tafels achter zich. Met tollend hoofd van de krachtige wijn wankelde hij door het amfitheater en strompelde door de vallei naar de waterval die Sanctuarion voorzag van water. Vaag was hij zich ervan bewust dat er iets vreemds aan de hand was, iets wat hij niet kon begrijpen, maar in deze bedwelmde staat kon hij er met zijn verstand niet bij wat het was.

Het pad naar de vijver onder de waterval was verlaten, al passeerde Wrayan verscheidene malen een paartje in de bosjes dat wellicht naar de vijver op weg was geweest maar die niet had gehaald alvorens te worden overmand door de wens om de godin van de liefde te eren. Wrayan vond hun aanwezigheid storend. Niet dat hij nou zo preuts was – hij was opgegroeid in een maatschappij waar court'esa de norm waren – maar ieder paartje, of triootje (of welke combinatie er bij de Harshini ook in de smaak viel) waar hij langs strompelde, deed hem eraan herinneren dat iedereen in Sanctuarion vannacht Kalianah eerde, behalve hij.

Het was gewoon niet eerlijk.

Tegen de tijd dat hij bij de vijver onder de waterval was, stond Wrayan in lichterlaaie. Zijn huid voelde heet en droog aan, en zijn hoofd tolde als een van die vuurwerkdingetjes die ze aan de muur spijkerden en aanstoken op het Feest van Jashia, de god van vuur, thuis in Krakandar. Hij begon zich misselijk te voelen. Hij merkte niet eens dat hij zich iets had herinnerd uit zijn jeugd dat hij kort daarvoor nog altijd kwijt was.

Bij de vijver trok Wrayan zijn gewaad uit en sprong naakt in het koele water. Door de schok snakte hij naar adem, maar hij dwong zichzelf dieper het kristalheldere water in te gaan tot zijn voeten de bodem niet meer raakten. Het water leek zijn hoofd wat helderder te maken. Hij draaide zich op zijn rug en staarde omhoog naar de hemel, een smalle strook duisternis, bezaaid met sterren, ver boven het dal waarin Sanctuarion verborgen lag. Van zo'n honderd meter hoger, boven in de vallei, stortte de waterval eindeloos neer op de rotsen boven de vijver. Drijvend op zijn rug deed Wrayan zijn ogen dicht en liet zijn koortsige lichaam verkoelen door het kalme water en de koele nevel van de waterval.

'Het werd tijd, vind je niet, Wrayan Lichtvinger,' fluisterde een verleidelijke stem achter hem, 'dat wij elkaar eens wat beter leerden kennen.'

Spetterend draaide Wrayan zich om en keek recht in het gezicht van Shananara té Ortyn. Op slechts een handbreedte van hem af was ze aan het watertrappelen, met kristalheldere druppeltjes als geconденseerde parels op haar huid en haar lange haar als een donkerrode waaier drijvend op het water. De Harshiniprinses zwom dichterbij. Ze pakte zijn hand en bracht hem naar haar lippen met een glimlach die een glimp van het paradijs beloofde.

'Voel je het?' vroeg ze zacht.

Wrayan voelde ontzettend veel, maar hij wist niet zeker of het zijn... *gevoelens* wel waren waarnaar de prinses informeerde.

'Voel ik wát, hoogheid?' vroeg hij, een beetje nerveus.

'Doe je ogen dicht,' zei ze.

Wrayan deed wat ze hem opdroeg, in het besef dat het koele water opeens helemaal niet meer zo koel was. Het leek wel verwarmd door de hitte van hun lichamen.

'Hoogheid...'

'Ssst,' fluisterde Shananara. 'Voel.'

Wrayan wist niet zeker wat ze bedoelde, maar even later werd hij zich weer bewust van het vreemde gevoel dat hem vanaf het amfitheater had gevolgd. Het was zaligheid, extase, verrukking en genoegen, alles in één. Zijn huid begon heter en heter te worden naarmate hij zich er bewuster van werd, en met enige schrik besefte hij dat zijn lichaam, afgezien van de hitte, ook op de vreemde prikkel reageerde op een manier die zich in het kristalheldere vijverwater onmogelijk liet verhullen.

'Wat is dat?' vroeg hij verwonderd en hij deed zijn ogen open om haar aan te kijken.

'Kalianahs geschenk aan de Harshini.' Ze lachte om zijn gezicht. Ze stak een hand naar hem uit, raakte zijn gezicht aan, veegde de waterdruppels op zijn bovenlip weg met een vederlicht gebaar van haar duim. 'Je voelt de Harshini, Wrayan. We zijn gekoppeld aan dezelfde bron. Wat je voelt, is die vreugde. Mensen kunnen het eigenlijk niet voelen. Ze zijn er zich wel van bewust, en het maakt ons onweerstaanbaar voor hen, maar ze begrijpen niet wat ze voelen. Niet bewust.'

'Maar ik voel het toch?'

'Dat komt omdat jij voor een deel Harshini bent.'

En dat was blijkbaar voldoende voor Shananara. Ze liet haar handen om zijn hals glijden en trok hem naar zich toe. Wrayan was te perplex om te protesteren. Haar mond smaakte naar het koele water van de vijver, vermengd met de koppigste wijn – de smaak van al zijn wildste fantasieën, gedistilleerd tot het wezen van pure lust en begeerte. En toen omhelsde ze hem met zowel haar geest als haar lichaam, hen drijvende houdend met haar magie, en Wrayan dacht dat hij doodging.

Algauw wist hij totaal niet meer waar hij was. Alleen het koude water dat zijn verhitte huid streelde en de hete druk van Shananara's slanke, soepele lichaam tegen het zijne leken door te dringen tot de maalstroom van zijn benevelde geest. Hij voelde haar borsten tegen zijn borst toen ze haar sterke benen om hem heen sloeg. Hij probeerde haar nog dichterbij te trekken en wou dat er een manier was om haar in haar geheel te verslinden. Nog nooit was Wrayan zo intens ergens in opgegaan. Dit was niet zomaar de liefde bedrijven. Dit was zoveel meer. Dit was een kwelling. Het was zalig. Dit was waar het paradijs en de hel met elkaar botsten. De wereld werd wazig rond Wrayan toen haar huid begon te branden op zijn al vlammende lichaam. Begeerte was het enige waaraan hij kon denken, vermengd met de pure vervoering van alle andere Harshini die hun ervaringen eveneens deelden. De lucht gonsde van de lust, en van vreugde, en van duizend andere emoties die Wrayan momenteel onmogelijk kon herkennen.

Achteraf kon hij niet zeggen hoe lang het had geduurd. Het kon slechts eventjes zijn geweest maar ook uren. Hij wist alleen dat hij amper nog lucht had toen het voorbij was, en dat zijn lijf aanvoelde alsof het was uitgewrongen en ergens te drogen was neergegooid. Enigszins verbaasd dat hij niet was verdronken, strompelde hij het water uit en zeeg neer op het gras van de oever. Shananara volgde even later en kwam bij hem zitten, veel beter bij zinnen dan Wrayan. Hij probeerde overeind te komen, maar glimlachend trok ze zijn hoofd omlaag op haar schoot.

'Toe maar, mijn lief,' fluisterde ze zachtjes, zijn vochtige haar strelend. 'Ga maar slapen. Als je bent uitgerust, voel je je beter.'

Wrayan miste de kracht om iets terug te zeggen. Hij deed zijn ogen dicht, en terwijl hij door vermoeidheid werd overmand, kronkelde zich ongevraagd een gedachte in zijn bewustzijn. Wat had Brak ook alweer tegen hem gezegd? *Je zult dagen niet meer normaal kunnen praten.*

Glimlachend liet hij zich meevoeren in de slaap, uitgeput en opgebruikt zoals hij nooit voor mogelijk had gehouden. Shananara hield hem vast terwijl hij in slaap viel, zachtjes pratend als een moeder die een angstig kind troostte, en hij zweefde weg in een wereld van nevelige sluiers en fluisterende zoenen waaraan geen einde leek te komen...

En toen werd zijn droom wreed verstoord doordat hij ruw wakker werd geschud. Hij knipperde met zijn ogen tegen het schelle zonlicht dat boven de rand van het dal uitkwam. Wrayan had geen idee van de tijd, maar hij had het koud, zijn heup deed zeer van een steen waarop hij had gelegen, zijn hoofd bonsde en zijn mond was droger dan de biertuin van een Kariënse non.

Shananara was weg, alsof ze niets meer dan een droom was geweest.

Hij was wakker geschud door Brak. De Halfbloed stond dreigend over hem heen gebogen. Zijn lichte ogen fonkelden, en zijn hele lichaam straalde ingehouden woede uit.

'Wa... wat?' stamelde Wrayan verward.

'Kleed je aan,' sommeerde hij en smeet Wrayans weggegooide gewaad naar hem toe.

In een reflex ving Wrayan het witte Harshinigewaad op, kwam moeizaam overeind en trok onbehaaglijk het kledingstuk over zijn hoofd. 'Is er iets mis?'

Brak gaf geen antwoord. Hij bleef staan wachten tot Wrayan zich had aangekleed, kwaad naar hem kijkend.

'Brak? Is er iets mis? Wat is er gebeurd?'

'Jij bent gebeurd,' bracht Brak hem kil op de hoogte.

Zodra Wrayan was aangekleed en rechtop stond – zij het nogal beverig – duwde Brak de jongeman voor zich uit over het pad, terug naar het fort.

'Hoe bedoel je, ík ben gebeurd?' wilde Wrayan weten, over zijn schouder sprekend terwijl hij het pad op strompelde. 'Wat heb ik dan gedaan?'

'Wat heb je *gedaan?*' herhaalde de Halfbloed ongelovig. Afkerig schudde hij zijn hoofd, alsof Wrayan het antwoord al hoorde te weten.

'Maar ik heb niets gedaan!'

De Halfbloed toonde zich niet onder de indruk van zijn verklaring van onschuld. 'Je bent een idioot, Wrayan Lichtvinger,' zei Brak ontoeschietelijk. 'Een roekeloze, onnadenkende, levensgrote stomme idioot.'

Wrayan bleef staan en draaide zich om naar de Halfbloed, vastbesloten zijn duidelijk verschrikkelijke – en volstrekt onduidelijke – fout aan het licht te brengen voordat ze nog een stap in de richting van het fort zetten. 'Ik snap het niet, Brak! Wat héb ik dan gedaan?'

'Met Shananara geslapen.'

'Dat klopt, maar...'

'Zij is een té Ortyn.'

'Dat weet ik, maar...'

'Snap je dan niet wat dat betekent?'

'*Nee!*' riep hij uit en hij wou dat Brak het hem gewoon uitlegde.

Brak slaakte een diepe zucht. 'Er zijn hier in Sanctuarion meer dan duizend vrouwen, Wrayan, en de *enige* bij wie je gisteravond niet in de buurt had mogen komen, was het nichtje van de koning.'

'Is hij boos?'

Brak knarsetandde van frustratie. 'Je snapt het nog steeds niet, hè? Lorandranek is niet boos. Hij kan niet eens boos worden. Maar jij... jij bent voor zo'n negentig procent mens, naar mijn inschatting.'

'Ja, en?'

'Slapen met een lid van de koninklijke familie is verboden voor mensen. Is je dat nooit verteld?'

'Jawel, maar ze kreeg er niets van, Brak,' protesteerde hij. 'En trouwens... Shananara is zelf begonnen.'

'Het kan me niet schelen wie er is begonnen, Wrayan. Je hebt met een té Ortyn Harshini geslapen, stommeling.'

'Hoe diep zit ik nou eigenlijk in de nesten?' vroeg hij schaapachtig, terugdenkend aan de vriendelijke doch strenge waarschuwing die Lorandranek had gegeven toen de koning voor het eerst zag hoe Wrayan naar Shananara keek.

'Vooropgesteld dat ze er inderdaad niets van heeft gekregen, helemaal niet,' liet Brak hem weten, wat voor Wrayan een hele opluchting was.

En toen verpestte de Halfbloed alles door te vervolgen: 'Maar als Shananara té Ortyn zwanger is, Wrayan, nou, dan word jij vader van een demonenkind.'

72

De dood van Laran Krakenschild viel Elezaar rauw op zijn dak en maakte zijn toekomst andermaal onzeker. Bovendien was hij achterdochtig over de omstandigheden waaronder de krijgsheer voortijdig was overleden. Nadat Marla had verteld hoe hij in de strijd was gesneuveld, kreeg Elezaar zijn bedenkingen over de aaneenschakeling van gebeurtenissen waarmee Mahkas Damaran van een berooide halfbroer met een broer en twee zussen was veranderd in een schatrijke alleenheerser over twee provincies en de enige van de broers en zussen die nog leefde, en dat allemaal in weinig meer dan twee jaar. Er deed zich een onfortuinlijke trend voor rondom de nieuwe regent van de provincies Krakandar en Zonnegloor. Dat zat Elezaar helemaal niet lekker. Als er een vloek op Mahkas Damaran rustte waardoor zijn familie werd bedreigd, dan konden Marla en haar zoon – Mahkas' schoonzus en neefje – ook in gevaar zijn. En als hun iets overkwam, dan was het met Elezaar ook afgelopen. Elezaar kende Mahkas niet goed. Voor zover mogelijk had hij contact met de andere leden van het huishouden vermeden, en met Mahkas in het bijzonder. De dwerg was Marla's slaaf, en dat wilde hij ook zo houden. Hij had de rol van geschiedenisleraar voor Travin en Xanda op zich genomen omdat hij dan dagelijks in het kinderverblijf kon komen. En het was de moeite meer dan waard. Niet alleen was Elezaar oprecht dol op de verweesde zonen van Darilyn Taranger, maar in de afgelopen twee jaar was hij bovendien zo'n vast deel van Damin Wolfsblads wereld gaan uitmaken, dat niemand erover peinsde hem bij het kind vandaan te halen.

Zijn positie was bijna veilig – of althans *geweest*. Maar Laran Krakenschild was dood, en zijn broer, Mahkas Damaran, kreeg in zijn plaats de leiding tot Damin meerderjarig werd, wat inhield dat ze nu een ander spel speelden, en Elezaar had nog altijd geen heldere kijk op de nieuwe regels.

Elezaar wou dat Marla hem had geraadpleegd voordat ze Mahkas het regentschap had aangeboden, al zou hij er dan waarschijnlijk ook maar weinig aan hebben kunnen doen om dat te voorkomen. Marla had er namelijk gelijk in gehad. Er was verder niemand die de provincies kon overnemen, en anders zouden die in handen van het Tovenaarscollectief worden geplaatst. Nu betekende dat Kagan Palenovar, maar op een dag kon dat Alija Arendspiek worden, en Elezaar was niet zo ver gekomen om weer automatisch onder haar invloed te vallen wanneer de oude hoge arrion overleed.

Die potentiële ramp had Marla tenminste afgewend door erop te staan dat Mahkas het regentschap op zich nam, maar dat betekende nog niet dat Elezaar daar blij mee was. Er was iets met Mahkas Damaran wat Elezaar niet aanstond: iets duisters in zijn ziel, vlak onder de oppervlakte, ondefinieerbaar, vaag, maar toch *fout*. Het irriteerde Elezaar als een steentje in zijn schoen, zodanig dat hij zich gedwongen zag de kwestie aan te kaarten bij zijn meesteres, enkele dagen nadat ze hem over Mahkas en het regentschap had verteld.

'Was het wel verstandig om uw zwager aan te stellen als Damins regent, hoogheid?' vroeg hij op een avond toen ze zich aan het opmaken was voor de nacht, een paar dagen nadat het nieuws over Laran hen had bereikt. Hij ging zijn meesteres voor naar haar kleedkamer met een grote kandelaar hooggehouden om haar bij te schijnen, toen hij de vraag stelde alsof die zojuist bij hem was opgekomen en hij er niet al dagenlang op zat te broeden.

'Ook al was het niet verstandig, Elezaar,' zei ze terwijl ze plaats-nam aan haar toilettafel om haar witte rouwsluier los te spelden, 'er was toch geen andere keuze? Of vind je dat ik het Tovenaarscollectief naar Krakandar had moeten halen?'

'Zeker niet!' Hij zette de zware zilveren kandelaar op de tafel zo-dat zijn meesteres haar spiegelbeeld in de vergulde spiegel kon zien. 'Maar het is een verschrikkelijk grote verantwoordelijkheid voor één man.'

'Laran leek er aardig mee overweg te kunnen.'

'Wijlen uw echtgenoot was een uitzonderlijk man, hoogheid,' hield Elezaar haar voor. Hij was ook niet van plan kwaad over de doden te spreken, ook al had hij Larans beslissingen vaak in twijfel getrokken als hij alleen was met zijn meesteres om haar te laten geloven dat ze nog steeds niet zonder de raad van haar court'esa kon.

'Mahkas Damaran is best bekwaam, maar hij is niet zijn broer.'

'Bedoel je soms dat hij het niet zal redden?'

'Ik denk dat het hem goed genoeg zal afgaan.'

'Maar?' Ze draaide zich naar hem toe.

Ze ziet er moe uit, dacht Elezaar, *zelfs in het kaarslicht.*

Het waren zware dagen voor de prinses geweest, en daar zou voor-lopig ook geen verandering in komen. 'Waarom denkt u dat er een "maar" aankomt?'

'Dat hoor ik aan je, Elezaar,' liet ze hem weten. 'Je zegt gewoon iets en laat het dan in de lucht hangen, alsof je nog niet bent uitgespro-ken. Er kleeft nog ergens een "maar" aan. Zeg maar wat het is.'

'Goed.' Hij klom op het krukje bij haar toilettafel. Zijn voeten bun-gelden boven de vloer, maar doordat de prinses zat, kon hij haar nu bijna recht aankijken. 'Ik denk niet dat u moet proberen om beide provincies te houden. En ik weet ook niet of het Mahkas wel zal luk-ken.'

'Waarom niet?'

'Laran Krakenschild was de wettige erfgenaam van Krakandar en bovendien een zeer gerespecteerd mens die in hoog aanzien stond bij zijn gelijken. Zijn broer is geen van die dingen. Hij heeft zelfs eerder de reputatie wat roekeloos te zijn. Dat de krijgsheren accepteerden dat Laran twee provincies bestuurde, wil nog lang niet zeggen dat ze dat ook accepteren van zijn halfbroer.'

'Maar ik ga Lernen vragen het te bekrachtigen. Denk je dat de krijgsheren tegen mijn broer in opstand komen?' Ze begon de spelden uit haar haren te halen en liet ze vallen op een kristallen schaaltje op de toilettafel dat ze van Laran had gekregen toen ze een jaar getrouwd waren. 'Ik kan Lernen er namelijk een decreet van laten maken.'

'Ik twijfel er niet aan dat u de hoogprins per decreet kunt laten vaststellen dat de hemel roze is, hoogheid,' zei hij terwijl de spelden met
een metalen 'plink' op het schaaltje vielen. 'Maar daar gaat het niet
om. Uw broer kon Laran straffeloos bekrachtigen als de erfgenaam
van Zonnegloor omdat Laran er bekwaam genoeg voor was. Laran
kon de beide provincies in handen houden omdat de andere krijgsheren al snel merkten dat hij geen plannen had zijn territorium buiten
deze provincies te vergroten. Hij gaf Hythria de erfgenaam van Hythrische geboorte die het zo bikkelhard nodig had...'

'Pardon? Ík gaf Hythria de erfgenaam die het zo bikkelhard nodig
had,' verbeterde de prinses korzelig.

Elezaar glimlachte. 'Uw echtgenoot heeft zich aan zijn woord gehouden, hoogheid. En hij heeft de vrede met Fardohnya bewaard, wat
inhield dat hij de handelsroutes openhield.'

'En toen Laran Chaine Tollin – Glenadals bastaard – aanstelde als
gouverneur van Zonnegloor,' besloot Marla, knikkend dat ze het begreep, 'gaf hij ook steun aan de hoop dat hij op een dag de provincie
kon afstaan aan een Ravenspeer, ook al zou dat een onwettige en onerkende Ravenspeer zijn.'

'Precies.'

'Dus je vindt dat ik Mahkas moet vragen Chaine Tollin aan te houden als gouverneur?'

'Ik denk dat u nog een stap verder moet gaan, hoogheid. Als de
krijgsheren niet blij zijn met de huidige regeling, kunnen ze gemakkelijk ingrijpen om zelf veranderingen aan te brengen. En dat hoeven
geen veranderingen te zijn die u van pas komen. In plaats van een
bondgenoot te blijven, zou Zonnegloor terecht kunnen komen in de
handen van een krijgsheer die sympathiseert met de Patriottenfactie.
Dan gaan de inkomsten uit Zonnegloor verloren. En daar kunnen u
en Mahkas, en zelfs vrouwe Jeryma, dan niets aan doen. Glenadal Ravenspeer heeft Laran benoemd tot zijn erfgenaam, en de hoogprins
heeft hem bevestigd als krijgsheer van Zonnegloor. Daar hoorde geen
bepaling bij dat zijn halfbroer zijn plaats kon innemen, ook niet als
regent.'

'Maar dan zou ik de helft van Damins erfenis weggeven.'

'Uw zoon erft niets als hij dood is, mijn vrouwe.'

'Hoe bedoel je?'

'Damin is de erfgenaam van de hoogprins, hoogheid. U krijgt er
nog genoeg moeite mee de krijgsheren ervan te overtuigen dat hij het
recht heeft Krakandar te erven. U denkt toch zeker niet dat ze een
hoogprins ook nog eens de rechtstreekse heerschappij over twee provincies laten houden?'

'Regel nummer elf,' zei ze plotseling, en ze schudde haar lange haren los.

Elezaar knikte, tevreden met haar snelle inschatting van de situatie. 'Doe het onverwachte.'

'Mahkas zal er niet blij mee zijn.'

'Het is uw taak uw zoon te beschermen, hoogheid, niet om het ego van uw zwager te strelen.'

'Maar wat als Chaine Tollin niet kan worden vertrouwd?' vroeg ze terwijl ze haar zilveren borstel pakte.

'Heeft hij u daar dan één reden voor gegeven?'

'Nee,' antwoordde ze. Met scheefgehouden hoofd begon ze haar lange blonde haren met lange, weloverwogen bewegingen te borstelen. 'Maar dat hoeft niets te betekenen. Het kan best zijn dat hij gewoon zijn tijd afwacht en van plan is in actie te komen zodra hij denkt dat de weg vrij is om de macht te grijpen.'

'Dan moet u hem die macht misschien wel geven, hoogheid, voordat hij de kans krijgt hem te grijpen. Dan staat hij voor altijd bij u in het krijt. Dat is veel beter dan een vijand in Zonnegloor die toezicht houdt op de handelsroutes naar Fardohnya.'

'Allemaal goed en aardig, Elezaar,' zei ze, haar hoofd de andere kant op houdend om de linkerzijde te borstelen. 'Maar ik verkeer niet echt in de positie om iemand iets te geven.'

'Nee. Maar uw broer wel. Dus, zoals u zo graag dreigt, mijn vrouwe: laat de hoogprins er een decreet van maken.'

'En dan zodanig dat het Lernens idee lijkt,' peinsde ze. 'Dan geeft niemand mij er de schuld van. Maar zullen de krijgsheren niet protesteren als hij dat nog een keer doet? Ze waren er al niet zo gelukkig mee toen hij besliste over Laran.'

'Maak Glenadals zoon de krijgsheer van Zonnegloor – een man die zich al bekwaam heeft getoond – en er zal niemand protesteren. Laat Mahkas Damaran aan de leiding, en u kunt erop wachten dat we de poppen aan het dansen krijgen.'

Ze hield op met borstelen en keek hem nieuwsgierig aan. 'Jij mag Mahkas niet zo, hè?'

'Het is niet aan mij om hem wel of niet te mogen, hoogheid,' antwoordde hij ontwijkend.

'Dat heb ik niet gevraagd, Elezaar. Waarom mag je hem niet?'

De dwerg haalde zijn schouders op. 'Weet ik niet precies.'

'Heeft hij je ooit iets gedaan?'

'Nee.'

'Dan snap ik niet dat je hem niet mag. Mahkas is zo'n beetje de enige hier, behalve jij, die ik durf te vertrouwen.'

De dwerg schudde zijn hoofd van wanhoop. 'Dan bent u de vierde regel vergeten, hoogheid.'

Marla legde de haarborstel neer en keek hem bedachtzaam aan. 'Vertrouw alleen jezelf? Hoor jij daar ook bij, Elezaar?'

Hij liet een scheve glimlach zien. 'Altijd.'

Marla staarde hem een tijdlang twijfelend aan, niet zeker of het een grap was, en zuchtte toen lusteloos. 'Plaag me niet, Elezaar. Niet vanavond.'

'Vertrouw hierop, hoogheid.' Hij sprong van de kruk en ging voor haar staan, met zijn hand op zijn hart. 'Met mijn laatste adem zal ik het recht van u en uw zoon op de Hythrische troon verdedigen.'

Marla schonk hem een liefhebbende glimlach. 'Misschien hou ik je daar op een dag nog eens aan, nar,' waarschuwde ze.

Elezaar glimlach terug, een beetje geschrokken, want in het licht van de Hythrische politiek en de nauwe bindingen tussen zijn voorspoed en Marla Wolfsblad en haar zoon, was de kans vrij groot dat Marla gelijk had en hij zich op een dag zou moeten houden aan zijn overijlde en dwaze belofte.

73

'Ik ben heel stout geweest, hè?'

Brak staarde Shananara aan en schudde verwonderd zijn hoofd. Ze zat in haar kamer op de vensterbank met uitzicht op de schilderachtige vallei van Sanctuarion, (ongetwijfeld om zich verborgen te houden) terwijl de arme Wrayan de volle laag kreeg om te boeten voor iets wat – in werkelijkheid – Shananara's schuld was.

'Waarom heb je met hem geslapen, Shanan?'

'Heb ik niet gedaan,' protesteerde ze, en glimlachte toen verlegen. 'Nou ja, veel *geslapen* hebben we niet echt.'

'Je weet dat hij mens is.'

'Hij is erg knap.'

'Dat is iedere mannelijke Harshini in Sanctuarion ook. Dat is geen reden.'

'Ik mag hem graag.'

'Ook geen reden.'

'Hij is voor een deel Harshini.'

'Welk deel?' vroeg Brak vernietigend. 'Zijn grote teen?'

'Ben je boos?' vroeg ze nieuwsgierig. 'Dat weet ik eigenlijk nooit. Hoe is dat?'

Brak negeerde haar flagrante en nogal beschamende poging om van onderwerp te veranderen. 'Wat zal Lorandranek zeggen als hij erachter komt?'

Ze glimlachte lief naar hem. 'Daar komt hij nooit achter.'

'Denk je dan dat ik het hem niet ga vertellen?'

'Heb je ook niet gedaan toen ik de vorige keer met een mens had *geslapen* – wat een misleidende uitdrukking is dat, trouwens. Waarom zou je me nu wel verraden?'

'Omdat jouw fascinatie voor mensen gevaarlijk aan het worden is.'

Ze glimlachte. 'Niet overdrijven. In de afgelopen tweehonderd jaar heb ik met twee mensenmannen gevreeën. Nou ja, drie, als ik jou meetel. Maar jij bent maar half mens, dus jij telt eigenlijk niet mee. Het punt is, Brak, één mens per eeuw kun je nauwelijks gevaarlijk noemen. Trouwens, ik hou van mensenjongens. Die zijn zo... onschuldig.'

'Mocht je het zijn vergeten, Shanan, de vorige keer dat je je een knappe mensenknul liet smaken, kregen we die verrekte Zusterschap achter ons aan.'

'Dat is niet helemaal waar...'

'O nee?' vroeg hij nadrukkelijk.

'Denk jij dat ik de enige Harshini ben die van mensen houdt?' Ze klom van de vensterbank, liep de kamer door en bleef vlak voor hem staan. 'Waar was Lorandranek toen Korandellen je de vorige keer achter hem aan stuurde, Brak? Waar is hij nu? Zich één aan het voelen met de god van het groene leven? Over het weer aan het praten met de god van de stormen? Of aan het rondsluipen bij dat mensendorp – hoe heet dat dichtstbijzijnde ook alweer? Wijkoord, toch? – om een stadje vol met mensen lekker bezig te zien, omdat hij net zo begaan met hen is als ik? Dat hoort allemaal bij de last die wij té Ortyn dragen. De goden zullen het vast een goeie mop vinden. Die hebben het schrikbarend gevaarlijk voor ons gemaakt om van een mens te houden en ons vervolgens voor hen laten vallen als een blok, gewoon om ons te kwellen.'

'Je broer schijnt er anders geen moeite mee te hebben om zich tegen die drang te verzetten,' hield Brak haar voor, maar hij vroeg zich toch af of ze er geen gelijk in had dat haar fascinatie voor mensen een vloek van de goden was in plaats van gewoon haar eigenzinnige karakter.

'Korandellen heeft al bijna tweehonderd jaar geen voet meer buiten Sanctuarion gezet,' reageerde Shananara met een glimlach.

'Zo gaat hij ermee om. Hij zorgt er gewoon voor dat hij niet in de verleiding wordt gebracht.'

'Weet je wat de goden doen als er een kind van komt?' vroeg hij streng om toch op een of andere manier de ernst van haar dwaasheid tot haar door te laten dringen. 'Dan maken ze het dood, Shanan. De goden zullen een demonenkind niet tolereren.'

'Hou alsjeblieft je mond over doodmaken, Brak.'

'Goed, zal ik het dan over waanzin hebben?' vroeg hij. 'Is het ooit bij je opgekomen dat je ook geen nauwe betrekkingen met mensen mag hebben omdat je er gek van kunt worden om een demonenkind te dragen?'

'Van nieuw leven kan ik nooit gek worden.'

'Als jij Wrayans kind draagt, Shanan, dan laat je een kracht op deze aarde los die tot alles in staat is. Een demonenkind zou een god kunnen doden, als hij daar zin in had. Jij kan niet eens een tor doodtrappen. Je zou gek worden van het conflict.'

'Al zou ik toegeven dat je misschien gelijk hebt, de kans is miniem dat ik zwanger ben, Brak,' schokschouderde ze. 'Ik kan niet bevrucht worden als Sanctuarion buiten de tijd is verborgen.'

'Maar we zijn niet verborgen,' bracht hij haar in herinnering. 'Sanctuarion is hier voor iedereen te vinden. En jij kunt net zo goed een kind maken als iedere andere vrouw.'

Shananara zuchtte weemoedig. 'Was dat maar waar. Dat constante gespring in en uit de tijd heeft ons volk geen goed gedaan. Wist je dat er dit jaar maar twaalf Harshini zijn geboren toen we terug in de tijd kwamen? En de demonen krijgen er ook al last van. Korandellen meent al dat we minder te vrezen hebben van de Zusterschap in Medalon en de priesters van de Opperheer in Kariën dan van onze eigen lafheid.'

'Hoe bedoel je?'

'Ons verborgen houden voor gevaar zou nog wel eens het grootste gevaar van allemaal kunnen blijken,' verzuchtte Shanan, en toen kwam ze vlak bij hem staan en bracht haar hand naar zijn gezicht. 'Wees niet boos op me, liefste.'

Ze glimlachte lusteloos, ging op haar tenen staan en kuste hem, en een heerlijk, gevaarlijk moment liet hij haar begaan. Gekust worden door Shananara té Ortyn was een zeldzaam geschenk, en hij was nog steeds mens genoeg om naar haar genegenheid te verlangen, ook al wist het Harshinideel van hem dat ze het alleen maar deed om te voorkomen dat hij haar indiscretie zou rapporteren bij haar oom of haar broer.

Brak genoot er enkele riskante tellen van voordat hij haar wegduwde. 'Denk maar niet dat je er zo gemakkelijk van afkomt, Shananara. Je bent heel dom geweest. En je hebt een ongelooflijk groot risico genomen.'

'Wat ga je doen?' vroeg ze toen ze besefte dat ze hem met haar charmes niet op andere gedachten had weten te brengen. Dat leek haar een beetje te verbazen. Shananara wist niet wat boosheid was, en daarom begreep ze niet waarom haar pogingen om Braks razernij te stillen zo weinig uitwerking hadden.

'Ik zal het Lorandranek niet vertellen, voor deze keer. Al weten de goden dat ik het wel zou moeten doen. Maar ik breng Wrayan naar huis, Shanan,' vertelde Brak haar. 'Terug naar de mensenwereld, waar hij hoort.'

'Maar daar is het voor hem niet veilig!'

'Als ik hem nog langer bij jou laat, loopt hij hier net zoveel gevaar. Ik denk dat hij liever het risico van een onbekende menselijke belager neemt dan dat alle oergoden link op hem worden.'

'Kun je hem echt niet hier laten, Brak?' smeekte ze. 'Als ik beloof dat ik braaf zal zijn? Zodra we weer uit de tijd zijn, maakt het toch niet meer uit. Dan kan ik geen enkel kind krijgen, laat staan een demonenkind.'

'Hij is geen *huisdier*, Shananara,' kaatste Brak humeurig terug. 'En ik ga die knul niet hier laten zodat jij iets hebt om mee te spelen, omdat je je anders verveelt.'

'Dat is niet eerlijk, Brak.'

'Het is ook niet eerlijk om een mens te laten geloven dat hij met jou een toekomst heeft,' reageerde hij bars. 'Als ik hem nog een jaar hier laat, is hij zo verliefd op je dat hij niet meer normaal kan denken. En dan wordt hij oud en gaat hij dood terwijl jij nog geen dag ouder bent geworden. Hoe lang wou je hem trouwens nog houden, als hij niet meer zo knap is? Mensen leven maar kort, Shanan. Die hebben niet zoveel ruimte voor fouten als jij en ik.'

Shananara was zo fatsoenlijk om een beetje beschaamd te kijken, maar dat wilde nog niet zeggen dat Brak zich duidelijk genoeg had gemaakt. De Harshini begrepen echt helemaal niets van mensen. Dat de goden hen hadden gemaakt in het evenbeeld van de volmaaktst mogelijke exemplaren, was gewoon een wrede grap. En Brak kende de Harshini. Hij kon als een Harshini denken als het moest.

Ook al zag de wereld er tegenwoordig heel anders uit, hij was met hen opgegroeid. Shananara en Korandellen waren in de Citadel zijn jeugdvriendjes geweest. Hij had gespeeld met goden en Harshiniprinsen toen hij klein was. Maar dat maakte het nog niet gemakkelijker om aan een Harshini iets over mensen uit te leggen, als ze domweg de woorden niet hadden voor begrippen die ze, letterlijk, niet konden bevatten.

'Zo klinkt het heel wreed wat ik doe, Brak,' beschuldigde Shananara, gekwetst kijkend van het idee. 'Ik hoor helemaal niet in staat te zijn om iemand kwaad te doen.'

'Dat ben je ook niet,' verzekerde hij haar. 'Niet opzettelijk, tenminste. Je zult me maar moeten geloven, Shanan. Als ik Wrayan hier laat, doe je hem meer kwaad dan je je kunt voorstellen.'

Ze knikte, eerder omdat ze bereid was hem te geloven dan omdat ze echt begreep wat hij bedoelde. 'Het spijt me als ik je pijn heb gedaan, Brak. Of onze Wrayan.'

Brak glimlachte. Shananara kende het woord wel maar wist net zo min iets van spijt als van boosheid. 'Ik zal onze gast maar gaan vertellen dat hij het huis wordt uitgezet.'

'Maar wel vriendelijk, hè?'

'Ja, Shanan,' zuchtte hij. 'Ik zal het vriendelijk doen.'

'En je moet me beloven dat je hem bewaakt. In de mensenwereld.'

'Hij hoeft niet te worden bewaakt.'

'Jawel, dat moet hij wel!' hield de prinses vol. 'Hij kwam hier omdat iemand hem heel ernstig had verwond, Brak, en hij weet niet wie dat was. Als het mijn schuld is dat Wrayan de bescherming van Sanctuarion moet verlaten, dan zal ik ervoor zorgen dat hij in zijn eigen wereld veilig is. Ik *beveel* je met hem mee te gaan. En dat jij bij hem *blijft* tot hij zijn geheugen terug heeft, of totdat de dreiging voor hem verdwenen is.'

Brak keek haar verschrikt aan en kon niet geloven wat ze van hem eiste. 'Maar Shanan... dat kan wel jaren duren!'

'Jaren die jij hebt, Brak,' merkte ze op, plotseling een en al koninklijkheid. 'Zoals je net al zei, mensen leven maar kort. Ik kan Wrayans leven niet willens en wetens bekorten door hem bescherming te ontzeggen als ik jou heb om te doen wat ik wil.'

'Je gaat ervan uit dat ik zal doen wat je wilt, Shanan.'

Ze glimlachte weer, met een fonkeling in haar zwarte ogen, en liet haar armen om zijn nek glijden. 'Daar kan ik wel voor zorgen,' fluisterde ze tegen zijn lippen.

Hij glimlachte om het onbeschaamde aanbod, en om de zeer reële verleiding te weerstaan om voor haar te zwichten, haalde hij weloverwogen haar armen uit zijn nek en bracht ze naast haar lichaam. 'Ik dacht het niet.'

'Denk je dat ik daar niet voor kan zorgen, Brak?'

'Ik denk dat u voorlopig wel genoeg van mensen hebt geproefd, hoogheid.'

Haar glimlach werd nog breder. Kennelijk maakte het haar niet uit dat hij haar had afgewezen. Misschien omdat ze wist dat ze hem uiteindelijk toch wel weer zou krijgen. 'Uiteindelijk' was vrijwel zeker in een leven dat verscheidene duizenden jaren overspande.

'Dan beveel ik het je.'

'Wat zal ik de koning zeggen?'

Ze haalde onbekommerd haar schouders op. 'Vraag Jakerlon maar. De god van de leugenaars is altijd goed voor dat soort dingen.'

'Maar in wezen verban je mij voor iets wat jíj hebt gedaan,' beschuldigde hij.

'Laten we dan maar zeggen dat je me een gunst bewijst.'

'Dat zou inhouden dat je me een keus gaf.'

'Doe het dan omdat je van me houdt.'

Verslagen schudde Brak zijn hoofd in het besef dat ze er nog steeds geen idee van had. Ze had Kalianahs rotsvaste geloof in de liefde, zonder enig begrip van de andere emoties die daarbij hoorden.

'Goed dan,' stemde hij met tegenzin in. 'Maar alleen omdat ik van je hou.'

Eenmaal buiten Shananara's kamer ging Brak naar de Poort. Hij moest even de plotseling claustrofobische muren van Sanctuarion uit voordat hij naar Lorandranek ging om hem te vertellen dat hij met Wrayan vertrok. De jongeman kon helemaal niets doen aan deze ellende. Brak kon zich amper tegen Shananara verzetten wanneer ze hem probeerde te verleiden.

Die arme Wrayan had geen schijn van kans. Misschien was hij vanochtend toch veel te streng voor de knul geweest, maar Brak kon niet boos zijn op de Harshini. Die wisten hoe dan ook niet eens wat boos zijn was.

'Ah, heer Brakandaran!' riep Jerendenan uit toen hij Brak naar de Poort zag komen. De Poortwachter was waarschijnlijk de oudste ziel in Sanctuarion en wist de namen van iedereen die in de afgelopen paar duizend jaar door deze poort was gekomen. 'Ik wilde je net laten roepen.'

'O ja?' vroeg hij nieuwsgierig. 'Waarom?'

'We hebben mogelijk een probleem.'

'Wat voor een probleem?'

Jerendenan wenkte Brak dichterbij. Nabij de enorme boog van de openstaande poort stond een ondiepe kom met water op een witmarmeren sokkel. De kom werd gebruikt door reizigers om zichzelf te verfrissen wanneer ze over de drempel van Sanctuarion stapten. Maar hij deed ook dienst als schouwglas, en toen de oude Harshini met zijn krachten een arm over het water heen bewoog, begreep Brak dat hij hem nu ook als zodanig gebruikte.

Brak keek in het water. Daarin verscheen een beeld van de bergen buiten het fort. De lente had het nu definitief voor het zeggen, en het wemelde in het woud van nieuw leven. Even later zag hij in Jerendenans schouwkom verscheidene donkergeklede en zwaarbewapende mannen door het bos sluipen – want dat was het enige woord ervoor.

Het waren er zo'n zes, en ze werden gevolgd, zag Brak tot zijn schrik, door een lange man in een lange zwarte toga met in zijn hand een staf met een gouden ster die werd doorkruist door een zilveren bliksemschicht.

'Dat is een Kariënse priester!'

Jerendenan knikte ernstig. 'Daarom wilde ik je ook laten roepen. Die mannen die je daar in de schouwkom ziet, zijn op maar een paar uur afstand.'

'Wat?'

'Dit is het probleem waarvan ik sprak, Brakandaran,' zei de Poortwachter met bezwaard gemoed. 'De Kariënse priesters hebben ons gevonden, en ik denk dat Sanctuarion al binnen een dag kan worden aangevallen.'

74

Wrayan ijsbeerde verscheidene uren ongerust door zijn kamer nadat Brak hem daar had achtergelaten, en hij stelde zich voor wat voor een verschrikkelijk lot hem te wachten stond. Hij had nooit gedacht dat zijn nacht met Shananara – die op dat moment zo fantastisch was geweest – tot zoveel last kon leiden. Wat als Shananara inderdaad in verwachting was geraakt?

Zouden de goden hem dan doden? Zou Brak het doen? Zou Shananara ook moeten sterven, of zouden de oergoden alleen maar eisen dat het kind in de baarmoeder werd gedood? En hoe zouden de Harshini zoiets eigenlijk voor elkaar krijgen? Die konden nog geen vlieg kwaad doen.

Maar momenteel had hij nog even een dringender probleem dan de toorn van de goden. Wat zou Lorandranek doen? Zou de koning hem Sanctuarion uit gooien? Bestond er een straf voor het doorbreken van taboes van de Harshini waar hij niets van wist?

En waarom krijg ik hier eigenlijk de schuld van? Shananara kwam naar mij!

De deur van zijn kamer ging open, en zonder te kloppen beende

Brak naar binnen. Hij was niet gekleed in het witte gewaad van de Harshini maar in nauwsluitend donker leer dat zich schijnbaar naar elk stukje van zijn lange, gespierde lichaam had gevormd. Onder zijn arm droeg hij een bundel van vergelijkbaar materiaal die hij naar Wrayan gooide. Wrayan kon niet zien of de Halfbloed nog steeds boos was. Maar hij keek beslist niet blij.

'Kleed je om.'

'Wat is dit?'

'Een drakenruiterspak,' legde Brak uit.

'Gaan we *draakrijden*?' vroeg Wrayan geschrokken.

'Nee, helaas niet. Heb je wel eens iemand gedood?'

'Niet dat ik me kan herinneren.'

Brak haalde zijn schouders op. 'Nou, dan ga je het nu leren. Het is angstwekkend eenvoudig, als je het eenmaal onder de knie hebt.'

'Dit is een grap, toch zeker?'

'Zie je mij lachen?' vroeg Brak hem kil. 'Kleed je om. Ik zie je over een halfuur bij de Poort. Ik ga kijken wat die verrekte demonen hebben gedaan met mijn rugzak. Daar zaten al mijn wapens in.'

'Maar Brak...'

'Niet hier,' waarschuwde de Halfbloed. 'Ik leg het wel uit als we buiten zijn. En scherm je geest af tot we weggaan. Als ze hier merken dat jij denkt aan het doden van mensen, raken ze van streek en wordt het oneindig veel moeilijker voor iedereen.'

Zoals beloofd wachtte Brak hem op bij de poort, met zijn rugzak over zijn schouder en de twee demonen, Eyan en Elebran, rondscharrelend aan zijn voeten. De Poortwachter maakte een buiging toen Wrayan naderbij kwam, glimlachend als altijd.

'Goedemiddag, jonge heer. Gaat u met heer Brakandaran mee op zijn tocht de bergen in?'

'Daar lijkt het wel op, mijnheer,' beaamde Wrayan behoedzaam, naar Brak kijkend voor een aanwijzing.

De Halfbloed knikte en hees zijn rugzak een stukje hoger. 'Blijf maar niet voor ons op, Jerendenan,' adviseerde Brak terwijl hij onder de boog door naar buiten liep.

Haastig liep Wrayan achter hem aan. Hij voelde zich vreemd in het donkere leer van de Harshini. Hij wist niet van welk leer de kleren waren gemaakt, maar ze zaten als gegoten, en in dit leer was Wrayans bewegingsvrijheid groter dan hij ooit had ervaren in gewone mensenkleren.

Brak beende verder door het dichte woud, waar de hergroei van de lente in volle gang verkeerde. Het was een prachtige dag, koel maar helder, en in de bergen wemelde het van nieuw leven. Zonder een woord te zeggen liep Wrayan achter Brak aan tot ze op enkele mijlen van het fort waren. Daar bleef Brak staan op een kleine open plek, waar hij de rugzak op de grond liet vallen. Nadat hij was neergehurkt om hem open te maken, zag Wrayan er tot zijn verbazing een enorm arsenaal aan wapens in zitten.

'Zijn die allemaal van jou?' vroeg Wrayan terwijl Brak begon met uitpakken. 'Ik dacht dat de Harshini niet konden doden?'

'Ik ben een halfbloed, weet je nog? Mijn mensenkant heeft er geen enkele moeite mee.' Hij hield een prachtig versierde Fardohnyaanse dolk in een donkere leren houder omhoog en gooide hem naar Wrayan. 'Kun je met een mes overweg?'

Wrayan woog de dolk even in zijn hand. Hij voelde uitstekend aan. Behoedzaam knikte hij. 'Ik denk het.'

'Mooi. Want we zullen stil moeten zijn.'

'Mag ik misschien vragen wie we gaan doden?'

Op zijn hurken zittend keek Brak omhoog naar de jongeman. 'Jerendenan heeft een Kariënse priester met een kleine garde Kariënse soldaten gezien die op weg zijn naar Sanctuarion. We moeten hen uitschakelen voordat ze ons vinden.'

'Maar Xaphista is toch een god? Weet hij Sanctuarion dan niet toch te vinden?'

'Alleen de oergoden kunnen Sanctuarion voelen. De anderen moet het worden gezegd.'

'Maar ook al is hij een incidentele god,' peinsde Wrayan, afwezig de balans van het mes uitproberend in zijn andere hand, 'dan kan hij Sanctuarion toch ook wel vinden, ook al is het buiten de tijd verborgen? Ik bedoel, de demonen komen en gaan naar believen. Jij ook, trouwens.'

'De demonen kunnen Sanctuarion niet vinden. Ze voelen de Harshini die zich daar bevinden. Xaphista heeft zijn hele clan met zich meegenomen toen hij de Citadel verliet, dus er is daar niemand die hij kan voelen. Trouwens, Sanctuarion is pas gebouwd nadat hij de Harshini had verlaten, dus als het verborgen is, is hij er net zo blind voor als een mens.' Met een meewarige glimlach keek Brak op. 'Of dacht je soms dat Lorandranek al die moeite doet om een nederzetting met enkele duizenden Harshini elk jaar opnieuw te verbergen omdat hij daar een kick van krijgt?'

'Zal wel niet. Maar waarom stuurt Lorandranek Sanctuarion dan niet gewoon weer de tijd uit tot het gevaar is geweken?'

'Daar is hij niet.'

'Waar dan wel?'

Brak trok even zijn schouders op. 'Aan het dwalen door de bergen, denk ik. Hij vindt het verschrikkelijk om in Sanctuarion opgesloten te zitten. Als de nederzetting weer in de wereld is, brengt hij daar zo lang mogelijk door. En hij is de enige niet. Meer dan een derde van de Harshini dwaalt momenteel ergens rond in deze bossen. Zoals ik al zei: we zullen stil moeten zijn.'

'Had Jerendenan er enig idee van wat je van plan was toen we gingen?'

'Misschien had hij een vermoeden,' antwoordde Brak terwijl hij een vervaarlijk Hythrisch mes in zijn laars liet glijden. 'Maar hij zal er zeker niet te lang bij stilstaan. Wat hem betreft, zijn we een eindje gaan wandelen in de bergen.'

'Ze zijn er best goed in om een oogje dicht te knijpen als ze ergens niets van willen weten, hè, de Harshini?'

Voor het eerst leek Brak ergens om te kunnen lachen. 'Je hebt er geen *idee* van hoe goed, Wrayan,' beaamde hij. 'Dat kun je je niet eens voorstellen. Dat is hun manier van overleven.'

Hij wierp Wrayan een buideltje toe en stak er zelf net zo een onder zijn riem. Wrayan schudde de inhoud in zijn hand en keek er nieuwsgierig naar. Het was een soort wapen, een opgerold stuk draad van zo'n veertig centimeter, met aan beide uiteinden een stukje bot.

'Wat is dit?'

'Een Fardohnyaanse garrotte.'

'Wat kun je daarmee?'

Brak stond op en stak zijn hand uit. Wrayan gaf hem de garrotte. De Halfbloed rolde het wapen uit en nam in beide handen een bot. 'Je besluipt je slachtoffer,' legde hij uit en hij liep om Wrayan heen tot hij achter hem stond. 'En dan doe je dit.'

Voordat Wrayan besefte wat er gebeurde, lag de draad rond zijn hals en trok Brak zo hard aan de handvatten dat hij dacht dat zijn hoofd van zijn romp zou vallen. De draad sneed in zijn keel, er dansten witte lichtjes voor zijn ogen en hij kreeg geen adem. Wrayan bedacht net dat het allemaal een list van Brak was om hem Sanctuarion uit te krijgen zodat hij hem kon doden, toen de Halfbloed hem losliet en een duw gaf, en er weer lucht in zijn longen stroomde.

'Werkt best goed,' vervolgde Brak op normale gesprekstoon terwijl Wrayan gierend en piepend dubbelsloeg. 'Maakt geen geluid. Is gemakkelijk te verstoppen. Alleen geeft het nogal veel rommel. Maar je slachtoffer kan geen alarm slaan. Het strottenhoofd gaat er als eerste aan, en een garrotte snijdt erdoorheen als een heet mes door boter.'

Wrayan keek Brak vuil aan maar besloot niet meer om wapendemonstraties te vragen. Misschien bleef hij er wel in. 'Hoe... hoe komen een peloton Kariënse soldaten... en een priester... eigenlijk zo ver

Medalon binnen?' pufte hij, wrijvend over zijn hals.

Brak haalde zijn schouders op. 'De Zusters van de Kling hebben een verdrag met Kariën, nu al bijna anderhalve eeuw lang. Aan de noordgrens staat alleen nog een oude ruïne. Het zal voor de Kariënen niet moeilijk zijn geweest om gewoon Medalon binnen te wandelen en op weg naar de bergen te gaan. De Verdedigers zullen er misschien wel iets van merken dat ze er zijn, maar de kans bestaat ook dat ze er geen flauw idee van hebben. Als de Kariënen zich gedeisd houden, zal niemand hen hebben gezien. Maar ze kunnen dit voorjaar nooit zo snel al hier zijn, vanuit Kariën. Volgens mij zijn ze vorig jaar lente al over de grens gekomen en hangen ze sindsdien al rond in de bergen om te wachten tot ze Sanctuarion weer voelen.'

'Kunnen ze dat?'

'Als een baken in de nacht,' bevestigde Brak. 'Tenminste, de priesters kunnen de Harshini voelen. Tijdens hun initiatie laat Xaphista hen drinken van zijn bloed. Dat creëert een band met hem via hun staf, zodat ze een beetje magie kunnen uitoefenen. Niet genoeg om een ernstige bedreiging voor de Harshini te vormen, maar wel genoeg om knap lastig te zijn. En over magie gesproken, als je bij de priester in de buurt komt, raak dan zijn staf niet aan. En laat je er ook niet mee aanraken.'

'Is het een wapen?'

'Zou het goed kunnen zijn. Zo'n staf reageert op iemand die kan omgaan met magie. Eén tik met de staf van een Kariënse priester, en je zit snikkend als een klein meisje op je knieën te smeken om genade. En laat het ook maar uit je hoofd om je eigen macht te gebruiken, terwijl we bezig zijn.'

'Hoezo?'

'Omdat de Kariënse priester dat voelt. Nog erger, alle Harshini tussen hier en Sanctuarion ook, en dan weten ze meteen waar we mee bezig zijn. Ze zouden er kapot van zijn als ze wisten dat we iedereen vermoorden – ook Kariënse priesters – om hen te beschermen.'

Opeens snapte Wrayan het, en hij staarde Brak aan. 'Jij hebt dit vaker gedaan, hè? Een gevaar voor de Harshini uitschakelen zonder dat ze er iets van weten?'

'Ik ben de tel kwijtgeraakt.'

Ondertussen had Brak de rest van zijn wapens uitgestald, een tik op de nieuwsgierige handjes van Eyan en Elebran gevend als de demonen wilden helpen. Het was een ontzagwekkend arsenaal. Er lag een Hythrische korte boog, klaar om te worden gespannen, met een koker vol zwartgevederde Hythrische pijlen. Er lagen twee zwaarden. Een daarvan was een kromzwaard, zoals de Fardohnyanen graag gebruikten. Het andere was een lange, uitstekend gesmede en zeer bruikbaar ogende Verdedigerskling, en er lagen nog allerlei werpmessen, nog een paar garrotten en een woest ogende knots.

'Jij was toch opgegroeid bij de Harshini in de Citadel?' vroeg Wrayan verbaasd.

'Ja.'

'Hoe komt het dan dat jij zoveel verstand hebt van het doden van mensen?'

'Toen ik een jaar of zeventien was, werd ik een beetje... dwars,' verklaarde Brak, overeind komend. 'Mijn heetgebakerdheid en bewustwording van mijn kracht pasten de Harshini niet zo best. Mijn moeder stuurde me naar mijn vader, waar ik bleef wonen tot ik er een beetje overheen was gegroeid. Hij was een Medalonische mens. Ik bleef bij hem tot ik bijna vijfentwintig was.'

'Was hij soldaat?'

Brak schudde zijn hoofd. 'Medalon had in die tijd geen soldaten. Dat was lang voordat de Zusterschap aan de macht kwam. Hij was boer. Op een avond in de winter, toen we de schapen naar de stal brachten voor de nacht, werden we aangevallen door bandieten. Ze vermoordden mijn vader en lieten mij voor dood achter. Ik werd ruw wakker geschud. Die dag kwam ik erachter dat niet iedereen geloofde in de heiligheid van het leven, zoals de Harshini. Dus daarna zorgde ik ervoor dat ik mezelf goed leerde verdedigen. En mijn volk.' Hij glimlachte grimmig. 'Ik loop al een tijdje mee, Wrayan. Ik heb gelegenheid genoeg gehad om te leren.'

'Is je moeder nog steeds in Sanctuarion?'

'Zij werd vermoord tijdens de eerste zuivering van de Zusterschap.'

Wrayan wist niet goed wat hij daarop moest zeggen, en daarom veranderde hij tactvol van onderwerp. 'Als de priester maar een minimale hoeveelheid magie tot zijn beschikking heeft, waarom is het dan zo belangrijk dat hij Sanctuarion niet vindt? Hij kan er toch zeker geen schade aanrichten?'

'De staf koppelt hem aan Xaphista, maar toegegeven, de Opperheer zou precies op het goede moment moeten kijken om iets bruikbaars te weten te komen. Maar als de priesters Sanctuarion vinden, kun je er alles onder verwedden dat hij zijn god aanroept. Als Xaphista erachter komt waar Sanctuarion is, hebben we dit jaar vast nog wel de tijd om het te verbergen voordat ze er zijn, maar dan zit er volgend jaar hier een heel leger in deze bossen te wachten om de boel helemaal af te breken, steen voor steen, zodra Sanctuarion terugkomt.'

'Ik dacht dat de goden de Harshini hadden geschapen?'

'De oergoden, ja. Maar Xaphista is een incidentele god. De Opperheer – die naam gaf hij zichzelf, trouwens, dus dat zegt je al iets – is eigenlijk maar een opgeblazen demon die het is gelukt de meeste krachten van een god te krijgen doordat hij enkele miljoenen gelovigen heeft.'

'Maar waarom heeft hij het dan op de Harshini voorzien?'

'Omdat die *alle* goden aanbidden. En als ze bij mensen zijn, moedigen ze die aan hetzelfde te doen. Xaphista probeert een wereld te creëren waarin hij de enige god is.'

'Kunnen de oergoden daar dan niet iets aan doen?'

'Dat zou je denken,' beaamde Brak. 'Maar Xaphista is tegenwoordig misschien wel net zo machtig als de meeste oergoden bij elkaar.'

'En daarom laten ze het maar aan jou over?'

Brak glimlachte grimmig. 'Zo moeilijk is het niet. De Harshini zijn veilig zolang Xaphista niet weet waar ze zijn.'

Wrayan wist dat Brak gelijk had. En dat de Harshini deze dreiging al eerder boven het hoofd had gehangen. Hij kon niet anders dan het voorbeeld van de Halfbloed volgen om hen te beschermen. Trouwens, na het Feest van Kalianah had hij toch nog wat goed te maken bij Brak, en daar kwam hij een heel eind mee door de Harshini voor uitsterving te behoeden.

'Hoe gaan we te werk?'

'Daar hebben we deze twee lastpakken, Eyan en Elebran, voor meegenomen.' Brak wees naar de demonen, die allebei gewichtig hun borst opzetten bij het horen noemen van hun namen.

'Wij gaan helpen om de Harshini te redden,' verkondigde Eyan trots – of was het Elebran? Wrayan kon hen nooit uit elkaar houden.

'We doen bijna niets anders,' voegde de andere demon eraan toe.

Wrayan keek Brak twijfelend aan. 'Zij gaan ons *helpen?*'

'De demonen en Zegarnald,' antwoordde Brak. Hij grijnsde om Wrayans geschrokken gezicht. 'Luister goed, Wrayan, m'n jong,' vervolgde hij terwijl hij het kromzwaard naar de jongeman wierp. Vervolgens gespte hij het Verdedigerszwaard om zijn eigen heupen. 'Het heeft namelijk niet zoveel zin om een Harshini zonder afkeer van geweld te zijn, als je niet af en toe de krijgsgod om een gunst kunt vragen.'

75

De krijgsgod verscheen op Braks oproep, amper groter dan een gewone man, gekleed in een rijkelijk bewerkte wapenrusting van goud die nog smakelozer was dan Dacendarans bij elkaar geraapte vodden. Het deed Brak deugd te zien dat Zegarnald vrij gering van postuur was. Op zijn machtigst zou hij boven hen uittorenen, met zijn glimmende helm met daarop de lange gouden pluimen ter hoogte van de boomtoppen.

'Zien we er vandaag niet een beetje slonzig uit, hemelse goedheid?' vroeg hij met een grijns. Zegarnald irriteerde Brak mateloos, en hij genoot ervan de god zo te zien, ook al wisten ze allebei dat het maar tijdelijk was. 'O, maar da's waar ook! Gisteren was het Feest van Kalianah. Toen dacht er helemaal niemand aan vechten. Hoe was het vanochtend met je verrukkelijke zusje Kali? Is ze zich al komen verkneukelen?'

'Wat moet je, Brakandaran?'

'Nou, eigenlijk alleen maar een kans om u te eren, hemelse goedheid.'

De god staarde hem argwanend aan. 'Jij bent mijn weerbarstigste discipel, Brakandaran. Je eert me zelden bereidwillig.'

'Maar je moet toegeven, Zegarnald, als ik het doe, doe ik het meestal in stijl.'

'Zeg wat je van me wilt,' blafte de god ongeduldig. 'Ik heb wel wat beters te doen dan te luisteren naar jouw armzalige pogingen tot vleierij.'

'Je hoeft niet zo kregelig te doen. Ik dacht alleen dat je het wel leuk zou vinden om te weten dat er een Kariënse priester met zes volgelingen van Xaphista in deze bossen op zoek is naar Sanctuarion,' verkondigde Brak, waarmee hij meteen de aandacht van de god had. 'Ik dacht dat je misschien wel zou willen helpen om ervoor te zorgen dat ze hier niet levend vandaan komen. En het zou leuk zijn als je er ook voor zorgde dat de priester geen bericht naar Xaphista kan sturen voordat ik hem dood.'

'*Zeven* gelovigen van Xaphista?'

'In levende lijve.'

'Je hebt een plan, neem ik aan?'

'Altijd, toch?'

'En de dief?' vroeg Zegarnald met een vuile blik op Wrayan, die zo verstandig was om de hele tijd stil en roerloos te blijven, evenals de demonen, die opvallend timide waren in de aanwezigheid van de god.

'Welke rol speelt Dacendarans lakei hierin?'

'Voor de duur van dit onderneminkje is Wrayan Lichtvinger de uwe, hemelse goedheid. Net als ik.'

Zegarnald glimlachte. 'Daar zal Dacendaran niet blij mee zijn.'

'En zo te zien vind jij dat verschrikkelijk.'

In feite stond de god zich zichtbaar te verkneukelen, maar zolang hij deed wat hem werd gevraagd, kon het Brak niet schelen.

'Doe wat je doen moet om de Harshini te beschermen, Brakandaran,' gebood Zegarnald met een beslissende hoofdknik. 'Geen magische kracht zal deze bossen kunnen doordringen totdat het werk is gedaan.'

'En de Harshini merken er niets van?'

'Zoals gewoonlijk blijven zij onwetend van jouw activiteiten,' beloofde Zegarnald. 'Ik weet hoe erg ze het vinden als jij me eert.'

Zegarnald verdween, en Wrayan staarde Brak verwonderd aan. 'Zoals *gewoonlijk?*'

'Zoals je al zo schrander opmerkte, Wrayan, is dit niet de eerste keer dat er zich zoiets voordoet.' Zonder te wachten op een reactie van de jongeman wendde hij zich tot de demonen. 'Jullie weten wat je te doen staat?'

'Ik ben vogel,' bood Eyan aan. 'En Elebran komt naar je terug met het bericht als ik hen heb gevonden.'

'Nee!' protesteerde Elebran. 'Ik ben vogel en jíj bent boodschapper.'

'Ik ben vogel!' hield Eyan vol, geluidloos met zijn voetje stampend op het bed van dennennaalden op de open plek. 'Ik zei het als eerste!'

'Maar jij mag altijd vogel zijn.'

'Omdat ik daar ook beter in ben.'

'Maar ik wil nou eens vogel zijn!' eiste Elebran. 'Mag ik vogel zijn, Brak? Alsjeblieft? Alsjeblieft?'

'O, in godsnaam! Doe maar om beurten!'

'Dan mag ik eerst!' kondigde Eyan nukkig aan, en zonder zijn metgezel de kans op tegenspraak te bieden, veranderde hij in een grote, onbevallige mus.

Elarnymire had gelijk, dacht Brak hoofdschuddend. *Die demonen smelten nog maar veel te weinig samen met de oudere demonen om van hen te leren.*

'Noemt hij dát een vogel?' schimpte Elebran. De onwaarschijnlijke mus kwetterde boos naar hem. 'Hij komt zo nooit van de grond.'

Ondanks de voorspelling van de kleine demon klapperde de mus verwoed met zijn vleugeltjes, en na enkele valse starts steeg hij eindelijk op en verdween tussen de bomen, op een nogal schrikbarende wijze tussen de takken door zeilend.

'Achter hem aan,' zei Brak tegen Elebran. 'En de volgende keer mag jij vogel zijn. Beloofd.'

Een beetje uit zijn hum omdat hij de discussie niet had gewonnen, verdween Elebran zonder een verder woord. Nog altijd hoofdschuddend om de dwaasheid van de jonge demonen pakte Brak een van de werpmessen op en gooide het naar Wrayan, die verbijsterd keek. Hij ving het mes echter op met een indrukwekkend vertoon van snelle reflexen.

'Ooit een werpmes gebruikt?'

'Weet ik niet.'

'Zie je dat kwastgat in de boom? Kijk maar eens of je het kunt raken.'

Wrayan trok zijn schouder even op, verplaatste zijn greep op het mes en wierp het naar de boom die Brak aangaf. Met een stevige 'bonk' kwam hij op een duimbreedte van het kwastgat terecht.

'Beginnersgeluk?' vroeg Wrayan, bijna net zo verbaasd als Brak dat hij zo dicht bij het doel was gekomen.

'Probeer het dan nog maar eens,' stelde Brak voor, en hij gaf hem nog een mes. Dit kwam nog dichter bij het kwastgat terecht dan het eerste. Brak keek de jongeman onderzoekend aan. 'Je mag je dan niet veel van je verleden herinneren, Wrayan Lichtvinger. Maar één ding kan ik je wel vertellen. Je bent eerder de zoon van een crimineel dan van een edelman.'

'Waarom denk je dat?'

'Even afgezien van Dacendarans ongezonde belangstelling voor jou, heb je niet zo met een mes leren werpen tussen de danslessen van je court'esa door.'

Plotseling verscheen Elebran weer aan Braks voeten, opgewonden op en neer springend. 'We hebben er een! We hebben er een! Mag ik nou vogel zijn?'

'Waar?'

'Deze kant op.' De demon draafde de bossen in. Vlug pakte Brak de rest van zijn spullen op en stopte ze weer in de rugzak, terwijl Wrayan de messen uit de boom haalde. Maar de Hythrische handboog hield hij paraat, evenals de pijlenkoker, voordat hij zich achter de demon aan repte.

Ze volgden hem een paar honderd meter, tot ze verderop tussen de bomen iets hoorden bewegen. Brak bleef staan en wachtte tot Wrayan hem had ingehaald.

Het zijn er twee, zei hij tegen de jonge mens terwijl hij vlug en vakkundig de pees op de boog zette. *Daar. Zie je hen?*

Wrayan knikte. *Waar is de priester?*

Die zal achteraan lopen. Dat wist Brak uit ervaring. Kariënse priesters gingen hun manschappen niet voor in de strijd. En ook niet ergens anders heen, trouwens. *Welke wil jij?*

Maakt dat wat uit?

Dan neem ik de linker, zei hij tegen Wrayan. Hij zette een pijl op zijn boog en hurkte neer achter een struik die zocht naar ruimte om onder het bladerdek van het woud vandaan te groeien.

Denk je dat jij de rechter kunt nemen?

Wrayan wierp een blik op het werpmes dat hij nog steeds in zijn hand hield en knikte behoedzaam. Als die jongen al eens iemand had gedood, dacht Brak, dan behoorde dat beslist tot de herinneringen die hij kwijt was. De knul was hier duidelijk heel onzeker over.

Het is een kwestie van zij of de Harshini, Wrayan, hield hij hem voor. *Probeer je Shananara voor te stellen als een gehavend en bloedend lijk. Dat helpt vast.*

De jongeman verbleekte een beetje, maar Brak zag hem vastberadener worden. Telepathie was hoe dan ook nooit een exacte vorm van communicatie, maar het had Brak geen moeite gekost om de knul zich het ondenkbare te laten voorstellen.

Mik op zijn keel, voegde Brak eraan toe met kille berekening. *Hij mag niet schreeuwen om zijn vrienden te waarschuwen.* Met een laatste hoofdknik van aarzelende instemming nam Wrayan het werpmes tussen zijn vingers en stond op. Tegelijkertijd kwam Brak boven de dekking van de struik vandaan, spande de boog en schoot in de richting van de Karieen die links van hem het verst bij hen vandaan was. Toen hij naar de andere soldaat keek, viel de man al geluidloos op de grond, met Wrayans mes tot aan het gevest in zijn keel.

Brak knikte goedkeurend en keek rond met gefronste wenkbrauwen. *Waar zijn die verrekte demonen gebleven?*

'Psst!' Links van hem klonk een luid gesis uit de struiken. Weer in demonengedaante zat Eyan op zijn hurken onder een bloeiende bergbittererwt met zijn armen naar hen te zwaaien. Gebukt renden Brak en Wrayan naar hem toe en gluurden boven de struik uit. Amper een meter bij hen vandaan stond een van de Kariënen met zijn rug naar hen toe zijn blaas te legen tegen een boomstam, terwijl zijn kameraad zo'n tien passen verderop de wacht hield, beiden zich van geen enkel gevaar bewust.

Ik neem de vent die staat te pissen, liet Brak aan Wrayan weten. *Pak jij zijn vriend daar.*

Deze keer aarzelde Wrayan niet. Hij wierp het mes met dezelfde onfeilbare nauwkeurigheid als de eerste keer. De Karieen viel geluidloos neer terwijl Brak zijn metgezel vakkundig garrotteerde en het lijk op de grond liet zakken zodra de Karieen ophield met spartelen en Brak zeker wist dat hij dood was.

De demonen hoefden hun niet te vertellen waar de volgende twee waren. Wrayan had amper de tijd om het mes uit de hals te trekken van de soldaat die hij had gedood voordat ze de andere soldaten en de priester hoorden. Ze deden geen enkele poging om zachtjes te doen. Vlug rolde Brak het lijk van de man die hij had gewurgd tussen de struiken en wachtte tot de Kariënen verschenen. Wrayan schopte wat bladeren over de man die hij had uitgeschakeld en hield het werpmes gauw achter zijn rug toen de laatste twee soldaten en de priester opdoken uit het bos.

'Goedenavond, heren,' zei Brak opgewekt tegen de geschrokken Kariënen. 'Lekker avondje voor een boswandeling op mijlen afstand van de beschaving, nietwaar?'

In hun Harshinileren drakenruiterskleren konden Brak en Wrayan het wel vergeten dat de Kariënse priester niet meteen zou begrijpen wie Brak en Wrayan vertegenwoordigden, ondanks hun mensenogen.

'Dat zijn ze!' krijste de priester, en hij hief zijn staf op terwijl Wrayan zijn mes wierp. Hij mikte op de priester maar gooide mis. De soldaat rechts stormde op Wrayan af, op vrijwel hetzelfde moment dat Brak het lange Hythrische mes uit zijn laars trok en het pad versperde voor de andere soldaat die op hem af stoof. Met één stoot verdween het staal onder zijn ribbenkast, zijn hart in. Hij duwde de dode van het mes af naar achteren en zag nog net Wrayan onder de aanval van de Kariënse soldaat door duiken. De priester stond nog steeds overeind en deed telkens een stapje achteruit, ondertussen verwoed zijn god aanroepend. Wrayan liep het onmiddellijke gevaar dat zijn keel werd doorgesneden en wist met de pure kracht der wanhoop het lemmet tegen te houden van de man die schrijlings boven op hem zat. Om niet het risico te lopen dat de Harshini zouden merken wat er gebeurde wanneer hij zijn menselijke metgezel zou redden door gebruik te maken van magie, haalde Brak zachtjes vloekend de garrotte onder zijn riem vandaan. Hij keerde de priester even zijn rug toe, sloeg de draad over het hoofd van de Karieen en gaf een harde ruk. Wrayan kreeg een guts donker bloed in zijn gezicht, en de Karieen werd slap. Met een grom duwde Brak de man opzij, en zonder aandacht voor de wanhopige pogingen van de jonge mens om weg te komen van de fontein van bloed uit de dode soldaat, draaide hij zich weer om naar de priester.

'Terug, kwade wezens van de nacht!' schreeuwde de Karieen, met zijn staf voor zich, wanhopig zoekend naar een plek om naartoe te vluchten, maar met twee Harshini voor zich en de demonen die hem van achteren insloten, kon hij nergens heen.

'Kwade wezens van de *nacht?*' herhaalde Brak met een gekwetste blik. 'Hoe kunnen wij in godesnaam nou kwade wezens van de nácht zijn? Het is midden op de dag!'

'Jullie boosaardige krachten hebben geen uitwerking op mij!' De priester zweette uitbundig en hijgde van angst. 'Ik vraag Xaphista jullie te verslaan!'

'Xaphista kan je momenteel even niet horen, ouwe jongen,' zei Brak tegen de wauwelende priester met een opzettelijk gemene blik. 'Wij hebben namelijk ook een paar goden aan onze kant staan.'

'Er zijn geen andere goden!' verklaarde de priester dapper.

Hij hield zijn staf nog hoger. 'Verschrompel en sterf, dienaren van het kwaad. Jullie kunnen mij niets doen!'

'Heeft Xaphista je dat verteld?' vroeg Brak. Hij merkte dat Wrayan naast hem was komen staan en deed samen met hem een stap in de richting van de doodsbenauwde priester. De Halfbloed was zo lang als een Harshini. Wrayan was niet veel kleiner.

In hun donkere leren kleding, boven de priester uittorenend en met Wrayan onder het bloed van Braks slachtoffer, zouden ze er ook best angstaanjagend uitzien, bedacht hij.

'Geen andere goden, hè? Goh, zal dat even een schok voor je worden als je doodgaat.'

De priester viel vrijwel meteen nadat Brak het had gezegd, met Wrayans mes in zijn rechteroog. Geschokt draaide de Halfbloed zich naar de jongeman om. Hij had niet verwacht dat hij zó snel zou leren. Wrayan kon hem echter niet aankijken. Brak vermoedde dat de jonge mens het nog moeilijk met zichzelf ging krijgen, als zijn bloed eenmaal was afgekoeld. Hij liep naar voren, schopte de staf van de priester weg en staarde onverzettelijk naar de dode.

'Waar laten we de lijken?' vroeg Wrayan op verrassend kalme toon.

'Dat regelen de demonen.'

'Die twee?' vroeg hij ongelovig, wijzend op Eyan en Elebran, die langs de gevallen priester waren gerend en nu op het lijk stonden van de man die Wrayan eerder had omgebracht, ruziënd om een glimmende gesp die ze aan zijn riem hadden gevonden.

Brak schudde zijn hoofd, glimlachend om het idee. 'Goden, nee. Dat laat ik over aan Elarnymire en de oudere demonen.'

'En de staf? Kunnen de demonen dat ook regelen?'

'Net zomin als wij,' antwoordde Brak en hij hurkte neer om hem van dichterbij te bekijken. De staf was gemaakt van een zwart metaal, en onder de laagstaande zon leek het al het licht eromheen op te zuigen. De kop van de staf was van goud, in de vorm van een vijfpuntige ster, doorkruist door een bliksemschicht van zilver. Elke punt van de ster was afgezet met een kristal, en in het midden zat een groter stuk van hetzelfde kristal.

Brak bekeek hem nog even en keek toen op. 'Zegarnald!'

De krijgsgod verscheen vrijwel ogenblikkelijk – opmerkelijk groter dan de vorige keer dat ze hem spraken. Het bloed van zeven Kariënen had hem goed gedaan na Kalianahs feest, dat hem aanzienlijk had verzwakt.

'Wat kan ik voor jullie doen, kwade wezens van de nacht?' vroeg de god op nogal geamuseerde toon, wat Brak vreemd vond, omdat Zegarnald totaal geen gevoel voor humor had.

'Dat vond je wel grappig, zeker.'

'Voor zover het mij kan schelen of iets grappig is, eigenlijk wel.'

Brak stond op en wees naar de staf op de grond. 'Kun je die opruimen?'

De krijgsgod knikte, en de staf verdween – weg naar de goden mochten weten waar... letterlijk, dus.

'Dank u, hemelse goedheid.'

'Dank ú, Brakandaran,' zei Zegarnald ernstig terug. 'Hoe vaak je ook beweert er een hekel aan te hebben, zoals gewoonlijk was je er weer toen de Harshini je het hardste nodig hadden.'

'Al was dat deze keer meer geluk dan wijsheid,' waarschuwde Brak. 'De oergoden moeten iets doen aan Xaphista, hemelse goedheid. En gauw.'

'Daar denken we al over na,' gaf Zegarnald toe.

'Nou, denk dan maar een beetje door. De Harshini hebben mogelijk niet zoveel tijd als jullie ervoor nemen.'

Zegarnald reageerde niet op de waarschuwing maar verdween gewoon en liet de mensen op de open plek alleen achter met de kibbelende demonen. Brak keek naar Wrayan, die er bleek en een beetje ongezond uitzag onder al dat bloed, nu hij even de tijd had gehad om te bedenken wat hij had gedaan.

'Alles goed?'

De jongeman knikte onzeker. 'Ik denk van wel.'

Brak keek om zich heen naar de lichamen die daar dood in de bossen lagen, omdat hij het op zich had genomen zijn volk te beschermen, wat er ook gebeurde.

Sommige dingen veranderen ook nooit, overpeinsde hij droevig. En toen gaf hij Wrayan een klap op de schouder en glimlachte vermoeid.

'Kom op, Wrayan,' zei hij. 'Pijnig jezelf nou niet. Je deed wat je moest doen, en de Harshini zijn gered.'

'Ik heb drie mensen gedood, Brak.'

'Weet ik.'

'Het ging zomaar.'

'Soms is dat zo.'

'Veel te gemakkelijk.'

'Nou ja, je moet ook niet vergeten dat je een "kwaad wezen van de nacht" bent,' bracht Brak hem met een flauw glimlachje in herinnering om de jongeman af te leiden van zijn gedachtegang.

'Kom mee, er is verderop een beekje. Daar kun je het bloed van je af wassen.'

'Weet je wel zeker dat ik magiërsleerling was, Brak? Misschien was ik wel een huurmoordenaar. Een koelbloedige moordenaar... je zei zelf dat ik nooit zomaar kon hebben geleerd om zo met een mes te gooien als...'

'Hou op!' commandeerde Brak. 'Dit heeft geen enkele zin. En als je jezelf niet in de hand houdt, weet straks iedere Harshini in Sanctuarion wat wij hier vandaag hebben gedaan. Daar zou ik me veel drukker over maken dan over de zeven mannen die van plan waren om de totale vernietiging van de Harshini te bewerkstelligen.'

Wrayan knikte toen hij de wijsheid van Braks advies inzag. Hij knielde neer, trok het mes uit het oog van de priester en veegde het af voordat hij het teruggaf aan Brak. 'Was het moeilijk voor jou? De eerste keer?'

'De eerste mannen die ik ooit heb gedood, waren de bandieten die mijn vader hadden vermoord, Wrayan,' zei Brak terwijl hij het mes in ontvangst nam. 'Daar was niets moeilijks aan.'

76

Het was ondenkbaar dat Laran te ruste zou worden gelegd voordat Jeryma weer thuis was, en daarom werd de uitvaart uitgesteld tot ver na de normale tijd voor een begrafenis. Gelukkig was het nog niet zulk warm weer, zodat het niet echt een probleem was, maar Marla had de balsemers wel opgedragen te doen wat ze konden om het lichaam te conserveren, in de hoop dat het nog steeds een beetje op Laran zou lijken wanneer ze er eindelijk aan toekwamen om het lijk in de familietombe bij te zetten.

Door het uitstel waren veel mensen die normaal nooit snel genoeg zo ver naar het noorden konden komen, toch in de gelegenheid de uitvaart bij te wonen. Onder hen bevonden zich de hoogprins, de krijgsheren van Pentamor en Izcomdar, en de krijgsheer van Dregian, Barnardo Arendspiek, en zijn tovenaarsvrouw Alija. Jeryma arriveerde als allerlaatste, geëscorteerd door Chaine Tollin, zijn vrouw en zijn achtjarige zoontje Terrin. Inmiddels had Marla haar verdriet al bijna verwerkt. Haar schuldgevoel leek echter veel langer mee te gaan. Bijna zes weken nadat hij aan de grens was gesneuveld, werd Laran eindelijk in de familietombe gelegd.

Zes weken, had Marla ontdekt, was een heel leven in de politiek. Een paar problemen waren zo opgelost, en het eerste wat ze deed nadat de officiële rouwperiode voorbij was – wat vrijwel meteen na Larans begrafenis was, aangezien de gebruikelijke duur slechts een maand telde – was het definitief regelen van de kwestie rondom de provincie Zonnegloor.

Zonnegloor had voor Laran aan een zijden draadje gehangen, wist ze. Het was dat Chaine Tollin bereid was geweest zijn tijd af te wachten en dat Laran geen nieuwe belastingen of wijzigingen had doorgevoerd die radicaal genoeg waren om tot een opstand te leiden. Elezaar had gelijk. Ze kon de provincie niet zonder slag of stoot in handen houden. Het was al zwaar genoeg te verteren voor de mensen van Zonnegloor dat een vreemde krijgsheer de scepter over hun provincie zwaaide. Hun lot in de handen van een vreemde regent, terwijl de enige erfgenaam van hun echte krijgsheer (onerkende bastaard of niet) was gedegradeerd tot de rol van gouverneur, zou intolerabel zijn geweest.

Marla was zich ervan bewust dat ze als Larans weduwe maar weinig macht bezat, maar als de moeder van de toekomstige hoogprins van Hythria had ze beduidend meer te vertellen.

Wat anderen ook vonden van Lernens levensstijl, Marla had het altijd goed met hem kunnen vinden. Lernen wilde een zo gemakkelijk mogelijk leventje, en Marla was hem nooit echt tot last geweest. Ze was stilletjes opgegroeid op Hoogkasteel, had niet veel drukte gemaakt over dat akelige gedoe met Hablet, was zonder te klagen getrouwd met Laran Krakenschild (een regeling waar Lernen flink aan had verdiend) en was vervolgens zo attent geweest om hem te voorzien van de erfgenaam die hij nodig had en zelf niet van zins was te maken. Ze had er alle vertrouwen in dat ze haar broer om een paar gunsten kon vragen waarmee ze Damins erfenis kon veiligstellen, voor zover zoiets mogelijk was in de grillige wereld van de Hythrische politiek.

Enkele dagen na de uitvaart vroeg Marla Chaine mee voor een rondje door de tuinen en koos opzettelijk een route uit de buurt van Kalianahs tuingrot, omdat de herinneringen aan haar rendez-vous met Nash nog te vers voor haar waren. Daarom nam ze het pad langs de buitenmuur, waar hun voetstappen zachtjes knerpten op het schoongeregende grind. Die nacht was het stof van een lange, droge winter van de bomen gespoeld door een buitje, en de naderende zomer deed de tuin sprankelen.

'Ik vond het fijn dat je met je gezin helemaal hierheen bent gekomen voor de uitvaart,' zei Marla terwijl ze voortwandelden.

'Laran was niet alleen mijn krijgsheer maar ook mijn vriend, hoogheid. En ik kon vrouwe Jeryma niet met een gerust geweten zonder escorte terug laten gaan naar Krakandar.'

'Ondanks haar minachting voor jou?'

'Ze heeft minachting voor waar ik voor sta, hoogheid. Als ze genoeg wijn op heeft, zal ze mij persoonlijk best uit kunnen staan.'

Marla glimlachte. Ze kon het wel waarderen dat Chaine geen geheim maakte van zijn status als bastaard. En dat hij daar tot dusver nog geen aanspraak op had gemaakt. Marla was van plan hem voor zijn inschikkelijkheid te laten belonen.

'Heb je al gehoord dat Mahkas Regent van Krakandar wordt tot Damin meerderjarig is?'

'Ik had begrepen dat hij ook Regent van Zonnegloor zou worden. Of gaan we straks zo ver op in uw provincie dat wij alleen nog maar als Zuid-Krakandar op de kaart staan?'

'Zuid-Krakandar,' herhaalde ze bedachtzaam. 'Dat heeft wel iets, Chaine. Dat ik daar zelf nog niet op was gekomen.'

Hij glimlachte toen hij besefte dat ze hem plaagde. 'Dat is níét het lot dat u voor Zonnegloor in gedachten had?'

'Nou, eigenlijk wou ik mijn broer vragen om de provincie aan jou te geven,' liet ze hem weten. 'Maar *Zuid*-Krakandar vind ik eigenlijk wel heel mooi klinken.'

Hij bleef staan en staarde haar geschokt aan. 'Gaat u me de provincie Zonnegloor zomaar *geven?*'

'Ja, eerst wel. Maar nu je me op het geweldige idee hebt gebracht van Zuid-Krakandar...' Ze glimlachte om het gezicht dat hij trok. 'Ik denk dat we eerst maar eens iets duidelijk moeten maken, Chaine Tollin. Ik ben niet van plan je zomaar iets te geven. Jij gaat echt wel betalen voor dat privilege, geloof me maar.'

'En de prijs?'

'Twee dingen. Jij zweert trouw aan mijn Huis en belooft tot de laatste man in de provincie Zonnegloor te vechten om ervoor te zorgen dat Damin de volgende hoogprins van Hythria wordt.'

'Maar stel dat uw zoon later geen knip voor de neus waard blijkt?'

'Uitgesloten,' verklaarde ze zakelijk. 'Dat laat ik niet gebeuren.'
Chaine glimlachte. 'Dat neem ik graag van u aan. En als tweede?'

'Toen Laran na Riika's overlijden met Hablet sprak, bedong hij een regeling van drie miljoen pegels voor de bestrating van de Weduwmakerspas bij Winternest.'

'Dat weet ik. Daar zijn al het hele voorjaar landmeters voor aan het werk in de pas.'

'Ik wil de garantie dat alle materialen voor de bouw in de pas uit Krakandar komen. Ik wil mijn deel van die drie miljoen.'

'Graniet kan ik goedkoper en sneller krijgen uit onze eigen groeven. Zelfs Elasapinees travertijn zou goedkoper zijn dan rood graniet dat helemaal hiervandaan komt, en is ook beduidend beter materiaal voor het werk. En het brengt ook nog andere kosten met zich mee. Alleen al voor het gewicht van de wagens moeten er dan tussen hier en Zonnegloor nieuwe wegen, nieuwe bruggen en de goden mogen weten wat nog meer worden aangelegd.'

Dat wist Marla, ook al was ze erop gewezen door Elezaar. Het vormde ook voor een groot deel haar reden voor deze eis. Door Krakandar zo nauw te betrekken bij de bouw van de Weduwmakerspas, kreeg Damins provincie veel meer dan de verkoop van een heleboel rood graniet.

'Dat kan wel zijn, Chaine, maar denk er eens even over na wat ik opgeef met jouw provincie en alle rijkdom die daaruit voortkomt. Zonnegloor controleert de enige twee begaanbare passen van Fardohnya naar Hythria. Dit kost je flink wat, maar daar ga je beslist niet aan dood. Als jij Zonnegloor wilt, is dat mijn prijs.'

Hij keek haar even onderzoekend aan en schudde verbaasd zijn hoofd. 'Als ik het mag zeggen, hoogheid, u bent behoorlijk veranderd sinds die ochtend dat we elkaar spraken in Hoogkasteel.'

'De dag dat je me je vriendschap aanbood?'

'Weet u dat nog?'

'Iets vriendelijks vergeet ik nooit, Chaine. Hoe klein het ook is.'

'En ik waardeer het gebaar, werkelijk, maar kunt u ook leveren, hoogheid? Hebt u de macht om mij deze concessie te doen?'

'Ik geloof van wel.'

'En gelooft u een laaggeboren zoon op zijn woord?'

'Ik geloof een Ravenspeer op zijn woord, Chaine.'

'Ik ben geen Ravenspeer, mijn vrouwe. Dat heeft Glenadal me ontzegd, ook na zijn dood.'

'Dan stel ik voor dat je je eigen dynastie begint,' opperde ze, en vriendschappelijk stak ze haar arm door de zijne. 'Waarom neem je niet een andere naam? Eentje die echt van jou is en niet nagelaten door de man die je weigerde te erkennen.'

Chaine fronste bedachtzaam zijn wenkbrauwen. 'Zou u me dat toestaan?'

'Misschien.'

'Wat betekent "misschien"?'

'Dat betekent dat je er nooit achter komt als je me je woord niet geeft, omdat ik anders bij mijn broer met geen woord rep over de heerschappij over de provincie Zonnegloor.'

Hij aarzelde nauwelijks voordat hij instemmend knikte. 'Dan geef ik u mijn woord, hoogheid.'

'Waarop, precies?' vroeg ze, vastberaden om dit van meet af aan goed te doen.

'Trouw aan het Huis Wolfsblad van mij en mijn afstammelingen,' beloofde Chaine. 'En Krakandar wordt de grootste leverancier van bouwmaterialen voor de Weduwmakerspas.'

Zo eenvoudig was het.

De provincie Zonnegloor bleek echter het minste van Marla's problemen. Met verrassend weinig tegenspraak ging Lernen met haar voorstel akkoord. Ondanks de winst die hij ermee had opgestreken, was hij er nooit echt blij mee geweest dat één krijgsheer over twee provincies regeerde, en dat gold ook voor de overige krijgsheren die niet tot Larans oorspronkelijke bondgenootschap hadden behoord. Het was een publiek geheim dat Chaine de bastaard van Glenadal Ravenspeer was. Hij had een goede reputatie als militair en had zich in de afgelopen twee jaar goed gekweten van zijn taak als gouverneur. Het verraste eigenlijk niemand toen Lernen afkondigde dat hij de provincie toekende aan Chaine en hem verhief tot de rang van Krijgsheer, behalve misschien Jeryma, die nogal werd overdonderd door de regeling en die met tegenzin aanvaardde. Chaine nam Leeuwenklauw aan als de naam van zijn Huis, en al werd er hier en daar wel wat gemord dat hij de naam Ravenspeer had moeten kiezen, meer dan wat onbeduidend gezeur was het niet, aangezien het besluit verder met open armen werd ontvangen. De enige andere die wel bezwaar maakte, was Mahkas, die furieus werd toen hij het nieuws vernam. Marla probeerde het aan hem uit te leggen maar besloot uiteindelijk toch maar onvermeld te laten dat Lernen Chaine had beloond op haar verzoek. Hij kwam haar iets te aangeslagen over om het nieuws zo kalm op te vatten als ze had gehoopt.

En aan de grens dreigde een nog dringender probleem, waarbij – vreemd genoeg – Marla's geslacht haar zowaar een keer van pas kwam. Enkele dagen na Larans dood, was Raek Harlen met een paar van zijn

Stropers opnieuw over de grens getrokken, deze keer om zich te wreken op de dood van hun krijgsheer. Nadat ze verscheidene Medalonische burgers hadden gedood en een aantal boerderijen hadden platgebrand, keerden ze vol bravoure en overtuigd van hun eigen goedheid terug.

Marla was woest toen ze hoorde van de aanval en werd nog woester toen de beruchte Verdediger, kapitein Palin Jenga, leiding gaf aan een vergeldingsexpeditie over de Hythrische grens om verscheidene boerderijen te verwoesten, de gewassen te verbranden en de waterbronnen te vergiftigen.

En het ging alleen maar van kwaad tot erger. Met de verhitte Krakandarse Stropers en de op vechten beluste Verdedigers, dreigden de schermutselingen langs de grens algauw te escaleren tot een regelrechte oorlog.

Dat vonden de manschappen van Krakandar helemaal niet erg, merkte Marla bezorgd. Die aanbeden immers de krijgsgod boven alle andere goden en vonden het een prachtidee om hem te eren met zo veel mogelijk Medalonisch bloed.

En toen, precies op het moment dat Marla vreesde dat de hele rampzalige toestand volledig uit de hand liep, vroegen de Medaloniërs om vrede.

Mahkas beweerde dat het gewoon alweer bewees dat je een land nooit mocht laten besturen door vrouwen, maar in stilte slaakten de vrouwen van Krakandar een collectieve zucht van verlichting.

In haar brief, bezorgd onder een witte vlag, eiste de Eerste Zuster dat de Hythrun een geschikte vrouw van stand zond (vrouwe Trayla weigerde te onderhandelen met de hoogprins, of welke andere Hythrische man dan ook) voor de besprekingen op een bijeenkomst in Grensoord, over vier weken. Ondertussen zouden alle vijandelijkheden worden gestaakt tot er een geschikte regeling kon worden getroffen.

Het vredesaanbod ontketende een machtsstrijd zoals Hythria nog nooit had meegemaakt. Tenminste, niet onder de vrouwen.

Jeryma wenste de leiding over de delegatie, gebrand op een gelegenheid om de vrouw die de verantwoording droeg over de Verdedigers die haar zoon hadden gedood, in het gezicht te spuwen.

Alija Arendspiek, die opmerkelijk ingetogen was geweest tot de brief van de Eerste Zuster werd bezorgd, eiste Hythria te vertegenwoordigen omdat zij als enige vrouw lid was van het Collectief. Jeryma wierp tegen dat als het Tovenaarscollectief een afgevaardigde wilde sturen, de hoogst geplaatste tovenares nog altijd Tesha Zorell, de lagere arrion, was en dat ze in vier weken ruim de tijd had om hierheen te komen.

Uiteindelijk werd Marla het geruzie van de anderen zo beu, dat ze aanbood om zelf te gaan. Zij was per slot van rekening de zus van de hoogprins en daarmee van hogere stand dan het hele zooitje bij elkaar. Tot haar niet geringe verbazing ging Lernen er meteen mee akkoord. Elezaar opperde dat Lernen er eigenlijk alleen maar mee instemde omdat de Hythrun hoe dan ook niet zo ingenomen waren met vredesverdragen. Vermoedelijk had Kagan de hoogprins geadviseerd dat het vrij gemakkelijk moest zijn om op een later tijdstip onder een verdrag uit te komen dat immers toch maar door zijn jonge, onervaren zus was gesloten.

Terwijl de dag van de bijeenkomst naderde, kreeg Marla steeds meer bezoek van mensen met goede raad over de dingen waarmee ze wel en niet moest instemmen tijdens het gesprek met de Eerste Zuster van Medalon. De ene dag kreeg ze het advies om helemaal niets toe te zeggen, en de andere dag om de Medaloniërs te geven wat ze maar wilden, zolang de vrede maar werd bewaard. Elezaar woonde alle gesprekken bij – niemand maakte bezwaar, want ze beschouwden hem toch alleen maar als een nar – en samen met hem besprak Marla haar mogelijkheden tot diep in de nacht, ideeën overwegend en verwerpend, tot ze eindelijk uitkwamen op een aanvaardbaar bod waarmee de veiligheid van Krakandar gewaarborgd bleef zonder al te veel toe te geven aan Medalon.

Marla deelde haar plannen niet mee aan Lernen of aan de hoge arrion, Jeryma, Alija of een van de krijgsheren die allemaal op bezoek kwamen om haar hun wijsheid te bieden en weigerden terug naar huis te gaan met zo'n belangrijke bijeenkomst in het verschiet. Ze knikte slechts in deemoedige aanvaarding van alles wat ze aandroegen en hield haar plannen voor zich.

Trouwens, Marla had nog een probleem dat de dreiging van een invasie vanuit Medalon overschaduwde, en dit probleem liet zich niet oplossen met slimme politiek, sluwe kunstgrepen of gladde diplomatieke tactieken.

Want enkele weken nadat Mahkas met het dode lichaam van haar man terug was gekomen van de Medalonische grens, ontdekte Marla dat ze zwanger was en dat Laran Krakenschild onmogelijk de vader van het kind kon zijn.

77

De dichtst bij Sanctuarion gelegen nederzetting van mensen was het dorpje Wijkoord, op drie dagen lopen door de bergen ten zuiden van het Harshinifort. Brak wilde langs Wijkoord verder over de vlakte van centraal Medalon naar de stad Testra, en dan per boot over de rivier de Glas verder zuidwaarts naar Grensoord, om daar Hythria binnen te gaan en door te reizen naar Groenhaven.

Brak en Wrayan verlieten Sanctuarion nog op dezelfde dag dat ze de Kariënse indringers hadden gedood. Wrayan begreep dat Brak hem te onervaren vond om zijn gedachten af te schermen van de Harshini. Daarom wilde hij dat de jonge mens Sanctuarion zo snel mogelijk verliet, voordat Wrayan hun afgrijselijke daden – hoe goed bedoeld ook – aan zijn zachtaardige gastheren kon verklappen. Dat was tenminste de smoes die Brak opgaf voor hun haastige vertrek, maar Wrayan wist best dat het allemaal iets ingewikkelder was. Veel belangrijker dan Wrayans onvermogen om zijn gedachten af te schermen, vond Brak het dat de jonge mens niet meer in aanraking kwam met de verleidingen van Shananara. Dus na een haastig afscheid en weinig plichtplegingen kwam er een einde aan Wrayans korte verblijf onder de magische Harshini en bevond hij zich weer in de echte wereld.

Als reisgezel was Brak geweldig. Erg spraakzaam was hij niet, maar hij gaf antwoord op elke vraag die Wrayan hem stelde en wist in de Sanctuarionbergen beter de weg dan een mens die de kans zou hebben gehad om verscheidene levens over de hoge hellingen rond te zwerven. Nu Wrayan terugging naar de mensenwereld om zich te houden aan een belofte die hij zich nog steeds niet kon herinneren – namelijk de beste dief van heel Hythria worden – liep Daas vaak een eindje mee, opgewekt erop los kwebbelend en Brak irriterend met zijn eindeloze vragen. Ook Eyan en Elebran stonden erop hen te vergezellen, ondanks het feit dat Brak hen telkens naar Sanctuarion terugstuurde wanneer ze maar verschenen. De jonge demonen gehoorzaamden altijd, met droef hangende oren, als Brak hun zei op te hoepelen, maar een paar uur later verschenen ze toch weer in de hoop dat Brak inmiddels was vergeten dat hij hen naar huis had teruggestuurd.

Tegen zonsondergang op de derde dag na hun vertrek uit Sanctuarion, toen het al kouder begon te worden, verdween Daas plotseling halverwege een zin. Verbaasd door zijn abrupte vertrek namen Wrayan en Brak een bocht in het flauwe wildspoor dat ze volgden, en stonden plots oog in oog met een lange, kalende houthakker met een grote, vervaarlijke bijl. Naast hem stond een jongen van een jaar of twaalf, op gelijke wijze bewapend. De houthakker keek vuil naar de twee mannen, die allebei nog steeds hun leren drakenruiterskleding droegen, en hief op ronduit dreigende wijze zijn bijl, terwijl hij de weg versperde.

'Wie mogen jullie twee dan wel zijn?' informeerde de man argwanend.

Brak glimlachte ontwapenend. 'Gegroet, vriend. Ik wist niet dat we al zo dicht bij de bewoonde wereld waren.'

'Zijn jullie ook niet,' snauwde de potige man. 'Waar komen jullie vandaan? Ik heb niets gehoord over vreemdelingen hier in de buurt.'

'Aha,' zei Brak met een blik op Wrayan. *Laat mij maar even*, zei hij in stilte tegen de jongeman alvorens nog stralender naar de houthakker te glimlachen. 'Dat snap ik. Kijk, mijn compagnon en ik zijn van de Citadel. We zijn hier op een missie voor de Zusterschap om onderzoek te doen naar meldingen van Harshini die zich hier in de bergen verborgen houden.'

'De Harshini zijn allemaal dood,' verklaarde de houthakker bot.

'Een omstandigheid waarmee we het nu tot mijn genoegen eens kunnen zijn,' zei Brak. 'Nadat we tot dezelfde conclusie waren gekomen, waren we namelijk alweer op weg terug door de bergen. Mijn naam is Brak Andaran,' vervolgde hij en stak zijn hand uit. 'En dit is Wrayan Lichtvinger.'

'J'shon Warnaar.' Behoedzaam drukte de houthakker Braks hand. 'Dit is mijn zoon G'ret.'

Het kind staarde hen aan maar leek eerder nieuwsgierig dan bang.

'Misschien hebben zij onze J'nel gezien, pa,' opperde de jongen met een blik op zijn vader.

'Wat is een J'nel?' vroeg Wrayan.

'Wie, niet wat,' verbeterde J'shon. 'Een klein meisje. Zes jaar oud, ongeveer zo groot, donker haar, grote ogen. Is nu al zo'n twee dagen zoek.'

'Zullen we jullie helpen zoeken?' bood Brak aan.

De houthakker nam hen van top tot teen op en glimlachte toen sceptisch om het voorstel. 'Erg vriendelijk, meester Andaran, maar ik vraag me af wat een stel knappe stadsknullen in mooie kleren kunnen uithalen als de beste houtvesters uit Wijkoord haar niet eens kunnen vinden.'

'Nou, we zullen in elk geval naar haar uitkijken.'

'Doe dat,' zei J'shon. 'Kom, G'ret. We hebben nog net lang genoeg om voor zonsondergang te gaan kijken op de richel bij het Springersgat.'

Wrayan en Brak stapten opzij om de houthakker en zijn zoon erdoor te laten en wachtten tot ze uit het zicht en buiten gehoorsafstand waren voordat ze iets zeiden.

'Knappe stadsknullen in mooie kleren?' schimpte Brak, nogal beledigd. 'Dan ben ik, denk ik, nog liever een kwaad wezen van de nacht.' Hij deed zijn rugzak af en floot zachtjes, waarop Eyan en Elebran onmiddellijk reageerden. De Halfbloed keek de demonen vuil aan toen ze vlak voor hem materialiseerden met een hoopvolle uitdrukking op hun gerimpelde gezichtjes. 'Ik had jullie twee toch naar huis gestuurd?'

'Maar je riep ons net terug,' merkte Elebran of Eyan – wie kon het eigenlijk zeggen? – zelfingenomen op. 'Dus dan kun je ook niet boos op ons worden.'

Tegen dergelijke logica viel niets in te brengen. 'Er loopt hier ergens een verdwaald mensenmeisje rond,' bracht Brak hen op de hoogte. 'Ga haar zoeken.'

'Mag ik vogel zijn?' vroeg de andere demon vlug, vastbesloten om nu de eerste te zijn.

'Jullie mogen allebei vogel zijn,' zei Brak ongeduldig. 'Als je haar maar vindt. Ze is al twee dagen weg, en de zon gaat zo onder. En nu wegwezen!'

Vreemd genoeg waren de demonen gemakkelijker uit elkaar te houden als ze van gedaante veranderden. Eyan smolt samen in zijn grote, onbevallige mus, terwijl Elebran veranderde in een gespikkelde kraai met pimpelpaarse veren waarop een zichzelf respecterende kraai volgens Wrayan beslist niet trots zou zijn geweest. Terwijl de vogels krijsend in tegengestelde richtingen wegfladderden, leunde Brak tegen de stam van een grote den, nam een teug uit zijn waterzak en gooide hem naar Wrayan.

'Vinden ze haar wel?' vroeg Wrayan nadat hij had gedronken.

'Ik geef hen nog geen uur,' voorspelde Brak in het volste vertrouwen. 'Let wel, als ze nog leeft. In het vinden van levenloze objecten zijn ze niets beter dan jij en ik.'

'Wat gaat er gebeuren als ze haar vinden?'

'Dan brengen we haar naar huis en gaan we verder,' antwoordde Brak. 'Hoezo? Wat dacht jij dan dat er ging gebeuren?'

'Weet ik niet,' schokschouderde Wrayan. 'Maar je leek me nooit zo'n type dat de tijd neemt om de held uit te hangen.'

Brak glimlachte grimmig. 'Eerder een gewone, doorsnee, alledaagse halfbloedslachter van de Harshini, hè?'

'Zo bedoelde ik het niet.'

Maar Brak leek er zich niet aan te storen. 'Deze wereld kent een evenwicht, Wrayan, en dat willen de goden graag zo houden. We doden een paar Kariënen, en we mogen een klein meisje redden. Houdt alles weer lekker in balans.' Hij duwde zich van de boomstam toen Elebrans beschamend opzichtige kraai naar hen toe kwam vliegen. Hij streek neer op de tak boven Wrayans hoofd, nam zijn demonengedaante weer aan en viel prompt uit de boom. 'Zie je wel, ik zei toch dat het niet lang zou duren.'

'Ik heb haar gevonden! Ik heb haar gevonden! Ik was er als eerste!' riep de demon opgewonden toen hij overeind was gekrabbeld.

'Waar?' vroeg Brak.

'Kom maar mee.'

Bijna een halve mijl verderop lag het kind onder een enorme iep, zo dicht bij het dorp dat ze de rook van de kookvuren konden ruiken. Ze had dus al bijna thuis weten te komen voordat ze door uitputting was overmand.

Ze was bewusteloos en blauw van de kou; een knap, tenger ding met donker haar en lange, slanke ledematen. Brak onderzocht haar voorzichtig en keek Wrayan aan. 'Ze is lichtelijk onderkoeld, maar dat komt wel weer goed.' Hij glimlachte naar de kleine demon en streek hem liefhebbend over het hoofd.

'Goed gedaan, Elebran.'

'Mag ik nou blijven?'

'Nee.'

Braks ogen werden donker, en Wrayan voelde dat hij zijn krachten gebruikte. Als hij magie aanwendde, zag Brak er net zo Harshinisch uit als Lorandranek, met zijn ogen helemaal zwart. Hij legde zijn hand op het voorhoofd van het kind, en langzaam kreeg ze weer kleur. Even later sloeg ze knipperend haar ogen op. Die hadden een ongebruikelijke violette tint, en toen ze naar Wrayan keek, kreeg hij het gevoel alsof ze dwars door zijn buitenkant van vlees en bloed tot in zijn ziel keek.

'Zijn jullie feeën?' vroeg ze, onbevreesd. Wrayan kon zich voorstellen dat ze er voor het kind raar uitzagen in hun donkere leren kleding.

Glimlachend wierp Brak een blik op Wrayan en knikte naar het meisje. 'Ik denk van wel. Jij heet J'nel, hè?'

Ze knikte, ging rechtop zitten en keek om zich heen. 'Waar ben ik?'

'Op weg naar huis,' zei Brak haar. 'Dat is nog een klein stukje verder. Door de bomen.'

'Gaan jullie mee? Tante B'thrim maakt heel lekkere konijnenpot.'

'Bedankt, maar wij redden ons wel, J'nel. Trouwens, je tante vindt het misschien wel helemaal niet leuk om feeën over de vloer te hebben.'

Ze krabbelde overeind, veegde de bladeren van haar rokken en boog zich toen voorover om Brak een kus op de wang te drukken. 'Dan was het toch waar wat de glimmende soldaat zei.'

'Glimmende soldaat?'

'In mijn droom. Gisteravond, toen ik de weg terug naar het dorp niet kon vinden, begon ik te huilen en toen viel ik, denk ik, in slaap, en toen kwam de glimmende soldaat me vertellen dat de feeën me zouden vinden.'

Brak fronste zijn wenkbrauwen. 'Had hij een helm op? Met lange rode veren?'

'En een gouden schild,' bevestigde ze. 'Ken je hem? Is hij ook een fee?'

'Ja, nou en of Zegarnald een fee is.'

'O. Hij zei dat de feeën me zouden vinden en me zouden helpen veilig thuis te komen. En dat was ook zo.' Bezorgd keek ze naar de snel donker wordende hemel. 'Ik moet nu weg.'

'Dag, J'nel.'

'Dag.'

Het kind stoof weg tussen de bomen en was in een oogwenk uit het zicht verdwenen. Bedachtzaam staarde Brak haar na, en toen keek hij Wrayan aan.

'Heeft ze echt over de oorlogsgod gedroomd?' vroeg Wrayan.

'Ik denk eerder dat Zegarnald aan haar is verschenen,' antwoordde Brak met enige zorg, en hij deed zijn rugzak weer om.

'Waarom zou hij zoiets doen? Het is hem er toch meer om te doen mensen te doden in plaats van levens te redden?'

'Meestal wel,' beaamde Brak. Hij draaide zich om en begon terug te lopen naar het wildspoor dat ze hadden gevolgd tot ze de houthakker tegenkwamen. Het was hun bedoeling om zo veel mogelijk om de bergdorpen heen te trekken. Vreemdelingen vielen hier veel te veel op, waar er maar zo weinig voorkwamen. Trouwens, nu de Kariënse priester dood was, konden ze zo vaak als ze wilden gebruikmaken van magie totdat ze de dichter bevolkte delen van Medalon bereikten, dus eten, onderdak en warmte vormden nauwelijks een probleem.

'Zegarnald voert iets in zijn schild,' concludeerde Brak na een tijdje.

'Vast niet iets goeds, hè?'

'Beslist niet,' zei hij, vooroplopend. Elebran was verdwenen, vermoedelijk om zijn kameraad te zoeken en op te scheppen dat hij het meisje als eerste had gevonden. 'En hoe komt hij er eigenlijk bij om ons "feeën" te noemen?'

'Da's beter dan "knappe stadsknullen in mooie kleren",' merkte Wrayan op terwijl hij de Halfbloed door het schemerige bos volgde.

Het was bijna helemaal donker. Hij hoopte maar dat J'nel veilig thuis was gekomen.

'Ik geloof dat ik "kwade wezens van de nacht" zowaar wel *leuk* begin te vinden,' gromde Brak terug. 'Dat heeft tenminste nog iets waardigs.'

'En iets engs,' beaamde Wrayan met een glimlach.

Brak beende verder, aangespoord door irritatie, leek het. Algauw waren ze geheel door duisternis omgeven en wees alleen het geluid van Brak, die kwaad: *'Feeën, nee, nou nog mooier!'* mompelde, Wrayan in de goede richting.

78

Via de slavengangen kwam Nash naar Marla nadat ze Elezaar bericht had laten brengen om hem te vragen om een gesprek. Ze was vast van plan haar minnaar aan de andere kant van de kamer te laten staan terwijl ze hem het nieuws vertelde, om hem vervolgens zakelijk mede te delen dat hij de tijd kreeg tot ze terugkwam uit Grensoord, over een dag of tien, om te beslissen wat hij ermee ging doen. Hij kon de baby opeisen of niet, ging ze hem vertellen. Het was nog niet te laat om te beweren dat Laran haar in verwachting had achtergelaten. Hooguit Elezaar kon nauwkeurig getuigen van de laatste keer dat Marla met haar echtgenoot was geweest, en ze wist zeker dat hij voor haar zou liegen als ze het hem vroeg.

Uiteraard was dat niet wat ze wilde, maar gezien de omstandigheden kon ze weinig anders dan de god van de leugenaars eren als Nash haar liet zitten.

De beslissing over het lot van haar ongeboren kind moest van Nash komen. Ze zou hem de kans bieden, eenmalig, om zijn kind op te eisen. Daarna... nou ja, als hij haar of hun kind niet wilde, zag ze dat later wel weer.

Maar Marla's goede bedoelingen bleven bij goede bedoelingen. Nauwelijks stond Nash in haar kamer, of ze wierp zich in zijn armen en ze lagen op het tapijt voor de haard elkaar de kleren van het lijf te scheuren voordat ze een woord kon zeggen. Pas later – veel later – nadat ze naar het bed waren gegaan om een tweede keer te vrijen, kreeg Marla de kans hem te vertellen waarom ze hem wilde spreken.

In het donker, de kamer slechts verlicht door het uitdovende vuur, lag ze in zijn armen, uitgeput en verzadigd, haar schuldgevoel voorlopig verflauwend in de verte, overschaduwd door haar liefde voor deze man. Ze wist nog wat hij had gezegd, de avond toen hij voor het eerst via de slavengangen was gekomen, nadat ze had ontdekt dat Laran dood was.

Kalianah straft geen geliefden.

Misschien, dacht Marla in een zeldzaam moment van cynisme, *laat ze dat over, niet aan de Dood, zoals ik dacht toen Laran net dood was, maar aan Jelanna, de godin van de vruchtbaarheid.*

'Wat heb ik jou gemist, Marla,' prevelde Nash in haar haren. Met zijn vinger trok hij een lijn tussen haar borsten door omlaag naar haar navel en weer terug omhoog om rond haar tepels te gaan.

'Ik jou ook.'

'Laat me niet nog eens zo lang wegblijven,' smeekte hij, en hij nam een borst in zijn hand en boog zich voorover om die te kussen. 'Het zou me te veel worden.'

'Ik ben zwanger, Nash.'

Hij verstrakte, heel behoedzaam, liet haar los en kwam op een elleboog overeind om haar bedachtzaam aan te staren. 'Weet je dat zeker?'

'Ja.'

'Is het Larans kind?'

'Nee.'

Langzaam verscheen er een glimlach op zijn gezicht. 'Is het van mij?'

'Nee, Nash,' bitste ze ongeduldig. 'Ik ben met zoveel mannen naar bed geweest sinds mijn man dood is, dat ik ze alfabetisch afga tot ik er eentje tegenkom die de verantwoordelijkheid op zich wil nemen!'

Hij lachte hartelijk. 'Je bent zwanger!'

'Dat zeg ik.'

'Maar dat is geweldig!'

Ze was geschokt door zijn zichtbare genoegen. 'O ja? Ik dacht dat je... een beetje... ik weet niet...'

'Maar ik vind het fantastisch!' riep hij uit, en hij legde een hand op de ronde heuvel van haar buik. Van het kind was nog niets te zien, maar na Damin had ze nooit meer de platte buik teruggekregen die ze als meisje had gehad. Niet dat ze dat erg vond. De vervaagde zwangerschapsstrepen en de vrouwelijke rondingen werden in Hythria zeer gewaardeerd. Die waren het bewijs van een vrouw die in de gunst was bij Jelanna. 'Kun je hem al voelen?'

'Je gaat ervan uit dat het een jongen is.'

'Natuurlijk is het een jongen!' Hij drukte een oor op haar buik en glimlachte. 'Ik hoor hem roepen... *Pappie... pappie...*'

'Je bent gek, Nash.' Ze duwde hem weg en ging rechtop zitten.
'Maar wel een gek die van je houdt,' hield hij haar voor. 'We zullen moeten trouwen, natuurlijk. Meteen.'
'Ik kan niet met je trouwen, Nash! Mijn man is net twee maanden dood!'
'En dat is schandalig, dat ben ik met je eens, maar lang niet zo schandalig als het zou zijn als hij nog had geleefd,' wierp hij tegen. 'Mijn vader is dol op je. Die heeft er vast niets op tegen.'
'En mijn broer dan?'
'Die is ook dol op je. Trouwens, als jij een verdrag weet te sluiten met de Eerste Zuster van Medalon, houdt dat in dat hij niet langer dan strikt noodzakelijk weg hoeft uit zijn speeltuin in Groenhaven, en dan gunt hij je vast wat je maar wilt.'
'En mijn zoon?'
'Damin? Wat is er met hem? Ik hou van die jongen alsof het mijn eigen zoon is.'
'Maar hij ís niet van jou, Nash. Hij is van Laran, en hij is erfgenaam van de troon van Hythria. Ik trouw pas met je als ik zeker weet dat je dat respecteert.'
'Laran was mijn beste vriend, Marla,' bracht hij haar in herinnering. 'Ik zou nooit toestaan dat zijn zoon iets overkwam.'
Op dat moment stond ze zichzelf toe om weer hoop te koesteren. Al de verschrikkelijke toekomstbeelden die ze zich had voorgesteld, waren plotseling niet meer aan de orde. Nash hield van haar. Hij hield van hun kind en had gezworen Damin te beschermen alsof het zijn eigen kind was. Hij wilde met haar trouwen.
Beter dan dat kon het gewoon niet worden. Alles was perfect.

En alles bleef perfect, de rest van die nacht, tot het moment waarop ze de volgende dag sprak met Lernen, die botweg weigerde haar te laten trouwen, laat staan met een andere krijgsheer of diens erfgenaam.
'Maar waaróm dan niet?'
'Ik heb je alleen maar met Laran laten trouwen omdat Kagan me daartoe dwong,' wierp de hoogprins tegen, terwijl ze arm in arm door de tuinen liepen. 'Ik heb geen zin om dat allemaal nog een keer door te moeten maken, Marla.'
'Maar je hebt een fortuin verdiend aan mijn huwelijk met Laran. Dat heb je me zelf verteld.'
'Dat wil nog niet zeggen dat ik een tweede keer ook zo'n geluk heb. Wat gebeurt er als jij nog een kind krijgt? Om te beginnen is er dan nog een mededinger voor mijn troon.'
'*Damin* is jouw erfgenaam, Lernen,' zei ze resoluut. 'Het staat bui-

ten kijf dat ieder ander kind dat ik krijg, niets anders is dan de zoon van zijn vader.'

'Dat zeg je nu,' morde hij. 'Maar als we een paar jaar verder zijn...'

'Dat laat ik niet gebeuren, Lernen. Ik geef je mijn woord.'

Hij klopte vaderlijk op haar onderarm. 'En ik geloof ook graag dat je het meent, lieverd, maar wat is het nou waard, het woord van een vrouw?'

'Dat is niet eerlijk, Lernen! Waarom is mijn woord minder waard dan dat van een man?'

Hij glimlachte om haar onwetendheid. 'Dat begrijp jij toch niet, lieverd. Zet dat rare idee van je nou maar uit je hoofd. Zo geweldig vond je het nou ook weer niet toen je werd uitgehuwelijkt aan Laran Krakenschild, dat weet ik nog goed. Nou, de schikgodinnen hebben ervoor gezorgd dat je hem kwijt bent. Wees daar dankbaar voor. Je hebt je zoon. Je moet nu gewoon genoegen nemen met een rustig leventje en al die ideeën over hertrouwen van je afzetten. Het schikt me niet om je al zo gauw weer te laten trouwen.'

'Dat kun je niet menen! Ik ben nog maar *achttien*, Lernen! Wou jij me vertellen dat dit het wás? Het ervan nemen en mijn zoon opvoeden? Is dat alles wat me nog rest?'

'Niet zo schreeuwen, Marla. Dat is onbehoorlijk.'

'Ik schreeuw zo hard als ik wil!' kaatste ze terug, maar toen ze besefte dat ze nu net een nukkig kind was, aarzelde ze. Wat zei Elezaar ook alweer steeds? *Zoek niet naar de intrige voordat je de voor de hand liggende reden hebt uitgesloten.*

'Jij wilt de onderhandelingsmacht die ik vertegenwoordig,' concludeerde ze na er even over te hebben nagedacht.

Geschrokken keek hij haar aan. 'Wat?'

'Daarom wil je niet dat ik hertrouw,' legde ze uit. 'Die les heb je heel goed geleerd toen ik met Laran trouwde, hè? Zolang jij nog een zus hebt die je iemand als een wortel voor de neus kunt houden, krijg jij alles voor elkaar bij een man die denkt kans te maken om lid van de hoogprinselijke familie te worden, als hij maar genoeg toegeeft aan jouw bizarre geneugten.'

'Marla, wat is dat harteloos van je,' zei hij, zonder haar aan te kijken. 'Geloof je nou echt dat ik je op zo'n manier zou gebruiken?'

'Je hebt drie huisslaven voor de lol gedood sinds je hier in Krakandar bent, Lernen,' wierp ze hem voor de voeten. 'En je weet dat je dat ongestraft kunt doen omdat jij de hoogprins van Hythria bent. Als jij al misbruik maakt van je positie om je vleselijke lusten te bevredigen, waarom zou ik dan nog denken dat jij een geweten hebt?'

'Dat is iets heel anders,' wierp hij tegen. 'En ik zorg er ook voor dat de slaven worden vergoed.'

'Het gaat niet om de slaven, Lernen. Ik wil *gelukkig* zijn, en jij ontzegt me de enige kans die ik daarop heb. Je bent me dit verschuldigd. Ik ben met Laran getrouwd en heb je de erfgenaam gegeven die je nodig had. Verdomme! Jij zit nog op de troon omdat ik je gebruik van me heb laten maken. Nu wordt het tijd dat je eens iets voor míj doet. Ik wil dat je me laat trouwen met Nash, hoe eerder hoe liever.'

'En zo niet?'

'Dan zoek ik uit wie jouw ergste vijand is en beweer dat het kind dat ik draag van hem is,' dreigde ze.

Lernen bleef staan en staarde haar geschokt aan.

'Ben je weer zwanger?'

'Ja.'

'En Nashan Havikzwaard wil nog steeds met je trouwen? Ook al weet hij dat je het kind van een andere man draagt?'

'Het kind is van Nash, broer, niet van Laran.'

Met van afkeuring gefronste wenkbrauwen keek hij haar aan. 'Hoe lang is *dat* al aan de gang?'

'Daar gaat het niet om. Heb ik je toestemming of niet?'

Hij aarzelde, onzeker knagend op zijn onderlip. 'Kagan zal er niet blij mee zijn. Misschien moet ik hem hierover raadplegen...'

'Nee, daar komt niets van in! Jij raadpleegt helemaal niemand. Ik ben jóuw zus, Lernen, niet die van de hoge arrion of van iemand anders. Dit is iets tussen jou en mij.'

'Maar Marla...'

'In deze toestand heb je toch al niets meer aan me, Lernen,' verduidelijkte ze, want lust begreep hij wel, ook al had hij geen enkel besef van liefde.

'Welke man is er nou geïnteresseerd in een vrouw die helemaal dik en opgezwollen is van andermans kind? Ik ben niet die wortel waar je me voor hield. Laat me met Nash trouwen, en ik beloof je, als ik ooit weer weduwe word, dan mag je me laten bungelen zoveel als je wilt. Dan trouw ik nog tien keer om jou op de troon te houden. Maar gun me voor deze ene keer mijn geluk.'

'Het zal mij wel weer overkomen dat Nash negentig wordt,' mopperde hij.

'Nou, als je naar mijn eerste huwelijk kijkt,' wierp ze glimlachend tegen, beseffend dat hij al bijna om was, 'dan mag ik blij zijn als het twee jaar duurt.'

'Het is erg onnadenkend van je, Marla,' klaagde hij, 'om zomaar zwanger te worden. Heeft die court'esa van jou je niet uitgelegd hoe je dat kunt voorkomen?'

'Betekent dat ja?' vroeg ze hoopvol.

Hij schudde zijn hoofd en slaakte een diepe zucht. 'Beloof me dat ik er geen spijt van krijg, Marla.'

'Dat beloof ik, Lernen,' zei ze, en ze gaf hem een kus op zijn wang. 'Er is op dit moment niemand in Hythria die meer van je houdt dan ik.'

'Dat zegt niet zoveel, Marla. Het is lang geleden dat iemand in Hythria echt van zijn hoogprins hield.'

'Doe niet zo absurd! Kijk eens wat Laran en de hoge arrion en Charel Havikzwaard en zelfs Glenadal Ravenspeer hebben gedaan om jou op de troon te houden en je een erfgenaam te geven. Ze hadden ook jóú gewoon kunnen laten trouwen, hoor.'

'Het ging hen om Hythria, niet om mij,' waarschuwde hij. 'De krijgsheren willen een hoogprins die ze zelf kunnen kneden. En die krijgen ze, hoor. Jouw zoon krijgt straks meer aanbiedingen voor gastouderschap dan alle andere kinderen in de geschiedenis van Hythria, omdat ze allemaal willen proberen de jongen te beïnvloeden. Daarom ben ik er niet zo blij mee dat je met Nash Havikzwaard gaat trouwen, Marla. Door deze regeling krijgt Charel Havikzwaard veel meer macht over jouw zoon – en mijn erfgenaam – dan goed voor ons is.'

'Dan weiger ik toch dat we in Byamor gaan wonen?' schokschouderde ze. 'Zou je je er dan wat beter over voelen?'

'Je kunt toch ook niet hier blijven,' merkte hij op. 'Niet met Mahkas Damaran als regent van Krakandar.'

'Dan gaan we wel in Groenhaven wonen,' besloot Marla. 'In ieder geval tot Damin oud genoeg is voor een gastgezin. En ik beloof dat ik hem niet langer dan een jaar in één provincie zal houden. Dat zou hoe dan ook het veiligste zijn. Zo kan geen van de krijgsheren jou ervan beschuldigen dat je iemand voortrekt of Damin beïnvloedt.'

De hoogprins glimlachte naar haar, een beetje verwonderd kijkend. 'Eerst los je het probleem met de provincie Zonnegloor op, en nu dit. Je hebt eigenlijk best een goed hoofd voor dit soort dingen, lieverd,' liet hij zich ontvallen, en Marla zwol van trots.

En toen bedierf hij het moment door eraan toe te voegen: 'Voor een meisje.'

79

Grensoord was de zuidelijkst gelegen stad in Medalon, vlak bij het drielandenpunt tussen Fardohnya, Hythria en Medalon. Brak en Wrayan arriveerden in het begin van de zomer op een platbodem, bemand door een zure Medaloniër en zijn zeven broers, die allemaal een enorme hekel hadden aan hun oudste broer, de kapitein, zodat niemand aan boord het naar zijn zin had. Omdat ze zonder een rooie cent in Testra waren aangekomen, had Wrayan de zak gerold van een onbenullig ogende vrouw in een blauw gewaad. Naderhand hoorde hij van Brak dat het een van de beruchte Zusters van de Kling was. Er zat genoeg in de beurs voor een goede kamer in een herberg, een uitstekend maal en twee nogal middelmatige kooien op de schuit naar Grensoord.

Aan de brede zilveren rivier de Glas lagen de drukke handelskades in het noorden van de stad, waar flink werd geschreeuwd en rauw werd gevloekt in de broeierige, van visgeur vergeven buitenlucht. Het was halverwege de ochtend toen ze aanmeerden, en het wemelde op de werven van de matrozen, handelslieden, rivierbootkapiteins en in opvallend rood geklede Verdedigers, die daar allemaal iets te zoeken leken te hebben.

Nieuwsgierig draaide Wrayan zijn hoofd van links naar rechts terwijl ze in de richting van het stadscentrum liepen, langs wagens en fraai opgepoetste rijtuigen, langs bedelaars en rijke kooplieden, hoeren en dames van stand, allen dringend om ruimte op de geplaveide straten. De gebouwen van Grensoord waren vrijwel allemaal etablissementen van twee verdiepingen met rode pannendaken en balkons boven de winkels eronder. Aan veel daarvan hing was te drogen. Hoe dichter ze bij het centrum kwamen, des te groter werd het aantal gammele, tijdelijke kramen met gescheurde luifels, opgezet in de gaten tussen de winkels voor de verkoop van een verscheidenheid aan etenswaren, koperen potten en exotische Fardohnyaanse zijde en kruiden. Ze werden bemand door ongeduldige en kruiperige handelslieden, die slijmden bij potentiële klanten en krijsten tegen de vele bedelaars om door te lopen uit angst klandizie kwijt te raken – en dat vaak in één adem.

Wrayan vond de aanval op zijn zintuigen overweldigend. Na twee jaar in afzondering bij de zachtmoedige Harshini was hij niet meer opgewassen tegen de rauwe verbaliteit van een stad als Grensoord. Nergens iets aardigs of zachtmoedigs hier. Geen vriendelijke glimlach. Geen hartelijk onthaal. Iedereen was een vreemdeling. Niets was zeker. En niets was hier vanzelfsprekend.

Brak wilde op zoek naar een goede taveerne om eens lekker lang in bad te gaan. Ze hadden hun Harshinilederen drakenruiterskleren al uitgetrokken in Testra, en die zaten nu onder in hun rugzak. Beide mannen droegen nu gewone kleren en laarzen, waarmee ze niet verschilden van andere reizigers in de stad. Aan Wrayans accent was te horen dat hij een Hythrun was, maar dat maakte niet veel uit in een stad met net zoveel Hythrische inwoners als Medalonische en Fardohnyaanse. Brak zag eruit als een Medaloniër – wat ook niet zo vreemd was, aangezien zijn vader een Medalonische mens was – en hij had hier kunnen zijn geboren.

Wrayan benijdde Brak om zijn zelfbeheersing. Maar aan de andere kant was hij er tijdens hun reis van de afgelopen weken ook achter gekomen dat Brak misschien wel zo'n zevenhonderd jaar oud was, al zag hij eruit als amper vijfendertig. Je had ook ruim de tijd om aan je zelfbeheersing te werken, als je zo lang leefde.

In het gewoel op de markten kwam Wrayan langs kramen waar ze zo'n beetje alles verkochten wat hij maar kon benoemen. Hij passeerde schor kakelende kippen in opgestapelde kooien, blatende schapen, geiten met schuinstaande ogen en gillende biggetjes, die zo zielig en hartverscheurend krijsten dat Wrayan begon te begrijpen waarom de Harshini zo sterk gekant waren tegen het eten van vlees.

Blikvanger op het stadsplein was een hoge fontein in de vorm van een grote, onwaarschijnlijke vis die uit zijn geopende bek een stroom water spuwde in een ondiepe ronde vijver. Aan de overkant stond dreigend het hoofdkwartier van de Verdedigers, gevestigd in een hoog gebouw van rode baksteen met een nogal pompeus gewelfde ingang naar een binnenhof in het holle hart van het gebouw.

'Verbeeld ik het me,' vroeg Wrayan, terwijl ze stonden te kijken naar een peloton in strakke, rode jassen gestoken Verdedigers dat onder de boog door het gebouw in reed, ongetwijfeld net terug van een patrouille, 'of wemelt het hier werkelijk van de Verdedigers?'

Brak knikte en keek rond. 'Het lijken er inderdaad meer te zijn dan normaal. Misschien weten ze in De Achterpoot waarom.'

'De *Achterpoot*?' herhaalde Wrayan twijfelachtig.

'Geweldige taveerne,' verzekerde Brak hem. 'Goed eten, koud bier... en een paar andere bekoringen waarmee ze zich onderscheiden van het gemiddelde Medalonische etablissement.'

'Het is zeker een bordeel?'

Brak keek hem verbaasd aan. 'Ben je er al eens geweest?'

'Nee. Maar ik begin je een beetje te kennen. Jij bent heel anders dan toen je in Sanctuarion was.'

'Ja, want als ik in Sanctuarion ben, ben ik een Har...' Brak aarzelde, keek rond in de drukke straat, waar een op de drie mannen een rood jasje droeg, en paste aan wat hij had willen zeggen. 'Een kwaad wezen van de nacht,' verbeterde hij met een meewarige glimlach. 'Maar hier, in de mensenwereld, ben ik een mens.'

'Werkt dat niet verwarrend?'

'Soms wel.'

'Zou het niet gemakkelijker zijn om gewoon voor het een of het ander te kiezen?'

'Heb ik een keer geprobeerd. Ging niet. Hoeveel van dat geld heb je nog over?'

'Niet veel. Hoezo?'

Brak wees naar een corpulente man die een stukje verderop uit een winkel stapte. Zijn met brokaat versierde vest stond strak over een buik waar hij jaren hard aan moest hebben gewerkt. Aan zijn gordel hing een dikke beurs die rinkelde van de zware munten. 'Omdat onze vriend daar best wat gewicht kwijt kan.'

Wrayan grijnsde en deed een stap naar opzij toen ze de dikkerd passeerden om tegen hem op te botsen. Zich uitputtend in verontschuldigingen hielp hij de man zijn hoed oprapen en draafde vervolgens achter Brak aan, die gewoon was doorgelopen alsof er niets was gebeurd.

'Niet gek,' merkte Brak op toen Wrayan hem de gestolen beurs ter goedkeuring voorhield. 'Jij bent hier best goed in, hè?'

'Niet zo goed als mijn pa,' antwoordde Wrayan zonder erbij na te denken.

'Kun je je je vader herinneren?' vroeg Brak.

Wrayan schudde zijn hoofd, teleurgesteld omdat hij niet meer beelden van zijn verleden kon oproepen. Hij werd gek van die rare, onverklaarbare flitsen. 'Niet echt. Ik weet niet eens waarom ik het zei. Dit is zó frustrerend, Brak! Het is net alsof het er allemaal is – alles wat me maakt tot wie ik werkelijk ben – maar het is net buiten mijn bereik!'

'Het komt wel weer terug, Wrayan.'

'Dat mag van mij best wat eerder gebeuren.'

'Die dingen hebben nu eenmaal tijd nodig,' stelde de Halfbloed hem gerust. 'Je moet gewoon geduld hebben.'

Brak regelde kamers en een bad voor hen beiden in De Achterpoot en verkondigde toen dat hij nergens naartoe ging tot hij de bovenste lagen van zijn huid had losgeweekt. Te rusteloos in deze nieuwe, vreemde stad om zich te ontspannen, had Wrayan nog geen uur later het vuil van de afgelopen weken weggewassen en schone kleren aangetrokken en ging hij de stad weer in om wat rond te kijken. Van een van de hoeren in De Achterpoot vernam hij de reden van het ferm gestegen aantal aanwezige Verdedigers. De Eerste Zuster was in de stad, luidde haar verklaring. Had iets te maken met een verdrag dat ze ging sluiten met Hythria. Kennelijk had de hoer weinig belangstelling voor politiek en geen tijd voor de Zusterschap, want op het nieuws over de Eerste Zuster volgde een tirade over de belastingen die je tegenwoordig moest betalen en dat als de Eerste Zuster soms dacht dat ze recht had op dertig procent van iedere klant die de hoeren van Medalon ontvingen, ze zelf maar eens op haar rug moest gaan liggen om haar benen te spreiden en af en toe een blauw oog op te lopen, want dan wist ze tenminste hoe het was om het zelf te moeten verdienen.

Eenmaal ontsnapt aan de gerechtvaardigde verontwaardiging van de court'esa – zoals de Medalonische hoeren zichzelf noemden, ook al waren ze niets vergeleken bij de opgeleide beroeps in Hythria en Fardohnya – ging Wrayan een straatje rond. Vreemd genoeg was het buiten nu stukken minder druk, vrijwel uitgestorven zelfs, wat hij niet had verwacht, midden op de dag. Hij klampte een jonge knul aan die haastig langsliep met een bos brandhout en vroeg hem wat er aan de hand was.

'Iedereen is naar de Oostweg om de Hythrische prinses te zien,' verklaarde de jongen, amper zijn haastige pas inhoudend.

'Hythrische prinses?' vroeg Wrayan, maar de knul repte zich verder zonder hem antwoord te geven. Nieuwsgierig vroeg Wrayan zich af of ze Marla Wolfsblad bedoelden. Hij kon zich niet herinneren of er nog andere Hythrische prinsessen waren, maar haar naam kende hij, dankzij Braks verslag over alles wat er in de echte wereld was gebeurd, toen hij net terug was in Sanctuarion. Er was iets met haar naam dat aan een diep begraven herinnering trok. Misschien kwam het weer boven als hij haar zag. Misschien zou dan de sluier rondom het leven dat hij leidde voordat hij bijkwam bij de Harshini, worden opgelicht.

Toen de jongen zei: 'Iedereen is naar de Oostweg om de Hythrische prinses te zien', had Wrayan niet beseft dat hij de letterlijke waarheid sprak. Iedereen van de pakweg zevenduizend inwoners van Grensoord leek langs de toegangsweg vanuit het oosten te staan om te kijken naar de lange stoet Hythrische Stropers die de prinses begeleidden naar de onderhandelingen met de Eerste Zuster. Op het open terrein buiten de stad was een groot paviljoen opgezet, met daaromheen tegen de duizend piekfijn uitgedoste Verdedigers in het gelid, zowel om de Eerste

Zuster te beschermen als om de nieuwsgierige menigte op afstand te houden.

Wrayan arriveerde net toen de Hythrische Stropers – bijna duizend, schatte hij – halt hielden op de weg buiten het paviljoen. Midden in de stoet bevonden zich twee vrouwen, van wie de jongste duidelijk de prinses was. Erg lang was ze niet, maar wel opvallend mooi, met lang blond haar in vlechten met gouden linten op haar rug, tot net onder haar taille. Ze bereed een schitterende goudkleurige hengst en droeg een rijkelijk bewerkte jurk, ook goudkleurig, die net zoveel weghad van mist als van echte stof. Kennelijk bestond de jurk uit vele lagen fijne zijde, zo licht dat de stof bewoog in het flauwe briesje dat haar bewegingen veroorzaakte. Het moest een ramp zijn om in die kleren paard te rijden, vermoedde Wrayan, maar als het haar bedoeling was haar Medalonische publiek te overweldigen, dan slaagde ze daar uitstekend in.

Toen steeg de andere vrouw af en verplaatste Wrayan zijn aandacht naar haar – en de wereld leek plotseling te kantelen. Ze was blond, slank en mooi. Haar groene ogen werden omlijst door onmogelijk lange wimpers, en haar haren golfden in elegante krullen over haar rug. Het vormloze officiële gewaad van een tovenares stond haar net zo goed als de jurk bij de prinses naast haar. Met een superieure glimlach liet de vrouw haar ogen over de menigte gaan, waarbij haar blik Wrayan trof zonder hem te zien, en na een knikje naar de prinses volgde ze haar naar binnen.

'Mijn naam is Wrayan Lichtvinger!'

Brak werd niet gaarne gestoord als hij in bad zat. Hij zat tot aan zijn nek in een grote tobbe dampend, schuimend water, met zijn ogen dicht, zichtbaar genietend van de aandacht van de jonge court'esa die zijn rug waste.

Hij deed één oog open om Wrayan onheilspellend aan te kijken. 'Dat weet ik.'

'Ik ben geboren in Krakandar,' verkondigde hij. 'Mijn vader heette Calen Lichtvinger. Hij was zakkenroller. Is dat nog altijd, voor zover ik weet.'

Brak zuchtte en keek meewarig over zijn schouder naar de hoer. 'Ik denk dat we dit straks maar moeten afmaken, schatje,' verzuchtte hij.

Het meisje wierp een blik op Wrayan en knikte. Met tegenzin klauterde ze uit de tobbe en sloeg een dunne mantel om haar druipende, naakte lichaam. Met een behoedzame glimlach naar Wrayan liet ze zichzelf uit, de deur attent achter zich sluitend.

'Je hebt je geheugen terug,' merkte Brak op zodra ze alleen waren.

'Ik was zakkenroller,' vervolgde hij opgewonden. 'Daarom ben ik er zo goed in! En kan ik met messen werpen. Dat heb ik van mijn pa geleerd. Liet me urenlang oefenen. Zei dat ik mezelf moest kunnen verdedigen maar dat je wel gek zou zijn om het tot een knokpartij te laten komen. Hij zei dat een dief maar beter een mes kon werpen en ervandoor kon gaan. Ik weet het allemaal weer! En je had gelijk. Ik was de leerling van de hoge arrion. Ik werd betrapt op de markt in Krakandar door de lagere arrion, Tesha Zorell, toen ik een jaar of veertien was, en zij nam me mee naar Groenhaven. Kagan dacht dat ik een Innatief was, maar uiteindelijk kwam hij tot de conclusie dat ik deels Harshini moest zijn.'

'Rustig aan!' gebood Brak, hoofdschuddend om Wrayans tirade. 'Wat is er gebeurd? Hoe komt het dat je dit allemaal opeens weer weet?'

'Door Alija Arendspiek.'

'Wie?'

'Alija Arendspiek. Dat is de vrouw van de krijgsheer van de provincie Dregian. En een tovenares. Een Innatief.'

'Daas zei dat je door een Innatief was verwond,' bevestigde Brak. 'Maar ik heb nooit kunnen begrijpen hoe een Innatief zo machtig kon zijn. Zelfs voor mij zou het een risico zijn om zoveel kracht door me heen te laten stromen om iemands geest leeg te schroeien.'

'Maar zo is het wel gegaan!' riep Wrayan uit. 'De krijgsheer van de provincie Zonnegloor was toen net dood. Hij liet zijn provincie na aan zijn stiefzoon, en we waren aan het regelen dat Marla Wolfsblad zou trouwen met Laran Krakenschild. Alija's man probeerde de troon voor zichzelf op te eisen, en Kagan wilde haar niet laten weten wat er aan de hand was, zodat hij mij vroeg haar af te leiden terwijl hij met de hoogprins uit Groenhaven vertrok voor de bruiloft. Goden, Brak! Ik kan me de kleinste details weer herinneren! Ik had haar court'esa, Tarkyn Lye, belaagd en het gedachteschild neergehaald dat zij om hem heen had aangelegd, en toen liet ik hem van die mooie lichtjes zien – dat was een grap, want hij is namelijk blind – en toen kreeg ik Alija achter me aan omdat ik aan haar court'esa had gezeten en spraken we af in de tempel en ze had zoveel macht... ze was zo sterk, Brak... Ik kon alleen nog maar mijn geest ervoor afsluiten. En toen liet ik mijn schild zakken, en dat is het laatste wat ik me kan herinneren voordat ik bijkwam in Sanctuarion.'

'Hoe kreeg een Innatief het voor elkaar dat jij je schild liet zakken?' vroeg Brak argwanend.

Wrayan bloosde plotseling toen die herinnering ook bovenkwam. Brak zag zijn gezicht rood worden en grijnsde. 'Stommeling.'

'Het was... nou ja, het was een oneerlijke tactiek.'

'Naar mijn beleving bestaat zoiets niet,' reageerde Brak.

'Maar hoe komt het nou dat die herinneringen zomaar opeens terug zijn?'

'Ze is hier.'

'Wie?'

'Alija Arendspiek. Daarom zijn al die Verdedigers in de stad. De Eerste Zuster is hier om te onderhandelen over een verdrag met de Hythrun. Ik heb haar net gezien. Ze maakt deel uit van de Hythrische delegatie.'

'Is dat zo?' vroeg Brak bedachtzaam.

'Ja! Op nog geen halve mijl hiervandaan! Wat gaan we nu doen?'

Wrayan wachtte ongeduldig af tot de Halfbloed uit de tobbe zou springen. Brak zou er maar wat graag achter willen komen hoe Alija aan zoveel macht was gekomen, wist hij. Per slot van rekening had hij Shananara beloofd dat hij Wrayan zou helpen uitzoeken wat er was gebeurd. Shananara had hem dat verteld voordat hij uit Sanctuarion was vertrokken.

'Nou, ik weet niet hoe jij erover denkt, jongen,' verkondigde Brak terwijl hij zich weer in het dampende water liet zakken en zijn ogen sloot, 'maar ik ben nog niet klaar met badderen. Stuur je mijn vriendinnetje weer naar binnen als je gaat?'

'Brak!'

'Geduld, Wrayan.'

'De vrouw die mij wilde vermoorden is hier!'

'En ze wordt omringd door een paar duizend soldaten,' merkte Brak met tot waanzin drijvende kalmte op, en hij deed zijn ogen weer open. 'Verdedigers én Hythrun. Laten we nou niet al te hard van stapel lopen, knul.'

'Wat moet ik dan in de tussentijd doen?'

'Je een stuk in je kraag zuipen,' adviseerde Brak. Zijn ogen gingen weer dicht. 'Zo te zien ben je tenminste wel toe aan een slok.'

80

Het verrassendst aan de Eerste Zuster van Medalon vond Marla haar leeftijd. Ze had een oude vrouw verwacht, maar Trayla Genhagan was nog maar net veertig, schatte Marla, een onverbiddelijke, humorloze vrouw met donker haar in een strenge knot en een met verrukkelijk borduurwerk versierde, hoogsluitende witte japon, die – volgens Elezaar – bewees dat ze lid was van het Quorum, voor zover Marla wist het equivalent van de Hythrische Convocatie van Krijgsheren.

Trayla leek net zo overdonderd door Marla's leeftijd en had duidelijk geen meisje verwacht dat haar dochter had kunnen zijn. De bespreking werd gehouden in een groot paviljoen dat was opgezet aan de rand van Grensoord. De Verdedigers hadden het speciaal voor de verdragsonderhandelingen geplaatst. Hun eerste voorstel – dat de vergadering zou plaatsvinden in het hoofdkwartier van de Verdedigers in Grensoord – was door de Hythrische delegatie namelijk van tafel geveegd. Marla's escorte was intimiderend groot en werd bijna tot op de man af geëvenaard door de Verdedigers.

'Zo, Francil,' liet Trayla zich in haar eigen taal ontvallen tegen haar metgezel, ook een vrouw in het wit, nadat ze Marla van top tot teen kritisch had bekeken. 'Is dit nou de legendarische zus van de hoogprins van Hythria? De grote schoonheid die Hablet van Fardohnya bijna op de knieën bracht en bijna een burgeroorlog in Hythria veroorzaakte?'

De vrouwen beseften duidelijk niet dat Marla hun taal sprak.

'Niet bepaald wat we ervan hadden verwacht,' beaamde Francil. 'Ze is niet ouder dan een Probaat.'

'Die Medaloniërs zijn maar een stelletje verbitterde en vermannelijkte oude vrouwen,' zei Marla tegen Alija – in het Medalonees, om de Eerste Zuster te laten merken dat ze haar verstond. '*Precies* wat *wij* hadden verwacht.'

Trayla zette haar stekels op en wendde zich tot Marla. 'Denk niet dat je me zomaar kunt beledigen, kind.'

'Beledig mij dan ook niet,' adviseerde Marla kalm, in vloeiend Medalonees. 'En u mag me aanspreken als "uwe koninklijke hoogheid" of "hoogheid". "Mevrouw" of "mijn vrouwe" is eveneens gepast, maar slechts voor bekenden. Ik meen dat de juiste aanspreekvorm voor een Eerste Zuster "excellentie" is?'

'Dat klopt,' beaamde Trayla. En voegde er even later aan toe: 'Uwe koninklijke hoogheid.'

'Dit is mijn adviseuse, vrouwe Alija Arendspiek. U mag haar aanspreken als "mijn vrouwe".'

'Is zij een tovenares?'

'Inderdaad.'

'Tovenarij en religie zijn verboden in Medalon.'

'Dan zal ik haar vriendelijk vragen ervan af te zien u te veranderen in een pad,' reageerde Marla met een glimlach.

Trayla zag er de humor niet van in. 'U hebt een nogal arrogante houding voor een smekelinge aan *mijn* tafel, hoogheid.'

'Medalon heeft verzocht om vrede, excellentie,' hielp Marla haar herinneren. 'Niet Hythria. Mijn Stropers gaan met genoegen verder met het wreken van de dood van hun krijgsheer.'

'Die verrekte krijgsheer van hen hoefde helemaal niet te worden gewroken als hij aan zijn kant van de grens was gebleven.'

'Die *verrekte* krijgsheer was mijn man, excellentie.'

Trayla haalde diep adem, als om een woedeaanval te beteugelen, en forceerde een glimlach. 'Ik denk dat we misschien verkeerd zijn begonnen, hoogheid. Zullen we plaatsnemen voor de thee en even opnieuw beginnen? Wij zijn tenslotte vrouwen, en het is nergens voor nodig om als mannen met een opgezette borst te gaan bekvechten.'

Marla knikte en liet zich door de Eerste Zuster meenemen naar een tafeltje, waar maar twee stoelen stonden opgesteld, een aan weerszijden. Hun adviseuses moesten blijkbaar maar blijven staan.

Toen ze zaten en er thee was ingeschonken in kopjes van fijn porselein (Hythrisch porselein uit Walsark, zag Marla tot haar verrassing), zette Trayla haar allerbeste diplomatenglimlach op en keek de jonge vrouw aan de andere kant van de tafel onderzoekend aan.

'Ik denk dat u het met me eens zult zijn, uwe koninklijke hoogheid, dat het in het beste belang van zowel Medalon als Hythria is om dit conflict te staken. Vrede levert altijd meer op dan oorlog.'

'Behalve als je zwaardsmid bent,' reageerde Marla, en ze nam een slokje van haar thee. Die smaakte afschuwelijk – een of ander smerig bitter groen brouwsel – maar de Eerste Zuster achtte het kennelijk te drinken.

'Van de Verdedigers heb ik gehoord dat u in het afgelopen jaar meer dan honderd stuks vee hebt gestolen.'

'Vee dat niet zou hebben bestaan als uw boeren niet een van onze stieren hadden gestolen om hem alle koeien in een omtrek van vijftig mijl van de grens te laten dekken, excellentie. Dat vee is afkomstig van Hythrisch zaad. Kunt u het ons dan kwalijk nemen dat wij terug komen halen wat van ons is gestolen?'

De Eerste Zuster schudde ongelovig haar hoofd. 'Dit kunt u niet menen! Het incident waarnaar u verwijst, gebeurde meer dan twintig jaar geleden!'

'Hebt u in Medalon dan een of andere merkwaardige wet die stelt dat je iets mag stelen en het je rechtmatig eigendom mag noemen, excellentie, als je het maar lang genoeg in je bezit kunt houden?' informeerde Marla met een opgetrokken wenkbrauw. 'Wat een curieus gebruik. En u zegt dat Medalon het eren van goden schuwt? Dacendaran, de god van de dieven, zou zo'n wet vast zeer op prijs stellen.'

'Zo'n wet is er niet, hoogheid, zoals u waarschijnlijk heel goed weet. Ik verwees slechts naar het feit dat het vee dat uw Stropers stelen, in sommige gevallen vijf generaties ouder is dan het incident waarvan u spreekt.'

'Iets dergelijks kan ik niet zeggen van de mannen die door uw Verdedigers zijn gedood, in de eerste plaats mijn echtgenoot, excellentie. Die hebben allemaal een gezin achtergelaten dat om hen treurt. Ik heb een zoon van nog geen twee die zijn vader nooit zal kennen. Er komt geen vrede zonder enige rekenschap daarvoor.'

'Uw echtgenoot is gedood tijdens een strooptocht in Medalon, hoogheid. Wij zijn daarmee niet in gebreke.'

'Maar u bent wel degene die er een einde aan wil maken,' bracht Marla haar in herinnering. 'Dus wat is uw aanbod?'

'Een onmiddellijke staking van alle vijandelijkheden,' sprak de Eerste Zuster. 'En een overeenkomst met u dat alle strooptochten door uw soldaten onmiddellijk worden gestaakt, voor altijd.'

'In ruil voor?' vroeg Marla, want de Eerste Zuster was beslist niet helemaal hierheen gekomen en had ook de Hythrun niet ontboden om haar dat te vertellen.

'Wij stellen een prijs en gaan ermee akkoord u het vee te verkopen dat u voor elke feestdag zo hard nodig schijnt te hebben, hoogheid. Voor een redelijke prijs, uiteraard.'

'U wilt ons laten betalen voor wat rechtens van ons is?'

'Dat vee is rechtens niet van Hythria,' wierp de Eerste Zuster tegen. 'Als u dat blijft volhouden, komen we nooit tot een oplossing.'

'Ook al zou ik het eigendom van het vee in kwestie afstaan, excellentie, uw Verdedigers hebben op brute en buitenproportionele wijze gereageerd op de misdrijven die ze zogenaamd wreekten. Onze Stropers namen vee. Ze hebben alleen mensen gedood die hen wilden tegenhouden. Ze hebben geen bronnen vergiftigd, Eerste Zuster. Uw bruten in de rode jassen hebben met hun moedwillige barbaarsheid de bestaansmiddelen van talloze Hythrische boeren langs de grens vernietigd. Dat schreeuwt om een schadeloosstelling.'

De andere Zuster van de Kling, Francil, boog zich voorover en fluisterde iets in het oor van de Eerste Zuster. Alija maakte van de gelegenheid gebruik om hetzelfde te doen bij Marla.

'Je doet het heel goed, nichtje,' verzekerde de tovenares haar zachtjes, vlak bij haar oor sprekend. 'Maar met die vergiftigde bronnen staan we ethisch het sterkst. Blijf dat benadrukken. En zorg ervoor dat er in een overeenkomst voor het staken van strooptochten "manschappen in de kleuren van de hoogprins van Hythria" staat vermeld.'

'Zuster Francil vertelt me dat er maar drie bronnen zijn aangetast door de overval waarvan u spreekt.'

'Drie bronnen die minstens twaalf boerderijen in het district voorzagen van water,' bracht Marla haar kil op de hoogte.

'Moet ik iemand terugsturen om de zwarte, opgezwollen lijkjes te gaan halen van de kinderen die stierven toen ze zonder iets te weten uit die bronnen dronken, Eerste Zuster? Wilde u de tientallen vogels zien, die dood op de grond lagen? Kunt u zich het loeien van vergiftigd vee voorstellen? Het gillen van stervende varkens? Slaapt u goed vannacht, excellentie, of ligt u wakker van het gekwelde geween van moeders die hun kinderen een levensreddende slok water gaven en ontdekten dat ze hun eigen vlees en bloed daarmee ombrachten?'

'Niet overdrijven, Marla,' waarschuwde Alija achter haar zachtjes in het Hythrun.

De Eerste Zuster keek nogal overdonderd door Marla's plastische omschrijvingen. 'Ik kan u verzekeren, hoogheid, dat de verantwoordelijken voor dit gruwelijke misdrijf voor het gerecht zullen worden gebracht.'

'Blij dat te horen. Want juist om die reden wil ik hen hebben. Ik denk dat het Hythrische gerecht in dit geval beter op zijn plaats is.'

'Geen sprake van! Het druist tegen alle krijgsregels in om eigen soldaten uit te leveren aan de vijand.'

'Misschien zou het me overtuigen,' erkende Marla, 'als ik zag dat u voldoende onderneemt om dit schoelje een gerechte straf te doen ondergaan.'

'Wat wilt u dan?'

'Dat ze terecht worden gesteld, natuurlijk.'

De Eerste Zuster staarde haar geschokt aan.

'Ik kan echter begrijpen dat u me dit niet kunt toezeggen, en daarom zal ik genoegen nemen met het volgende. Hythria willigt uw verzoek in ten aanzien van het staken van vijandigheden. De Stropers van de hoogprins van Hythria zullen gegarandeerd nooit meer aan de andere kant van de grens gaan stropen. Ook zullen wij, bij wijze van uitzonderlijke edelmoedigheid, de boeren schadeloos stellen voor de dertig stuks vee die zijn buitgemaakt tijdens de tocht die mijn man het leven heeft gekost. Daartegenover gaat u akkoord met een schadeloosstelling voor de Hythrische boeren die zijn geruïneerd door het vergiftigen van hun bronnen – voor de somma van tweehonderdvijftigduizend gouden pegels, hebben wij berekend – alsmede met de degradatie van één rang en de overplaatsing van de grens naar andere plaatsen in Medalon, kan me niet schelen waar, van alle officieren van de Verdedigers die deelnamen aan de overvallen of aan de voorbereiding daarvan, waarbij gebruik werd gemaakt van vergif.'

'Een kwart *miljoen* gouden pegels?' hijgde de Eerste Zuster. 'Die boerderijen waren nauwelijks een vijfde daarvan waard!'

'Is dat uw aanbod?'

De Eerste Zuster wierp een blik op haar metgezel, schudde haar hoofd en wendde zich weer tot Marla. 'Vijfenzeventigduizend, en geen koperen pegel meer.'

'Honderdvijftigduizend, en ik kan mijn broer er misschien nog van weerhouden Grensoord met de grond gelijk te maken.'

'Honderdduizend,' reageerde de Eerste Zuster, 'en als u dat niet aanstaat, hoogheid, dan kunt u wat mij betreft heel Medalon met de grond gelijkmaken, helemaal tot aan de Citadel, dan hebben we het maar gehad.'

'Pak aan, Marla,' adviseerde Alija. 'Het is toch al meer dan Lernen had verwacht.'

De Eerste Zuster wist niet wat Alija had gezegd, en de stem van de tovenares verried niets over de aard van haar raad. Trayla wierp een bezorgde blik op zuster Francil en keek Marla weer aan om te wachten op haar besluit. Marla fronste haar voorhoofd, deed alsof ze er vreselijk diep over nadacht en hield haar vreugde zorgvuldig verborgen. Lernen had haar naar Medalon gestuurd met de opdracht niets weg te geven. Nu zou ze thuiskomen met veel meer dan waar hij op hoopte.

'Goed dan, excellentie,' zei ze met een zucht, alsof ze zojuist iets enorm waardevols had afgestaan zonder er iets voor terug te krijgen. 'Ik denk dat ik mijn broer wel zover krijg dat hij daarmee akkoord gaat.'

Daarna was het eigenlijk nog slechts een kwestie van formaliteiten. Trayla bestelde nog meer thee, en ze bespraken veilige, inhoudsloze onderwerpen tot het verdrag weer naar Marla en Trayla werd gebracht ter ondertekening. Trayla informeerde beleefd naar Marla's zoon, en op haar beurt vroeg Marla of Trayla kinderen had (ze had twee dochters), en de rest van de tijd vulden ze op met praten over het moederschap en kinderen.

Toen haar de definitieve versie van het verdrag werd overhandigd, las Marla die zorgvuldig door, vroeg om verheldering van een paar woorden die ze niet kende, overlegde met Alija over enkele paragrafen en vroeg of de scribenten de formulering van 'Hythrische Stropers' wilden wijzigen in 'soldaten van de hoogprins'. De wijziging betekende eigenlijk niet veel, verzekerde ze de Medaloniërs. Het was slechts een kwestie van woorden.

Toen het gecorrigeerde verdrag klaar was, ondertekende ze beide exemplaren zwierig, gevolgd door Trayla en vervolgens Francil en Alija als getuigen. Prinses Marla van Hythria's eerste – en vermoedelijk enige – officiële rol als Hythrische diplomate was succesvol afgerond.

Deel V

Besef

81

Marla liet haar kinderen niet vaak in de buurt van het paleis in Groenhaven komen. De sfeer daar was ronduit ongezond, en ze wilde haar kinderen daar liever niet aan blootstellen, tenzij het niet anders kon. En ze liet haar kinderen ook nooit alleen met hun oom of een van zijn 'vrienden'. Lernen had een kliek pluimstrijkers om zich heen verzameld die al net zo ontaard waren als haar broer maar veel minder respect hadden voor het feit dat haar kinderen van koninklijken bloede waren. Het was gemakkelijker om de kinderen gewoon bij het paleis vandaan te houden dan om dat soort dingen aan te pakken.

Marla had haar broer geaccepteerd zoals hij was, en zolang hij niets deed wat Hythria in gevaar bracht, zolang hij zijn zieke geneugten beperkte tot slaven en de leden van de adel die zijn bizarre voorkeuren met hem leken te delen, had Marla geen problemen met hem. Ze zorgde er gewoon voor dat ze er altijd bij was wanneer Lernen zijn geliefde nichtje en neefjes verwende.

Maar enkele weken geleden had de hoogprins zijn deuren geopend voor een groep rondreizende poppenspelers uit Fardohnya, in beide landen beroemd om hun verbluffende repertoire, al stonden ze nog het meest bekend om hun schunnige en plastische vermaak voor volwassenen, waar Lernen en zijn steeds decadenter wordende hof nieuwsgierig naar waren. De moeilijkheid was nu dat zelfs de kinderen van de huisslaven van de Lanipoorse Spelers hadden gehoord en dat Damin – ongetwijfeld daartoe aangespoord door Starros – zijn moeder smeekte een voorstelling te mogen bezoeken.

Uiteindelijk hadden de poppenspelers, op Marla's verzoek, een speciale voorstelling op touw gezet voor haar kinderen, met een aangepaste inhoud voor een jonger publiek.

De poppenspelers waren erg goed en verdienden hun reputatie. Ze hadden verscheidene stukken gedaan, voornamelijk over de goden, en één bijzonder geestig stuk over een dom demonenkind dat dacht dat hij een theepot was met de missie om Xaphista te vernietigen en door Kariën rondrende om de Opperheer te verdrinken in thee. De oudere jongens, Damin en Starros, hadden over de grond gerold van het lachen. De tweeling had ook gelachen, maar voornamelijk om de capriolen van de jongens. Kalan en Narvell waren nog maar twee, en al vonden ze al die kleuren prachtig, ze waren nog veel te jong om de humor te kunnen waarderen.

Lirena hield Kalan in haar armen. Marla zat naast Narvell, met naast hen Damin en Starros, bekvechtend over degene die uit het raampje van de koets mocht kijken.

Ze reden terug naar het huis dat zij en Nash hadden gekocht, niet ver van het paleis in het betere deel van Groenhaven. Starros, het jonge pleegkind dat Marla had aangenomen bij wijze van gunst aan Almodavar, was bijna onherkenbaar veranderd. Zo groot als Damin zou hij nooit worden, maar hij was aanzienlijk aangekomen sinds hij bij hen was komen wonen. Hij was dan wel twee jaar ouder dan haar eigen zoon, maar Damin en hij waren de beste maatjes, en als ze samen kattenkwaad uithaalden – wat vaker was dan ze graag toegaf – was het moeilijk te zeggen wie de aanstichter en wie de meeloper was. Eigenlijk zouden er meer pleegkinderen moeten zijn, maar Marla had haar handen vol aan de tweeling en kwam er nooit aan toe om op zoek te gaan naar andere kinderen die geschikt waren om in het huishouden op te nemen.

In de over de kasseien ratelende koets zei Marla tegen Damin en Starros op te houden met ruziemaken en glimlachte om Kalans hangende oogleden. Het was een mooi kindje. De tweelingen hadden het uiterlijk van hun vader. Kalan had Nash' ogen en Narvell had behalve zijn gelaatstrekken ook veel van zijn vaders charme geërfd. Kalan was twintig minuten ouder dan Narvell, maar die twintig minuten waren zeer beladen geweest, dacht Marla terug met een glimlach. Nash had daar met een beteuterd gezicht gestaan omdat Marla hem een dochter had geschonken in plaats van de zoon waarnaar hij smachtte.

Toen Narvell echter een poosje later werd geboren, had Nash de dochter waarover hij zo teleurgesteld was geweest, omhelsd als zijn lieveling (misschien uit schuldgevoel vanwege het idee dat hij haar niet wilde) en nu verwende hij het kind schaamteloos. Marla moest Nash continu uitleggen dat hij haar zo compleet verpestte. Het was al erg genoeg dat Kalan twee broers en een stiefbroer had om zich door te laten verwennen. Het was niet eerlijk dat haar vader het ook nog eens deed.

'Die slapen vannacht als rozen,' merkte Lirena op toen Kalan haar hoofdje op de schouder van de oude kinderjuf legde.

'De tweeling wel,' beaamde Marla. 'Wist ik dat ook maar zo zeker van deze twee monstertjes. Die zijn vast nog zo opgewonden, dat ze niet slapen voor middernacht.' Ze verplaatste Narvell op haar schoot om Damin bij de koetsdeur vandaan te trekken omdat hij gevaarlijk ver uit het raampje leunde om te zwaaien naar voorbijgangers die naar hem terugzwaaiden.

'Damin! Ik zeg het niet nog een keer!' blafte ze nadat ze hem aan zijn hemd naar achteren had getrokken. Dit gebeurde de laatste tijd elke keer wanneer ze hem mee uit nam in een koets. 'Niet uit dat raampje leunen!'

Haar ongeduldige reactie redde Damin het leven. Marla schrok van de plotselinge 'bonk' vlak bij Starros. Toen ze zag dat er vlak boven het hoofd van het kind een kruisboogschicht uit de lederen bekleding stak, begon ze te gillen en waarschuwde daarmee de soldaten van haar escorte, die tot op dat moment niets van een aanval op de passagiers in het rijtuig hadden gemerkt.

Lirena zag de schicht tegelijk met haar meesteres en wierp zich op de vloer van het rijtuig, Kalan en Starros meetrekkend om hen te beschermen met haar lichaam. Marla deed hetzelfde met haar zonen. De kapitein van hun escorte kwam langszij gereden, wierp één blik op de over de kinderen heen gebogen vrouwen en de kruisboogschicht in de rugleuning van de bank, en slaakte een kreet. Meteen maakte de koets meer snelheid en werden ze omsingeld door het escorte, dat iedereen opzij drong die in de weg kwam. Twee andere Stropers sprongen aan weerszijden van hun paarden op het trapje van het rijtuig, en zich vasthoudend aan het dak schermden ze de open ramen af met hun lichaam.

Ondanks de snelle reactie van haar wachters, was de rest van de korte terugrit naar huis het angstigste wat Marla ooit had ervaren. Het rijtuig slingerde gevaarlijk snel door de straten. Onder haar wrong Narvell zich in allerlei bochten, zich van geen enkel gevaar bewust, terwijl Damin hardop lachte, blij met de plotselinge haast en het overhellen in de bochten die ze veel te snel namen.

Toen ze eindelijk thuis waren en het rijtuig tot stilstand kwam op de binnenplaats, kon Marla wel snikken van opluchting. De deur vloog open, en de wachters trokken hen uit de koets om hun meesteres en haar kinderen zo snel mogelijk naar binnen te brengen, voor het geval dat hun buiten het huis nog een aanval wachtte. De kinderen werden uit haar handen gegrist, en zelf werd ze bijna gedragen, tot ze veilig binnen waren.

'Waar is heer Havikzwaard?' vroeg Marla meteen, zodra iedereen binnen stond. Ze hurkte neer om Narvell te troosten, die was gaan huilen vanwege de ruwe behandeling van haar lijfwachten.

'Weet ik niet, mevrouw,' antwoordde Rowell Cahmin, kapitein van Nash' huisgarde.

'Ga hem zoeken.'

'Meteen, hoogheid.'

Marla drukte Narvell tegen zich aan en keek omhoog naar Lirena, die Kalan nog altijd vasthield. 'Is alles goed met haar?'

'Helemaal,' stelde Lirena haar gerust.

'En jullie twee?' vroeg ze, Damin en Starros naar zich toe trekkend, die geen van beiden getroost hoefden te worden.

Ze kronkelden zich los uit haar omhelzing en keken haar grijnzend aan. 'Doen we dat nog een keer?' vroeg Damin. Zijn blauwe ogen fonkelden van opwinding. 'Dat was léúk.'

Met gefronst voorhoofd keek Marla hem aan. 'Je bent net bijna doodgeschoten, Damin.'

'Maar zag je hoe snel we gingen?' vroeg hij, in zalige onwetendheid van enig levensgevaar. 'Je laat de koets anders nóóit zo hard rijden, mama.'

'Damin!' zei ze op scherpe toon. 'Dit is niet om te lachen. We hadden wel dood kunnen zijn!'

Meer dan haar woorden waarschuwde haar stem Damin ervoor zijn blijdschap te beteugelen. 'Mogen ik en Starros nu gaan spelen?' vroeg hij.

'Starros en *ik*,' corrigeerde ze automatisch. 'En nee, dat mag niet. Jullie blijven bij mij tot je stiefvader thuis is en we beslissen wat we hieraan gaan doen.'

Maar wat ze hier precies aan gingen doen, was nu nog iets waarvan Marla geen enkel idee had. Ze wendde zich tot Lirena, haar toevlucht nemend tot praktische zaken, zoals ze altijd deed wanneer er zich een crisissituatie aandiende.

'Zorg jij ervoor dat de kinderen te eten krijgen, Lirena? Dat kan hier bij ons. En laat Elezaar komen. Ik wil ook een bericht naar het paleis sturen. Damin is Lernens erfgenaam – een aanslag op hem is een aanslag op de hoogprins. En ook de hoge arrion moet worden ingelicht. We hebben extra wachters van het Tovenaarscollectief nodig tot we voldoende mensen kunnen laten komen vanuit Elasapine. Wat dat betreft kan ik ook vragen of Almodavar uit Krakandar komt. Hij is de beste die er is en zou zijn leven geven voor Larans zoon.' Met een blik op Starros voegde ze eraan toe: 'En de zijne.'

'Ik zal ervoor zorgen,' beloofde de oude kinderjuf. Bezorgd keek ze Marla aan. 'Maar hoe is het met ú, mijn vrouwe?'

'Alleen een beetje beverig. Ik red me wel.'

Lirena gaf Kalan aan haar moeder, maakte stijf van ouderdom een buiging en liep de kamer uit, Marla met haar dierbare dochtertje in haar armen achterlatend in het akelige besef dat er een abrupt einde was gekomen aan de relatieve gelukzaligheid van de afgelopen twee jaar. Iemand had haar oudste zoon willen vermoorden, wat inhield dat er iemand was die niet wilde dat hij de hoogprins zou opvolgen. In gedachten nam ze door wie er vijanden van de troon konden zijn, maar de lijst begon met Hablet van Fardohnya en eindigde met een onbekend aantal misbruikte en afgedankte slaven met een wrok tegen haar broer – en met het leven dat hij leidde, konden dat er wel duizenden zijn.

Wie doet nou zoiets? vroeg ze zich af. *Wie kan er nou zo harteloos zijn om een vierjarig kind te laten vermoorden?*

Ze kon zich niemand voorstellen die zo ongevoelig was. Wel kon ze zich een voorstelling maken van een onbeperkte hoeveelheid zeer pijnlijke en wrede dingen die ze de dader van dit misdrijf met plezier zou aandoen als hij werd gepakt. En hij wérd gepakt. Daar twijfelde Marla niet aan. Als zus van de hoogprins had ze de middelen van een heel land tot haar beschikking als ze die in stelling wenste te brengen. Wat had ze ook alweer geleerd van Elezaar? Een van die verrekte regels van macht van hem. Nummer negentien, als ze zich niet vergiste. *Wees genadig als het niet uitmaakt – genadeloos als het wel uitmaakt.*

Waar blijft die dwerg, trouwens?

Niemand kon zomaar ongestraft een van haar kinderen bedreigen. Niemand.

En verdomme, waar zit Nash?

82

Na twee jaar in Groenhaven kon Wrayan Lichtvinger misschien nog niet beweren dat hij al de grootste dief in heel Hythria was, maar hij was zeer zeker wel goed op weg om die titel te verdienen.

Wrayan had ervoor gekozen niet in de voetsporen van zijn vader te treden. Als zakkenroller, had Brak duidelijk gemaakt, liep je veel te veel risico voor veel te weinig beloning. Daarom had Wrayan maar gekozen voor een carrière als inbreker. Dankzij zijn achternaam en connecties – Calen Lichtvinger was een gerespecteerd lid van het Krakandarse dievengilde, ontdekte Wrayan – had hij van het Groenhavense gilde toestemming gekregen zijn carrière voort te zetten, mits het gilde twintig procent van al zijn verdiensten kreeg. Brak vond het een schandalig bedrag, maar Wrayan accepteerde het filosofisch als de kosten om hier zaken te mogen doen.

Trouwens, anders stond hij er alleen voor en liep hij het risico van een bezoekje van de Portier, met als gevolg een stel kapotte knieschijven (of erger) als waarschuwing van het gilde voor de gevaren van het zelfstandig ondernemerschap.

Gekleed in zijn donkere leren Harshinikleren maakte Wrayan schaamteloos gebruik van zijn magie bij de uitvoering van zijn beroep. In het begin had het hem niet helemaal lekker gezeten, vanwege de ethiek van het gebruik van magie voor criminele activiteiten, tot Brak hem voorhield dat hij door iets te stelen juist de god van de dieven eerde. De Harshini oordeelden niet over de goden als goed of kwaad. Zelfs het begrip slecht was hun een beetje vreemd, dus eigenlijk deed hij niets waar ze moeite mee zouden hebben. Op het Feest van Jakerlon, de god van de leugenaars, liepen de Harshini de hele dag de flagrantste leugens te vertellen die ze maar konden verzinnen om hun god te plezieren en te vermaken. Tenminste, ze deden hun best. Voor een ras dat van nature niet kon liegen, was het nogal een opgave om iets te vertellen wat niet waar was. Desondanks, een ras dat een leugenaar en een dief prees met hetzelfde enthousiasme als waarmee het de godin van de liefde eerde, nam geen aanstoot aan het verstandig gebruik van een beetje magie om te voorkomen dat een aanbidder op heterdaad werd betrapt op het eren van zijn god.

Als een schaduw gleed Wrayan over de platte daken van Groenhaven van de ene donkere holte naar de andere. Met zijn magisch verscherpte Harshinizintuigen wist hij of er mensen in een kamer waren en of ze sliepen of wakker waren. Hij voelde al wanneer er iemand door een gang kwam, lang voordat anderen het konden horen. Geen hond blafte wanneer hij naderbij kwam, geen geschrokken kat verried zijn aanwezigheid. En ook al werden zijn daden ontdekt terwijl hij zich nog steeds in de buurt bevond, dan nog zagen de stadswachters hem nooit en gleden hun ogen over hem heen alsof hij er niet eens was – een handig trucje dat hij van Brak had geleerd en dat verbazingwekkend weinig kracht kostte.

Maar zijn magische vaardigheden waren niet het enige waarop hij zich verliet. Er was altijd een risico, hoe klein ook, dat iemand uit zijn vorige leven hem herkende, en daarom bleekte hij regelmatig zijn donkere haar om het lichter te maken en had hij een snor laten staan om zijn gezicht te veranderen.

Nogal tot zijn verbazing was Wrayan erachter gekomen dat hij genoot van zijn werk. Groot gevaar liep hij niet, maar het was altijd weer een genot om te zien dat anderen zich afvroegen hoe hij het toch allemaal voor elkaar kreeg.

Hij woonde lang niet slecht, in kamers die hij deelde met Brak in een pension aan de Limoenstraat, op een paar minuten lopen van de grote marktpleinen in het koopmanskwartier. Hun buren zagen hen aan voor twee neven die in Groenhaven waren om de erfenis van een oude oom erdoorheen te jagen.

Toen hij net in de stad was, had Wrayan meteen naar het Tovenaarscollectief willen gaan om de hoge arrion op te zoeken, maar Brak had hem dat afgeraden. Ook al herinnerde de oud-leerling zich nu vrijwel alle bijzonderheden van zijn vorige leven, ze hadden er nog steeds geen idee van hoe Alija haar macht zo had weten te versterken. Zolang ze daar nog niet achter waren, vond Brak het verstandiger om iedereen gewoon in de waan te laten dat de leerling van de hoge arrion dood was.

De afspraak die Wrayan met de Halfbloed had gemaakt, was vrij simpel. Wrayan hield zich aan zijn belofte aan Dacendaran – hij wist nu weer dat hij die had gemaakt – en hield hen in relatieve welstand, terwijl Brak zich voordeed als Fardohnyaanse geleerde die onderzoek deed voor een boek over de oude Harshinikoningen en zich zo een weg baande door de enorme bibliotheek van het Tovenaarscollectief.

Brak wist waar hij naar zocht. Andreanan, de voluptueuze bibliothecaresse van Sanctuarion, had hem verteld over enkele tekstrollen die de Harshini niet uit het Tovenaarscollectief hadden weten te halen voordat ze zich terugtrokken in verborgenschap. Het was mogelijk, had ze hem verzekerd, om zelfs de kracht van een Innatief tijdelijk te versterken. Meer dan een beetje ruwe macht en de juiste tekstrol had je daar niet voor nodig, als je kon lezen.

Brak maakte zich zorgen over die rollen en vreesde dat ze in de verkeerde handen konden vallen. Wrayan wist vrij zeker dat Alija hem geen donder kon schelen, maar de mogelijkheid dat een Kariënse priester op een dag iets ontdekte om zijn karige macht zodanig te versterken dat hij de Harshini kwaad kon doen, was voor de Halfbloed motivatie genoeg om net zo lang te blijven zoeken als hij moest. En het maakte hem niet uit hoe lang het duurde.

Brak was bijna onsterfelijk. Hij had tijd genoeg. En het was voor Brak dat Wrayan vannacht weer over de daken trok. Niet om iets te stelen, maar om rond te snuffelen in het huis van Alija Arendspiek. Na een uitputtende zoektocht in de bibliotheek van het Tovenaarscollectief was Brak ervan overtuigd dat de tekstrollen die hij zocht, daar domweg niet waren. En volgens hem was de beste plek om nu te gaan zoeken, Alija's huis. Het was onwaarschijnlijk, vermoedde hij, dat ze de bezwering thuis in de provincie Dregian uit haar hoofd had geleerd en hem in Groenhaven gewoon had uitgesproken. Zo'n toverspreuk was lang en ingewikkeld en volstrekt nutteloos als je er ook maar één lettergreep naast zat. Ze moest de tekstrol bij de hand hebben, concludeerde Brak, en de meest voor de hand liggende plaats om hem te bewaren, was in haar huis.

'Weet je waar je naar zoekt?' vroeg Brak, toen Wrayan zich had omgekleed. De leren Harshinikleren waren nog nooit gewassen in de tijd dat hij ze had, maar ze zagen er nog net zo schoon uit als op de dag dat hij ze in Sanctuarion van Brak had gekregen. Ze waren donker, zaten lekker, maakten veel minder geluid dan gewoon leer en gaven hem de bewegingsvrijheid om te klimmen en hard te lopen alsof hij helemaal niets aanhad.

'Tekstrollen?' opperde Wrayan voordat hij zich bukte om zijn laarzen aan te trekken. Die waren van hetzelfde vreemde leer als de rest van zijn kleren.

Brak keek hem vuil aan.

'Ergens opgeborgen in een kast,' vervolgde Wrayan met een grijns.

'Let ook op magische sloten,' adviseerde Brak. 'Als ik iets van zoveel waarde veilig wilde bewaren, zou ik er alle bezweringen omheen aanleggen die ik kon bedenken. Zorg er alleen voor dat je niets aanraakt wat ze met magie heeft afgeschermd.'

'Is dat gevaarlijk?'

'Is dat *gevaarlijk?*' herhaalde Brak met een onheilspellende blik. 'Heb je dan nog steeds niets van me geleerd? Als je zo'n afweer per ongeluk laat afgaan, kan dat je dood worden, idioot! Geen wonder dat jij al tien jaar Kagans leerling was! Het is nog een wonder dát je iets hebt geleerd!'

'Neem me niet kwalijk. Dat klonk een stuk dommer dan de bedoeling was. Ik dacht alleen... zou ze echt zo'n groot risico nemen? Ze heeft kinderen in huis.'

'Dan weet Alija in het gunstigste geval meteen dat er iemand haar bezweringen onklaar probeert te maken.'

'Ik zou wel wat meer bij dat kreng onklaar willen maken dan haar bezweringen,' verklaarde Wrayan. Hij stond op. Een paar keer wipte hij op en neer op de ballen van zijn voeten, overal klaar voor. Vreemd, dat hij zich in de leren drakenruiterskleren van de Harshini zo onoverwinnelijk voelde.

'Vannacht nog niet, knul,' waarschuwde Brak. 'Gewoon even rondkijken en mij komen vertellen of er iets is wat ze met een afweer of een andere bezwering heeft beschermd. Als die tekstrollen bij haar in huis liggen, laten we dan iets verzinnen om ze beter te kunnen bekijken zonder fatale afloop, ja?'

'Als jij dat wilt,' verzuchtte Wrayan, alsof Brak het plezier voor hem bedierf.

'Dat wil ik,' reageerde Brak. 'En nu wegwezen. Ik zie je in De Voldersmand als je klaar bent. Dan mag je me onder het genot van een welverdiend biertje vertellen wat je hebt ontdekt.'

'Ik kan het je ook wel vertellen terwijl ik nog in het huis ben.'

'Te riskant. Je weet niet of Alija thuis is. En als ze thuis is, dan weet je niet of ze het merkt dat er iemand in haar omgeving macht put uit de bron. Mogelijk kan ze telepathie zelfs onderscheppen. Naar binnen en naar buiten, Wrayan. Keurig onopgemerkt. En zonder magie.'

Alija's huis was aan de andere kant van de stad, in het meest exclusieve deel van Groenhaven. Het kostte Wrayan meer dan een uur om er te komen, en toen nog een uur om het huis in de gaten te houden, wachtend tot iedereen echt sliep, voordat hij het veilig genoeg achtte om verder te gaan. Vannacht was hij ongewoon voorzichtig. Hij kon geen gebruik maken van zijn magie, uit angst om Alija opmerkzaam te maken op de aanwezigheid van een andere magiër, dus dit moest op de ouderwetse manier.

Het was al bijna middernacht voordat Wrayan er eindelijk van overtuigd was dat het hele huis sliep. Een beetje stijf van het lange neerhurken op het dak van een naburig herenhuis sprong hij behendig over de smalle kloof tussen de beide gebouwen naar het huis van Alija en rende geluidloos over het platte dak naar de andere kant van de hoofdvleugel. Bij de rand aangekomen keek hij naar beneden en trof tot zijn genoegen ietsje lager een balkon waarvandaan hij vervolgens met een zwaai kon overstappen op het balkon ernaast. Zo moest hij de meeste kamers op de bovenverdieping kunnen zien zonder dat hij naar binnen hoefde.

Hij liet zich over de rand van het dak zakken en kwam geluidloos neer. Daarop controleerde hij de deuren met ruitvormige vensters die eruitzagen alsof ze toegang boden tot een verlaten zitkamer. Zoals verwacht zaten de deuren op slot.

Hij sprong naar het volgende balkon, dat uitkwam op dezelfde kamer als het eerste. Het balkon daarnaast was van een slaapkamer, en hier stond de deur een stukje open tegen de warmte van de zwoele Groenhavense nachten. Behoedzaam duwde hij hem een stukje verder open en glipte naar binnen, om meteen te blijven staan, achter de gordijnen. Al zijn menselijke zintuigen spitsend probeerde hij te bepalen of de kamer leeg was.

Na een tijdje hoorde hij het diepe, sonore gesnurk van de bewoner, maar hij kon in de kamer niets merken van iets wat aanvoelde als magie, en daarom glipte hij terug door de deur en sprong naar het volgende balkon.

Ook deze kamer was bezet, ontdekte hij toen hij voorzichtig door de open deur naar binnen ging. Ondanks de volslagen duisternis hoorde hij zachte, intieme stemmen praten in het donker. Met ingehouden adem deed Wrayan voorzichtig een stapje terug. Hij stond nog steeds achter het gordijn, dus het paar in de slaapkamer had er geen idee van dat hij er was, maar met één verkeerd geplaatste voet kon hij zijn aanwezigheid al verraden.

'Ik moet eigenlijk naar huis,' merkte een mannenstem zachtjes op. Wrayan verstijfde. Hij kende die stem.

'Voor mij hoef je niet weg,' antwoordde Alija met de lome vermoeidheid van een verzadigd minnares. 'Ik heb Barnardo een drankje gegeven. Die slaapt als een blok tot morgen het middagmaal wordt opgediend.'

'Weet ik. Maar... nou ja, ik dacht... misschien... moest ik maar een tijdje niet meer komen.' De tergend bekende stem klonk wat bezorgd.

Een beetje laat om zoiets voor te stellen, dacht Wrayan, *voor een man die duidelijk vreemdging met de vrouw van een andere man.*

'Waarom niet?'

'Nou, gewoon, het zou... een beetje ongemakkelijk kunnen worden.'

'Je zou argwaan wekken als je nu je gewoonte veranderde,' beargumenteerde Alija.

Om een blik te wagen deed Wrayan de gordijnen een heel klein stukje open. Het gezicht van de man was van hem afgewend, zodat hij niet kon zien wie Alija's minnaar was. Maar hij kende die stem. Hij werd er gek van dat hij hem niet kon plaatsen.

'Welnee,' antwoordde de man met een zweem van misprijzen, ondertussen Alija zoenend. Wrayans ogen waren nu goed genoeg aan het donker gewend om de twee gedaanten verstrengeld op het bed te zien liggen, zich van niets anders bewust dan elkaar. Alija's minnaar leek te zijn begonnen bij haar hals en ging langzaam omlaag naar haar navel. 'Ze aanbidt me... Ik kan geen kwaad doen.'

'Heeft ze niets in de gaten?' vroeg Alija, hoorbaar geamuseerd, maar of dat kwam door de onwetendheid van de eega van haar minnaar of wat die momenteel deed met zijn tong, wist Wrayan niet. 'Na al die tijd?'

'Helemaal niets,' bevestigde haar minnaar.

Wrayan liet de gordijnen dichtvallen, en de stemmen bleven lange tijd zwijgen. De stilte was een kwelling. Die stem was zo vertrouwd dat hij die eigenlijk meteen had moeten herkennen. Maar hij kwam niet op een naam.

Doe niet zo gek, hield hij zichzelf streng voor. *Het maakt niet uit wie Alija's minnaar is. Ik moet op zoek naar die verrekte tekstrollen.*

Alija kreunde van genot en lachte toen zachtjes in het donker. 'Ik dacht dat jij naar huis ging?'

'Nog één keer,' antwoordde de man, en toen volgden er geen woorden meer, alleen het geluid van hun minnespel.

De zeer reële verleiding weerstaand om zijn magie aan te spreken om erachter te komen wie de man was, liep Wrayan voorzichtig weg van het raam, stil als een kat, en liet zich naar het volgende balkon zwaaien om het huis verder te doorzoeken.

Hij sprong net van het ene balkon naar het volgende toen het hem te binnen schoot. Wrayans voet gleed weg, en hij viel bijna toen het besef met een schok tot hem doordrong. Hij klauterde over de reling en liet zich op het balkon zakken, niet zeker waar hij het meeste van was geschrokken – van zijn misstap of van de identiteit van Alija's minnaar.

Want de stem die zo tergend vertrouwd had geklonken, behoorde toe aan een man die Wrayan eens had gerekend tot zijn beste vrienden.

83

Pas na middernacht kwam Nash thuis. De kinderen lagen allang in bed, omringd door een legertje zenuwachtig oplettende manschappen van het Tovenaarscollectief en een ander contingent dat door de hoogprins was gezonden voor de bescherming van zijn erfgenaam. Marla was helemaal over haar toeren tegen de tijd dat ze Nash in de gang hoorde, bang dat de huurmoordenaars die haar zoon hadden willen doden ook haar echtgenoot in het vizier hadden.

Met een verbaasd gezicht liep hij de grote zitkamer in en trok zijn handschoenen uit. 'Heb je iemand de oorlog verklaard terwijl ik weg was vanavond, schat? Er lopen overal soldaten van het Tovenaars...' Hij zweeg abrupt toen hij zag dat ze gasten hadden. 'Heer Palenovar. En zijne hoogheid,' zei hij met een korte buiging voor Kagan en Lernen, die tegenover Marla op de kussens rond de lage tafel in het midden van de kamer zaten. 'Waaraan danken we deze onverwachte eer?'

Marla rende naar haar man en sloeg haar armen om hem heen. Eindelijk kon ze de angst ventileren die ze deze hele middag sinds de aanslag voor zichzelf had gehouden. 'O, Nash! Ze hebben Damin willen vermoorden!'

'*Wat?*' vroeg hij, haar tegen zich aan drukkend. 'Waar heb je het over?' Over Marla's hoofd heen keek hij de hoge arrion aan. 'Waar heeft ze het over?'

'Iemand heeft vanmiddag op de jonge heer Damin geschoten met een kruisboog op de terugweg van het paleis,' legde Kagan uit. Hij maakte geen aanstalten om op te staan. Het ging de laatste tijd niet zo goed met hem, en elke beweging leek tegenwoordig een enorme inspanning.

'Iemand heeft geprobeerd mijn erfgenaam om te brengen,' voegde Lernen er overbodig aan toe.

'Wie doet nou zoiets?' zei Nash, zichtbaar geschokt, terwijl hij met Marla terug naar de kussens liep, met zijn arm stevig om haar heen.

'Iemand die denkt beter te kunnen worden van de dood van de erfgenaam van de hoogprins,' schokschouderde Kagan. 'En de lange lijst begint met de koning van Fardohnya.'

'Is alles goed met de kinderen?' vroeg Nash bezorgd. 'Ze zijn toch niet gewond geraakt? Hoe is het met Kalan? En Narvell?'

'Met alle kinderen is het uitstekend,' stelde Marla hem gerust. Ze glimlachte lusteloos en veegde haar tranen weg. 'Damin vond het leuk.'

'Het zou ook eens niet.'

'Ik heb mijn zus een peloton paleiswachters geleend, en Kagan is gekomen met enkele manschappen van het Tovenaarscollectief om hen te bewaken,' bracht Lernen hem op de hoogte. 'We zaten te wachten tot jij thuiskwam om te beslissen wat we hieraan moeten doen.'

'Je had bericht moeten sturen,' zei hij berispend, met een kus op Marla's voorhoofd. 'Je had dit niet alleen moeten doormaken.'

'Hebben we geprobeerd,' zei ze. 'Maar je was niet bij de hanengevechten. Ze zeiden dat je alweer weg was. We hadden geen idee waar je was.'

'Het spijt me enorm, Marla,' zei hij terwijl hij haar op de kussens hielp. 'Ik heb er geen moment bij stilgestaan. We zijn met een stel teruggegaan naar Barnardo's huis om wat te dobbelen. Ik heb totaal niet op de tijd gelet.'

Lernen was er niet blij mee te horen waar zijn zwager was geweest. Of bij wie. 'Ga jij *om* met die verwaten pretendent? *Vrijwillig?*'

Hij nam het Barnardo nog altijd kwalijk dat hij voor Damins geboorte had getracht op de troon te komen, ook al hielden de Patriotten zich de laatste tijd bijzonder rustig en hadden de krijgsheer van de provincie Dregian, noch zijn vrouw, blijk gegeven van de minste opstandigheid sinds ze zich hadden neergelegd bij de onvermijdelijkheid van Marla's huwelijk met Laran Krakenschild. Ze woonden niet ver van de Havikzwaard-residentie hier in Groenhaven, en Alija kwam regelmatig op bezoek als ze in de stad was. Ondanks alles wat de mannen over haar beweerden, was Alija altijd alleen maar vriendelijk voor Marla geweest. Vaak nam ze haar eigen kinderen, Cyrus en Serrin, mee op bezoek, omdat ze vond dat de neven en het nichtje elkaar moesten leren kennen, ook al was de bloedverwantschap vrij ver en hadden haar zoons eerder de leeftijd van Travin en Xanda dan die van Damin en de tweeling.

Lernen keek Kagan aan en vervolgde: 'Als u zoekt naar huurmoordenaars, is Huis Arendspiek een uitstekende plek om te beginnen.'

'Dat is zonde van de tijd,' verklaarde Nash. 'Barnardo heeft zich er allang bij neergelegd dat hij geen aanspraak op de troon kan maken, hoogheid, en als trouw onderdaan én familielid zou ik ook nooit met hem omgaan als ik anders over hem dacht. Nee. We moeten verder van huis zoeken naar onze booswicht, dunkt me.'

'En snel,' beaamde Kagan. 'Ze hebben één aanslag gepleegd. Degene die hierachter zit, zal niet afwachten. Er zullen er meer volgen. En misschien al eerder dan we denken.'

'Dan breng ik de kinderen naar mijn vaders fort in Elasapine,' verkondigde Nash. 'Mogen ze zich op de muren van Byamor storten.'

'Maar het vervoer daarheen is veel te gevaarlijk,' protesteerde Marla. 'Byamor is vierhonderd mijl hiervandaan.'

'Dat is vierhonderd mijl openbare weg waar ze kwetsbaar zijn voor een aanval,' beaamde Kagan. Hij zag er helemaal niet goed uit, bedacht Marla zorgelijk. 'We kunnen hen beter hier laten, waar ze worden beschermd. Al vind ik wel dat je hen naar het Tovenaarscollectief moet brengen.'

'Denk jij dat een huurmoordenaar niet durft toe te slaan bij het Collectief?' vroeg Lernen ongelovig. 'Ik heb veel liever dat je de moordenaars gewoon vindt, Kagan, en de dreiging volledig elimineert. Want weet jij veel, als ze het kind eenmaal te pakken hebben gehad, kunnen ze wel achter mij aan komen!'

Marla had Lernen wel een mep kunnen geven voor zijn egoïsme op een moment als dit. 'Er wordt niemand vermoord, broer. Dat laat ik niet gebeuren.'

'Bewonderenswaardige gevoelens, mijn lieve,' zei Kagan. 'Maar zolang we niet weten wie er achter deze aanval zit, niet meer dan dat, vrees ik.' Hij zweette uitbundig, ondanks het late uur. De vochtigheid in Groenhaven was dan wel berucht, maar in deze tijd van het jaar was het niet heet genoeg voor zo'n reactie.

'Waarom vragen we het moordenaarsgilde niet door wie ze zijn betaald?'

De mannen keken haar aan alsof ze gek was.

'Nou, waarom niet?' vroeg ze afwerend. 'Als iemand een huurmoordenaar heeft betaald om mijn zoon te vermoorden, wil ik weten wie het is.'

'Je kunt niet zomaar bij het moordenaarsgilde binnenwandelen en vragen door wie ze zijn betaald, mijn lief,' probeerde Nash het uit te leggen.

'Waarom niet?'

'Omdat dat voor hen commerciële en politieke zelfmoord zou betekenen,' zei Kagan botweg. 'Ze verdienen hun geld met het vermoorden van mensen, Marla, niet met het verraden van hun opdrachtgevers.'

'Hun *opdrachtgevers* hebben net geprobeerd de erfgenaam van de hoogprins te vermoorden, heer Palenovar! Sinds wanneer wegen de zorgen van een commercieel gilde zwaarder dan de veiligheid van het land?'

'Marla, wees redelijk,' drong Nash kalmerend aan. 'Een aanval op het recht van het moordenaarsgilde om de identiteit van klanten te beschermen, is een aanval op de structuur van onze maatschappij. Dat heeft gevolgen voor de stabiliteit van het hele land.'

Marla maakte zich los van Nash, diep gekwetst doordat hij zo'n standpunt kon innemen. Hij hoorde zijn wachters bijeen te roepen om zelf naar het gilde te marcheren, in plaats van haar klopjes op het hoofd te geven en te zeggen dat er niets aan te doen was.

'Ik wist niet dat het hele land de gewoonte had om het moordenaarsgilde in te schakelen,' kaatste ze kil terug. 'Ik dacht dat dat iets was voor misnoegde edellieden die een rekening willen vereffenen waar ze zelf niet mans genoeg voor zijn.'

'Toch heeft Nash wel gelijk, Marla,' zei Kagan.

Ze wendde zich tot haar broer om te zien of hij het met de anderen eens was.

'Ze zouden ons toch niets zinnigs vertellen,' voegde Lernen eraan toe, haar beschuldigende blik mijdend. Zoals gewoonlijk ging Lernen mee in alles wat Kagan zei.

Ze stond op, haar bloed kolkend van woede. 'En dit is jullie idee van een krijgsraad? Hier zitten nietsdoen en overleggen waar je je het beste kunt verstoppen?'

'Marla...' begon Nash kalmerend, 'je bent van streek. Kom. Ga zitten, schat. Ik weet zeker...'

'Wat weet je zeker, Nash? Nou? Dat er nog een aanval op mijn zoon zal volgen? Dat het de volgende keer wel lukt? En jij!' riep ze beschuldigend uit naar de hoogprins. 'Zwakzinnige slappeling! Hoe durf je hier te gaan zitten klagen over het eventuele gevaar voor jou! Ze hebben je erfgenaam willen vermoorden, Lernen, niet jou! Het is jouw taak om terug te slaan, niet om hier te zitten simpen dat ze straks nog achter jou aankomen. Goden! Als ik het voor het zeggen had, dan was de stad allang verzegeld. Dan keerde ik nu Groenhaven binnenstebuiten om te zoeken naar de samenzweerders die de brutaliteit hebben om mijn kind te bedreigen. Maar nee... jullie zitten er hier maar een beetje over te praten als een stel oude vrouwen. Nee, wacht, dat neem ik terug. Zelfs oude vrouwen zouden inmiddels al iets hebben gedaan!'

Zonder op een reactie te wachten, beende Marla de kamer uit, bevend van razernij.

Als haar echtgenoot, haar broer en de hoge arrion niets deden aan de aanval op Damin, dan deed ze het zelf wel.

'Hoe dring ik door tot het moordenaarsgilde?' vroeg ze aan Elezaar zodra ze in haar kamer was. De dwerg schrok wakker en krabbelde overeind. Hij had uren op haar gewacht in de veronderstelling dat ze hem uiteindelijk om raad zou komen vragen.

'Daar is een strenge procedure voor,' zei hij, een beetje verbaasd kijkend. 'Eerst moet je worden voorgedragen door...'

'Niet letterlijk,' bitste ze. 'Hoe kan ik hen daar bedreigen? Hoe kan ik hen dwingen te vertellen wie hen heeft betaald voor de aanslag op Damin?'

'U gaat er dus van uit dat het moordenaarsgilde daarvoor verantwoordelijk was?'

'Wie heeft er anders het gore lef om de erfgenaam van de hoogprins op klaarlichte dag aan te vallen?'

'Iemand die wil dat u denkt dat het gilde erachter zit?'

'Hoe bedoel je?'

'In mijn ervaring bemoeit het moordenaarsgilde zich juist niet met politieke moorden, hoogheid. Die doen namelijk een hoop stof opwaaien, en als ze de verkeerde mensen kwaad maken en onnodig de aandacht op zichzelf vestigen, komt dat de zaken niet echt ten goede.'

Dat klonk logisch. Het bracht Marla ook op een idee. 'Dus als ze bij het gilde denken dat de hoogprins hen verantwoordelijk houdt voor de aanval op zijn erfgenaam, zullen ze misschien gewoon meewerken om ervoor te zorgen dat hun bedrijfsactiviteiten ononderbroken door kunnen gaan.'

'Heel goed mogelijk,' beaamde de court'esa. 'Maar wat heeft dat voor zin? Als ze er niets mee te maken hebben, hoe kunnen ze dan helpen? Als ze er niet voor zijn benaderd, kunnen ze ook niet zeggen wie hen heeft betaald.'

'Nee. Maar ze kunnen wel voor me op zoek gaan naar de mensen die er wél mee te maken hebben, Elezaar,' legde ze uit, ongeduldig door de kamer ijsberend. 'Want de goden mogen weten dat geen van die idioten beneden ooit iets op het spoor zal komen. Die ruziën nog steeds over de beste plek waar ze kunnen gaan zitten bibberen. Zelfs Nash is het met hen eens! Wil je wel geloven dat hij de kinderen zowaar wilde overbrengen naar Byamor?'

'Een huurmoordenaar inschakelen om een huurmoordenaar te vinden,' zei Elezaar bedachtzaam. 'Helemaal geen gek idee.' Daarop fronste hij zijn wenkbrauwen en schudde zijn hoofd. 'En nee, ik kan niet geloven dat heer Havikzwaard zoiets zou willen doen. Ik heb altijd gedacht dat hij wel slimmer zou zijn.'

'Nou ja, het maakt toch niet uit,' verklaarde ze. 'Morgen stuur ik jou naar Krakandar. Ik wil dat je terugkomt met Almodavar en drie centuriën Stropers. Zoveel manschappen kan ik de stad in brengen zonder iemand om toestemming te vragen.'

'Als Mahkas u drie centuriën Krakandarse Stropers toestaat, hoogheid,' hield hij haar voor.

'Daarom stuur ik jou. Ik zal een brief voor Mahkas aan je meegeven, maar als hij ook maar even aarzelt, moet je hem doordringen van het gevaar waarin Damin verkeert. Wijs hem erop dat hij zijn functie kwijtraakt als zijn neefje overlijdt. Dan valt de provincie namelijk onder de bescherming van het Tovenaarscollectief. Dat moet hem ervan overtuigen de manschappen met je mee terug te sturen. En morgen ga ik ook even op bezoek bij het moordenaarsgilde. Het wordt tijd dat ze daar laten zien aan wie ze trouw zijn.'

Met bijna vaderlijke trots keek Elezaar haar onderzoekend aan in het kaarslicht. 'Uw wil geschiede, hoogheid. Al ben ik nieuwsgierig naar één ding.'

'Wat dan?'

'Wat denkt u dat uw man hierover gaat zeggen?'

'Op dit moment, Elezaar,' zei ze hem vastberaden, 'ben ik veel te kwaad om me daar druk over te maken.'

84

'Je had gelijk,' zei Wrayan zachtjes tegen Brak terwijl hij tegenover de Halfbloed plaatsnam in de vrijwel lege taveerne waar Brak op hem zat te wachten. 'Ze liggen in een kastje in een werkkamer op de bovenverdieping.'

'Heb je ze gevonden?' vroeg Brak verrast. Hij gaf de taveernehouder een teken om bier te brengen voor zijn metgezel. Wrayan wachtte tot het was gebracht en hij een waarderende slok uit de kroes had genomen voordat hij antwoord gaf. De Voldersmand was een populaire kroeg, waar het gewoonlijk veel drukker was, ook op dit late uur.

'Ik heb een kastje gevonden dat zo verrekte zwaar was afgeschermd, dat het bijna gloeide in het donker,' zei hij. 'Niet de subtielste, die Alija.'

'Kun je mij het huis in krijgen?'

'Met of zonder... ons speciale talent?' vroeg hij, want het kon onverstandig zijn om in het openbaar het woord magie te gebruiken.

'Bij voorkeur zonder. Ik wil die tekstrollen eerst even bekijken voordat ik iets onstuimigs doe.'

'Dat wordt moeilijk,' zei Wrayan. 'Vooral vannacht. Ik weet niet wat er aan de hand is, maar op de terugweg wemelde het van de wachters van het Tovenaarscollectief in de straten nabij het paleis.'

'Maar het is niet onmogelijk?'

'*Vrijwel* onmogelijk.'

'Nou, da's dan mooi,' zei Brak met een glimlach.

'Ik ben haar bijna tegen het lijf gelopen, hoor,' liet Wrayan hem weten na nog een ferme teug van het bier. 'Alija en haar nieuwste minnaar.'

'Je zei al dat ze een court'esa had waar ze nogal dol op was.'

'Dit was Tarkyn Lye niet. Dit was een vuile rotschoft die zijn vrouw bedroog terwijl Alija's man in de kamer ernaast lag te slapen.'

'Het is niet aan ons om over anderen te oordelen, mijn zoon,' reageerde Brak met de plechtstatigheid van volslagen valse wijsheid.

'Ik oordeel niet over haar,' schokschouderde Wrayan. 'Het kan mij niet schelen met wie ze naar bed gaat. Alleen... verdomme! Ik weet wie het is, Brak! Ik herkende tenminste zijn stem.'

'Zet het uit je hoofd,' adviseerde Brak. 'Het heeft niets te maken met ons probleempje, dus laten we het er maar bij.'

Wrayan knikte. Brak had gelijk. Met een lichte frons keek hij de taveerne rond. 'Wat is het stil hier, vannacht. Wat is er gebeurd? Is er weer een dooie rat in de bierton gevonden?'

'Nee. Kennelijk is er eerder vandaag een aanslag geweest op de hoogprins. Of iets dergelijks, tenminste.' Hij glimlachte. 'De geruchten worden steeds wilder, naarmate het later wordt, en je weet hoe moeilijk het is om dan nog de feiten van de verzinsels te onderscheiden. Op een bepaald moment werden we geloof ik zelfs aangevallen door Fardohnya.'

Wrayan glimlachte. Brak had vast de hele avond lekker zitten luisteren naar de paniekgeruchten die in de nasleep van een moordaanslag als een lopend vuurtje door de stad gingen. 'Dat verklaarde dan wel meteen de wachters bij het paleis. Wie zou er dit keer achter zitten?'

Brak haalde ongeïnteresseerd zijn schouders op. 'Wie dat walgelijke, perverse kereltje die jullie tegenwoordig een hoogprins noemen, uit de weg wil ruimen, kan me nog minder schelen dan de vraag wie het tegenwoordig met onze Innatief doet, Wrayan. Denk je dat het de moeite waard is om vannacht nog terug te gaan? Ik zou die tekstrollen graag zo gauw mogelijk willen zien.'

Wrayan schudde zijn hoofd. 'Het is geen goede nacht om op straat te zijn, Brak. Momenteel kun je in sommige wijken geen stap zetten zonder een soldaat tegen het lijf te lopen. Laten we wachten tot het wat rustiger wordt rondom die moordaanslag. Dan hebben we daar vrij baan.'

'In dat geval,' kondigde Brak aan, en hij dronk het restje van zijn bier op, 'lust ik er nog wel een.'

Terwijl Wrayan later die nacht in bed onrustig lag te draaien, kwam hij uiteindelijk tot de conclusie dat hij niet zomaar kon negeren wat hij in Alija's huis had gezien. Al was hij niet ziedend van het idee dat iemand die hij eens tot zijn vrienden had gerekend, zijn vrouw bedroog met de vrouw die hem bijna had vermoord, de politieke gevolgen waren voor hem te belangrijk om de identiteit van Alija's minnaar zomaar van zich af te zetten. Er stond te veel op het spel.

Sinds hij terug was in Groenhaven, was Wrayan opzettelijk uit de buurt van zijn oude kameraden gebleven om het verhaal dat hij dood was, in stand te houden. Maar zijn wens om anoniem te blijven had hem er niet van weerhouden uit te zoeken wat er van hen was geworden. Laran Krakenschild was omgekomen tijdens een schermutseling langs de grens met Medalon, kort nadat zijn enige zoon was geboren, en Marla Wolfsblad was met bijna onfatsoenlijke haast hertrouwd. Met Nash Havikzwaard.

Nash en Marla woonden tegenwoordig in Groenhaven, in een huis niet ver van Alija's residentie, en hadden nog twee kinderen – een tweeling als hij zich niet vergiste, een jongen en een meisje – behalve Da-min, Marla's zoon van Laran en de lang verwachte (en broodnodige) erfgenaam van de hoogprins. Wrayan wist nog goed dat hij het meis-je per ongeluk had versteend, op de werf buiten het paleis, toen ze Nash had gesmeekt haar te redden van een lot erger dan de dood. Ook wist hij nog goed dat hij, om Marla te redden van de magie die hij per ongeluk had gewrocht, zijn leven ten dienste van Dacendaran had moeten stellen. Het was zo'n mooi, broos wezentje geweest, Marla Wolfsblad. Hij had heel veel medelijden met haar gehad. En uiteinde-lijk was Nash haar toch nog komen redden, zo was gebleken.

Maar als hij was getrouwd met Marla, wat deed hij dan bij Alija Arendspiek in bed?

'Het is nogal logisch wat hij bij haar in bed deed, Wrayan,' merk-te Brak knorrig op, nadat Wrayan bij hem op de deur was komen bon-ken om de kwestie te bespreken.

De Halfbloed vond de identiteit van Alija's minnaar lang niet zo problematisch als Wrayan en was nogal nijdig dat Wrayan hem uit diepe slaap had gewekt om hem erover te vertellen. Aangezien de man maar eens in de pakweg drie dagen sliep, vond Wrayan het nogal grof van hem om te klagen.

Andere nachten zat Brak gewoon te lezen tot het weer licht werd, of hij bleef beneden in De Voldersmand om te winnen met dobbelen. En daar speelde hij nog schaamteloos vals ook.

'Maar wat moet ik er nou mee?' vroeg Wrayan, op zoek naar raad, ook al was het van een vals spelende, halfbloed Harshini. Hij werd verscheurd door verdeelde trouw. Nash was zijn vriend geweest. Maar Marla was de zus van de hoogprins. De moeder van de erfgenaam van Hythria. Zij was hier het onschuldige slachtoffer, niet Nash, die zeer beslist beter wist. De prinses verdiende beter.

'Wat dacht je van weer lekker gaan slapen?' opperde Brak nadruk-kelijk.

'Moet ik het haar vertellen?'

'Wie? *Marla?* Doe niet zo absurd! Hoe wou je dat dan doen? Bij de prinses op de deur kloppen en verkondigen dat haar echtgenoot het doet met Alija Arendspiek? Ze weet niet eens wie jij bent. Ze zou je nooit geloven.'

'Nee, ik weet zeker dat ze zich mij wel kan herinneren,' wierp Wray-an tegen. 'Ik heb haar ontmoet toen ik nog Kagans leerling was.'

'En jij bent dood, weet je nog? Dus zolang jij je terugkeer nog niet met veel tamtam wilt aankondigen, ouwe jongen, stel ik voor dat je dat lekker blijft.'

'Ik kan toch niet zomaar *niets* doen!'

'Jawel, dat kan jij *best*,' kaatste Brak terug. 'Trouwens, voor hetzelfde geld weet Marla er alles van en vindt ze het wel best om een paar nachten in de week de stier naar een andere wei te sturen. Misschien is ze wel blij met de rust.'

'Ze weet het niet,' zei Wrayan beslist. Hij wist nog dat Nash had opgeschept over Marla's onwetendheid terwijl hij onderweg was naar de navel van zijn maîtresse. *Ze aanbidt me...* had Nash al kussend gepocht.

Ik kan geen kwaad doen.

Heeft ze niets in de gaten? had Alija gevraagd. *Na al die tijd?*

Helemaal niets.

'Geloof me, Brak, ze heeft er geen idee van.'

'Des te gekker is ze, Wrayan.'

'Ik móét iets doen.'

'Ga weer naar bed.'

'Maar stel...'

'Wat?'

'Nou, stel... stel dat het iets te maken heeft met die aanslag op de hoogprins?'

'Hoe kom je dáár nou bij?' vroeg Brak ongelovig.

'Nou, Alija heeft al eens een poging gedaan om haar man op de troon te zetten. Als Lernen nu omkwam, zou Damin de volgende hoogprins worden, en aangezien hij nog maar een jaar of vijf is, is de kans groot dat Nash Havikzwaard, als zijn stiefvader, in aanmerking komt voor het regentschap... Misschien is een regent als minnaar wel bijna net zo goed als een hoogprins als echtgenoot.'

Tot Wrayans grote opluchting verwierp Brak het idee niet onmiddellijk. 'Zou kunnen.'

'Zou zeker kunnen, Brak. Ik bedoel, iedereen weet dat Kagan, en niet Lernen de touwtjes in handen heeft. Misschien denkt Alija wel dat ze hetzelfde kan met Nash Havikzwaard?'

'Dat is heel goed mogelijk,' gaf Brak toe.

'Maar dan moet ik toch naar prinses Marla? Om haar te waarschuwen?'

'Nee.'

'Maar Brak...'

'Bemoei je er niet mee, Wrayan,' waarschuwde Brak. 'Anders kwets je alleen maar de mensen die je probeert te helpen. Jij bent in Groenhaven om de god van de dieven te eren, weet je nog? Niet de god van bemoeizuchtige idioten.'

'Ik wist niet eens dat er een god van bemoeizuchtige idioten wás,' zei Wrayan verwonderd.

'Is er ook niet. Maar die komt er wel als je zo doorgaat.'

'Maar...'

'Welterústen, Wrayan.'

Brak sloeg de deur dicht pal voor zijn gezicht, en alleen gelaten in de donkere gang vroeg de jonge dief zich maar één ding af.

Sinds wanneer luister ik eigenlijk naar Braks advies?

85

Kagans geheimzinnige ziekte had hem ongemerkt beslopen. Enkele maanden geleden was het begonnen met een pijntje hier, een pijntje daar, gevolgd door een onverklaarbare slaperigheid die hij sindsdien nooit meer echt was kwijtgeraakt. Na een tijdje verloor hij zijn eetlust, en toen sloegen de misselijkheid en de diepe vermoeidheid toe...

Elke dag leek weer langer dan de vorige, elke klus weer iets zwaarder, en alles wat hij deed, kostte hem iets meer moeite dan de dag ervoor. Hij was vaak in de war, werd geplaagd door hoofd- en buikpijnen, en sinds kort viel hij soms ook flauw.

De genezers konden niets bij hem ontdekken. In de afgelopen maanden dacht hij elk kruidenbrouwsel dat de mensheid bekend was, wel te hebben gedronken, maar niets leek te helpen. Langzaam maar onverbiddelijk takelde hij af, en meedogenloos, wist hij, bracht hem dat naar zijn stervensuur.

En er was gewoon niets aan te doen.

Inmiddels had hij zich erbij neergelegd dat hij stervende was, maar hij had nog wel de tijd om zijn huis op orde te brengen, had Kagan besloten. Hij was op bezoek geweest bij Jeryma in Cabradell om afscheid te nemen van zijn zus, zij het niet met zoveel woorden. Ze woonde daar in het paleis, en voelde zich niet erg op haar gemak als gaste in het domein van de nieuwe krijgsheer. Chaine Leeuwenklauw was altijd onberispelijk beleefd tegen haar en zou het nooit in zijn hoofd halen om de weduwe van wijlen zijn vader eruit te gooien, maar het was duidelijk dat hij liever zag dat ze ergens anders van haar pensioen ging genieten dan onder zijn dak.

Kagan had Jeryma voorgesteld te verhuizen naar Groenhaven, om dichter bij haar kleinzoon Damin te zijn. Hij had er weinig hoop op dat ze zijn raad zou opvolgen. Jeryma leek zich er minder druk om te maken hoe Marla en Nash haar kleinzoon opvoedden dan hoe

Chaine zorgde voor haar andere kleinkind – de provincie Zonnegloor. Misschien wilde ze ook niet te ver weg zijn van Riika. Wat de reden ook was, Kagan was onder de indruk van de nobele en geduldige manier waarop Chaine met de douairière van Zonnegloor omging en hoopte dat Chaine's zoontje, Terrin, half zo goed als zijn vader zou blijken te zijn.

Hij was naar huis gegaan via Krakandar om ook afscheid te nemen van zijn laatste nog levende neef. Mahkas deed het uitstekend in Krakandar. Hij was begonnen met de aanleg van een derde ring rondom de stad, zodat de bevolking zich kon uitbreiden zonder dat er buiten de muren een sloppenwijk zou ontstaan. De Krakandarse Stropers gingen nog net zo vaak en met net zoveel enthousiasme op strooptocht in Medalon als vroeger, ondanks het verdrag. Doordat Marla erop aan had gedrongen de formulering van het stroopverbod te beperken tot soldaten van de hoogprins, hadden de Krakandarse Stropers vrij spel. Bij de vele gelegenheden dat de Eerste Zuster over de strooptochten klaagde, stuurde Mahkas keer op keer antwoord om de Eerste Zuster ervan te verzekeren dat de soldaten van de hoogprins Groenhaven niet hadden verlaten, en dat hij haar frustratie over de met regelmaat terugkerende strooptochten goed kon begrijpen maar dat ze, volgens het door beide partijen ondertekende verdrag, volstrekt legaal waren.

Mahkas' vrouw Bylinda was nog tweemaal zwanger geworden maar had beide keren een miskraam gehad, zodat hij nog steeds de zoon niet had waarnaar hij verlangde. Leila werd al een mooi klein ding, met de ogen van haar moeder en een wild trekje waar haar ouders volgens Kagan in latere jaren hun handen nog aan vol zouden krijgen.

Travin en Xanda waren dol op hun kleine nichtje, en met zijn drieën lieten ze de arme oude Veruca de benen van het lijf lopen, maar in zijn totaliteit was het een gelukkig huishouden in Krakandar. Mahkas had geregeld dat Travin werd grootgebracht bij Charel Havikzwaard als hij dertien werd, en de knul kon niet wachten op zijn kans om van de wijde wereld in te trekken.

Kagan zag zijn andere achterneefje, Damin Wolfsblad, veel vaker, en daarom had hij nog niet de behoefte gehad om van hem afscheid te nemen. Hij was nog geen vijf jaar oud, maar Damin leek alle kwaliteiten al te bezitten waarop Kagan had gehoopt voor een prins, en hij hoopte ook dat Marla hem kon opvoeden zonder zijn geest te knakken. Klaarblijkelijk hadden ze destijds goed gegokt. Marla was veel meer gebleken dan ieder van hen had verwacht, en Damin was een helder kind, knap en charismatisch, intelligent en charmant – in alles de prins die Hythria nodig had.

Kagan glimlachte om zijn eigen dwaasheid. *Het kind is nog niet eens vijf,* hield hij zichzelf streng voor. *Voor hetzelfde geld wordt het nog een tiran.* Vooropgesteld dat hij lang genoeg leefde om een tiran te kunnen worden. De aanslag op Damin was een volslagen verrassing voor Kagan geweest. Hij was zich van geen enkele intrige bewust. De krijgsheren maakten geen drukte meer sinds Marla een zoon had gekregen en Lernen hem had geadopteerd. Alles in het land liep op rolletjes. Verscheidene goede seizoenen hadden een recordoogst opgebracht. Hongersnood was nog nooit zo ver weg geweest. Hablet hield zich koest, druk bezig met zijn eigen problemen in Fardohnya, voornamelijk het onvermogen van al zijn vrouwen om hem een levend kind te schenken. Het was Kagan ter ore gekomen dat Hablet verscheidene kinderen had gekregen, zowel wettige als bastaards, maar geen ervan was langer dan een paar uur blijven leven. Er was ook geen reden te vermoeden dat er van verderaf een intrige tegen de hoogprins kon worden verwacht. Het enige wat de Medaloniërs wilden, was Medalon vrij van religie en magie houden. De Kariënen ten noorden van hen waren zelfs nog meer op zichzelf gericht en maakten zich uitsluitend druk over de wensen van die verrekte Opperheer van hen.

Het was niet alleen vreemd dat er nu een aanslag was gepleegd. Het was zelfs regelrecht onlogisch.

Kagan ging verliggen op het bed en besefte dat hij was ingedommeld, ook al was het pas laat in de middag. Een paar maanden geleden zou hij erom hebben gelachen als iemand hem had gezegd dat hij de dag niet meer door zou kunnen komen zonder een middagdutje. Nu was het net alsof zijn wakkere perioden slechts onderbrekingen waren van zijn slaap, en hij had een hekel gekregen aan elk moment dat hij zijn best moest doen om bij bewustzijn te blijven.

Het zou niet lang meer duren, wist hij, voordat de Dood hem kwam halen voor de langste slaap van allemaal...

'Nee, ik moet wakker blijven,' mompelde hij hardop, en hij dwong zichzelf overeind te komen. *Lernen kan niet zonder me.* Kagan wist nog dat zijn vermiste leerling zijn toewijding voor Lernen eens in twijfel had getrokken. Dat was onderweg naar Groenhaven. Die keer dat hij Wrayan vanaf een paar honderd mijl afstand naar Lernens geest had laten reiken. Of was het honderd mijl? Of tien? Kagan wist het niet meer. Maar Wrayan kon hij zich nog wel herinneren. Hij dacht tegenwoordig vaak aan de jongeman. Dan vroeg hij zich af wat er met hem was gebeurd. Was hij onder hevige pijnen gestorven? Waar had Alija zijn lijk gelaten? Hij voelde zich schuldig om de dood van de knul, ervan overtuigd dat hij de jongeman in de steek had gelaten. Alija had de jongen vermoord, daar twijfelde Kagan geen moment aan. Maar hij had er niets aan gedaan. Dat hij geen enkel bewijs had, dat hij ook niets had kúnnen doen, bood weinig troost. Hij had het moeten proberen.

Kagan deed zijn ogen weer open en merkte tot zijn verbazing dat het donker was. Hij wist niet hoe lang hij had geslapen of waar hij wakker van was geworden, maar hij vervloekte zijn eigen zwakheid. Hij had al uren op moeten zijn. Hij werd verwacht op het paleis. Lernen zou willen weten wat hij ging doen aan die aanslag.

'Kagan?'

Er trok een schaduw over het venster, die zachtjes zijn naam riep. *De Dood komt me halen*, dacht hij. *Ik ben er klaar voor.*

'Ja, heer?' antwoordde hij, niet zeker of dat de juiste wijze was om de Dood aan te spreken. Misschien had hij 'hemelse goedheid' moeten zeggen.

'Kagan! Ik ben het!' siste de schaduw. 'Wrayan.'

Nu wist Kagan zeker dat hij dood was, of anders al een heel eind op weg naar het hiernamaals. En het was ook zo pijnloos gegaan...

Toen flakkerde de lamp fel op en ontdekte Kagan dat de man die hem vasthield, Wrayan Lichtvinger was.

'*Wrayan?*'

'Neem me niet kwalijk dat ik door het venster ben gekomen,' zei de jongeman terwijl hij de lamp op het tafeltje naast het bed zette. Hij kwam naast Kagan zitten, en zijn gewicht drukte op de matras. Hij had een of ander nauwsluitend leren pak aan, maar afgezien van die vreemde kleren, was hij net zo tastbaar als de voorwerpen in de kamer. 'Dat leek me namelijk een stuk gemakkelijker.'

Kagan staarde hem geschokt aan. 'Je bent echt!'

'Eh... ja.'

'Maar we dachten allemaal dat je dood was, knul! Waar kom jij vandaan?'

'Ik ben gaan bewijzen dat je gelijk hebt,' zei de jongeman met een glimlach.

'Dat begrijp ik niet...'

'Het blijkt dat ik echt voor een deel Harshini ben. Een heel klein deel, moet ik zeggen, maar niettemin een deel.'

'Maar waar ben je dan gewéést?'

Wrayan glimlachte veelbetekenend. 'Sanctuarion.'

'Nee toch!' hijgde Kagan. 'Hoe kan dat?'

'Toen ik vocht met Alija, heeft ze zo'n beetje mijn hersenen gekookt. Dacendaran kwam me zoeken en ging Brak halen, en die nam me mee naar Sanctuarion, waar ze me hebben genezen.'

De jongen vertelde het zo nuchter dat Kagan zich verslikte. 'Heb jij Brakandaran ontmoet?'

'En Lorandranek,' voegde Wrayan eraan toe. 'En nog een heel stel andere Harshini van wie ik dacht dat het maar sprookjesfiguren waren.'

'Maar... hoe kan dat nou? Wat moest de god van de dieven dan van jóú?'

'Vertel ik je nog wel een keer,' zei Wrayan. 'Als we meer tijd hebben.'

'Waarom... waarom heb je me nooit laten weten dat je nog leefde? Ik was gek van de zorgen!'

'Een groot deel van de tijd kon ik me niet meer herinneren wie ik was. Ik bedoel, ik wist hoe ik heette – dat had Dacendaran aan de Harshini verteld – maar de rest was een tijdlang nogal mistig. Daas wist dat ik lid was van het Tovenaarscollectief, maar volgens mij begrijpt hij de hiërarchie niet goed genoeg om te weten wat het betekende om jouw leerling te zijn. Volgens Brak zei hij zoiets van: "Hij is deels Harshini. Hij is verwond door een Innatief. Lap hem voor me op, wil je." Verder wist Brak ook niet veel. Pas een paar jaar geleden kreeg ik mijn geheugen terug.'

'En toen kon je niet naar me toe komen? Je moest er *jaren* mee wachten om een oude man uit zijn lijden te verlossen?'

Wrayans glimlach verdween. 'Brak vond het beter dat iedereen bleef geloven dat ik dood was. Dan konden we eerst gaan uitzoeken hoe Alija haar macht zo ver had kunnen vergroten om mijn kop leeg te schroeien, zei hij, maar eerlijk gezegd denk ik dat hij me niet wilde laten rondvertellen dat ik in Sanctuarion was geweest. De Harshini zouden er allang niet meer zijn, weet je nog. In feite zal hij ook nogal link op me zijn als hij erachter komt dat ik je ben komen opzoeken.'

'Is Brakandaran hier?' hijgde Kagan. 'In Groenhaven?'

Wrayan knikte. 'In de afgelopen paar jaar zit hij bijna elke dag bij jullie in de bibliotheek.'

Dit was bijna te veel om te verwerken. Kagan schudde zijn hoofd, alsof het daar helderder van werd. 'Waarom zou hij daar boos over worden?'

'Hij vindt dat ik me nog steeds dood moet houden. Maar ik heb iets gezien, Kagan. En daar wil ik iets aan doen. Brak vindt dat ik me er niet mee moet bemoeien.'

'Ga jij in tegen de raad van de Halfbloed?' vroeg Kagan, met enig ontzag voor het idee.

Even trok er een glimlach over Wrayans gezicht. 'Gebeurt vaker dan je denkt.'

'Wat heb je dan gezien?'

'Dat Alija een minnaar heeft.'

Kagan liet zich terugzakken in de kussens. 'Alija heeft altijd een minnaar. Ze is met de helft van de mannen in Groenhaven naar bed geweest.'

'Kennelijk is ze begonnen aan de andere helft.'

'Hoe bedoel je?'

'Ze slaapt met Nash Havikzwaard,' vertelde Wrayan hem. 'En ik kreeg de indruk dat het al een aardig tijdje aan de gang is.'

Kagan schudde zijn hoofd. 'Onmogelijk!'

'Ik heb hen gezien, Kagan. En Nash lag niet tegen zijn wil vastgebonden op bed. Hij pochte zelfs dat zijn vrouw geen enkel vermoeden had.'

'Dat geloof ik niet!' schimpte Kagan. 'Nash is een van de trouwste aanhangers van de hoogprins. Hij was een van de mannen die ons hielp om Alija te dwarsbomen toen ze Barnardo op de troon probeerde te krijgen. En ik weet heel zeker dat Nash ontzettend veel houdt van zijn vrouw. Ik zie hem twee of drie keer per week! Hij is een toegewijd echtgenoot en vader. Hij zou Marla zoiets nooit aandoen.'

'Ik heb hen gezien, Kagan,' hield Wrayan vol. 'Nash en Alija. In haar bed. Samen. Terwijl die arme Barnardo lag te slapen in de kamer ernaast.'

'Je moet je hebben vergist.'

'Nash was een vriend van me,' bracht Wrayan hem in herinnering. 'Ik ken hem. En ik heb me niet vergist. Je moet me geloven, Kagan. Je moet de prinses waarschuwen. Het kan zelfs iets te maken hebben met die aanslag op de hoogprins.'

'Er is geen aanslag op de hoogprins geweest,' zei Kagan, een beetje verward kijkend. 'Tenzij je de aanslag op jonge heer Damin bedoelt.'

'De erfgenaam van de hoogprins? Op straat gaat het verhaal rond dat de hoogprins is aangevallen.' Wrayan haalde zijn schouders op. 'De prins of zijn erfgenaam, wat maakt het uit?'

'Moet ik geloven dat Nash Havikzwaard met Alija Arendspiek is betrokken bij een intrige om zijn vier jaar oude stiefzoon om te brengen? Dat is absurd.'

'O ja?' vroeg Wrayan. 'Wie wordt de nieuwe erfgenaam, Kagan, als de huidige iets overkomt?'

'Marla's tweede zoon, denk ik,' antwoordde Kagan.

'Dus het kind van Nash?' vroeg de jongeman nadrukkelijk.

Kagan schudde zijn hoofd, perplex van wat Wrayan suggereerde. 'Nee. Je vergist je. Zelfs al achtte ik hem in staat tot zo'n grootschalig hoogverraad, Nash Havikzwaard zou nooit de moord op een onschuldig kind beramen om zijn eigen zoon in rang te laten stijgen.'

'Nash niet,' beaamde Wrayan. 'Maar Alija wel. Zomaar.'

Kagan was dat nog steeds aan het verwerken toen hij buiten in de gang iemand hoorde aankomen. Meteen sprong Wrayan overeind, behoedzaam luisterend met al zijn zintuigen, inclusief zijn Harshinizintuigen.

'Dat is Tesha,' fluisterde Wrayan. 'Ze komt kijken hoe het met je is.' En met een grijns voegde hij eraan toe: 'Ik wist niet dat ze zoveel om je gaf.'

Wrayan was al uit het venster en klom over het balkon voordat Kagan kon reageren.

'Wrayan! Wacht!' siste hij. 'Hoe kan ik je vinden?'

'Vraag maar bij het dievengilde.'

'*Wat?*'

'Ik ben de beste dief van heel Hythria,' fluisterde hij met een grijns.

En toen was Wrayan verdwenen en stond Tesha daar, over hem heen gebogen met een oprecht bezorgd gezicht. Opeens was Kagan in de war. *Was het een droom? Was Wrayan echt hier, of ben ik nu toch nog seniel aan het worden?*

'Je slaapt veel te veel,' zei ze berispend en ze legde een koele hand op zijn voorhoofd. 'En je hebt het avondmaal weer gemist. Ik zal de genezers maar gaan halen...'

'Help me overeind!'

'Je ziet eruit als een geest, Kagan. Ik denk niet dat je...'

'Help me overeind!' commandeerde de hoge arrion. 'Ik moet me aankleden. Ik moet op bezoek bij prinses Marla.'

'Je kunt op dit uur niet meer op bezoek gaan, Kagan.'

'Dat maakt niet uit, Tesha. Ik moet haar spreken. Nu.'

De lagere arrion staarde hem geruime tijd aan en schudde toen met een diepe zucht haar hoofd. Tesha deed wat hij vroeg met een gezicht waarop te lezen stond wat ze dacht: *wie ben ik om een stervende oude man iets te ontzeggen?*

86

Het baarde Marla grote zorgen dat de hoge arrion midden in de nacht op bezoek kwam. Terwijl ze de slaap uit haar ogen wreef, haar gewaad dichtbond en zich de trap af repte, probeerde ze zich voor te stellen wat hem bracht tot een bezoek op dit uur. *Heeft hij ontdekt wie er achter de aanslag op Damin zit? Heeft hij nieuws over een andere dreiging?*

De slaven deden de deur van de grote zitkamer voor haar open toen ze naderbij kwam. Kagan ijsbeerde gebogen door de kamer. Hij maakte een zieke indruk. Hij zweette hevig en leek maar moeizaam adem te kunnen halen. Bezorgd haastte Marla zich naar hem toe.

'Mijnheer? Kom, neemt u plaats, alstublieft! U ziet er ziek uit!'

'Nee, als ik ga zitten, ben ik bang dat ik niet meer overeind kan komen. Waar is Nash?'

Marla haalde haar schouders op. 'Er zijn Stropers van zijn vader in de stad, dus die is hij een rondleiding gaan geven.' Ze glimlachte teder. 'Tussen ons gezegd en gezwegen, denk ik dat hij gebruikmaakt van het excuus om een paar etablissementen te bezoeken waar een keurig getrouwd man zich niet hoort te vertonen.'

'Twee dagen na een aanslag op zijn stiefzoon gaat hij aan de boemel?' vroeg Kagan afkeurend.

'Het stond al enige tijd gepland, mijnheer. Hij bood aan om thuis te blijven, maar ik stond erop dat hij ging.'

'En weet u zeker dat hij daar is?'

De vraag verbaasde haar. 'Wilt u soms zeggen dat hij ergens anders kan zijn?'

De hoge arrion begon weer te ijsberen. Marla vond dat hij er helemaal niet goed uitzag. Hij leek verontrust. Over zijn toeren, bijna.

'Kunt u zich mijn leerling nog herinneren, hoogheid? U hebt hem ontmoet op het bal, toen u kennismaakte met Hablet.'

Marla knikte. 'Ik weet nog dat u me de les las over volwassen worden. Als ik het me goed herinner, ben ik die avond ook flauwgevallen. En ik kan me Wrayan nog goed herinneren, al heb ik hem daarna niet vaak meer gezien. Hij verdween rond de tijd dat ik met Laran trouwde, nietwaar?'

'Ja. En al die tijd dacht ik dat hij dood was.'

'Dus hij leeft nog?' vroeg ze, zich afvragend wat dit met Nash te maken had.

'Hij is... weggeweest,' liet de hoge arrion haar weten. 'Maar nu is hij terug. Tenminste, dat denk ik. Het leek voor een deel wel een droom.'

'En welk deel van uw droom brengt u midden in de nacht naar mijn huis om te vragen of ik weet waar mijn man is, heer Palenovar?'

'U zult me verslijten voor een ouwe dwaas als ik het u vertel,' waarschuwde hij, zijn glimmende voorhoofd afvegend.

Marla lachte zachtjes. 'Ik vind u zo ook al een ouwe dwaas, mijnheer. Laat dat u niet tegenhouden.'

'Wrayan is tegenwoordig een soort dief, heb ik begrepen,' begon Kagan, verder ijsberend.

'Een *dief?*'

'Er was... een ongelukje,' legde hij uit. 'Wrayan raakte zijn geheugen kwijt. Zodoende viel hij terug in wat hem vertrouwd was, denk ik. Zijn vader was zakkenroller, dus zo moeilijk is zijn beroepskeuze niet te begrijpen.'

'En wat heeft dit dan precies met mij te maken?' vroeg Marla, een beetje ongeduldig. Ze was moe, en Kagan leek te bazelen.

'Tijdens zijn omzwervingen heeft Wrayan iets gezien, hoogheid. Iets wat hem zodanig verontrustte dat hij na vijf jaar vermist te zijn geweest, het stilzwijgen verbrak. Iets wat u aangaat.'

'U maakt me nieuwsgierig, mijnheer. Wat is dit grote mysterie dat hij heeft gezien?'

Kagan bleef staan, draaide zich naar haar toe en haalde diep adem voordat hij antwoordde. 'Hij beweert dat hij uw man heeft gezien, mijn vrouwe. In het bed van Alija Arendspiek.'

Marla lachte. 'O, dat is belachelijk!'

'Dat zei ik ook al, hoogheid,' reageerde Kagan, nu nog verwoeder verder ijsberend, 'maar Wrayan hield voet bij stuk. Nash en hij waren vroeger goede vrienden. Hij zou hem niet zo gauw voor een ander aanzien. Hij beweert dat het niemand anders kon zijn. Hij hield ook vol dat het een vaste verhouding betrof die al geruime tijd duurt.'

'Ik heb van mijn leven nog nooit zoiets bespottelijks gehoord!' zei Marla, nog steeds lachend om het absurde idee dat Nash naar bed ging met een andere vrouw. 'En ik kan ook niet geloven dat u er genoeg geloof aan hechtte om mij daar midden in de nacht voor wakker te maken.'

'Heus, hoogheid, als ik dit zomaar van tafel kon vegen, dan had ik het gedaan. Maar Wrayan was er vast van overtuigd. En met het oog op wat er in de afgelopen dagen is gebeurd, zijn er redenen om argwaan te koesteren.'

Marla's geamuseerdheid sloeg snel om in boosheid om hetgeen de hoge arrion suggereerde. 'U wilt toch zeker niet beweren dat dit iets heeft te maken met de aanslag op Damin?'

'Als Damin omkwam, hoogheid, zou Lernen geen andere keuze hebben dan Narvell te adopteren als zijn erfgenaam of te trouwen om er zelf een te maken. En u weet net zo goed als ik hoe waarschijnlijk het laatste zal zijn. Damins dood zal als gevolg hebben dat Nash Havikzwaards zoon de volgende hoogprins van Hythria wordt.'

'Nash houdt van Damin alsof het zijn eigen zoon was.'

'Maar zijn eigen zoon is Narvell, niet Damin, mijn vrouwe.'

Marla schudde haar hoofd. 'Het bestaat niet. Ik zou het weten als mijn man een verhouding had.'

'Weet u dat zeker?'

'Denkt u dat ik het niet zou merken aan zijn gedrag, als hij me ineens ging bedriegen?'

'Als de verhouding al enige tijd duurt, zoals Wrayan meent, als die zelfs al langer duurt dan uw huwelijk met heer Havikzwaard, hoogheid, hoe zou u het dan merken?'

'Nu weet ik zéker dat u uw verstand kwijt bent,' verklaarde ze. 'Wilt u soms zeggen dat Nash en Alija al... hoe lang? Drie of vier jaar een verhouding hebben? Dat is zo absurd dat het een lachertje is. Alija heeft een man, hoor. Die zou toch zeker wel iets hebben vermoed als dat het geval was?'

'Ik kan u de namen geven van wel tien mannen die met Alija Arendspiek naar bed zijn geweest, hoogheid, en van ieder van hen heeft Barnardo geen flauw idee. Dus voor uw gemoedsrust hoeft u zich niet te verlaten op het waarnemingsvermogen van de krijgsheer van Dregian.'

'Het bestaat gewoon niet, mijnheer,' hield ze vol, haar hoofd schuddend.

'Nash houdt van me. Hij houdt van Damin. En hij is geen verrader. U zult elders moeten zoeken als u hoopt op steun om uw tegenstreefster uit te schakelen.'

Zichtbaar verward staarde Kagan haar aan. 'Denkt u dat ik dit doe om Alija te treffen?'

'Ik weet niet waarom u dit doet, heer Palenovar. En eerlijk gezegd kan het me niet eens zoveel schelen. Maar ik weet wel dat u altijd al een bloedhekel aan haar hebt gehad. Dat heeft Alija me zelf gezegd. U stoort zich aan haar vermogens. U weet dat zij de volgende hoge arrion zal worden, en u wilt haar maar wat graag in diskrediet brengen. Ze heeft me eens verteld dat u 's nachts wakker ligt om te verzinnen hoe u haar kunt treffen. Ik dacht dat ze het zich maar verbeeldde, maar nu ben ik daar niet meer zo zeker van.'

'Maar hoogheid...'

'Ik hou van mijn man, mijnheer, en Alija Arendspiek is een vriendin van mij. Ze heeft me nog nooit gekwetst, nooit een advies gegeven dat niet deugde. U, echter, hebt geregeld dat ik werd uitgehuwelijkt aan de koning van Fardohnya, bent die afspraak vervolgens niet nagekomen en liet me trouwen met een volslagen vreemde, alleen maar opdat ik voor mijn broer een erfgenaam zou baren met genoeg Hythrisch bloed in zijn aderen om u tevreden te stellen. En nu ik eindelijk ben getrouwd met de man van wie ik hou – en die van mij houdt, zal ik er maar meteen bij vertellen – vindt u het nodig een wig tussen ons te drijven door hier midden in de nacht aan te komen met een wild verhaal over een dode tovenaarsleerling die dief is geworden en voor u is verschenen om u te zeggen dat hij mijn man in bed heeft gezien met een van mijn beste vriendinnen.'

'Hoogheid, u begrijpt me verkeerd...'

'Ik weet dat u zich niet zo goed voelt, mijnheer,' vervolgde ze, met iets meer medeleven, 'maar komt u alstublieft niet zonder enig bewijs met uw ijldromen bij me aan. Ik laat me niet strikken voor uw plannetje om de opvolging van de hoge arrion vanuit uw graf te manipuleren. Als u komt te overlijden, zal het Tovenaarscollectief uw plaats overdragen aan de beste kandidaat, en in die kwestie hebt u helemaal niets te zeggen.'

Kagan deed zijn mond open om weer te protesteren, maar toen schudde hij zijn hoofd, alsof het de moeite niet waard was. In plaats daarvan maakte hij onbeholpen een buiging. 'Neemt u het mij niet kwalijk, hoogheid, dat ik u heb gestoord op dit late uur. Vergeef me mijn onbeschoftheid.'

Zonder te wachten op toestemming om te gaan, strompelde Kagan de kamer uit. Een zieke, zielige oude man, dacht Marla, die tegen elke prijs wilde winnen, ook al wist iedereen in Groenhaven dat hij stervende was.

In de vroege uren van de ochtend stapte Nash pas bij Marla in bed. Ze lag nog wakker. Kagans bespottelijke beweringen hadden het zaad van twijfel in haar hoofd geplant, en ze voelde zich net een verrader. Maar ook al wist ze in het diepst van haar wezen dat Nash haar trouw was, de zeurende twijfel ging maar niet weg.

Eenmaal geplant, wortelden de zaden van wantrouwen snel, ontdekte Marla.

'Neem me niet kwalijk, schat,' fluisterde Nash terwijl hij naast haar in bed schoof en merkte dat ze niet sliep. 'Ik wou je niet wakker maken.'

'Heb je een leuke avond gehad?' vroeg ze. In het donker keek ze naar zijn gezicht.

Hij glimlachte. 'Fantastisch. Maar ik zal je niet zoenen. Ik ruik vast naar een vat bier.'

'Je ruikt prima.'

Nash ging er niet op in. Hij nestelde zich naast haar en nam haar in zijn armen. 'Je bent veel te goed voor me, Marla. Andere vrouwen zouden hun man uitschelden als hij in de vroege uurtjes dronken thuiskwam na een avondje stappen met de jongens.'

Nash klonk niet dronken. En hij rook ook niet naar drank. Hij rook schoon en heerlijk, zoals altijd. *Alsof hij in bad is geweest voordat hij naar huis kwam,* fluisterde een verraderlijk stemmetje in haar hoofd.

'Vrij met me, Nash.' In al die tijd dat ze getrouwd waren, had ze hem dat nooit hoeven vragen. Niet één keer.

'Nu?'

'Nee, volgende week vijfdag!' lachte ze zachtjes. 'Wanneer dacht je dan? Natuurlijk nu.'

'Het is verschrikkelijk laat, mijn lief. En ik ben erg moe.'

Versleten door je maîtresse, zeker? vroeg de verrader in haar hoofd.

Hou op! zei Marla kwaad tegen zichzelf.

Maar ze kon het niet helpen. 'Wil je me niet meer?'

'Ik wil je altijd. Dat weet je.' Hij kuste haar op het hoofd en deed zijn ogen dicht om te gaan slapen. 'Maar mag een man niet af en toe één keertje moe zijn?'

Natuurlijk mag je moe zijn. Maar waarom vannacht, Nash? Waarom neem je me uitgerekend vannacht niet in je armen en laat je me geloven dat er geen ander is?

'Neem me niet kwalijk.'

Nash reageerde niet op haar verontschuldiging. Hij deed alsof hij sliep, dat wist ze zeker. Niemand raakte zo snel buiten bewustzijn zonder een slag op het hoofd.

'Ik hou van je, Nash,' zei ze zachtjes.

'Ik ook van jou,' mompelde hij en trok haar dichter tegen zich aan.

Even later ging hij dieper en regelmatiger ademhalen en wist Marla dat hij nu echt sliep. Ze lag wakker in zijn armen tot het licht was en betreurde het dat ze Elezaar had weggestuurd.

Maar ook al was de court'esa nog hier en had ze iemand om in vertrouwen te nemen, het enige wat hij kon doen was haar helpen herinneren aan de Vierde Regel om Macht te Krijgen en Gebruiken.

Vertrouw uitsluitend jezelf.

87

Een paar dagen nadat Wrayan bij Kagan was geweest, werd hij bij het pension opgewacht door een boodschapper van het dievengilde, toen hij in de vroege ochtenduren terugkwam van een tochtje om een zu-

re matrone aan de Duroniestraat te verlossen van bijna al haar juwelen. De brenger van het bericht was een schriel joch van een jaar of
negen dat op de bovenste trede voor het pension zijn vieze vingernagels zat schoon te maken met een vervaarlijk ogend mes, terwijl hij
wachtte tot Wrayan verscheen.

'Ben jij de Waargeest?' vroeg de knul toen Wrayan dichterbij kwam.
Het was nog steeds donker, al werd het al warmer. De zomer was in
aantocht, en daarmee Groenhavens beruchte vochtige weer.

Wrayan bleef staan en staarde het joch aan, verbaasd over de vraag.
'De wát?'

'Wrayan de Waargeest,' verklaarde de knul. 'Daar moest ik van Gillam op wachten.'

'Wrayan de Waargeest?'

'Kan ik er wat aan doen,' schokschouderde het kind. 'En het had
erger kunnen zijn. De vorige wie ik bericht moest brengen, noemden
ze Daryn de Drol. Verrekt mooie kleren, trouwens,' vervolgde de knul,
met een gretige blik op Wrayans leren pak. 'Daarin kun je vast overal komen zonder dat je door een of andere klootzak wordt gezien.
Kom je daaraan?'

'Gekregen van de Harshini,' antwoordde Wrayan.

De knul keek hem vuil aan. 'Mij best, dan vertel je het niet. Maar
je ziet er toch klotegoed in uit.'

'Wat moet Gillam?' vroeg Wrayan.

'Hij wil je spreken.'

'Heeft hij ook gezegd waarover?'

'Zie ik eruit als zijn klotesecretaris?'

'Heeft hij dan gezegd wanneer?'

De jongen stond op en klopte zijn vuile broek af. 'Nu.'

Franz Gillam was het hoofd van het dievengilde in Groenhaven. Het
was een onopvallend mannetje, met wit haar en een flauw glimlachje
waar je de rillingen van kreeg als je zo roekeloos was om hem te be-
donderen. Het was zo'n man die je op straat voorbij kon lopen zonder hem te zien – een van de redenen waarom hij zo'n goede zakkenroller was. Ook al was Wrayan inbreker, als de zoon van een zeer
gerespecteerd zakkenroller stond hij in goed aanzien bij de oude man.
En daar kwam nog bij dat hij een aardig fortuin voor het gilde had
gerealiseerd, sinds hij in de stad was. Gillam kreeg een aandeel van
alles wat het gilde verdiende, dus in zekere zin was Wrayan verantwoordelijk voor zijn tegenwoordige voorspoed.

Iets minder opvallend dan het moordenaarsgilde, dat zowaar een
bord aan de gevel had hangen, slechts enkele straten van het paleis van

de hoogprins, maakten ze ook bij het dievengilde geen geheim van hun hoofdkwartier. Dat was een rood bakstenen gebouw van twee verdiepingen nabij de werven, met een nogal pretentieus marmeren portiek aan de voorzijde en een portier, die vreemd genoeg alleen bekend was als De Portier. De man kleedde zich in het livrei van een edelmansslaaf en verstond de kunst om met zijn sierlijke staf je knieschijven te breken na weinig meer dan een hoofdknikje van Franz Gillam.

Gillam glimlachte toen Wrayan binnenkwam in zijn kantoor, dat geheel was ingericht met overal in de stad gestolen spullen. Het hoofd van het gilde gaf graag het goede voorbeeld, beweerde hij. De gemakkelijke leren bank was van de hoogprins geweest, als je de geruchten mocht geloven, al was het Wrayan een raadsel hoe iemand zo'n groot en onhandelbaar ding kon optillen om er stiekem mee het paleis uit te wandelen. Hij vermoedde dat het verhaal ofwel ronduit gelogen was, of dat Gillam er eerder door bedrog dan door diefstal aan was gekomen. Met geen van beide zou het mannetje een probleem hebben gehad. Het was een gegeven dat je bij het eren van Dacendaran vaak ook tegelijkertijd Jakerlon, de god van de leugenaars, eerde.

'Ik hoor dat de weduwe Saks nogal wat waardevolle snuisterijtjes kwijt is?' zei de dief toen Wrayan plaatsnam op de bank van de hoogprins.

'Ze komt toch bijna nooit meer buiten,' schokschouderde Wrayan. 'Het is toch zonde dat al die mooie juwelen daar in huis maar stof liggen te verzamelen?'

'Kijk!' verklaarde Gillam met een goedkeurend hoofdknikje. 'Dat wil er dus bij de mensen maar niet in, Wrayan. We verlenen de inwoners van Groenhaven namelijk een dienst. Hoeveel uur in de week hebben we haar nou bespaard om die spullen af te stoffen? Schoonmaken is ook zulk vervelend werk.'

'En het is tegenwoordig zo moeilijk om fatsoenlijke slaven te vinden,' beaamde Wrayan met een grijns. 'Waar wilde je me over spreken?'

Iets ergs kon het vast nooit zijn. Als Wrayan buiten de regels van het gilde was getreden, zou Gillam De Portier wel hebben gestuurd om hem te komen halen in plaats van zo'n knul.

'Er kwam hier gisteren iemand naar jou vragen.'

'Echt waar?'

'En ook niet zomaar iemand.'

Wrayan wachtte tot Gillam verder zou gaan, maar de man leek daar niet toe genegen. Na een beladen stilte wierp Wrayan zijn handen omhoog. 'Nou? Ga je me nog vertellen wie het was, of maken we er een spelletje van?'

'Waarom heb je me nooit gezegd dat je de zus van de hoogprins kent?' Gillam hield hem nauwlettend in de gaten.

'Kwam prinses *Marla* hier naar me vragen?'

'Heb jij meer dan alleen het tafelzilver uit het paleis van de prinses gehaald?' vroeg Gillam met een opgetrokken wenkbrauw.

'Meer dan alleen het tafelzilver' was bij het gilde een eufemisme voor naar bed gaan met de dame des huizes wanneer je op pad was. Wrayan kende een paar dieven die daar een sport van maakten. Hij vond het absurd gevaarlijk. In bepaalde kringen werd het beschouwd als een onschuldig, zij het prikkelend en zeker riskant spelletje waarbij de regel gold dat de dame er vrijwillig aan deelnam, maar er kon zich een serieus probleem voordoen wanneer de man (vader, meester...) van de dame per ongeluk binnenkwam terwijl de op spanning beluste inbreker zich hielp aan 'meer dan het tafelzilver'. Alle betrokkenen (met uitzondering van de dief) schreeuwden dan onveranderlijk 'verkrachting'. De vrouw zou nooit toegeven dat ze zo geblaseerd was dat ze het spannend vond om een volslagen vreemde zijn gang te laten gaan, en de man des huizes zou nooit toegeven dat zijn vrouwelijke gezinsleden zo ontevreden waren over zijn inspanningen om hen te behagen, dat ze zowaar een volslagen vreemde *uitnodigden* om zijn gang te gaan. Dus natuurlijk was het dan verkrachting. En dat betekende de dood voor de dief en een heleboel last voor alle overige betrokkenen.

Wrayan schudde zijn hoofd. 'Ik ben zelfs nog nooit bij Havikzwaard wezen winkelen. Te riskant. Te veel wachters.'

'Nou, zij kent jou. Ze noemde je bij je naam.'

'Heeft de prinses ook gezegd wat ze wilde?'

'Ze wil jou.' Gillam schoof een dichtgevouwen stuk perkament over de schrijftafel.

'Wat staat erin?' vroeg Wrayan, want hij wist heel goed dat Gillam het briefje allang had gelezen.

'Alleen een tijd en een plaats.'

'En jij houdt me daar natuurlijk in de gaten?'

'Je doet niets met iemand die zo belangrijk is als de moeder van de volgende hoogprins zonder dat wij ervan weten, knul. Dat hoef ik je toch niet meer te vertellen?'

'Misschien heeft ze een klusje voor me.'

'Nou, wat het ook is,' waarschuwde Gillam, 'ik wil ervan weten.'

'Ik hou je op de hoogte,' stemde Wrayan in terwijl hij overeind kwam. Hij pakte het stukje perkament. Er was natuurlijk maar één reden waarom prinses Marla hem wilde spreken.

Kagan had zijn waarschuwing over Nash en Alija Arendspiek dus toch overgebracht.

Marla had met Wrayan afgesproken in de tempel die was toegewijd aan Zegarnald, de god van oorlog, in het stadscentrum. Dat was verreweg de grootste tempel in Groenhaven, buiten het Tovenaarscollectief, waar de enorme Tempel van de Goden het stadsgezicht bepaalde. Aangezien Hythria waarschijnlijk meer volgelingen van de krijgsgod telde dan elk ander land op het continent, was het in zijn tempel altijd druk en was dat ook een plek waar een dief en een prinses elkaar konden treffen zonder argwaan te wekken.

Hij herkende haar eerst niet. De prinses droeg een witte sluier die haar gezicht beschaduwde en haar dure kleding verborgen hield. In de drukke tempel, waar het de gewoonte was je met een vinger te prikken aan de scherpe punten bij de deur zodat je de krijgsgod eerde met een bloedoffer voordat je vertrok, was ze gewoon een weduwe die kwam smeken om de bescherming van de ziel van haar verloren echtgenoot.

'Wrayan Lichtvinger.'

Hij keek om toen hij zachtjes zijn naam hoorde en zag de prinses achter hem staan. Ze was een stuk rijper geworden sinds hij haar voor het laatst had gezien, nu meer dan vijf jaar geleden. Ze was het dartele van de jeugd kwijtgeraakt en had zich ontpopt tot een echt mooie vrouw.

'Mijn vrouwe,' zei Wrayan met een korte, beleefde buiging, want ze wilde vast net zomin in het openbaar worden herkend als hij.

'Ik waardeer het dat u mijn oproep hebt beantwoord,' zei ze nadat ze naast hem was komen staan. 'Ik hoop dat ik u niet in grote problemen heb gebracht door bij uw gilde te verschijnen.'

'Alleen een paar vragen over hoe ik u ken,' stelde hij haar gerust.

'Heeft Kagan u verteld hoe u mij kon vinden?'

'Nee. Die zei alleen dat je tegenwoordig dief was. Het gilde leek me gewoon de beste plek om te beginnen.'

'Dus hij heeft het u verteld,' vatte Wrayan samen. 'Wat ik heb gezien.'

'Ja. Maar ik geloof hem niet. Ik geloof jou niet.'

'Wat doet u dan hier?'

'Ik moet het zeker weten, Wrayan,' zei ze met een vlakke stem waarin geen enkele emotie klonk. 'Iemand heeft mijn zoon willen vermoorden. Ik kan het me niet permitteren om niet onder elke steen te kijken, ook al weet ik zeker dat ik daar niets anders zal vinden dan goede, schone aarde.' Ze aarzelde even en zei toen: 'Vertel me wat je hebt gezien, Wrayan. Alles.'

En Wrayan vertelde het haar. Zij aan zij stonden ze in de tempel van de god van oorlog, als twee vreemden in gebed verzonken, terwijl Wrayan op zachte toon precies beschreef wat hij in Alija's huis had gezien.

'En je twijfelt er niet aan dat die man mijn echtgenoot was?' vroeg ze toen hij was uitgesproken. 'Ook al heb je zijn gezicht nooit gezien?'

'Ik weet het absoluut zeker, mijn vrouwe.'

'En waarom zou ik je geloven?'

'Ik heb geen reden om te liegen, mijn vrouwe.'

'O nee? Waar heb je in de afgelopen vijf jaar gezeten, Wrayan? Kagan dacht dat je voor altijd was verdwenen. Waarom zou ik iets geloven uit de mond van een dief die wegliep bij zijn meester en iedereen liet denken dat hij dood was?'

'Ik werd verwond, mijn vrouwe. Zeer ernstig. Een groot deel van de afgelopen jaren heb ik doorgebracht bij de Harshini in Medalon. Ik ben teruggekomen om me te houden aan een eed die ik aan de god van de dieven heb gezworen.'

Met een flauw glimlachje keek Marla hem even aan. 'Dat vind ik nog moeilijker te geloven dan je verhaal over mijn man.'

'Maar het is echt waar. Ik kan het zelfs bewijzen als u wilt,' bood hij aan, al wist hij niet wat Brak van zo'n voorstel zou vinden. 'Maar liever niet op zo'n openbare plek als dit.'

'Dat kon ik nog wel eens van je verlangen, Wrayan Lichtvinger,' reageerde ze, maar als ze verder nog iets zei, kon hij het niet horen. De tempelklokken begonnen te luiden, tegelijk met de klokken van alle andere tempels in de stad, als een metalen koor onder leiding van de immense bronzen klokken van de Tempel van de Goden. Net als iedereen in de tempel keek Marla verbaasd rond. Ook zij wist niet wat het plotse luiden van alle klokken in de stad betekende.

Wrayan hoefde er niet naar te vragen. Hij wist nog dat de stadsklokken vijftien jaar geleden ook zo hadden geluid, kort nadat Tesha Zorell hem naar het Tovenaarscollectief had gebracht. Toen was het omdat Garel Wolfsblad, de hoogprins van Hythria, zojuist was gestorven en de weg had vrijgemaakt voor zijn zoon Lernen.

De enige andere keren in de geschiedenis van Groenhaven dat alle klokken tegelijk werden geluid, was bij de dood van een hoge of lagere arrion.

Met een bezwaard gemoed dacht Wrayan aan de zieke oude man die hij nog maar een paar dagen geleden had bezocht in zijn kamer bij het Tovenaarscollectief; hij was er zeker van dat Kagan Palenovar was overleden.

88

De begrafenis van de oude hoge arrion en de aanstelling van de nieuwe hoge arrion werden tegelijkertijd gehouden, bij wijze van praktisch, zij het wat oneerbiedig geval van 'oud en nieuw'. Het was voor Marla een schok om te horen dat het Tovenaarscollectief al bijeen was gekomen om hun nieuwe hoge arrion te kiezen op dezelfde avond als Kagan was gestorven. Het verontrustte haar nog meer, ook al was het niet echt een verrassing, dat hij werd opgevolgd door Alija Arendspiek.

Alija had zich in de afgelopen jaren zeer verstandig gedragen. In plaats van de paria tegen wie de helft van de krijgsheren van Hythria bereid waren samen te spannen, was ze aanvaardbaar geworden en zelfs geaccepteerd. Nadat Barnardo eenmaal was opgehouden met brullen dat hij hoogprins wilde worden, en de angst voor een tovenares achter de troon was bedaard, waren de Royalisten wat tot rust gekomen. Pas toen hadden ze tijd om te beseffen dat ze hoe dan ook een tovenares achter de troon zouden krijgen. Lernen Wolfsblad was een stroman. De erfgenaam van de hoogprins was een klein kind. Hythria werd, in werkelijkheid, geregeerd door Kagan Palenovar, en al dat gedoe over de scheiding van tempel en staat leek achteraf nogal zinloos.

Alija had zich verzekerd van de steun van iedereen, tovenaar en krijgsheer, door precies het tegenovergestelde te beloven van datgene waarvan ze eens hadden gevreesd dat het haar ambitie was. Ze zou zich niet, beloofde ze, mengen in het bestuur van Hythria. Dat was de taak van de hoogprins. Kagan had zoveel tijd op het paleis doorgebracht, dat hij daar zijn eigen suite had, klaagde ze. Dat zou niet meer gebeuren. Lernen moest het land als hoogprins besturen. De hoge arrion was verantwoordelijk voor de gezonde ziel van het land, en van hem of haar mocht niet worden verwacht ook nog het werk te doen van een luie, perverse despoot.

Marla was zich aan het aankleden voor de plechtigheid en deed net de rouwsluier voor die ze had gedragen voor haar ontmoeting met Wrayan Lichtvinger, toen Nash de kleedkamer binnenkwam. Hij kuste haar achter het oor en glimlachte naar haar in de spiegel.

'Je ziet er verrukkelijk uit.'

'Dat was niet bepaald mijn bedoeling,' zei ze met een frons. 'Dit is een begrafenis, Nash.'

'En een feest,' bracht hij haar in herinnering. 'We hebben een nieuwe hoge arrion, vergeet dat niet.' Met een grijns voegde hij er ondeugend aan toe: 'En deze ziet er een heel stuk beter uit dan de vorige, moet ik zeggen.'

Marla draaide zich om en keek hem nieuwsgierig aan. 'Vind je Alija leuk, Nash?'

'Ik denk van wel,' zei hij op onverschillige toon. 'Daar heb ik eigenlijk nooit zo over nagedacht.'

'Je kent haar al heel lang, hè?'

'Ik kende haar al toen...' Hij aarzelde en keek een beetje ongemakkelijk.

'Wat?'

'Toen het ernaar uitzag dat zij en Laran... iets zouden krijgen.'

'Daar wist ik niets van.'

'Alija liet hem links liggen voor Barnardo. Hij praatte daar liever niet over.'

Marla wilde hem dolgraag nog meer vragen. Ze wilde hem vragen of hij met Alija naar bed ging. *Hoe lang is het al aan de gang? Al voordat je mij kende? Daarna? Waarom? Wat heb ik verkeerd gedaan?* Maar ze zei niets en klampte zich nog steeds vast aan de hoop dat het niet waar was. Nog altijd wilde ze geloven dat een ordinaire dief van wie iedereen al vijf jaar lang dacht dat hij dood was, het hele verhaal gewoon had verzonnen om...

En daar liet haar logica haar elke keer in de steek. Wrayan hád geen reden om het te verzinnen, waardoor er alleen nog maar het ondraaglijke idee overbleef dat hij misschien toch de waarheid sprak.

'We moeten gaan,' zei ze nadat ze de sluier had vastgespeld. 'We mogen niet te laat komen. Dan is Alija misschien beledigd.'

Hij knikte beamend en deed de deur voor haar open. Als hij de bitterheid in haar stem hoorde toen ze Alija's naam noemde, dan negeerde hij dat knap. *Omdat het allemaal niet waar is,* hield ze zichzelf ferm voor.

Toen voegde het verradersstemmetje in haar hoofd eraan toe: *Of omdat hij al zo gewend is tegen je te liegen, dat hij er niet eens meer bij na hoeft te denken.*

De plechtigheid om de oude hoge arrion te ruste te leggen en de nieuwe tot deze rang te verheffen, leek uren te duren, en Marla wilde niets liever dan het Tovenaarscollectief verlaten tegen de tijd dat ze eindelijk kon ontsnappen. Ondanks een copieus banket naderhand voor de gasten raakte Marla het eten nauwelijks aan. Ze had ook iets te veel wijn gedronken, wat haar onrustige maag niet ten goede kwam.

Ik heb me niet meer zo licht in het hoofd gevoeld sinds ik dronken probeerde te worden op de eerste nacht dat ik met Laran was getrouwd, dacht ze.

Het werd echt tijd om naar huis te gaan, besloot Marla. Ze keek rond waar Nash was maar kon hem nergens zien.

Automatisch zocht ze naar Alija, en haar hart zakte naar de bodem van haar ribbenkast toen ze merkte dat de nieuwe hoge arrion ook weg was.

Zouden ze dat wagen? Hier bij het Tovenaarscollectief? Op Kagans begrafenis?

Waarom niet? dacht Marla bitter. *De eerste keer dat hij met mij vrijde, was op klaarlichte dag in de tuinen van Paleis Krakandar, en daar zat hij helemaal niet mee. Nash krijgt er een kick van om het gevaar op te zoeken.*

Toen ze zag dat het buiten donker was, vroeg Marla zich af of ze op het balkon waren, waar de duisternis hun enige bescherming bood. Op weg daar naartoe zag ze Alija staan in een groepje mensen bij de hoofdingang.

Niet eens in de buurt van het balkon. Niet eens in de buurt van Nash.

'Dit is belachelijk!' fluisterde ze bij zichzelf. En er moest een einde aan komen. Ze maakte zich helemaal gek om niets.

'Is alles goed, schat?' vroeg Nash. Hij kwam achter Marla aangelopen en pakte haar arm. 'Je ziet zo bleek.'

'Kunnen we naar huis, Nash?' vroeg ze. 'Ik moet je iets vragen.'

'Als je dat wilt,' schokschouderde hij. 'Het is vast al laat genoeg om weg te gaan zonder iemand te beledigen. Voel je je echt wel goed?'

'Breng me nou maar naar huis, Nash.'

'Heb jij een verhouding met Alija Arendspiek?' flapte Marla in de koets eruit voordat ze zich kon inhouden. Ze waren nog niet eens buiten de poorten van het Tovenaarscollectief. Ze vond het verschrikkelijk om zoiets te vragen. Maar zodra ze in de koets had plaatsgenomen, had ze de scheur in de bekleding gezien op de plek waar de kruisboogschicht terecht was gekomen. De schicht die was bedoeld voor haar zoons hoofd.

Ze moest het weten voordat ze gek werd van twijfel en angst.

Nash lachte om haar dwaasheid. 'Hoe kom je naar nou bij?'

'Ik heb een getuige, Nash. Iemand die jou bij Alija in bed heeft gezien.'

'Aangezien het niet onze gewoonte is om publiek uit te nodigen, mijn lief, snap ik niet waar je zo'n getuige vandaan zou kunnen halen.'

Marla staarde hem geschokt aan.

Het duurde even voordat Nash besefte wat hij had gezegd, en toen haalde hij kalm zijn schouders op. 'Dat kwam er nogal wat... eerlijker uit... dan mijn bedoeling was.'

'Het is waar, hè?' vroeg Marla, verrassend kalm.

Hij keek uit het raam het donker in, haar blik mijdend. 'Als je de smerige details per se wilt weten: ja, mijn lief. Het is waar.'

'Noem me niet zo!' snauwde ze, als enige uiterlijke blijk van haar kwelling. 'Hoe lang is het al aan de gang?'

'Marla, het is nergens voor nodig om...'

'Hoe lang?'

'Lang genoeg.'

'Hoe lang?' Een week, een maand? Een jaar? Twee jaar? Vijf? Tien? *Hoe lang?*'

Hij zuchtte en staarde weer het donker in. 'De eerste keer was het jaar waarin je trouwde met Laran. Barnardo nodigde me uit in Dregian voor de zomerjacht. Op een middag viel ik van mijn paard en ging ik vroeg terug naar het kasteel. Alija en ik raakten aan de praat... Van het een kwam het ander... Je weet hoe dat gaat...'

'Nee, Nash, ik weet niet hoe dat gaat. Wil je me dat even uitleggen?'

'Marla...'

'En toen je naar Krakandar kwam? Kwam je echt om Laran te spreken? Of om mij het hof te maken? Had Alija je ertoe aangezet? Zei je daarom dat je van me hield, Nash? Omdat je dat moest van Alija?'

'Marla, doe jezelf dit nou niet aan...'

'Ik wil het weten, Nash!'

'Alija zei me dat je verliefd op me was. Ik denk dat ik dat wel eens wilde zien.'

'En daarom heb je me *verleid?* Om te zien of ik echt verliefd op je was? Jij ongelooflijk arrogante *klootzak!*'

'Zit daar nou niet als een heilig boontje, Marla, mijn lief,' kaatste hij terug, zijn geduld met haar verliezend.

'Je liet je wel heel gemakkelijk verleiden, als ik het me goed herinner. En je was nog steeds met Laran getrouwd toen je me besprong in die tuingrot van Paleis Krakandar. Kijk eerst eens of je eigen lakens vuil zijn voordat je eist dat ik de mijne verschoon.'

'Ik bedroog Laran niet. Ik was weduwe. Hij was al dood toen ik voor het eerst met je sliep, Nash.'

'Maar dat wist u niet, hoogheid,' merkte hij op scherpe toon op. 'Dus kijk nou niet zo uit uw koninklijke hoogte neer op mijn zonden. U hebt er zelf namelijk ook een paar.'

Marla kon niet geloven dat hij daar zo kalm zat, zonder iets te ontkennen, terwijl de koets voortschokte. Het leek wel alsof hij er trots op was.

Of het wachten beu, opperde de verrader in haar hoofd. *Alija is nu hoge arrion. Misschien heeft hij er domweg genoeg van.*

'Had jij iets te maken met de aanslag op Damin, Nash?'

Ze verwachtte dat hij het zou ontkennen, maar in plaats daarvan grijnsde hij zijn tanden bloot. 'Nee maar, we hebben vanavond wel onze messen geslepen, hè?'

'Geef antwoord op mijn vraag.'

'Maakt dat iets uit?' schokschouderde hij. 'Jij hebt toch al bepaald of ik schuldig ben of niet. Waarom zou ik je de lol doen om je vermoedens te bevestigen?'

'Je hoort ze te ontkennen.'

'Heeft dat dan zin?'

'Zeg me alsjeblieft dat je niet hebt geprobeerd om Larans zoon te laten vermoorden zodat Lernen jouw zoon zou benoemen tot zijn erfgenaam.' Van ganser harte hoopte ze dat het niet klonk alsof ze smeekte. Het *voelde* alsof ze smeekte.

Nash bleef geruime tijd stil voordat hij antwoord gaf. En toen hij antwoord gaf, werd ze er totaal door overrompeld. 'Jij hebt Damin allang verpest met je getroetel voordat hij hoogprins kan worden, Marla. Als ik wil doen wat ik in het beste belang van Hythria vind, verwacht ik niet dat jij dat begrijpt. Damin wordt niet wat jij van hem wilt maken, wat hij voor Hythria móét worden. Het is een eigenzinnig, verwend klein kreng, en met jouw smorende liefde maak je het alleen maar erger. Ik kan niet zomaar werkeloos toezien dat er nog een Wolfsblad zoals Lernen op de troon komt.'

Ze was ontzet door zijn redenering. 'Voor *Hythria* vermoord jij mijn zoon?'

'Ik ben een Patriot, Marla,' antwoordde Nash kil. 'Voor Hythria doe ik *alles*.'

Terwijl het rijtuig voor hun huis tot stilstand werd gebracht, dacht Marla, verdoofd van verdriet en wanhoop, terug aan de dag van de aanslag, toen ze zich had afgevraagd: *Wie kan er nou zo harteloos zijn om een vierjarig kind te laten vermoorden?*

Blijkbaar had ze nu haar antwoord.

89

Haar hele leven had Marla iemand gehad tot wie ze zich kon wenden om de moeilijke beslissingen voor haar te nemen. In haar jeugd waren dat Lydia en Frederak geweest, toen besliste Lernen met wie ze moest trouwen, en daarna was Laran er. Vervolgens Nash...

Haar hele leven was er een man geweest om haar te zeggen wat ze moest doen. Tot nu toe.

Nadat ze Nash had geconfronteerd met haar vermoedens, ging Marla uit macht der gewoonte naar het paleis om haar broer om raad te vragen, misselijk van het idee dat ze zo grandioos was misleid. Ze wist dat het haar eigen schuld was. Nash had gespeeld voor een zeer welwillend publiek. Op weg naar het paleis dacht ze terug aan een gesprek met Kagan, op het bal in Groenhaven op de avond dat ze Nash voor het eerst had gezien. Wat had hij toen gezegd? *Doe niet zo dom, meisje! Je kent hem nog geen vijf minuten en hebt een hele fantasie gesponnen rondom een misverstand. Je kent hem niet. Je weet niets over hem.* Had ze toen maar naar hem geluisterd. Maar haar jeugdige arrogantie bood geen ruimte aan de mogelijkheid dat ze zich in Nash Havikzwaard kon vergissen. *Toevallig heb ik heel veel mensenkennis*, had ze de hoge arrion die avond verteld.

Ach, ja, had Kagan Palenovar gereageerd. *De dame die besloot dat ze verliefd was op basis van een gesprek dat bestond uit twee hele zinnen.*

Marla wilde zo graag verliefd zijn – en geliefd zijn – dat ze alles zou hebben geloofd wat Nash haar had verteld, als ze daarmee haar fantasie over het vinden van ware liefde kon vervullen en ze nog lang en gelukkig zouden leven.

Ja, maar ze leefden niet lang en gelukkig. Dat besefte Marla nu. Het enige wat er nog restte, was wraak. En de bescherming van haar kinderen.

Nu Kagan dood was – niet dat ze hem anders om raad zou hebben gevraagd – en Elezaar onderweg naar Krakandar, was haar broer de enige in heel Groenhaven aan wie ze de last van haar verdriet kon toevertrouwen. Niet dat ze verwachtte iets zinvols uit hem te krijgen, maar hij was nu eenmaal de hoogprins. Dat moest toch iets waard zijn.

Aangekomen op het paleis kreeg ze van de seneschalk te horen dat de prins zich net wilde terugtrekken in zijn tuin op het dak van de westelijke vleugel. Marla was niet van plan hem op te zoeken in dat weerzinwekkende hol van zondigheid, dus gebood ze de man haar broer te gaan halen. Lernen en zijn walgelijke vriendjes speelden zoveel spelletjes daar in die daktuin dat ze zich niet doelbewust binnen hun bereik begaf. Er scheen een soort ongeschreven regel te bestaan die bepaalde dat je bereid was om mee te spelen zodra je een voet in die tuin durfde te zetten. Dat was ze niet, en daarom zond ze de seneschalk om haar broer te ontbieden met de boodschap dat ze op hem wachtte in zijn privéaudiëntiekamer.

Marla staarde naar de muren en schudde haar hoofd toen ze de kamer binnenstapte. De zijden draperieën waren verwijderd, en de kamer werd heringericht met enkele bijzonder pornografische muurschilderingen. De onvoltooide schetsen toonden een groot aantal nimfen, Harshini en andere fabelwezens, een flink aantal razend knappe jongemannen die schrikbarend veel leken op Lernen, en een aantal seksuele posities die volgens Marla fysiek beslist onmogelijk waren.

De tafel in het midden van de kamer lag bezaaid met tekstrollen. Lichtelijk bezorgd wierp ze er een blik op. Dit was het werk dat gewoonlijk werd gedaan door Kagan, vermoedde ze, toen hij dagelijks het paleis bezocht. En toch bleef alles verwaarloosd liggen, terwijl Lernen in zijn tuin aan het spelen was.

Zachtjes vloekend om haar broers roekeloosheid liep ze wat dichter naar een tekening op de muren en hield haar hoofd schuin tot haar oor op haar schouder lag. Hoe kreeg je in vredesnaam dat deel van je lichaam in dat deel van iemand anders' lichaam vanuit die hoek, staande op een sokkel met één been in de lucht?

'Heeft een vriend van me een keer geprobeerd,' zei Lernen toen hij achter haar verscheen. Hij bekeek de schets en begon te lachen. 'Hij is toen flink door zijn rug gegaan, weet ik nog.'

'Verbaast me niets,' liet Marla zich ontvallen. Ze draaide zich naar hem om en fronste haar voorhoofd. Hij droeg een korte lendendoek, had een hertengewei op zijn hoofd, en zijn gezicht was zwaar opgemaakt, met zwarte kohl rondom zijn ogen en zijn lippen rood gemaakt met bessenpuree. Hij zag eruit als een nar.

'Waar kom jij vandaan?'

'Ik zou net de tuin in gaan,' antwoordde hij, een beetje defensief. 'Met mijn vrienden.'

'Jouw idee van rouwen, zeker?'

'Kagan zou niet hebben gewild dat ik ophield met leven omdat hij dood was. Het leven gaat door, hoor, Marla.'

'En dit dan?' vroeg ze met een zwaai van haar hand in de richting van de rommel op de tafel.

Lernen haalde zijn schouders op. 'Dat deed Kagan altijd.'

'Kagan is dood,' zei Marla botweg.

'Dan misschien de nieuwe hoge arrion...'

'Alija? Ik dacht het niet!'

'Je vond haar toch aardig?'

'Ik heb me bedacht.'

Lernen schokschouderde hulpeloos. 'Ik ben niet zo goed in dat soort dingen, Marla. Kagan liet me nooit dingen doen die ik niet hoefde te doen.'

'Jij bent de hoogprins van Hythria, Lernen. Jij hoort al die dingen te doen!'

'Weet ik,' verzuchtte hij. 'Waar wilde je me over spreken?'

Help me! had Marla willen zeggen. *Ik heb je advies nodig. Mijn man bedriegt me. Hij heeft zo goed als bekend dat hij de moord op mijn zoon heeft beraamd. Ik weet het niet zeker, maar ik denk dat de nieuwe hoge arrion er ook mee te maken heeft. Wat moet ik doen?*

Maar ze aarzelde. Misschien was het wel de eerste keer in haar leven dat Marla naar haar broer keek en hem aanzag voor wat hij werkelijk was. En op dat moment drong het tot haar door hoe alleen ze was. Ze hoefde hier geen hulp te verwachten. Lernen ging haar niets adviseren. Het enige wat hij deed, was zeuren over de hoeveelheid werk waarmee hij werd belast, en Hythria in puin laten vallen. Marla mocht er dan niet achter hebben gestaan hoe Kagan de hoogprins aanpakte, maar voor het eerst meende ze het wel te kunnen begrijpen.

Ze forceerde een glimlachje. 'Ik kwam je mijn hulp aanbieden.'

'Wat?'

'Ik dacht dat je mijn hulp wel kon gebruiken,' herhaalde ze. 'Met al dat spul wat Kagan voor je heeft laten liggen. Ik dacht dat ik misschien elke ochtend een paar uur op het paleis kon komen om alles voor je door te nemen. Je weet wel, alles eruit halen wat je niet hoeft te zien en alleen de belangrijke dingen voor je laten liggen. Ik bedoel, je kunt wat hulp duidelijk goed gebruiken, en Alija zal je die zeker niet aanbieden.'

Lernen glimlachte, opgetogen over het idee. 'Zou je dat willen doen?'

'Het is het minste wat ik kan doen, broer,' antwoordde ze. 'En misschien, als hij wat ouder is, kan ik Damin meebrengen en kan hij alvast iets leren over de verantwoordelijkheden van een hoogprins.'

'Dat is een uitstekend idee!'

Ze glimlachte, boog zich naar voren en kuste zijn roodgemaakte wang. 'Dan kom ik morgen terug,' zei ze. 'Ga jij maar... doen waar je mee bezig was in die tuin van je. Ik regel alles wel voor je, Lernen.'

'Ik zal ervoor zorgen dat je wordt beloond voor je vriendelijkheid, Marla.'

Vriendelijkheid heeft er niets mee te maken, sukkel, wilde Marla tegen hem zeggen. *Dit gaat om macht, en als jij niet weet wat je ermee aan moet, dan doe ik het wel.* Ze wist nog hoe het was geweest om tegenover de Eerste Zuster van Medalon te zitten voor de onderhandelingen over dat verdrag nadat Laran was gestorven. Daar had ze van genoten. Nog beter: ze was er goed in geweest. Ze hoorde thuis in de paleizen van macht. Zij had de vermogens – en bovendien ook de wil – om te regeren, en haar broer niet.

Het zij zo. Zij was de moeder van Hythria's erfgenaam. Marla was haar zoon iets verplicht. Damin verdiende een erfenis die niet ten prooi viel aan verval. En zij was de zus van de hoogprins, dus niemand kon haar het recht ontnemen.

Behalve haar echtgenoot.

Maar dat zou niet lang meer een probleem zijn, besliste ze in het kille besef van wat ze moest doen om haar kinderen te beschermen. Haar man was schuldig aan zoveel misdrijven dat ze die nauwelijks allemaal kon opsommen. Hoogverraad, overspel, poging tot moord...

Eén keer knippen met haar vingers, en hij zou ervoor boeten.

Wraak was zo tastbaar als haar broer, die daar stond met zijn belachelijke gewei op. Er bestond een naam voor wat er mis was met haar broer – voor zijn jongste vorm van fetisjisme, tenminste. Lang geleden had ze die van Elezaar geleerd, toen ze nog een dom wicht was dat in Hoogkasteel zat te dromen over dat ongrijpbare 'lange en gelukkige leven'. Pseudozoöfilie, noemden ze het. De seksuele fascinatie voor mythische wezens. *Ik zou natuurlijk wel een hele encyclopedie kunnen volschrijven met alle andere bizarre vormen van fetisjisme die mijn broer heeft,* dacht Marla. Maar zolang ze daar niet aan hoefde deel te nemen, zolang Lernen haar liet doen wat ze wilde, mocht hij ook doen wat hij wilde in zijn tuin daar op het dak van de westelijke vleugel, zonder dat het haar een donder kon schelen.

Daar had Elezaar namelijk ook gelijk in. Om haar broer aan te kunnen pakken, moest ze weten wat hem bezighield.

Nee, wraak lag dan wel binnen handbereik, maar Marla zou die weg niet inslaan. Ze ging Nash' goede naam niet door het slijk halen. Ze ging Kalan en Narvell niet benadelen door hun een erfenis van verraad en wantrouwen na te laten. Zij zouden opgroeien in de overtuiging dat hun vader een goed en nobel mens was. En ze wilde ook niet dat Nash' vader werd beladen met de schande dat zijn zoon de naam Havikzwaard had besmeurd met zijn hoogverraad. Men zou zich Nash herinneren als een geweldige vader en een plichtsgetrouwe zoon.

Marla had een veel effectiever, veel directer plan voor Nashan Havikzwaard. En daar had ze alleen maar geld voor nodig.

Waarvoor hebben we anders een moordenaarsgilde, toch?

'Morgen kom ik terug,' zei ze, geruststellend naar Lernen glimlachend.

'Er ligt wel ontzettend veel,' merkte hij op, zichtbaar opgelucht dat zij wat van zijn lasten overnam. 'Zou je niet liever meteen vandaag willen beginnen?'

Dit is jouw schuld, Kagan, klaagde ze in stilte bij de geest van de oude man. *Lernen mag dan niet de intellectuele reus zijn die je als hoogprins had gewild, maar je hebt ons geen van allen een dienst bewezen door hem van zijn plichten af te houden.*

'Dat kan helaas niet,' zei ze. 'Ik heb nog een afspraak. Iets heel belangrijks wat ik moet regelen. Maar morgenochtend kom ik meteen.'

'Beloofd?'

'Beloofd, broer,' zei ze met een troostende glimlach. 'Je kunt altijd op me rekenen.'

Accepteer wat je niet kunt veranderen – verander wat onacceptabel is.

Dat was Elezaars tweede regel om Macht te Krijgen en te Gebruiken.

Marla ging via een omweg naar huis, zodat ze te laat was voor het middagmaal. Tegen de tijd dat ze arriveerde, lag de tweeling al een middagdutje te doen. Ze kuste hen op het gladde voorhoofd, waarschuwde de wachters bij hun bedjes stil te zijn zodat haar kinderen niet wakker zouden worden, en ging Damin zoeken. Hij en Starros waren in het kinderverblijf bij Lirena, die bij het venster zat te breien terwijl de jongens speelden met een puzzel die Elezaar voor Starros op de markt had gekocht voor zijn zesde verjaardag.

'Kijk, mama!' riep Damin uit toen ze bij hem neerknielde. 'Hij is af!'

'Je hebt hem stukgemaakt,' klaagde Starros. 'Dat stukje hoort daar niet!'

'Welles!'

'Nee, niet waar!' hield Starros vol, en hij legde een verkeerd gelegd stukje op de goede plaats, niet in het minst geïntimideerd door zijn kameraadje.

'Luister naar Starros, Damin,' commandeerde Marla. 'Dat stukje past niet daar omdat jij dat wilt. Het hoort daar, waar hij het heeft gelegd.'

Geërgerd smeet Damin het laatste stukje, dat hij in zijn hand hield, neer. 'Het is toch een stomme puzzel. Ga jij de zwaarden halen, Starros?'

Kalm maakte het jonge pleegkind de puzzel af en keek toen Damin bedachtzaam aan.

'Dan mag jij als eerste slaan.'

Hij dacht daar nog even over na en keek toen vragend naar Marla. 'Is dat goed, hoogheid?'

'Natuurlijk is dat goed. Ga maar, Starros. Damin, kom mama eens een kusje geven voordat je gaat.'

Damin streek haastig langs haar wang en rende naar buiten om te gaan zoeken naar de houten zwaarden die een van de wachters voor de jongens had gemaakt. Damin was er veel enthousiaster over dan Starros, die veel serieuzer was dan zijn pleegbroertje.

'Daar krijgen we onze handen nog vol aan,' merkte Lirena wijs op vanuit haar stoel bij het venster.

'Wie? Damin?'

'Kan niet tegen zijn verlies,' stelde de oude kinderjuf vast met een lichte frons.

'Dat is geen slechte eigenschap voor een prins, Lirena,' bracht Marla naar voren.

'Nee, maar daar krijgen we nog wel een boel last mee voordat hij oud genoeg is voor de kroon,' verklaarde de oude kinderjuf veelbetekenend. 'Wacht maar eens af.'

90

Van de nieuwe hoge arrion van het Tovenaarscollectief, Alija Arendspiek, kon veel worden gezegd, maar niet dat ze geduldig was. Het was een harde les geweest, om te moeten wachten op wat ze wilde.

Maar ze had ervan geleerd – met heel hard vallen en opstaan – dat volhouders uiteindelijk net zo vaak de buit in de wacht sleepten als degenen die ervoor vochten.

Toen haar plannen om Barnardo op de troon te zetten, zo grondig waren verijdeld door Laran Krakenschild en zijn trawanten, had Alija begrepen dat ze haar plannen drastisch moest bijstellen. Hoe rampzalig ze het destijds ook had gevonden, Laran Krakenschilds staatsgreep had in feite heel goed voor haar uitgepakt. Beter zelfs dan ze had durven dromen, en het mooiste was nog dat, in tegenstelling tot haar vorige, mislukte gooi naar de macht, deze keer niemand iets afwist van haar betrokkenheid.

Op de bruiloft van Marla en Nash Havikzwaard in Krakandar had ze nog gedacht dat niemand er enig idee van had wat deze schijnbaar onschuldige verbintenis betekende. Marla was zielsgelukkig. Ook zonder in haar gedachten te kijken, kon Alija dat vanaf de andere kant van de zaal zien. Haar liefde voor Nash was niet verminderd in de jaren dat ze met Laran getrouwd was geweest, en doordat ze nu mocht trouwen met de liefde van haar leven, straalde de jongedame daadwerkelijk van tevredenheid. Alija was blij voor haar. Ze had niets persoonlijks tegen Marla en vond het fijn dat het meisje de kans kreeg om bij de man te zijn van wie ze hield. Dat was meer dan Alija ooit had gehad.

En ze was zwanger. Dat was nog het allerbeste nieuws geweest. Nash had het laten vallen nadat ze terugkwamen uit Grensoord, en hij was er al bijna net zo gelukkig mee als Marla, zij het om heel andere redenen.

Arme Marla, had Alija toen gedacht, met oprecht medelijden met het meisje. *Je hebt werkelijk geen idee, hè?*

Alija had toen al een verhouding met Nash. Ze hadden veel gemeen, zij en Nash. Ze vonden allebei dat ze macht verdienden. Ze hadden allebei moeten wachten op hun kans. Ze waren allebei ongeduldig. Het was verrassend eenvoudig geweest om Nash te wijzen op de gelegenheid die binnen zijn bereik lag. Hij had altijd wel geweten dat Marla hem leuk vond, maar totdat Alija hem erop wees, had Nash nooit beseft dat het meisje verliefd op hem was. Eerst vond hij het wel een grappig idee. En toen begon hij de mogelijkheden te zien.

Daarna was hij niet meer te houden.

Nashan Havikzwaard was een veelvoorkomend verschijnsel onder de zonen van Hythria. Geboren toen zijn vader amper twintig was, had Nash nu, op zijn dertigste, een kerngezonde pa van nog geen vijftig jaar oud, die in niets liet blijken het kalmer aan te gaan doen. Zolang hij niet sneuvelde in de strijd of een noodlottig ongeluk kreeg, zou Charel nog een aardig tijdje meegaan, zodat Nash al van middelbare leeftijd of nog ouder zou zijn voordat hij Elasapine zou erven. Dat was een vervelende situatie voor een ambitieus man die van zijn vader hield en niet wilde dat hem iets overkwam.

Maar een huwelijk met de zus van de hoogprins had Nash' blik plotseling verbreed. Waarom verlangen naar een provincie als de kans op het hele land binnen je bereik lag?

Larans dood bij een grensconflict was een geschenk geweest dat Alija niet beter had kunnen plannen als ze het had gewild. Dat Marla zo snel zwanger raakte en trouwde met Nash, hadden ze ook geen van beiden voor mogelijk gehouden. En daarna was het eigenlijk slechts een kwestie van tijd. Nash' zoon was bijna twee en had het eerste, gevaarlijkste jaar van zijn leven goed doorstaan. Elk moment konden ze nu Damin vermoorden en hem laten vervangen door Nash' zoon. Beide kinderen waren tenslotte afkomstig uit de schoot van Marla Wolfsblad. Als Damin eenmaal dood was, kon Lernen niet anders dan zijn enige andere neefje, Narvell Havikzwaard, adopteren als zijn erfgenaam.

Alija vond het helemaal niet zo erg dat de eerste aanslag op Damin was mislukt. Ook omringd door wachters kon niemand Damin beschermen tegen Nash of vermoeden dat zijn geliefde stiefvader verantwoordelijk was. Als ze hem echt uit de weg wilde hebben, zou het eenvoudig genoeg zijn om het kind te vergiftigen. Deze aanslag was eigenlijk weinig meer geweest dan een schijnbeweging. Even zien of Nash het wel meende. Terwijl heel Groenhaven in rep en roer was over het gevaar voor de erfgenaam van de hoogprins, was Kagan er stilletjes tussenuit geknepen en had Alija meteen zijn positie in kunnen nemen. In zulke roerige tijden was het zo belangrijk dat de hoge arrion snel werd vervangen, dat niemand eraan had gedacht bezwaar te maken.

En nu... tja, lag het allemaal redelijk voor de hand. Als Damin er niet meer was en zijn broertje tot erfgenaam was benoemd, zou de hoogprins komen te overlijden – een ziekte zou vrij eenvoudig te regelen zijn. Vingerhoedskruid was zo'n heerlijk venijnig vergif. En ze wist dat het werkte. Je hoefde maar naar Kagan te kijken om te zien hoe effectief de bladeren waren. De jonge heer Narvell werd dan hoogprins, met zijn vader, Nashan Havikzwaard, als zijn regent – op voorwaarde, natuurlijk, dat Alija's oudste zoon, Cyrus Arendspiek, werd benoemd als opvolger van Narvell. Daarna was het gewoon een kwestie van tijd. Nash mocht uit naam van zijn zoon regeren tot Cyrus oud genoeg was om zelf de troon te bestijgen. Tegen die tijd kon ze Narvell uit de weg ruimen door een of ander verschrikkelijk, tragisch ongeluk, en dan werd haar zoon hoogprins.

Het was wel een omweg, dacht ze, terwijl ze de deur van haar werkkamer opendeed, *maar dan kom ik er tenminste*. De vorige keer had ze haar lesje goed geleerd...

Vlak over de drempel bleef Alija staan. Geschokt keek ze de kamer rond. Het was een puinhoop. De laden van haar schrijftafel waren leeggegooid, de inhoud lag over de vloer verspreid. De planken links van haar waren ook leeggegooid op de grond. De schilderijen waren van de muren gerukt, de zijden gordijnen aan flarden gescheurd.

Maar het ergste was het verlakte kastje bij het venster eraan toe. De deuren stonden wijd open, de magische sloten waren verdwenen en van de inhoud was niets meer over dan een hoopje smeulende as. Toen zag ze de man aan haar schrijftafel zitten. Hij was erg lang, gekleed in zwart leer, en had donker haar en een zelfingenomen grijns op zijn gezicht. Hij zat achterovergeleund in haar stoel, met zijn laarzen op het geboende tafelblad. Woedend tastte ze naar haar macht, verzamelde elk greintje dat ze aankon, en slingerde een vlaag naar de arrogante vreemdeling, die idioot die er geen idee van had met wie hij te maken had.

Maar haar vlaag van woede loste op in het niets. Sprakeloos van ontzetting zag ze toen pas dat de ogen van de vreemdeling zwart waren. Helemaal zwart. Zonder een greintje wit erin.

'Vrouwe Arendspiek, neem ik aan?' zei de man, met een zweem van spot in zijn stem.

'Wie ben jij?' siste ze, rondkijkend naar een wapen. Er was niets in de buurt. Het enige wat ze nog kon proberen, was iets uit het puin gebruiken als projectiel, maar toen ze weer naar haar macht reikte, kon ze die niet vinden. Wel voelen, net buiten haar bereik, maar er was iets wat haar tegenhield. Met een geamuseerde blik keek de vreemdeling toe terwijl ze vocht tegen de onzichtbare barrière.

'Mijn officiële titel bij de Harshini is heer Brakandaran té Carn,' verkondigde hij bedaard. Hij pakte een staaf zegelwas op van de tafel en bekeek hem nieuwsgierig van alle kanten. 'Maar misschien kent u mij bij mijn andere naam. Brakandaran de Halfbloed?'

'Brakandaran is een legende!' bitste ze hem toe.

Hij glimlachte. 'Dank u, mijn vrouwe. Dat vind ik zelf eigenlijk ook.'

'Wie ben je echt? Hoe kom je hier binnen? Hoe heb je...' Ze staarde naar het kastje en keek toen weer naar de man die beweerde de Halfbloed te zijn. Misschien was hij dat ook wel. Ze kon zich namelijk niet voorstellen dat iemand anders de bezweringen op het kastje onklaar had kunnen maken.

'Wat wil je?' vroeg ze, iets meer op haar hoede.

De Halfbloed deed alsof hij daar uitgebreid over nadacht voordat hij antwoord gaf. 'Hmmm... wat wil ik... Wereldvrede... een lekker plekje op het platteland, misschien... een taveerne waar ze gratis bier schenken...'

'Wat wil je van *mij*?' vroeg ze kwaad.

'Ach, tja, dat ligt wat gecompliceerder. Je bent een heel stoute meid geweest, Alija.'

'Waar heb je het over?'

Hij smeet de staaf was op het tafelblad en staarde haar aan. 'U hebt een vriend van mij kwaad gedaan, vrouwe. Zeer ernstig. En dat deed u met Harshinimagie. Daar hou ik niet zo van.'

Hij weet over Kagan. Het liefste wierp Alija een blik over haar schouder om te zien hoe ver ze afstond van de deur, maar dat was ijdele hoop. Als dit echt de Halfbloed was, kon ze het wel vergeten om de kamer uit te komen voordat hij haar had. Waarschijnlijk kon hij haar met één gedachte levend villen. Ze bleef stil en hoopte maar dat hij haar gedachten niet had gelezen.

'En nu bent u hoge arrion, heb ik gehoord.'

'Ik verdien het om hoge arrion te zijn,' liet ze hem weten, want daar was ze tenminste zeker van. 'Ik ben de enige bij het hele verrekte Tovenaarscollectief die echt over vermogens beschikt. De rest doet alleen maar alsof.'

'Er was nog een kandidaat,' bracht Brak haar in herinnering. 'Tot u hem probeerde te vermoorden.'

'Wie dan?' schimpte ze. 'Er is niemand meer geweest sinds...'

Geschokt staarde Alija hem aan. 'Is dat die vriend? Wrayan Lichtvinger?' Haar opluchting was onbeschrijfelijk. Hij wist niets van Kagan. Wel van Wrayan, maar hij had er geen idee van dat zij de hoge arrion had vermoord. Misschien kon ze deze confrontatie toch nog overleven.

Maar Brakandaran keek niet bepaald blij. 'Ik hou er niet van als mensen mijn vrienden kwaad doen.'

'Hij had met zijn poten aan mijn slaaf gezeten.'

'U hebt hem willen *vermoorden.* Ik weet niet of die les u geheel is ontgaan tijdens uw langdurige opleiding, mijn vrouwe, maar de Harshini keuren dat soort dingen af.'

'De Harshini zijn er niet meer.'

'*Is* dat zo?' vroeg hij nadrukkelijk.

'Ben je daarom hier? Om mij te vermoorden?'

Brakandaran glimlachte. 'Wat je ook over mij mag hebben gehoord, Alija, ik kom niet zomaar iedereen vermoorden zonder een goede reden. Het blijkt namelijk dat Wrayan jouw poging om zijn schedel leeg te schroeien, heeft overleefd en er ook niets aan heeft overgehouden, dus ik hou het maar bij een waarschuwing – voor deze keer.'

'*Leeft* Wrayan nog? Waar is hij?'

'Dichterbij dan je denkt, maar geheel buiten je bereik,' antwoordde de Halfbloed cryptisch. 'Over hem hoef je je niet meer druk te maken. Wrayan komt niet meer terug om je ambities te dwarsbomen. De goden hebben een ander lot voor hem in gedachten.'

'Wat gaat er met mij gebeuren?'

'Niets,' zei Brakandaran. 'Vooropgesteld dat je je netjes gedraagt en ik je niet meer betrap op het gebruiken van Harshinibezweringen om je macht te vergroten.'

Verbijsterd liet ze haar ogen naar het kastje dwalen. Niet meer dan een smeulend hoopje as.

'En ik denk ook niet dat dat nog een probleem gaat worden, hè, Alija?' vroeg hij zelfverzekerd, haar blik volgend.

Alija kon wel huilen om het verlies van de inhoud van dat kastje. 'Die tekstrollen waren onvervangbaar!'

'Voor jou, misschien,' schokschouderde hij. 'Ik kan nog wel aan een kopietje komen, als ik wil.'

Hij liet zijn voeten van de tafel zwaaien en stond op. Hij was erg lang. Gekleed in dat donkere leer was hij echt zo indrukwekkend als de legenden beweerden. Heel even zakte Alija's angst en dacht ze aan de mogelijkheden.

Wat zou ik kunnen bereiken met een man als Brakandaran aan mijn zijde?

Ze begon er een idee van te krijgen toen hij zijn hand uitstak en zij merkte dat ze naar hem toe liep, ook al deed ze haar uiterste best zich tegen hem te verzetten. Hij liep rond de schrijftafel naar haar toe en liet haar de kamer door lopen tot ze recht tegenover elkaar stonden.

De Halfbloed boog zich voorover om zijn mond vlak achter haar oor te brengen, en ze voelde zijn hete adem op haar huid. 'Ik zeg dit maar één keer, Alija,' zei hij zacht, op vleiende toon, met een stem waarvan ze een rilling van angst over haar ruggengraat kreeg, 'dus luister goed en vergeet het niet. Als ik *ooit* hier moet terugkomen om jou op je kop te geven voor het misbruiken van de gave die de goden je hebben geschonken, geloof me, dan krijg je daar spijt van.' Hij veerde terug en glimlachte tegen haar, en Alija dacht dat haar hart ophield met slaan. Brakandarans glimlach was niet de hartelijke glimlach van een minzame Harshini. Het was de koelbloedige glimlach van iemand die gewend was te doden. 'Begrijpen wij elkaar?'

Alija knikte zwijgend, te bang om te spreken. Van zo dichtbij voelde ze de macht die hij tot zijn beschikking had, als de hitte uit een smidse. Het was meer dan ze ooit voor mogelijk had gehouden. Meer dan ze had verzameld met de versterkingsbezwering. Meer dan de ruwe macht die ze in Wrayan had gevoeld. Het was meer dan ze zich voor één persoon had kunnen voorstellen. Het was angstaanjagend.

Met een achteloze polsbeweging liet hij haar los, en ze zeeg neer op het tapijt, snikkend van angst. Het duurde enige tijd voordat ze weer kon nadenken, voordat ze de opgewelde doodsangst weer onder controle kon krijgen. Behoedzaam deed ze haar ogen open en keek omhoog, maar ze was alleen in de vernielde werkkamer.

Brakandaran de Halfbloed was weg.

91

Enkele dagen later ontving Marla een bezoeker, lang nadat beschaafde mensen naar bed waren gegaan. De man was van begin middelbare leeftijd, had donker haar en zag er onopvallend uit, met uitzondering van zijn ogen, die alles tegelijk in zich op leken te nemen. Aan zijn linkerhand droeg hij de ravenring van het moordenaarsgilde. Een naam noemde hij niet, maar ze wist wie hij was en verwachtte hem. Ze deed zelf de deur voor hem open, want ter voorbereiding op deze afspraak had ze de wachters en de slaven weggestuurd.

Marla verhardde haar hart toen de man een buiging voor haar maakte, zijn gezicht beschaduwd door de enkele kaars die ze in de grote ontvangstkamer had aangestoken.

'En?' vroeg ze, verbaasd dat haar stem niet trilde.

'Het is gedaan, hoogheid.'

'Hoe?'

'Weet u zeker dat u de details wilt weten, hoogheid?'

Marla rechtte grimmig haar schouders. 'Als ik de moed heb om de opdracht te geven, meneer, moet ik ook maar de moed hebben om te horen hoe die is uitgevoerd.'

De man knikte instemmend. 'Zoals u wilt.'

'Zal het de schijn hebben van een ongeluk?'

'Een tragisch ongeluk, hoogheid.'

'Waar is het gebeurd?'

'In het slavenkwartier. Uw man bezocht daar met enige regelmaat de bordelen met zijn vrienden.'

Dat verbaasde Marla niet. Niet alle huizen hielden er court'esa op na. Heren en dames die een beetje variatie op prijs stelden, gingen vaak liever naar de talloze bordelen van Groenhaven dan geld uit te geven aan een eigen court'esa om vervolgens een nieuwe te moeten kopen als ze de oude beu waren. 'Hoe wisten jullie dat?'

'Het is ons werk om die dingen te weten, hoogheid.'

'Hoe is het gebeurd?' vroeg ze, vastberaden om het hele verhaal te horen. Met morbiditeit had het niets te maken. Ze moest weten of ze bestand was tegen hetgeen er komen ging, want als ze de bijzonderheden van haar eerste onsmakelijke daad niet kon aanhoren, dan zou ze nooit in staat zijn om dagelijks de beslissingen te nemen die nodig waren om Hythria te besturen zoals het bestuurd moest worden – meedogenloos en zonder vrees.

'Hij bracht enige tijd door bij een court'esa, ene Lora. Ze was hem eerder van dienst geweest. Tijdens de avond bood ze hem wijn, die hij opdronk. Daar zat iets in.'

'Hebben jullie hem gedrogeerd?'

'Anders zou hij zich hebben verzet, hoogheid, en u had er specifiek om verzocht geen sporen van geweld op zijn lichaam achter te laten.'

'Ik heb ook gezegd dat jullie hem niet mochten vergiftigen.'

'Dat hebben we ook niet gedaan, hoogheid. Van de wijn werd hij alleen maar slaperig. Toen hij klaar was bij de court'esa, stelde ze voor dat hij in bad ging voordat hij naar huis ging, en dat aanbod nam hij aan. In de tobbe is heer Havikzwaard blijkbaar in slaap gevallen en tragisch genoeg onder water gegleden. De court'esa zal over een uur of zo alarm slaan.'

Ik voel niets, dacht Marla, enigszins verrast. *Geen schuld. Geen verdriet. Niet eens opluchting.* 'Uitstekend werk.'

'Het gaat ons om tevreden klanten, hoogheid.'

'Hoeveel mensen weten van deze transactie?'

'Alleen u, ik en de court'esa die het werk heeft uitgevoerd, hoogheid. Ik ben de enige die weet dat u de opdracht hebt gegeven.'

'En wat kost me uw stilzwijgen?'

'Een van uw zoons, hoogheid.'

Marla staarde hem geschokt aan. 'Dat kunt u niet menen.'

'Neemt u mij niet kwalijk,' reageerde de man, 'dat kwam er helemaal verkeerd uit. Ik bedoel niet de zoons die u nu hebt, mijn vrouwe. Uw beide zoons zijn erfgenamen van vorstendommen die de voordelen van mijn beroep verre overstijgen. Maar u bent nog jong en zojuist weduwe geworden. U zult hertrouwen. U zult meer kinderen krijgen, stiefkinderen wellicht, zelfs pleegkinderen. Daar wil ik er eentje van. Om op te leiden als leerling, niets engers dan dat.'

'Waarom?'

'Omdat ik het een prettig idee vind iemand in het gilde te hebben die een luisterend oor vindt bij de hoogprins, hoogheid.'

Daar dacht Marla even over na, en vervolgens knikte ze. 'Goed dan,' ging ze akkoord, want het was een afspraak die ze oneindig kon uitstellen. Misschien zou ze wel nooit meer een zoon erbij krijgen.

De huurmoordenaar maakte een buiging en glimlachte. 'Het was prettig zaken met u te doen, hoogheid.'

Marla liet hem zelf uit, sloot de deur af en liep toen langzaam de trap op. Ze ging niet meteen naar haar kamer. In plaats daarvan liep ze een stukje verder de gang door, knikte een groet naar de wachters voor de deur van de kinderkamer en stapte naar binnen. Ook daar stonden soldaten, stil en alert, om de wacht te houden over haar slapende kinderen. Bij ieder van hen ging ze zelf even kijken, bij niet meer dan het licht van de sterren dat viel door het open venster, waar ook een wachter stil in de houding stond.

Damin sliep op zijn rug, met de armen en benen wijd, alsof hij zo veel mogelijk van het bed in beslag wilde nemen. Hij leek wel een engel als hij sliep, een blond droombeeld van beminnelijkheid en onschuld dat haaks stond op de luidruchtige onruststoker die hij kon zijn als hij wakker was. In het bedje ernaast lag Kalan op haar buik te slapen, met haar duim in haar mond, zo sereen en veilig. Zo onbevreesd voor het leven dat ze vredig kon slapen in een wereld waar in elke hoek een huurmoordenaar kon schuilen. *In een wereld waar haar moeder de opdracht had gegeven om haar vader te laten vermoorden...*

Marla zette de gedachte van zich af. Als ze zo ging denken, werd ze gek. Naast Kalan in het bedje lag Narvell, in bijna dezelfde houding als zij – een spiegelbeeld van zijn tweelingzusje. Gemompel uit het laatste bed in de kamer trok haar aandacht. Ze wierp een blik op Starros, die helemaal in elkaar gedoken lag, alsof hij het koud had. Marla liep naar hem toe, en met een glimlach trok ze voorzichtig de dunne deken over hem heen. Hij ontspande een beetje.

Wat heb ik jullie aangedaan, mijn schatten? vroeg ze zich af, en ze keek weer naar de tweeling. *Zijn jullie beter of slechter af doordat jullie je vader nooit hebben gekend? Had ik hem wel moeten laten vermoorden? Of had ik werkeloos moeten afwachten tot hij jullie broer zou vermoorden?*

Als ze er zo over nadacht, twijfelde ze er eigenlijk niet aan dat ze juist had gehandeld. Nash was oud genoeg om zijn eigen keuzes te maken, en hij had de keuzes gemaakt die leidden tot de dood.

Het rare is, Nashan, mijn lief, dat ik je alles zou hebben gegeven, als je het had gevraagd. Je had nooit iets van me af hoeven nemen...

En Alija? In hoeverre was dit haar toedoen? En hoe zou ze reageren op het nieuws dat haar minnaar dood was? Marla kon ze in elk geval nergens van beschuldigen. Niet zonder zichzelf te verraden. Maar dat was een probleem voor morgen. En overmorgen. En de dag daarna.

Vanaf nu zou alles anders zijn voor Marla Wolfsblad.

Marla zuchtte en draaide zich af van haar kinderen. Die waren nu veilig. Veiliger dan ze lange tijd waren geweest.

Niemand zou hen ooit nog zo mogen bedreigen, zwoer ze in stilte.

En daar zou Marla heel goed voor zorgen, ook al moest ze daarvoor zelf op de troon van Hythria plaatsnemen.

Terwijl ze de door kaarsen verlichte gang op liep, betreurde Marla het dat Elezaar er niet was, want de dwerg zou vast wel raad weten. Maar aan de andere kant had ze dit allemaal zonder hem gedaan. Misschien was ze dan toch op het punt gekomen dat ze zijn raad niet meer nodig had. Marla glimlachte bij die gedachte en zag de paniek op Elezaars gezicht alweer voor zich wanneer ze er ook maar op zinspeelde dat ze hem niet meer nodig zou hebben. Ze was niet blind voor de wanhopige behoefte van de dwerg om bij haar te blijven. Soms verbaasde ze zich daarover, en op een dag zou ze tot op de bodem uitzoeken waar die onverklaarbare toewijding vandaan kwam, maar voorlopig was het nu tijd om naar haar kamer te gaan.

Het was heel laat, en ze moest toch zien dat ze nog wat sliep, want morgenochtend zou de stadswacht alweer op een godenloos tijdstip op de deuren staan bonzen om haar te vertellen dat haar man het slachtoffer was geworden van een tragische dood.

Epiloog

Vanaf het balkon boven aan de grote trap van Paleis Groenhaven kon je morgen zien...

Marla wist nog goed dat ze dat dacht, de vorige keer dat ze hier had gestaan in haar ochtendjas, nog voordat het bal was begonnen. De herinneringen aan dat onschuldige, domme kind leken wel van iemand anders te zijn. De meedogenloze jonge vrouw die hier nu stond, kon bijna niet toegeven dat ze ooit zo onschuldig en zo naïef was geweest.

Met een meewarige glimlach keek ze neer op de voorbereidingen voor het bal ter ere van het Feest van Kaelarn. *Je kon niet zo ver zien als morgen, maar je kon wel helemaal naar de andere kant van de zaal kijken, met een uitstekend uitzicht op de knappe, goedgeklede jongemannen die vanavond waren gekomen voor het bal.*

In zekere zin miste ze dat meisje, wier grootste probleem het was te beslissen wie van die knappe, goedgeklede jongemannen haar echtgenoot zou worden. Een dergelijke gedachtelijn volgde Marla nu ook, alleen stelde ze zich niet meer tevreden met een jongeman om zijn uiterlijk of zijn glimlach. Daar was ze al een keer ingetrapt, en dat was haar duurder komen te staan dan haar lief was. Nee, de volgende keer dat Marla ging trouwen, zou het om veel tastbaarder dingen gaan. Geld. Macht. Invloed.

De zestien schitterende kristallen kroonluchters strooiden hun warme gele licht over de gasten. De muzikanten in de hoek zaten dissonant hun instrumenten te stemmen, en slaven repten zich op blote voeten van en naar de keukens om de lange tafels vol te laden met exotisch uitgestalde schotels en talloze kannen uitstekende Medalonische wijnen waar het paleis zo beroemd om was. De tweeëndertig gecannelleerde marmeren zuilen zagen er in Marla's ogen niet meer uit alsof ze het gewicht van de hele wereld konden torsen. Tegenwoordig waren ze slechts een uniek architectonisch kenmerk in een paleis waar het wemelde van de unieke architectonische kenmerken.

Marla veegde haar lange blonde haar uit haar gezicht en herinnerde zich het gebaar alsof ze terug in de tijd was gegaan. Net zoals die avond zo lang geleden, wist ze dat ergens beneden, in de zee van gezichten, gepoetste laarzen en achterovergekamde haren, zich haar toekomstige echtgenoot bevond. Ze had er geen idee van wie dat was, maar op een gegeven moment zou hij zich vanavond aan haar voorstellen. Tegenwoordig kon het haar niet schelen of hij knap was, maar hij zou wel rijk zijn, en vermoedelijk ook oud. Ze had Lernen beloofd dat ze de volgende keer zou trouwen met wie hij maar wilde, en ze zou zich aan haar woord houden.

Ze zou nooit meer trouwen uit liefde. Dat was zeker.

De kans was groot dat haar volgende echtgenoot niet de zoon was van een van de vele edelmanshuizen. Lernen had behoefte aan vrienden in de steeds welvarender en invloedrijker wordende koopmansklasse, en die waren allemaal even aantrekkelijk voor een prinses die materiële rijkdom wenste te verzamelen. Marla had al twee zonen die een provincie of de troon van de hoogprins zouden erven. Ze was niet van plan de zaken nog gecompliceerder te maken door er een derde erfgenaam aan toe te voegen.

'Scheelt er iets aan, hoogheid?'

Marla keek om en zag Elezaar aankomen. Enkele weken geleden was hij teruggekeerd met Almodavar, die nu verantwoordelijk was voor de beveiliging van haar kinderen. Ze sliep veel beter sinds hij met driehonderd doorgewinterde soldaten uit Krakandar was gekomen.

'Nee. Ik zat alleen eventjes in het verleden.'

'Het verleden?'

'Ik heb hier zo al eens gestaan, Elezaar, een heel leven geleden, terwijl ik me probeerde voor te stellen hoe mijn echtgenoot eruit zou zien. Dat was de avond dat ik Nash leerde kennen. En Laran. Wrayan ook, nu ik erover nadenk.'

'Zo te horen is er toen heel wat gebeurd.'

'Dat kun je wel zeggen, ja.'

'En bent u nog steeds van plan om opnieuw te trouwen?'

'Meer dan ooit,' liet Marla de dwerg weten. 'Als weduwe ben ik machteloos. Als echtgenote heb ik veel meer vrijheid.'

'Is vrijheid het enige wat u wilt, hoogheid?'

Marla liet een zuinig glimlachje zien. De dwerg doorzag haar zo snel. 'Ik wil macht, Elezaar. Ik wil dat de mensen zich een paar keer bedenken voordat ze mij of mijn kinderen weer iets aandoen. Ik wil dat de mannen van dit land erbij stilstaan wat ze kunnen opschieten met een aanslag op mijn zoons, en vervolgens wat ze kunnen kwijtraken als ze bij mij uit de gratie vallen. Ik wil de macht om te ruïneren, niet alleen om te doden. Iedereen met genoeg geld kan een huurmoordenaar inschakelen om iets recht te zetten wanneer hij zich benadeeld voelt. Ik wil de serieuze rijkdom die nodig is om iemands bestaansmiddelen en de toekomst van zijn familie te vernietigen. Dat is de mate van rijkdom en macht die ik wil. Die heb ik nodig, als ik de veiligheid van mijn kinderen wil garanderen.'

'Houdt u hen hier bij u in Groenhaven?'

Ze schudde haar hoofd. 'Ik heb het te druk met mijn werk op het paleis en ben te bang voor hun veiligheid. Ik stuur hen terug naar Krakandar. Almodavar houdt de wacht over hen. En leert hun voor zichzelf te zorgen. Veel beter dan ik zou kunnen. Trouwens, daarginds, bij Mahkas en Bylinda, is het net alsof ze thuis zijn. Leila en Xanda zijn er ook. Alleen zit Travin tegenwoordig in Elasapine bij Charel. Trouwens, ik wil ook niet dat mijn kinderen hier opgroeien in deze beerput. Als Lernen een liefhebbende oom wil zijn, dat doet hij dat maar vanaf een afstand. Ik laat Damin en de tweeling niet door hem bederven.'

'Hebt u eraan gedacht het Tovenaarscollectief te vragen Krakandar te beheren tot Damin meerderjarig is?'

'Met Alija aan het hoofd? Ik dacht het niet. Trouwens, Mahkas doet het tot dusver uitstekend als regent. Ik zou niet weten waarom hij niet gewoon rentmeester over Krakandar blijft.'

'En Alija?'

'Wat is er met haar?'

'Laat u haar zomaar onbestraft, na alles wat ze heeft gedaan?'

'Ik kan niet bewijzen dat ze ergens bij betrokken is geweest, Elezaar, behalve dat ze naar bed is gegaan met mijn man. Trouwens, zij is nu hoge arrion. Als ik niet het hele Tovenaarscollectief op mijn nek wil krijgen, kan ik haar onmogelijk ergens mee confronteren zonder onweerlegbaar bewijs dat ze betrokken was bij iets illegaals. Ik heb een einde gemaakt aan Nash' strijd om de troon. Voorlopig zullen we daar tevreden mee moeten zijn.'

'Ze heeft hem tegen u opgezet.'

Marla zweeg een tijdlang en haalde toen wijs haar schouders op. 'Is dat wel zo? Als Nash ooit echt van me heeft gehouden, Elezaar, had Alija nooit voor elkaar gekregen dat hij mij zo kon verraden. Fatsoenlijke mannen laten geen kinderen vermoorden om hun eigen ambities na te streven.'

'Wrayan denkt dat zij degene is die overal achter zat.'

'Wrayan beweert ook dat hij met de goden spreekt en dat hij een paar jaar bij de Harshini heeft gewoond, Elezaar. Dat geloof je toch ook niet, of wel soms?'

'Ik weet eigenlijk niet of ik het *niet* geloof.'

'En daarom stuur ik hem ook terug naar Krakandar.'

'Dan krijgt Almodavar het nog echt druk.'

Marla glimlachte. 'Bekijk het eens op deze manier. Of Wrayan is gek, en dan kan hij in Krakandar weinig kwaad als Almodavar hem in de gaten houdt, of hij kan echt met de goden spreken en Harshini-magie hanteren, in welk geval ik hem veel liever ergens heb waar hij over mijn kinderen kan waken.'

'En de hoogprins?'

'Wat is er met hem?'

'Gaat u niets doen aan uw broer?'

'Ik zal tot mijn allerlaatste adem vechten om hem op de troon te houden. Dat ben ik Damin op zijn minst verschuldigd.'

'Ook al is hij zoals hij is?'

Marla zuchtte. 'Kagan heeft eens tegen me gezegd dat Lernens grootste deugd zijn totale obsessie voor zijn eigen genot was. Iets anders interesseert hem niet. Ik denk dat hij daarin gelijk had. Lernen mag doen waar hij zin in heeft, Elezaar. Ik zorg voor Hythria tot mijn zoon meerderjarig wordt. En dan heeft Hythria een hoogprins om trots op te zijn.'

'Ik vind dat Hythria al een prinses heeft om trots op te zijn, Marla Wolfsblad.'

Met genegenheid keek ze omlaag naar het misvormde mannetje. 'Weet je nog dat je me een keer hebt gezegd dat het jouw enige doel in het leven was om bij mij in genade te blijven, dwerg?'

'Jazeker, hoogheid.'

'Ga zo door met dat soort opmerkingen,' zei Marla met een glimlach, 'en je kon er nog wel eens in slagen ook, nar.'